성경전서에서
예수님 만나기

특별히_____님께

이 소중한 책을 드립니다.

성경전서에서 예수님 만나기

-100일간 / 구속사적 / 성경통독-

정석진 목사 지음

나침반

100일간의 구속사적 성경통독

너무나 당연한 말씀이지만 하나님을 믿는 자녀들의 삶에서 성경이 차지하는 비중은 다른 무엇보다도 중요합니다. 신앙생활이라는 것 자체가 우리의 선택으로부터 시작되는 것이 아니고, 우리를 향하신 주님의 택하심으로부터 시작이 됩니다. 따라서 우리를 부르신 이를 알고 그의 뜻을 아는 것이 신자로서의 삶을 살아가는데 있어서 무엇보다 소중한 가치가 됩니다.

그런 의미에서 이번 100일간의 성경일독은 우리의 삶과 교회의 역사에 아주 중요한 전환점이 될 큰 사건이라고 생각합니다. 물론 그간 개인적으로 성경통독을 여러차례 해오신 분들이 계십니다. 그러나 이번 성경통독이 창세기에서부터 요한계시록까지 유유히 흐르고 있는 구속사적 관점에서 성경 전체를 이해하는 공부를 동반한 것이라는 점에서 그 가치는 더욱 크다고 하겠습니다. 우리는 성경의 모든 페이지들이 예수 그리스도에 관해서 말하고 있다는 것을 알고 있지만, 이 책을 통해서 구체적으로 어떤 말씀들이 그리스도에 관해서 뭐라고 말하고 있는지 정확히 배우는 기회가 될 것입니다. 이제 우리 모두가 함께 신앙생활을 위한 전환의 큰 걸음을 내어 딛는 것입니다. 이 성경통독으로 교회는 정말 능력이 넘치는 교회가 되고, 성도님들은 저마다 영적 축복이 풍성한 교인이 될 것이라고 확신합니다.

성경은 신구약을 합해서 모두 66권으로 구성되어 있으며, 이 66권은 구약이 다섯 묶음, 신약이 네 묶음으로 모두 아홉 개의 묶음으로 분류될 수 있습니다.

(1) 모세오경
먼저 구약 성경의 첫 번째 묶음은 율법(the Laws: 히브리어의 '토라')입니다.

이 첫 번째 묶음은 '모세오경'(Pentateuch)이라고도 불리며, 창세기로부터 신명기까지 다섯 권으로 되어 있습니다. 참고로 창세기는 인류에게 죄가 시작된 것을, 출애굽기는 어린 양의 피로써 그 죄로부터 구속됨을, 레위기는 구속 받은 신자들이 예배를 통하여 하나님께로 나아가 하나님과 교제를 가질 수 있음을 각각 보여줍니다.

민수기는 진정한 예배자는 그 삶 속에서 하나님과의 깊은 교제와 일거수일투족을 인도하시는 하나님의 보호와 인도의 삶을 살게 됨을, 그리고 신명기는 우리가 삶 속에서 하나님의 말씀에 순종하는 이유는 심판과 징계에 대한 두려움 때문이 아니라 하나님을 사랑하기 때문이며, 사랑에는 반드시 순종이 따르며, 하나님께 대한 순종은 반드시 축복된 삶의 열매를 가져온다는 것을 보여줍니다.

우리는 이 다섯 권의 책에서 각 권이 어떤 일정한 스토리 라인을 따라 연결 고리를 가지고 편집되어 있다는 것을 발견합니다. 사실 성경 전체가 그런 연결 고리를 가지고 있습니다. 우리의 성경통독이 성경 전체에 흐르는 이 연결 고리를 보는 큰 시야를 갖게 해주는 기회가 되기를 간절히 기도합니다.

(2) 역사서

구약 성경의 두 번째 묶음은 역사서(History)입니다.

이는 물론 한 국가로서의 이스라엘의 역사를 담고 있는 책들로 여호수아로부터 에스더까지 열두 권의 책으로 되어 있습니다. 이 책들은 이미 신명기에서 하나님께서 말씀하셨던 대로 "하나님을 사랑하고 그 말씀에 순종하면 복을 받고 하나님을 저버리고 미워하고 그 말씀을 무시하면 저주를 받으리라" 하시던 하나님의 말씀이 이스라엘의 역사 가운데서 확실히 이루어졌음을 보여줍니다.

여호수아서는 애굽에서 광야를 지나 가나안에 들어온 이스라엘 백성들의 가나안 정복전쟁의 기록이며, 사사기는 가나안 정착기의 역사입니다. 불행히도 이스라엘은 그들의 왕 되신 하나님을 버리고, 하나님의 가르침을 떠나서 각기 자기 소견에 옳은 대로 행하면 그게 곧 법이었던 무서운 사회를 만들어 버렸습니다. 룻기는 사사기의 부록과 같은 책으로 사사시대의 이스라엘 백성들의 문화와 신앙을 보여주는 책입니다. 거기에서 우리는 모압 여인으로 태어나 이스라엘 사람이 될 수 없었던 룻의 구원자가 되어줌으로써, 영원히 구원 밖에서 태어난 우리 죄인들을 하나님의 가족이 되게 해 주신 예수 그리스도의 그림자인 보아스를 봅니다. 사무엘상·하서에서 이스라엘은 드디어 하나님의 직접 통치(Theocracy)를 버리고, 왕정 통치(Monarchy)를 선택합니다. 결국 그들은 사울이라는 그들의 소견에 좋은 왕을 세우지만 처절한 실패로 돌아갑니다. 그리고 하나님의 선택이었던 다윗이 왕위에 오르면서 이스라엘은 다윗의 후손으로 오실 메시아에 대한 확고한 약속을 받게 됩니다.

열왕기상·하서는 솔로몬의 통치와 그 이후에 두 나라로 갈린 이스라엘, 즉 남쪽 유다와 북쪽 이스라엘의 왕들의 통치 역사를 보여줍니다. 역대상·하 역시 같은 남북 왕조의 역사의 기록이지만, 열왕기가 선지자적 관점에서 본 이스라엘의 역사였다면, 역대기는 제사장적 관점에서 본 역사라고 할 수 있습니다. 어떻든 이스라엘 왕들의 역사는 결국 하나님을 저버린 결과로 북쪽 이스라엘은 앗수르에, 남쪽 유다는 바벨론에 망하는 것으로 막을 내리고 맙니다. 하지만 다윗의 왕위가 끊어지지 않으리라는 하나님의 약속은 아직도 유효했습니다. 이스라엘이 포로생활로 들어가기 전에 이미 예레미야를 통해서 약속하셨던 대로 하나님께서는, 바벨론에 포로로 끌려갔던 이스라엘 백성들을 70년 만에 다시 예루살렘으로 돌아오게 하시고, 성전을 재건하고 성벽을 재건하여 다시 한 국가로 재건되게 하십니다. 이어지는 또 다른 역사책들, 에스라, 느헤미야, 에스더서가 바로 이 포로생활 이후의 일(성전과 성벽의 재건, 예배의 회복 등)들을 다룬 책들(Post Captivity Books)입니다.

(3) 시가서
그리고 세 번째 묶음은 지혜의 교훈과 찬양들을 담고 있는 시가서(Poetry)들입니다.
물론 욥기로부터 아가서까지의 다섯 권의 책들입니다.
우리는 이 부분에서 자신의 인생에 주어진 모든 좋은 조건들을 오직 육체의 정욕과 쾌락을 위하여 다 소진해 버린 솔로몬이, 노후가 되어서야 비로소 전능하신 하나님께 다시 그 마음을 돌이킨 경험에서 나온 전도서의 말씀과, 사소한 모든 것들로부터 하나님을 섬기는 신자의 삶의 원리들을 배우는 지혜의 글들, 그리고 찬양 속에 담긴 예수 그리스도에 대한 너무나도 명확한 예언들이 담긴 시편들, 그리고 욥의 삶을 통해서 배우는 중보자의 필요성 등에 대한 기막힌 말씀들을 공부하게 됩니다.

(4) 대예언서

네 번째 묶음은 대예언서(Major Prophecies)들입니다.

대예언자는 모두 네 분으로 '이사야, 예레미야, 에스겔, 다니엘'입니다. 예레미야가 애가를 썼으므로 모두 다섯 권입니다. 물론 이들의 예언은 이스라엘 백성들을 향한 교훈적 예언들도 있지만, 대부분이 오실 메시아 예수 그리스도에 대한 예언들로 채워져 있습니다.

(5) 소예언서

다섯 번째 묶음은 소예언서(Minor Prophecies)들입니다.

호세아로부터 말라기까지 모두 12권입니다. 대예언자들과 소예언자들 사이에는 어떤 실력의 차이 같은 것은 존재하지 않습니다. 단지 그들이 쓴 책의 분량에 따라, 즉 두꺼운 책을 쓴 선지자들이 '대예언자들'이고, 얇은 책을 쓴 사람들이 '소예언자들'로 분류되었을 뿐입니다.

중요한 사실은 선지자들의 책, 또한 선지자들의 활동은 이미 다루어진 왕정시대에 북이스라엘과 남유다에서 활동했던 선지자들에 의하여 쓰여진 책들이라는 것입니다. 이사야로부터 스바냐까지는 유다가 바벨론에 포로로 잡혀가기 이전의 선지자들이 쓴 책이고, 학개, 스가랴, 그리고 말라기는 포로생활 이후의 선지자들이 쓴 책입니다.

(6) 복음서들

말라기 선지자로부터 신약 성경에 들어와서 세례 요한의 아버지 사가랴에게 하나님이 다시 나타나셔서 말씀을 하시기까지 약 400년간의 공백이 있었습니다. 우리는 이때를 신구약 중간기라고 부릅니다. 이 기간 중에 다니엘의 예언처럼, 헬라 제국이 일어났고, 그 후에 로마 제국이 일어났습니다. 그 로마 제국이 근동의 모든 나라들을 통합하여 강력한 영향력을 행사하던 때에, 신약 성경이 시작되었습니다.

신약 성경의 첫 번째 묶음은 물론 복음서들입니다. 예수 그리스도의 탄생과 생애, 그리고 죽으심과 부활, 승천에 관한 기록들입니다.

(7) 신약의 역사서

신약의 두 번째 묶음은 역사서, 즉 교회가 어떻게 탄생되어 이방인들에게로 선교의 영향력을 확장시켜 나아갔는가를 보여주는 아주 중요한 책으로 사도행전이 여기에 해당됩니다.

(8) 서신서

신약 성경의 세 번째 묶음은 사도들의 편지를 묶어놓은 서신서들입니다. 우리는 이 서신서들을 통해서 우리가 믿는 기독교의 제반 교리적인 기초를 얻게 됩니다.

(9) 신약의 예언서

그리고 마지막 네 번째가 신약의 예언서이며, 물론 '요한계시록'을 말합니다. 요한계시록은 교회시대의 일들과 예수님의 재림의 때에 벌어질 일들에 대한 예언들을 담고 있습니다.

성경은 이와 같은 아홉 개의 성경 구조상의 블록들로 구성되어 있습니다. 우리는 이 전체의 성경을 구속사적인 시각으로 100일간에 걸쳐서 읽어나갈 것입니다. 이 100일간의 구속사적 성경통독에 함께하는 모든 지체들 가운데 하나님의 크신 은총이 함께하기를 소원합니다.

그리스도를 위하여 여러분의 종이 된
석진 형제로부터...

차례

서문   100일간의 구속사적 성경통독 ··· 5

001   천지창조에서 바벨탑까지 창세기 1-11장 · · · · · · · · · · · · · · · · · 13
002   족장시대(1) 아브라함, 이삭 그리고 야곱 창세기 12-31장 · · · · · · · · · 15
003   족장시대(2) - 야곱과 요셉 창세기 32-50장 · · · · · · · · · · · · · · · 19
004   출애굽 출애굽기 1-14장 · 24
005   광야생활과 성막의 제도 출애굽기 15-30장 · · · · · · · · · · · · · · · · 28
006   성막과 대제사장 출애굽기 31-40장 · 33
007   제사와 제사장들 레위기 1-10장 · 38
008   하나님 자녀들의 생활 속의 정결과 거룩한 절기들 레위기 11-27장 · · · · · 43
009   광야의 행진 시내산에서 가데스바네아까지 민수기 1-12장 · · · · · · · · · 49
010   광야의 행진 가데스바네아에서 다시 므리바로 민수기 13-25장 · · · · · · · 54
011   광야의 행진 약속의 땅에 들어갈 준비 민수기 26-36장 · · · · · · · · · · 61
012   십계명의 반복과 재해석 신명기 1-17장 · · · · · · · · · · · · · · · · · 67
013   약속의 땅에서의 미래 신명기 18-34장 · · · · · · · · · · · · · · · · · · 73
014   모세오경 정리 · 78
015   땅의 정복 여호수아 1-12장 · 80
016   땅의 분배 여호수아 13-24장 · 86
017   사사들의 시대-불행의 악순환 사사기 1-16장 · · · · · · · · · · · · · · · 91
018   사사들의 시대-사사시대의 결과 사사기 17-룻기 4장 · · · · · · · · · · · · 96
019   신정국가에서 왕정국가로 사무엘상 1-15장 · · · · · · · · · · · · · · · · 105
020   다윗 사무엘상 16-31장 · 112
021   다윗의 승리 사무엘하 1-10장 · 117
022   다윗의 트러블들 사무엘하 11-24장 · 123
023   솔로몬 열왕기상 1-11장 · 130
024   왕국의 분열 열왕기상 12-22장 · 134
025   분열왕국의 왕들과 선지자들 열왕기하 1-16장 · · · · · · · · · · · · · · · 139
026   이스라엘과 유다의 멸망 열왕기하 17-25장 · · · · · · · · · · · · · · · · 146
027   사울까지의 계보들 역대상 1-10장 · 150
028   다윗의 통치 역대상 11-29장 · 154
029   솔로몬의 통치 역대하 1-9장 · 158
030   왕국의 분열과 유다의 역사(1) 역대하 10-22장 · · · · · · · · · · · · · · 161

031 왕국의 분열과 유다의 역사(2) 역대하 23-36장 · · · · · · · · · · 166

032 제1, 2차 포로 귀환대 에스라 1-10장 171

033 제3차 포로 귀환대 느헤미야 1-13장 176

034 섭리하시는 하나님 에스더 1-10장 181

035 역사서 정리 188

036 욥의 고난과 세 친구들과의 첫 번째 논쟁 욥기 1-14장 · · · · · · · · · 190

037 욥과 세 친구들의 두 번째, 세 번째 논쟁 욥기 15-31장 195

038 엘리후의 변론과 하나님의 개입 욥기 32-42장 200

039 시편 제1권 A 시편 1-21편 206

040 시편 제1권 B 시편 22-41편 211

041 시편 제2권 시편 42-72편 216

042 시편 제3권 시편 73-89편 220

043 시편 제4권 시편 90-106편 224

044 시편 제5권 A 시편 107-119편 227

045 시편 제5권 B 시편 120-150편 232

046 지혜와 어리석음 잠언 1-9장 237

047 솔로몬 자신이 편집한 잠언 잠언 10-24장 241

048 타인에 의해 편집된 솔로몬의 잠언 잠언 25-31장 · · · · · · · · 246

049 전도자 솔로몬의 인생고백 전도서 1-12장 252

050 솔로몬의 노래 중의 노래 아가 1-8장 257

051 시가서 정리 262

052 유다와 예루살렘의 현재와 미래 그리고 이사야의 소명 이사야 1-12장 · · · 263

053 이방나라들에 대한 경고 이사야 13-23장 268

054 왕국시대에 관한 예언과 히스기야 이사야 24-39장 272

055 메시아 예언 이사야 40-57장 277

056 고난받는 종을 통해 다가올 여호와의 영광 이사야 58-66장 · · · · · · · 282

057 예레미야의 소명과 유다에 대한 예언 예레미야 1-10장 287

058 이스라엘의 배역에 대한 하나님의 경고 예레미야 11-20장 · · · · · · · 292

059 시드기야 통치 중의 예언들 예레미야 21-29장 298

060 유다의 포로생활과 예루살렘에 남겨진 자들 예레미야 30-42장 303

061 예루살렘의 멸망과 그에 대한 애가 예레미야 43-예레미야 애가 5장 308

062 여호와의 영광 - 선지자의 사명 에스겔 1-12장 314

063 여호와의 영광 - 여호와의 영광이 떠나심 에스겔 13-24장 319

064 여호와의 영광 - 나라들의 심판 에스겔 25-36장 323

065 여호와의 영광 - 다가올 왕국 에스겔 37-48장 327

066 어두운 역사를 비추는 예언의 빛 다니엘 1-12장 332

067 힘써 여호와를 알자 호세아 1-14장 · · · · · · · · · · · · · · · 340
068 네 하나님 만나기를 예비하라 요엘 1-3장, 아모스 1-9장 · · · · · · · · · 346
069 은혜의 하나님 오바댜, 요나 1-4장, 미가 1-7장 · · · · · · · · · · 352
070 오직 믿음으로 나훔 1-3장, 하박국 1-3장, 스바냐 1-3장, 학개 1-2장 · · · 358
071 선지자 스가랴 1-14장, 말라기 1-4장 · · · · · · · · · · · · · 364
072 예언서 정리 · 370
073 왕이신 예수님(1) 마태복음 1-15장 · · · · · · · · · · · · · · 373
074 왕이신 예수님(2) 마태복음 16-28장 · · · · · · · · · · · · · 378
075 종이신 예수님 마가복음 1-16장 · · · · · · · · · · · · · · · 383
076 인자이신 예수님(1) 누가복음 1-12장 · · · · · · · · · · · · · 388
077 인자이신 예수님(2) 누가복음 13-24장 · · · · · · · · · · · · 393
078 하나님이신 예수님(1) 요한복음 1-12장 · · · · · · · · · · · · 398
079 하나님이신 예수님(2) 요한복음 13-21장 · · · · · · · · · · · 403
080 교회의 탄생 사도행전 1-12장 · · · · · · · · · · · · · · · · 409
081 땅끝을 향하여 사도행전 13-28장 · · · · · · · · · · · · · · 414
082 오직 믿음으로 로마서 1-8장 · · · · · · · · · · · · · · · · 420
083 크리스천들의 삶 로마서 9-16장 · · · · · · · · · · · · · · · 425
084 고린도 교회의 문제들 고린도전서 1-7장 · · · · · · · · · · · 430
085 구원의 반석, 그리스도 고린도전서 8-16장 · · · · · · · · · · 434
086 그리스도의 남은 고난을 나의 몸에 고린도후서 1-13장 · · · · · 439
087 복음서와 사도행전 정리 · · · · · · · · · · · · · · · · · · 444
088 갈라디아서, 에베소서 갈라디아서 1-6장 / 에베소서 1-6장 · · · · 445
089 빌립보서, 골로새서 빌립보서 1-4장 / 골로새서 1-4장 · · · · · · 453
090 데살로니가 전·후서 데살로니가전서 1-5장 / 데살로니가후서 1-3장 · · 459
091 디모데전·후서 디모데전서 1-5장 / 디모데후서 1-4장 · · · · · · 464
092 디도서, 빌레몬서 디도서 1-3장 / 빌레몬서 · · · · · · · · · · · 469
093 히브리서 히브리서 1-13장 · · · · · · · · · · · · · · · · · · 475
094 야고보서, 베드로 전·후서 야고보서 1-5장 / 베드로전서 1-5장 / 베드로후서 1-3장 480
095 요한일·이·삼서, 유다서 요한일서 1-5장 / 요한이서 1장 / 요한삼서 1장 / 유다서 1장 485
096 서신서 정리 · 491
097 요한계시록(1) 요한계시록 1-11장 · · · · · · · · · · · · · · 493
098 요한계시록(2) 요한계시록 12-22장 · · · · · · · · · · · · · 500
099 요한계시록 정리 · 506
100 성경의 구속사적 흐름 총정리 · · · · · · · · · · · · · · · · 507

창세기는 크게 전반부(1-11장)와 후반부(12-50장)로 나눌 수 있습니다. 전반부는 네 가지 사건(창조, 타락, 홍수심판, 그리고 바벨탑)을, 후반부는 네 사람의 인물(아브라함, 이삭, 야곱, 요셉)을 보여주고 있습니다.

오늘 우리의 성경통독은 창세기의 전반부에 해당되는 범위입니다.

사람들은 대개 창세기가 천지창조를 담고 있는 책이라고 생각합니다. 그러나 창세기에서의 하나님의 중심주제는 창조의 이야기가 아닙니다. 실제로 50장이나 되는 창세기에서 창조에 관한 이야기는 겨우 1-2장으로 두 장밖에 없습니다. 그 나머지는 모두 아담의 타락 이후에 죄인으로 이 땅에 태어난 사람들의 죄의 이야기입니다.

창세기의 히브리어 성경의 제목은 [베레쉬트]입니다.

히브리 문학의 특징은 모든 책의 첫 단어가 그 책의 제목이 되는 것이 통례입니다. 그래서 창세기의 첫 단어인 [베레쉬트: 시작(Beginning)]가 그 책의 제목이 된 것입니다. 창세기는 '시작들의 책'입니다. 창세기에서 하나님은 모든 것들의 시작을 보여주셨습니다.

우주, 인류, 가정, 죄, 구원을 위한 계획… 이 모든 것들의 시작을 창세기가 보여줍니다. 그중에 '죄의 시작' 이것이 창세기의 중심 주제입니다. 특별히 10장의 함의 후손의 명단 중 니므롯을 주목해 보셔야 합니다. 그가 예수 그리스도를 통한 하나님의 복음의 시스템과 충돌을 일으키는 바벨론 종교를 창시한 인물이기 때문입니다. 그리고 노아의 아들들의 후손의 명단이 야벳과 함(10장), 그리고 셈(11장)의 순서로 기록된 것을 주목해 볼 필요가 있습니다. 이것은 이제 다음 장에 이어질 아브라함의 계보를 향하여 내려가기 위한 준비인 것입니다.

〈이 단원에 나타나신 그리스도〉

1. 창세기 1:1의 "태초에 하나님이 천지를 창조하시니라"라는 구절에서 '하나님'은 히브리어의 '엘로힘'으로 하나님이라는 호칭 '엘'의 복수형태입니다. 이것은 '하나님'이라는 명칭 속에 이미 3위(성부, 성자, 성령)의 하나님이 존재하심을 보여주고 있습니다. 그러니까 '하나님'이라는 이름 속에 이미 예수님께서 존재하시는 것입니다. 더욱 흥미로운 사실은 "창조하시니라"라는 동사가 히브리어 성경에서 '바라'인데, 이는 단수형태라는 것입니다. 그러니까 주어는 복수인데 동사는 단수로 쓰여진 것이죠. 이것은 문법적인 실수가 아니라, 의도적으로 하나님의 삼위일체를 드러내려는 이유 때문입니다. 신학자들은 이것을 'Majestic Plural'(한 분이신 하나님의 신적인 위엄을 드러내기 위한 의도적 복수형태)라고 부릅니다.

뿐만 아니라 우리는 창세기 1:26에서 하나님께서 "우리의 형상을 따라 우리의 모양대로 우리가 사람을 만들고…"라고 말씀하시는 것을 봅니다. 여기서도 하나님은 복수 형태로 묘사되셨습니다. 이는 하나님의 창조 이전에 삼위일체 하나님의 신성 안에서 모종의 상의(Holy Council)가 선행되었다는 것을 보여줍니다. 우리는 이 명칭들 안에서 예수 그리스도의 존재를 보는 것입니다.

2. 창세기 3:15은 "여자의 후손이 뱀의 머리를 칠 것"을 예언하고 있습니다. 이것은 원시 복음이라 일컬어지는 말씀으로 예수께서 남자와 상관없는 '여자의 후손'으로 오실 것, 즉 예수님의 동정녀 탄생을 예언하고 있는 말씀입니다. 예수님은 요셉과 정혼하고 아직 동침한 적이 없었던 동정녀 마리아에게서 탄생하셨습니다. 이는 이사야 선지자의 "보라 처녀가 잉태하여 아들을 낳을 것이요 그 이름을 임마누엘이라 하리라"(사 7:14)는 예언의 성취이기도 했습니다.

3. 창세기 7~9장에 나타난 노아도 예수님의 모형적인 그림자였습니다. 그는 방주를 지어 홍수로 임한 하나님의 심판으로부터 식구들을 구원했습니다. 예수 그리스도는 바로 노아의 방주와 같이 하나님의 마지막 심판에서 성도를 구원할 구원의 방주이십니다. 누구든지 예수님께로 나아오기만 하면 하나님께서 그를 보호하여 주시고 구원해 주십니다.

오늘 통독 범위는 창세기 후반부(12-50장)의 첫 번째 부분입니다.

이 단원에서 성경은 아브라함(12-23장), 이삭(24-27장), 그리고 야곱(28-31장)의 스토리를 다루고 있습니다. 하나님께서 아브라함을 부르시는 장면, 그 아들 이삭의 출생, 그리고 야곱의 탄생과 야곱이 외삼촌 라반의 집에서의 삶을 정리하고 떠나는 장면까지를 담고 있습니다.

우리는 창세기 전반부에서 이 세상의 끈질긴 죄의 시작을 보았습니다. 이 죄의 문제는 심판을 가지고도 해결되지 않았습니다. 홍수 후에도 타락한 인생의 죄의 씨앗이 다시 싹이 텄으니까요. 그래서 죄의 문제에 대한 완전한 해결은 바로 구속뿐이라는 것을 보여줍니다. 하나님께서는 구속의 계획을 위하여 메시아를 이 땅에 보내시기 위한 혈통을 선택하신 것입니다. 그것이 아브라함입니다. 우리는 여기에서 아브라함 일가가 어떻게 하나님의 뜻을 이 땅에 이루어 가는지를 보게 됩니다.

아브라함이 처음부터 믿음의 위인이 아니었다는 것은 분명합니다.

하지만 하나님의 집요하신 추적과 사랑으로 아브라함은 믿음의 영웅이 되어갑니다. 우리들도 마찬가지입니다. 참으로 실수와 허물이 많은 자들이지요. 하나님의 사랑의 손길 안에서 믿음의 영웅이 되어가는 우리들이 되면 좋겠습니다.

우리는 13장에서 아브라함의 조카 롯의 선택을 눈여겨보아야 합니다.

그는 삼촌 아브라함을 따라 애굽에 내려갔습니다. 다시 돌아온 후에 롯은 애굽에 대한 동경심을 가지고 있었던 것 같습니다. 그래서 삼촌과 헤어질 때 주저 없이 애굽과 가장 유사한 곳을 선택했습니다. 그곳이 바로 소돔과 고모라였습니다. 이것이 불행의 시작이었습니다. 롯은 그 땅을 "애굽 땅과도 같고, 에덴 동산과도 같은 땅"이라고 불렀습니다. 이 세상 어디에도 애굽과도 같은 죄악의 땅이면서 동시에 하나님의 동산 같은 그런 곳은 없습니다. 둘 중 하나입니다.

롯은 처음에 소돔을 향하여 장막을 쳤고, 점점 소돔을 향하여 가다가 마침내 소돔에 들어갔고 그 다음 소돔성의 성문에 앉았습니다. 고대 사회에서 성문은 그 도시의 터줏대감들, 혹은 백성의 장로들이 앉아서 재판을 하는 곳이었습니다. 그러니까 롯은 마침내 이 죄악된 도시의 주인 노릇을 하고 있었던 것입니다. 비극이죠? 그래서 우리는 죄악된 것은 보지도 않는 것이 중요합니다.

아브라함의 시험, 이삭의 출생, 모리아 산의 제사, 야곱과 에서의 출생, 라반의 집에서의 야곱, 야곱의 결혼, 그리고 라반에게서 도주하는 야곱의 스토리가 이어집니다.

〈이 단원에 나타나신 그리스도〉

1. **창세기 14장에서** 우리는 조카 롯을 구출하러 사병 318명을 거느리고 가나안 남북 전쟁에 뛰어드는 아브라함을 봅니다. 그가 전쟁에서 승리하고 돌아올 때 그를 맞으러 온 "지극히 높으신 하나님의 제사장 멜기세덱"이 바로 그리스도의 그림자입니다. 어쩌면 그가 진짜 그리스도의 현현이었을 수도 있습니다. 히브리서 기자는 히브리서 5-7장에서 이 멜기세덱에 대해 이야기했습니다.

그는 멜기세덱의 이름을 고유명사가 아닌 보통명사로 해석했습니다. '멜렉'은 '왕'이란 뜻이고, '체데크'는 '의'라는 뜻이므로 '멜기세덱'은 '의의 왕'이란 뜻입니다. 이것은 메시아에 대한 예언적 명칭입니다. 또한 '살렘 왕'이라는 것도 보통명사로 해석합니다. '샬롬'은 '평화'이고 따라서 '살렘 왕'은 보통명사로 해석하면 '평강의 왕'이란 뜻입니다. 이 두 가지 모두가 예수 그리스도에 대한 예언적 이름들이었습니다. 게다가 히브리서 기자는 멜기세덱이 족보도 없고 어미도 없는 하나님의 아들과 방불한 자라고 말합니다. 이것은 멜기세덱 자체가 그리스도의 현현이었을 가능성을 충분히 암시해 주고 있는 것입니다.

2. **창세기 22장에서** 아브라함이 이삭을 모리아 산에서 제사했던 것도 십자가에 못 박히신 그리스도를 보여주는 그림자였습니다. 하나님은 이삭을 아브라함의 독자라고 부르셨습니다. 사실 아브라함에게는 이때 이미 이스마엘이 있었습니다. 그리고 후에도 아브라함은 그두라를 취하여 다른 아들들을 낳았습니다. 하나님이 여기에서 이삭을 유독 아브라함의 독자라고 부르신 것은, 바로 이 장면에서 이삭이 하나님의 독생자

예수 그리스도의 십자가의 희생을 고스란히 보여주게 될 것이기 때문입니다.

아브라함은 이삭을 번제로 바치라는 하나님의 명령을 듣고 이른 아침에 일찍 나귀에 안장을 얹고 출발을 합니다. 그리고 사흘 길을 갔습니다. 그러니까 이삭은 이 사흘 동안 죽은 자로 간주된 것입니다. 그러나 사흘 만에 그는 다시 산 자가 되었습니다. 이것은 예수 그리스도의 죽은 지 사흘 만에 부활하신 사건을 보여주는 것입니다. 아브라함은 함께 온 사환들에게 "너희는 나귀와 함께 여기서 기다리라 내가 이 아이와 함께 저기가서 예배하고 우리가 너희에게로 돌아오리라"(창 22:5)고 말했습니다. 아브라함은 아들을 번제로 드리러 가면서도 자신이 아이와 함께 다시 돌아올 것을 믿었습니다. 그러니까 로마서 4장에서 바울은 아브라함이 이 순간 부활의 하나님, 즉 없는 것을 있는 것같이 부르시는 하나님을 믿었다고 말하고 있는 것입니다.

그리고 아브라함은 이삭에게 번제할 나무를 지우고 자기 손에는 불과 칼을 들고 올라갔습니다. 갈보리에 나무 십자가를 지고 오르신 예수님을 보여주는 그림이며, 이때 하나님의 손에는 인류의 죄에 대한 심판의 불과 칼이 들려 있었던 것입니다. 이삭이 물었습니다.

"여기 나무도 있고 불도 있고 칼도 있는데 번제에 쓸 어린 양은 어디 있나요?"

아브라함은 어린 양은 하나님께서 친히 자신을 예비하시리라고 했습니다. 성경에는 "자신을 위하여"라고 되어 있지만, 원문에서는 "위하여"가 없습니다. 하나님께서 친히 자신을 어린 양으로 내어주실 것임을 아브라함은 선포한 것입니다.

아브라함이 이 산에서 이삭을 죽이려 할 때에 하나님께서는 숫양을 예비하셔서 이삭 대신 제사를 드리게 하셨습니다. 그러나 그 숫양은 아브라함이 언급한 어린 양이 아닙니다. 어린 양(Lamb: 어린 양)과 숫양(Ram: 뿔을 가진 다 자란 양)은 완전히 다른 종류의 양입니다. 아브라함은 이 순간 하나님의 어린 양, 예수 그리스도를 지칭하고 있었던 것입니다. 그리고 모리아 산은 바로 솔로몬이 성전을 지은 장소입니다(대하 3:1). 이곳은 거대한 대리석 광산이었습니다. 훗날 솔로몬 성전이 느부갓네살에 의하여 무너지고, 스룹바벨에 의하여 재건 성전이 이루어졌다가 헤롯 대왕에 의하여 그 성전이 무너지고, 다시 약간 비낀 곳에 새로 성전을 지었습니다. 그 성전이 바로 예수님께서 제자들과 함께 들어가셨던 그 성전입니다. 헤롯은 바로 본래 성전이 있었던 그 거대한 화강암으로부터 대리석을 캐내서 성전을 지었습니다. 그래서 돌을 캐내느라 구멍이 뻥 뚫린 것이 멀리서 보면 마치 해골처럼 보였던 것입니다. 그래서 이곳을 히브리어로 '골고다: 해골의 곳'라고 불렀습니다. 그리고 이 단어가 나중에 라틴어로 번역될 때 '갈보리'라고 번역되었습니다. 바로 이 자리가 예수님께서 십자가에 못 박히신 장소입니다. 그러니까 창세기 22장의 그림은 완전히 예수 그리스도의 십자가의 광경을 정확하게 묘사하고 있었던 것입니다.

3. 창세기 24장에서 이삭의 결혼식은 삼위일체 하나님의 사역의 모습과 그리스도의 신부 된 이방 교회를 보여주는 그림입니다. 아브라함은 성부 하나님을, 이삭은 성자 예수님을, 엘리에셀은 성령님을 예표합니다. 이방에서 엘리에셀의 인도로 이삭을 만나러 온 리브가가 바로 이방인으로서 성령님의 이끄심을 따라 신랑 되신 예수님을 만나러 오는 우리 크리스천들을 보여주는 것입니다.

오늘 우리가 통독하는 부분은 창세기의 후반부(12-50장)의 두 번째 부분(32-50장)입니다.

- 32장: 얍복강, 33장: 에서와의 재회,
- 34장: 세겜에서의 야곱,
- 35장: 벧엘로 돌아가는 야곱,
- 36장: 에서의 후손들의 족보
- 37장: 꿈꾸는 사람, 팔려가는 사람 요셉
- 38장: 유다와 다말의 이야기
- 39장: 보디발의 집(애굽)으로 팔려간 요셉
- 40-41장: 두 관원장과 바로의 꿈을 해몽하는 요셉
- 42-45장: 가족들과 재회하는 요셉
- 46-47장: 애굽으로 내려오는 야곱
- 48장: 요셉의 두 아들을 축복하는 야곱
- 49장: 죽음의 침상에서의 야곱의 예언
- 50장: 야곱의 장례식

이 단원에서 우리는 후반부의 네 사람의 인물 중 야곱의 얍복강에서의 경험 이후의 삶과 요셉에 대해 읽게 됩니다.

32장에서 야곱은 얍복강에서 씨름을 했고, 33장에서 에서와의 재회를 가졌습니다. 형의 뒤를 바로 따라가겠다던 야곱은 34장에서 세겜에 정착을 합니다. 또 한 번 야곱의 야비한 습성을 보여줍니다. 그러나 세겜에서 그의 딸 디나 사건으로 그의 아들들이 세겜의 남자들을 학살하는 사고를 치게 되고, 그 일로 생명의 위협을 느낄 때에 35장에서 야곱은 벧엘로 올라오라는 하나님의 명령을 듣게 됩니다. 생각해 보십시오. 형의 낯을 피하여 도망을 치던 날 야곱은 브엘세바에서 벧엘까지 거의 70km 되는 거리를 반나절

만에 도망쳐 왔습니다. 눈물로 얼룩진 얼굴로 피곤에 지쳐 몸뚱이 하나 편하게 눕힐 공간을 찾을 수 없었던 유다 남부 광야 지대의 악명 높은 돌짝 밭 위에서 새우잠에 빠져있던 그를 하나님께서 만나주셨던 것입니다. 그는 그때 하나님께서 자신을 지켜서 안전하게 돌아오게 해주시면 이 벧엘에서 하나님께 제단을 쌓겠다고 약속을 했었습니다.

하나님께서는 신실하게 그 약속을 지켜주셨고, 그는 지금 많은 아들들과 재산을 이끌고 돌아온 것입니다. 그러나 그는 하나님과의 첫사랑의 추억과 약속이 있었던 벧엘을 지척에 두고도 십 년 동안이나 하나님께로 가지 않았습니다. 이것이 인간의 모습입니다.

오늘 성경통독을 함께하시는 지체들에게도 첫사랑의 벧엘이 있을 것입니다. 우리는 수시로 그 첫사랑의 자리로 돌아가 하나님께 신실하게 약속을 지키는 삶을 살아가야 할 것입니다.

야곱은 그의 삶에 가득했던 우상들을 버리고 드디어 그가 하란으로 갈 때 처음 그에게 나타나셨던 하나님과의 만남의 추억이 있는 벧엘로 돌아가게 됩니다. 얍복강에서 이미 이스라엘이라는 이름을 받은 야곱에 대하여 성경은 지금까지도 그를 야곱이라고 불러왔습니다. 그러나 여기 벧엘에서 다시 이스라엘이라는 새 이름에 대한 확정을 받고, 이 시점부터 정말 이스라엘이라는 새 이름으로 불리게 됩니다. 그리고 라헬과 이삭의 죽음에 관한 글이 나옵니다.

36장은 에서의 후손들의 족보와 그들이 에돔 족속이 되었다는 설명으로 이어집니다.

여기서 11절과 12절을 주목해 보시면, 엘리바스라는 인물과 그의 아들 데만이라는 이름이 등장합니다. 이 이름들은 분명히 욥기의 데만 사람 엘리바스라는 인물과 연관이 있습니다. 나중에 말씀 드리겠지만, 욥기는 성경에서 가장 오래된 책입니다. 창세기는 모세에 의해 출애굽 노정에서 기록된 책이지만, 욥기는 창세기 시대에 바탕을 두고 있는 책입니다. 그래서 성경에서 가장 오래된 책이 욥기인 것입니다.

욥기라는 책에 '이스라엘'이라는 국가의 명칭이나 '성전 시스템과 제사장'에 관한 언급이 전혀 등장하지 않는 것은, 욥기가 출애굽기 이전의 책임을 분명히 해줍니다. 그리고 욥기에서 욥이 성막 혹은 성전으로 가지 않고 자신이 족장으로서 가정의 제사를 집행하는 모습을 보여줍니다. 이것은 욥기가 아브라함과 이삭, 야곱과 같은 족장시대의 인물이라는 것을 분명히 해줍니다. 그런데 여기 에서의 후손의 족보에 엘리바스라는 욥의 친구와 같은 이름이 등장하고, 그의 아들 중에 데만이라는 이름이 나옵니다. 우리는 방금 세겜이라는 족속에 대해서 읽었습니다. 그 추장의 이름이 하몰입니다. 그리고 그의 아들이 세겜입니다. 족장의 이름은 하몰인데 그 족속을 하몰 족속이라 부르지 않고 그 아들의 이름을 좇아 세겜 족속이라 부릅니다. 이런 일들이 족장시대에 있었던 것입니다. 그래서 우리는 데만 사람 엘리바스라는 욥의 친구 중 한 사람의 이름이 에서의 후손들과 모종의 연관이 있었을 것으로 보는 것입니다. 흥미로운 부분이죠?

그리고 37장에서 우리는 꿈꾸는 사람 요셉을 봅니다.

그는 아버지 야곱의 총애를 받으면서 형들의 잘못을 아버지께 고자질합니다. 가뜩이나 형들에게 미움을 받고 있던 차에 모든 형제들과 심지어 부모까지 자신에게 절을 하는 의미를 가진 꿈을 꾸고, 그것을 눈치 없이 형들에게 이야기하는 요셉…. 결국 형들에게 미움을 받아 광야에서 죽을 뻔하다가 미디안의 대상들에게 팔려가는 신세가 됩니다. 여기서 우리는 야곱이 심은 대로 거두는 광경을 봅니다. 자신이 과거에 에서의 흉내를 내며 염소털을 두르고 쉰 목소리를 내며 아버지를 속였는데, 지금은 그의 아들들이 야곱이 총애하던 요셉의 옷을 찢고 숫염소의 피를 묻혀서 가져와 요셉이 죽었다고 거짓말을 하고 있는 것입니다.

38장에서 우리는 유다와 다말의 이야기를 봅니다.

39장에서 우리는 요셉이 애굽에 내려가 보디발의 집에서 당한 일들을 봅니다. 40장에서 요셉은 바로의 술과 떡을 맡은 두 관원장을 만나 그들의 꿈을 해몽해 줍니다. 이 일로 41장에서 요셉은 바로 앞에 불려나가 바로의 꿈을 해몽해 주게 되고, 일약 애굽의 총리 자리를 얻게 됩니다. 그리고 42-45장까지는 드디어 요셉이 가족과 재회를 하는 장면을 보여줍니다.

열일곱 살에 꾼 꿈이 서른 살이 되어서 이루어진 것을 보는 것입니다. 하나님은 신실하게 약속을 지켜주시는 분입니다. 우리는 그 하나님을 믿어야 합니다. 언제나 하나님 편에는 문제가 없습니다. 다만 우리 편에서 인내와 믿음의 부족 때문에 하나님의 아름다운 계획을 망쳐버리는 경우가 많다는 것입니다.

46장은 야곱과 함께 애굽으로 내려간 가족들의 명단입니다. 47장에서 야곱은 바로왕을 만나고 바로 왕은 요셉에게 최고의 호의를 베풀어 줍니다. 48장에서 야곱이 요셉의 두 아들 에브라임과 므낫세를 축복하는 장면을 봅니다.

본래 므낫세가 큰 아들이었지만 야곱은 에브라임에게 오른손을 얹었습니다. 그리고 그가 더 큰 자가 되리라고 예언합니다. 훗날 에브라임 지파에서 여호수아가 나와 이스라엘 백성들을 가나안으로 이끄는 지도자가 되었고, 더 훗날 이스라엘이 남북 왕조로 나뉠 때에 에브라임 지파는 북쪽 이스라엘 왕국의 리더십을 가진 지파가 되었습니다. 49장은 죽음의 침상에서 자기 아들들의 예언이 담긴 기도를 하는 야곱의 모습을 보여 줍니다. 그리고 마지막 50장에서 야곱의 장례식 장면과 요셉이 아버지의 죽음과 함께 자신들에게 요셉이 보복할지 모른다는 두려움에 빠진 형들을 위로하는 장면으로 창세기가 모두 끝납니다.

〈이 단원에 나타난 그리스도〉

1. 얍복강에서 야곱에게 씨름을 걸어오신 분

처음에 창세기는 그를 "어떤 사람"이라고 불렀습니다. 그러다가 나중에 그가 "천사"였다고 말합니다. 그러나 호세아 선지자는 이 장면을 언급하면서 "야곱이 하나님과 겨루어 이길 때에 눈물로 그에게 호소했다"고 말합니다. 처음엔 분명 한 사람이었는데, 그가 천사라고 했다가 다시 그가 하나님이시라고 말을 합니다. 우리는 구약 성경에서 종종 이런 분의 출현을 봅니다. 많은 경우 성경은 그를 "여호와의 사자"(the Angel of the Lord)라고 부릅니다. 우리는 그분을 신학적으로 '화육하기 이전의 그리스도'(the Pre-incarnated Christ)라고 부릅니다. 예컨대, 아브라함의 장막을 찾아온 세 나그네 중 두 분은 천사였고, 그 두 천사가 소돔과 고모라로 내려간 후 한 분은 아브라함과 함께 소돔성과 롯에 대해 대화를 나누는 장면을 봅니다. 거기에서 그분은 하나님이시라고 소개됩니다. 이런 경우, 아브라함은 하나님을 직접 대면해 뵌 것입니다. 그런데 요한복음 1:18을 보면 "본래 하나님을 본 사람이 없으되 아버지 품속에 있는 독생하신 하나님이 나타내셨느니라"고 말합니다. 그러니까 하나님은 영이시므로 실제로 하나님의 모습은 우리 눈으로 뵐 수가 없는 것입니다. 그러나 종종 하나님의 현현을 사람이나 천사의 모습으로 나타내 보이신 경우, 그분이 육체를 입으시고 아기 예수로 이 땅에 탄생하시기 전에 이런 모습으로 미리 나타내 보이신 그리스도셨다는 것입니다. 그러니까 야곱은 얍복강 나루터에서 그리스도, 즉 예수님과 씨름을 한 것입니다.

2. 49장에서 야곱이 죽음의 침상에서 열두 아들들의 미래를 예언하는 기도를 할 때, 유다에 대해서 말한 것을 눈여겨보십시오.

"유다야 너는 네 형제의 찬송이 될지라 네 손이 네 원수의 목을 잡을 것이요 네 아버지의 아들들이 네 앞에 절하리로다 유다는 사자 새끼로다… 누가 그를 범할 수 있으랴"(창 49:8-9).

예수님이 유다 지파에서 오실 것을 예언하고 있는 것입니다. 그래서 유다는 모든 형제의 찬송이 되고 또한 원수의 목을 잡을 것이라고 예언된 것입니다. 예수님은 "유다 지파의 사자"라고 요한계시록에서도 불리고 계십니다. 야곱이 이렇게 죽음의 침상에서 영적 안목이 열렸다는 것은 매우 흥미로운 일입니다.

출애굽
출애굽기 1-14장

출애굽기는 크게 세 부분으로 나누어집니다.

첫째는, 1-18장으로 모세의 인도로 이스라엘이 애굽에서 탈출하여 시내산까지 가는 여정이며, 둘째는 19-24장으로 율법이 반포되는 장면이며, 나머지 25장에서 40장까지는 성막의 제도에 대한 하나님의 가르침과 이스라엘 백성들이 성막을 세우는 장면입니다. 오늘은 1장부터 14장까지 통독합니다.

- 1장: 애굽에서 종살이하는 이스라엘
- 2장: 모세의 출생
- 3장: 모세의 소명
- 4장: 애굽으로 돌아오는 모세
- 5-11장: 바로와 모세의 콘테스트
- 12장: 유월절의 제정
- 13-14장: 홍해를 건너서-애굽 군대의 몰살

〈주요 통독 자료〉

1. 창세기는 '죄의 시작'을 보여주는 책이라 했습니다.

그리고 이제 우리가 시작하는 출애굽기는 '그 죄로부터의 구속'을 보여주는 책입니다.

우리는 출애굽기 12장에서 유월절의 규례를 보게 되는데, 그것은 바로 우리의 죄로부터의 구속이 유월절의 어린 양의 피로 되는 것임을 보여줍니다. 그래서 창세기는 '시작들의 책'이며, 출애굽기는 '구속의 책'입니다.

2. 출애굽기에 들어서면서 의아해 할 수 있는 것은, 창세기의 끝에 애굽에 내려갔던

야곱의 가족들이 400여 년 만에 왜 이렇게 종으로 전락해 있느냐 하는 점입니다. 분명히 창세기의 끝에서 야곱의 가족은 바로 왕의 호의 속에 고센 땅에 비옥한 초지를 얻었고, 요셉으로 인하여 애굽에서 왕과 모든 백성들의 사랑을 받는 삶을 시작했었는데 말입니다.

거기에는 애굽 역사의 큰 변화에 이유가 있었습니다. 요셉이 애굽에 내려갔던 때는 힉소스 왕조, 혹은 그 전후의 목자 왕조 시대였습니다. 이 왕조는 셈족 계통의 외국인에 의하여 세워졌습니다. 애굽은 함의 후손들 아닙니까? 그러니 함족들 위에 셈족 계통의 왕이 군림하고 있는 것은 자연히 많은 정치적 문제들을 야기할 수밖에 없었을 것입니다. 애굽 사람들은 시시로 셈족 계통의 왕을 몰아내고 스스로 통치하는 자주권을 되찾으려 봉기했을 것입니다. 그런 차에, 역사를 앞서 내다보는 혜안을 가진 요셉의 도움으로 엄청난 부와 권력을 차지하게 된 바로는 그야말로 요셉이 눈에 넣어도 아프지 않을 정도였을 것입니다.

그러나 그로부터 약 400년의 시간이 지나면서 애굽의 왕조에 큰 변화가 온 것입니다. 그것은 드디어 애굽의 남북 왕조가 통일을 이루었고, 다시금 애굽인이 왕위에 오르는 변화가 일어난 것입니다. 자연히 새 왕은 국수주의를 주창할 수밖에 없었을 것이고, 그 와중에 엄청나게 번성하고 있던 히브리인들은 애굽인들에게 눈엣가시처럼 보일 수밖에 없었을 것입니다. 그래서 애굽의 새로운 바로에 대하여 스데반 집사는 사도행전 7:18에서 "요셉을 알지 못하는 새 임금이 애굽 왕위에 올랐다"고 말한 것입니다. 이 새로운 바로는 히브리 민족을 말살하려는 정책을 썼습니다. 히브리 남아가 태어나면 모두 나일강에 던지라는 명령이 내려졌습니다. 바로 그때 모세가 태어난 것입니다.

3. 모세는 정확히 40년씩 세 단계로 대분되는 120년의 생애를 보냈습니다. 처음 40년은 바로의 공주에게 입양된 아들로서 애굽의 문물을 배우고 왕궁의 특혜를 누리는 생을 살았습니다.

영화 '십계'에서는 찰톤 헤스톤이 모세 역을 맡아 열연했는데, 자기가 애굽인인 줄 알고 자라던 모세가 40세가 되었을 때, 우연한 일로 자신이 히브리인이라는 사실을 알게 되어 고민하는 장면이 나옵니다. 하지만 사도행전 7장에 나오는 스데반의 설교를 들어보면 모세는 어려서부터 자신이 히브리인이라는 것을 알았고, 하나님께서 자신을 통해 자기 민족을 구원하시는 위대한 역사를 이루실 것이라는 확신을 가지고 있었습니다.

그러나 그가 가진 자신감과 애굽에서 배운 문물, 그리고 그의 권력을 통해서 그가 할 수 있었던 일은 오직 애굽 군병 하나를 죽인 것뿐이었습니다. 그리고 광야로 내쫓기게 됩니다. 모세의 생의 두 번째 40년은 첫 번째 40년과는 완전히 반대로 자신의 무기력과 무능함에 좌절하며 완전히 포기한 삶을 산 것이었습니다. 그는 미디안의 이방 제사장 이드로의 사위가 되어 장인의 양을 치는 목동으로 전락했습니다. 그러나 그 40년의 끝에 모세는 하나님을 만났습니다. 호렙산 가시덤불에 붙은 불꽃 속에서 그는 하나님을 만나 자신의 삶을 향한 하나님의 계획과 소명을 받게 되었습니다.

우리들 모두에게 이것이 있어야 합니다. 그래서 모세의 나머지 40년은 자신과 함께 하시는 하나님 때문에 무엇이든 할 수 있는 사람으로 주님께 쓰임을 받을 수 있었습니다. 우리 성도님들의 생에도 이런 복을 주시기를 소원합니다. 처음 40년 동안 모세는 'I am Somebody'(나는 대단한 사람이다)라는 생각으로 살았습니다. 그러나 실패했습니다. 두 번째 40년 모세는 'I am Nobody'(나는 아무것도 아니다)라는 생각으로 좌절하며 살았고 그 끝에 하나님을 만났습니다. 그래서 마지막 40년을 모세는 'God is Everything'(하나님이 모든 것이시다)라는 결론으로 인생을 산 것입니다.

〈이 단원의 그리스도〉

1. **얍복강 나루터**에서 야곱을 만나주셨던 성자 하나님을 우리가 창세기에서 다루었습니다. 그와 마찬가지로 출애굽기 3장에서 모세가 만났던 호렙산 떨기나무의 불꽃 속에 임하셨던 "여호와의 사자"(the Angel of the Lord) 역시 '화육하기 이전의 그리스도'(the Pre-incarnated Christ)의 현현으로 볼 수 있는 것입니다.

떨기나무에 붙은 불꽃 속에 임하신 여호와의 사자는 모세에게 사명을 주어 애굽으로 돌아가게 하셨습니다. 우리 예수님은 지금도 하나님의 은혜를 입은 사람들의 삶 속에 불꽃으로 임하시는 분입니다. "태워도 태워도, 재가 되지 않는~", 바로 그런 불꽃이 예수님이십니다. 바울은 예수님을 만나고 난 후 정말 불꽃 같은 삶을 살았습니다.

"나의 달려갈 길과 주 예수께 받은 사명, 곧 하나님의 은혜의 복음 증거하는 일을 마치려 함에는 나의 생명을 조금도 귀한 것으로 여기지 아니하노라."

그래서 바울의 삶을 통해 수많은 사람들이 생명을 얻었고, 또한 주님께 자신들의 삶을 바치게 되었습니다. 광야의 가시떨기처럼 연약하고 보잘것없는 우리들이지만, 우리 안에 그리스도께서 불꽃으로 임하시면 우리의 생애도 수많은 모세를 하나님 앞으로 부르는, 주님의 뜻을 이루는 도구가 될 수 있습니다. 우리 모든 성도님들의 삶이 그런 것이 되기를 바랍니다.

2. **무엇보다도 우리는** 이 단원에서 이스라엘 백성들에게 유월절을 제정해 주시는 하나님을 뵙게 됩니다. 훗날 율법을 통해서 선포될 이스라엘 백성들의 3대 절기가 있는데, 유월절, 오순절, 그리고 장막절이 그것입니다. 이 세 절기는 모두 예수님과 연관이 있습니다.

유월절은 예수님의 십자가를, 오순절은 예수님의 피 흘리신 곳에서 첫 열매로 나타난 예수 그리스도의 교회 탄생을, 그리고 장막절은 예수님의 재림을 영적으로 예표하는 그림자들입니다. 다른 것은 차차 나누기로 하고, 유월절의 규례를 보십시오. 유월절엔 양을 잡아 그 피를 문 좌우 설주와 인방에 바르도록 하셨습니다. 그 양의 피가 죽음의 천사를 모두 지나가게 했습니다.

그래서 한문으로 유월절(逾越節)은 '넘을 유, 넘을 월'로 넘어간다는 뜻이고, 영어로도 'Passover', 즉 '넘어간다'는 뜻인 것입니다. 이 유월절 어린 양의 죽음은 바로 유월절에 십자가에 못 박혀 죽으신 예수 그리스도를 보여주며, 그의 피로 말미암아 우리는 죄로부터 구속함을 받은 것입니다. 이스라엘 백성들이 모든 장자가 죽임을 당하던 그 밤에 생존하여 출애굽의 탈출을 할 수 있었던 것은 절대로 그들 자신의 의나 혹은 탁월함 때문이 아니라, 순전히 그들을 위하여 죽은 어린 양의 피 때문이었습니다. 우리의 구원도 마찬가지입니다.

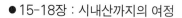

005 〉 광야생활과 성막의 제도

출애굽기 15-30장

● 15-18장 : 시내산까지의 여정

① 구속 받은 신자의 노래 – 수르 광야(15:1-22) – 구원 이후의 신자의 삶이 장밋빛 온상
이 아님을 보여줌

② 마라의 쓴 물이 나뭇가지로 인하여 달게 되다(15:23-26) – 예수님의 십자가가 생의 쓴
물을 달게 해줌을 보여줌

③ 엘림의 오아시스(15:27) – 신자의 삶의 열매의 경험을 보여줌

④ 죄의 광야생활과 만나와 메추라기(16장) – 우리의 생명의 양식 되시는 그리스도를 보여줌

⑤ 지팡이로 맞은 반석(17:1-7) – 십자가에 고난받으사 생수의 강을 공급해 주신 그리스도
를 보여줌

⑥ 아말렉(17:8-16) – 우리의 끈질긴 대적, 우리의 육체를 보여줌(신 25:17-18 참조). 육체를 이
기는 길은 하나님께 손을 드는 길밖에 없음

⑦ 미디안 제사장 이드로(18장) – 하나님의 지혜와 대조되는 세상의 지혜

● 19-24장 : 율법의 선포

● 25-30장 : 성막의 청사진과 대제사장의 의복

〈주요 통독 자료〉

1. 이스라엘 백성들의 광야생활에는 신자의 삶의 여러 요소들을 보여주는 상징들이
있습니다.

애굽은 세상을 상징합니다. 신자가 세상에 머물면 세상의 종이 되고 맙니다. 애굽의
왕 바로는 세상의 임금인 사탄을 상징합니다. 신자가 세상에 속하면 사탄의 지배 아래
놓이게 됩니다. 홍해는 하나님을 믿고 따르겠다는 고백이 담긴 세례를 의미합니다. 아
말렉과의 싸움은 구원 이후에도 로마서 7장의 바울의 고백처럼 끈질기게 우리 안에서

싸움을 걸어오는 육체를 의미합니다. 우리는 육체를 이겨야 합니다.

만나와 메추라기는 우리의 생명의 양식이 되시는 그리스도를 의미합니다. 반석의 생수는 그리스도의 보혈과 성령의 부어주심을 의미합니다. 신 광야에서의 생활은 믿기는 믿는데 아직도 육체의 지배를 받는 육신적 신자의 삶(Carnal Christian Life)을 의미합니다. 요단강을 건너는 일은 성령으로 거듭나는 삶을 의미합니다. 가나안은 성령의 능력으로 순종하는 영적 신자의 삶(Spiritual Christian Life)을 의미하며, 여기서는 싸워서 이기는 것마다 상급과 기업으로 누리게 됩니다.

2. 많은 신자들이 요단강은 죽음을 의미하고, 가나안은 천국을 상징한다고 믿고 있습니다. 하지만 요단강은 육적 죽음이 아닌 영적 거듭남을 의미합니다.

하나님께 완전히 순복하기로 전 인격적 결정을 할 때, 우리 안에 내주하시는 성령께서 우리를 완전히 지배하여 주시는 성령세례 혹은 성령의 충만을 경험하게 되는 것입니다. 가나안이 천국을 의미한다면 가나안에서는 더 이상 싸움도 실패도 눈물도 없어야 합니다.

그러나 가나안에도 여전히 싸움이 기다리고 있었고, 실패와 눈물도 기다리고 있었습니다. 가나안은 성령의 능력으로 영적 싸움을 치열하게 싸우는 그리스도의 군사들로서 우리의 삶의 국면들을 보여주는 것입니다. 우리는 성령의 능력으로 우리를 둘러싼 죄악된 세상과 싸워야 합니다. 그리고 승리하는 것마다 우리의 상급과 기업으로 누리게 되는 것입니다. 갈렙이 "이 산지를 내게 주소서"라고 외쳤던 것처럼, 우리는 하나님의 약속을 믿고 따라가야 하는 것입니다. 그리스도 예수의 좋은 군사로 우리 함께 나아갑시다. 그리고 성령의 능력으로 우리에게 약속된 모든 것을 반드시 취하여 누리는 축복된 지체들이 되시기를 축복합니다.

3. 시내산에서 율법이 선포되던 광경을 눈여겨보십시오.

이스라엘 백성은 그들에게 임하신 하나님이 너무나 두려워서 공포에 휩싸였습니다. 그래서 하나님의 말씀을 들어보기도 전에 모세에게 자신들을 대신해서 하나님께 나아가 하나님의 음성을 듣고 우리에게 돌아와 하나님을 대신하여 말씀해 달라고 요청합니다. 우리의 신앙도 하나님께 벌 받을까 봐, 하나님의 마음에 들지 못하면 축복대신 저주를 주실까 봐 두려움에 사로잡힌 것이 되기 쉽습니다.

그것은 불행입니다. 두려움 때문에 하는 일은 자꾸 당하다 보면 소위 간이 붓습니다. 그것이 이스라엘 백성들의 실패의 이유였습니다. 처음에는 하나님께 매맞는 것이 두려웠는데, 자꾸 매를 맞다 보면 맷집이 생기는 것입니다. 그래서 더 이상 하나님을 두려워하지 않습니다. 하나님께서는 우리가 하나님과 더불어 사랑에 빠지는 것을 원하십니다. 우리는 하나님의 음성을 들어야 합니다. 그리고 하나님과 직접적으로 사귀며, 사랑에 빠져야 합니다. 그것이 우리가 성경을 통독하며 깊이 있게 공부하려는 이유입니다.

〈이 단원의 그리스도〉

1. 하늘에서 내린 만나: 요한복음 6장에서 예수님은 당신 자신을 하늘에서 내려오신 생명의 떡이라고 선포하셨습니다.

이스라엘의 조상들은 광야에서 하늘에서 내린 만나를 먹고도 죽었지만 예수님을 먹는 자들은 영원히 산다고 선포하십니다. 단순히 떡을 얻어먹은 것 때문에 예수님을 따라왔던 사람들은 이때 "이 말씀은 어렵도다" 하면서 다 돌아갔습니다. 예수님께서 제자들에게 "너희도 가려느냐?"고 물으시자, 베드로가 대답했습니다.

"영생의 말씀이 주께 있사오니 우리가 누구에게로 가오리이까?"

이 말씀이 광야에서 하나님이 이스라엘 백성에게 허락하신 만나가 예수님을 보여주는 것임을 분명히 합니다.

만나는 흰색을 띠고 있습니다. 이는 예수 그리스도의 순결을 의미합니다. 만나는 둥근 입자입니다. 이는 예수 그리스도의 영원성을 나타냅니다. 만나는 아주 작은 입자였습니다. 이는 예수 그리스도의 겸손을 의미합니다. 만나는 새벽에 내렸고, 해가 뜨면 사그라졌습니다. 우리는 예수님과 새벽의 교제를 나누어야 합니다. 만나는 매일 거두어야 했습니다. 예수님과의 교제는 일주일에 한 번 혹은 한 달에 한 번 하는 것이 아니라 아침마다 새로운 것이어야 합니다.

2. **매를 맞은 광야의 반석**: 모세가 지팡이로 반석을 치자 반석이 깨지며 생수가 쏟아졌습니다.

과거에 모세의 지팡이가 뱀이 되었던 것을 기억하십시오. 이는 예수님께서 십자가에 죽으실 때, 예수님의 신체의 일부가 사탄에게 손상을 받으실 것을 보여주는 그림입니다. 이것이 바로 창세기 3:15의 "여자의 후손은 뱀의 머리를 상하게 할 것이요, 뱀의 후손은 그의 발꿈치를 상하게 할 것"이라는 예언의 성취인 것입니다.

고린도전서 10장에서 바울은 "이스라엘 백성들이 그들을 따르는 반석으로부터 생수를 마셨는데, 그 반석은 곧 그리스도이셨다"고 설명합니다. 십자가에 못 박혀 신체에 엄청난 상처를 입으시면서 우리에게 구원의 생수, 보혈과 성령을 부어주신 그리스도의 모습을 이 반석이 보여주고 있었던 것입니다.

우리는 40년이 지난 후 똑같은 반석에서 똑같은 일이 벌어지는 것을 봅니다. 이스라엘은 정말 신앙의 성장이 느렸습니다. 40년이 지난 후, 같은 자리에서 같은 문제로 넘어지는 것을 볼 것이며, 이 일로 모세와 아론마저 약속의 땅에 들어가지 못하는 비극을 맞게 됩니다. 그것은 나중에 그 장면에서 다시 말씀을 나누도록 하겠습니다.

3. **성막**: 율법이 선포된 후에 성막의 제도가 선포되었다는 것을 놓치지 마셔야 합니다.

율법은 우리의 죄를 드러냅니다. 성막은 그 율법을 통해서 드러난 죄를 해결 받기 위하여 하나님과의 교제 가운데로, 예배를 통해 나아가는 것을 보여줍니다. 따라서 성막의 모든 제도는 그 문에서부터 가장 깊고 은밀한 장소인 지성소, 그리고 그 성막을 덮는 덮개에 이르기까지 모든 것이 예수 그리스도를 보여주는 상징들로 가득 차 있습니다. 성막의 요소들에 대해서는 다음 말씀에서 보다 구체적으로 다루기로 하고, 오늘은 제사장들의 의복 속에 나타난 그리스도의 상징들에 대해 살펴보겠습니다.

대제사장은 오늘날의 목사를 의미하지 않습니다. 구약의 대제사장은 하나님과 성도들 사이에 있는 중간적 존재였습니다. 그러나 예수 그리스도로 말미암아 우리 성도들에게는 더 이상 하나님과 자신 사이에 중간적 존재가 필요하지 않습니다. 그래서 에베소서 4장에서 바울은 목사를 '교사'라는 직분과 동일하게 보았습니다. 말씀을 가르치는 일을 통해서 성도를 성숙하게 하여, 성도 자신이 예수 그리스도의 장성한 분량에 이르는 그리스도의 제자들이 되게 해주는 것이 목사의 역할입니다. 목사가 우리에게 축복을 주는 존재가 아닙니다. 이런 오해 때문에 오늘날의 교회에서 참으로 아름답지 못한, 성경적이지 못한 일들이 많이 일어납니다.

구약의 대제사장은 오늘날의 목회자가 아닌 '예수 그리스도'를 의미합니다. 그리고 그분 예수 그리스도로 말미암아 도리어 모든 성도님들이 왕 같은 제사장들이 된 것입니다. 그 특권을 누구에게도 빼앗기지 마십시오. 대제사장의 견장에 있는 두 보석과 흉배에 있는 열두 보석들은 예수님께서 하나님 앞으로 우리 모두를 껴안고 짊어지고 나아가심을 나타냅니다. 그래서 우리는 예수 그리스도 안에서 하나님의 임재 가운데 나아가게 됩니다.

- 31장: 성막의 일꾼들, 이스라엘의 표징인 안식일
- 32-35장: 금송아지, 깨어진 율법, 모세의 중보, 두 번째 십계명 돌판
- 36-39장: 성막의 건축
- 40장: 성막의 봉헌과 쉬카이나 글로리(하나님의 임재를 나타내는 영광스런 현상들)
- 출애굽기는 노예들의 아우성으로 시작했으나 하나님의 임재의 영광의 이야기로 마침(예수 그리스도 안에서 성도의 삶의 변화와 성숙의 결과)

〈주요 통독자료〉

1. 하나님께서는 성막의 제도를 친히 선포하셨습니다. 이것은 예배의 제도가 사람에 의하여 연구 개발된 것이 아니라, 하나님의 계획과 은총에 의한 것임을 분명히 해줍니다.

우리는 하나님께서 허락해 주신 곳까지 들어갈 수 있습니다. 죄인 된 우리가 예배를 통하여 하나님께 나아가는 것은 하나님 편에서의 은혜의 선물인 것입니다. 성막의 모든 요소들이 하나님의 디자인대로 이루어지기를 바라셨던 하나님은, 오늘날 우리들의 예배도 하나님의 디자인대로 이루어지기를 원하십니다. 그래서 성막을 세우는 일을 위하여 특별히 오홀리압과 브살렐에게 성령의 감동을 주셔서 모든 일들을 주관하게 하셨습니다. 하나님의 일은 참으로 그 일을 하도록 기름 부으심을 받은 사람이 해야 합니다. 내가 하고 싶다고 해서 할 수 있는 것이 아닌 것입니다. 그리고 자신에게 주신 하나님의 기름 부으심이 어디에 있는지를 아는 것도 중요합니다. 그것을 바로 찾기 위해서 우리는 늘 기도해야 합니다.

2. 오늘날 교회가 가진 큰 문제 중 하나가 바로 예배에 대한 오해입니다.

우리는 모두 예배를 통해 하나님께 축복을 받고 능력을 받고 은혜를 받으러 나간다고 생각합니다. 물론 하나님과의 예배를 통한 사귐의 시간은 우리에게 그런 축복들을 가져다줍니다. 하나님을 뵙고 내려오던 모세의 얼굴에 광채가 나던 것처럼 말입니다. 그러나 엄밀히 말하면, 예배는 우리가 받으러 가는 것이 아니고 드리러 가는 것입니다. 그래서 하나님께서는 "빈 손으로 내게 오지 말라"고 하신 것입니다. 축복은 사실 우리의 가정과 직장과 삶의 터전에서 받습니다.

성경을 통해 배운 지식과 하나님의 실존 앞에서 살아가는 믿음, 그리고 성령의 능력으로 주어진 은사와 나타나심의 경험을 삶의 현장에서 경험해야 하는 것입니다.

그리고 하나님과 함께하는 동업자, 하나님과 동거하는 가정… 그런 삶의 현장에서 얻은 축복의 산물들을 가지고 하나님께 나아가 감사와 경배를 올려 드리는 것이 예배입니다. 사람들이 예배에 나올 때 무엇을 받으러 나온다는 생각을 하니까 자신이 예배의 중심이 되려 하는 것입니다. 성가대도 자신을 위해 공연을 하는 가수의 개념으로 생각하고, 대표기도를 하시는 장로님들도, 설교를 하는 목사님도 전부 자기를 만족시켜 주기 위해 존재하는 분이라 생각하니까 앉아서 점수를 매기고 비평을 하는 것입니다. 예배를 받으시는 분은 하나님 한 분이십니다. 그리고 우리 모두는 그분께 드리러 나아가는 것입니다.

3. 32장에서 우리는 모세의 중보기도를 봅니다.

이 장면은 신기한 그림입니다. 하나님께서는 마치 화가 나셔서 어쩔 줄 몰라 하시는 모습을 보이시며, "아~ 말리지 마! 내가 저 인간들을 정말…" 하시며 이스라엘을 치려 하시는데, 모세가 도리어 하나님께 "하나님, 진정하세요. 이러시면 되겠습니까? 참으세요…"라고 말리는 것 같은 그런 모습입니다. 그리고 모세의 중보기도를 받으신 하나님께서 뜻을 돌이키셨다(He Repented: 그가 후회하셨다 혹은 뉘우치셨다)는 말씀까지 하십니다. 그러나 우리는 성경이 "하나님은 사람이 아니시니 거짓말을 하지 않으시고 인생이 아니시니 후회가 없으시도다 어찌 그 말씀하신 바를 행하지 않으시며 하신 말씀을 실행하지 않으시랴"(민 23:19)고 말씀하는 것을 기억합니다. 이것이 바로 우리 인간의 언어와 사고의 한계입니다.

우리는 하나님의 크심을 표현할 길이 없습니다. 그래서 이렇게밖에는 표현하지 못하는 것입니다. 사실은 하나님께서 모세의 마음속에 중보할 마음을 넣어주신 것입니다. 본래 죄에 대해서는 하나님께서 심판을 하시는 것이 공의입니다. 그러나 하나님은 동시에 사랑의 하나님이신 것입니다. 따라서 죄로 심판받아 마땅한 백성들을 위하여 심지어 "자신의 이름을 생명책에서 지워버리시라"는 무서운 말까지 하면서 백성들을 위해 중보할 마음을 모세의 마음속에 심어주셨습니다. 모세의 중보를 받으시고, 하나님의 공의도 이루시면서 동시에 백성들의 죄를 용서하시는 사랑을 베풀어 주신 것입니다. 이것이 바로 예수 그리스도의 십자가의 죽으심의 의미를 보여주는 것이기도 합니다.

〈이 단원의 그리스도〉

1. **성막 문**: 성막에 문이 하나뿐이었던 것은 인간이 하나님께로 나아가는 길은 예수 그리스도 한 분뿐이심을 보여줍니다(요 14:6; 행 4:12). 또한 성막 문은 동편을 향하고 있었으며 바로 그 앞에 유다 지파가 자리잡고 있었습니다. 그것은 예수 그리스도가 유다 지파에서 오신다는 것을 보여줍니다.

2. **번제단**: 놋이라는 금속은 심판을 상징합니다. 하나님의 심판이 번제단에 쏟아집니다. 예수 그리스도의 십자가에 인류에게 쏟아질 모든 하나님의 심판이 쏟아진 것입니다.

3. **물두멍**: 짐승을 도살하며 더러워진 제사장들의 손과 발을 이곳에서 씻어야 합니다. 그래야 성소에 들어갈 수 있습니다. 이 물두멍은 여성들의 거울을 녹여서 만들었습니다. 거울은 말씀을 의미합니다. 예수 그리스도의 말씀이 우리를 성결케 함을 보여줍니다. 바울은 에베소서 5장에서 "물로 씻어 말씀으로 우리를 성결케 하신다"고 했습니다.

4. **성소**: 지상교회 안에서 예수 그리스도로 말미암아 우리가 하나님과의 교제 가운

데 나아가는 것을 보여줍니다. 성소 안에는 세 가지 가구가 있었는데, 이는 지상 교회의 세 가지 생활을 보여줍니다. 왼편에는 순금 등대가 있었습니다. 지상교회에서의 성도의 삶은 성령의 기름 부으심을 통해 예수 그리스도의 빛이 되어야 함을 보여줍니다. 하나님은 오홀리압과 브살렐에게 특별히 은사를 주셔서 이 등대는 등대 자체가 빛나게 디자인 되어야 한다고 하셨습니다.

우리 옛 말에 "등잔 밑이 어둡다" 했지만, 이 등대는 등대 자체를 빛내야 합니다. 성령의 은사와 충만함을 받은 신자의 특징은 자기를 드러내는 것이 아니라, 예수 그리스도만 드러냅니다. 정면 휘장 앞에는 금으로 만든 향단이 있었습니다. 이것은 지상교회에서의 신자의 기도생활을 의미합니다. 그리고 오른편에는 떡상이 있었습니다. 이것은 우리의 만나가 되시는 예수 그리스도를 의미합니다. 이 떡상에는 아침마다 신선한 떡이 진설되어야 했습니다. 말씀을 통한 주님과의 교제는 아침마다 새로운 것이어야 합니다.

5. 성소와 지성소 사이: 휘장이 있었습니다. 이 휘장은 카펫을 직조하는 방식으로 직조되어진 청색, 자색, 홍색 실과 가늘게 꼰 베실로 그룹들을 수놓은 커튼입니다. 이 두께는 어른 손으로 한 뼘이나 되어서 사람의 손으로는 절대로 찢을 수 없다는 것입니다. 그런데 예수 그리스도께서 십자가에 죽으실 때에 바로 이 휘장이 찢어져 둘이 된 것입니다. 그것도 아래에서 위로 찢어진 것이 아니라 위에서 아래로 찢어졌습니다.

이 휘장을 찢으신 분은 바로 하나님이신 것입니다. 예수님의 십자가의 죽으심이 바로 우리로 하여금 하나님께로 나아갈 길을 열어주신 것입니다. 그래서 히브리서 기자는 예수 그리스도께서 그의 육체로 이 휘장을 열으사, 우리로 하여금 은혜의 보좌 앞으로 담대히 나아갈 수 있도록 우리 앞에서 대제사장으로 먼저 들어가셨다고 말한 것입니다.

6. 휘장 뒤편 지성소: 하나님의 보좌가 있는 천상 교회를 의미합니다. 언약궤 속에 있었던 만나는 우리의 생명의 양식이 되시는 예수님을, 아론의 싹난 지팡이는 우리의 대제사장 되시는 예수님을, 그리고 십계명의 두 돌판은 우리의 왕이 되시는 예수님을 보여줍니다. 언약궤를 들여다보면 죽임을 당했습니다. 하나님의 임재 앞에 우리가 그

대로 노출되면 우리 죄 때문에 죽임을 당할 것입니다. 그래서 시은좌, 즉 은혜를 베푸시는 장소로 일컬어지는 뚜껑을 해 덮으라고 하셨습니다. 그 뚜껑 위에는 두 그룹 천사들이 날개를 맞대고 아래를 내려다보는 형상이 만들어져 있었습니다.

하나님께서는 이 그룹들의 날개 아래에서 이스라엘을 만나시고, 그들의 병을 고치시고, 그들의 죄를 사하시며, 그들을 전쟁에서 승리로 이끌어 주시겠다고 하셨습니다. 그래서 이스라엘 백성들은 하나님의 임재 가운데로 나아가는 것을 그룹들의 날개 아래로 들어가는 것으로, 하나님의 은혜를 입는 일을 주님의 날개로 덮어주시는 것으로 비유한 것입니다. 이 날개 그늘은 바로 십자가 아래로 나아감을 의미합니다. 예수 그리스도의 십자가가 있기 때문에 우리를 향해서 쏟아질 하나님의 진노는 다 걸러지고 오직 은총만 우리에게 쏟아지는 것입니다. 〈주 날개 밑〉 찬송과 〈십자가 그늘 밑에 나 쉬기 원하네〉 찬양을 크게 부르면서 이 장을 마칩니다.

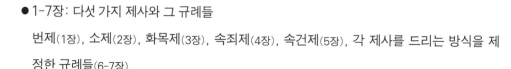
● 1-7장: 다섯 가지 제사와 그 규례들

번제(1장), 소제(2장), 화목제(3장), 속죄제(4장), 속건제(5장), 각 제사를 드리는 방식을 제정한 규례들(6-7장)

● 8-10장 : 제사장들

제사장들의 성별(8장), 제사장들의 사역(9장), 제사장들의 금지사항들 / 나답과 아비후의 죽음(10장)

〈주요 통독자료〉

1. 창세기가 '죄의 시작'을 주제로 하고 있고, 출애굽기가 '그 죄로부터의 구속'을 보여주는 책이라고 했지요?

이제 세 번째 책인 레위기는 바로 '구속함을 받은 신자의 특권인 제사' 즉 '예배의 책'입니다.

죄로부터의 구속, 곧 죄 사함이 있어야만 우리는 예배를 통해 하나님과의 사귐을 나눌 수 있습니다. 이사야 59:1-2은 우리에게 우리의 죄가 하나님과 우리 사이에 장벽을 만들어 하나님으로 하여금 우리의 기도를 듣지도 아니하시고, 손을 내밀어 돕지도 아니하시게 한다고 말합니다. 바로 어린 양 예수 그리스도를 믿고 죄로부터 구속을 받은 우리들이기에 그 다음 단계로 예배의 생활을 할 수 있는 것입니다. 창세기로부터 주제가 선명하게 흐르고 있죠? 기억해 두시기 바랍니다. 죄 – 구속 – 예배…

2. 이 단원에서 다루어지는 제사의 종류들은 다시 세 가지 종류의 제사의 카테고리로 묶여집니다.

● 속죄제와 속건제는 우리의 죄 문제를 다루는 제사입니다.

● 번제는 죄 사함을 받은 후 우리가 하나님께 헌신하는 것을 의미하는 제사입니다.

● 소제, 전제, 요제, 거제 등은 모두 화목제의 제사로 하나님께 헌신된 우리들이 하나님과 한 테이블에서 먹고 마시며 교제하는 것을 의미합니다.

성경에서는 순서가 번제로부터 설명되고 있지만, 사실은 제사의 순서가 먼저 속죄의 제사, 그 다음이 번제, 그 다음이 화목제의 순서로 항상 드려져야 했습니다. 9장을 보시면 대제사장 아론이 이 순서대로 하나님께 제사를 드리는 것을 볼 수 있습니다. 죄 씻음을 받아야 우리의 헌신이 하나님께 받아들여질 수 있고, 우리가 하나님과 세상에 반씩 섞인 마음이 아니라 완전히 하나님께 헌신되어야 하나님과 진정한 교제의 축복을 누릴 수 있는 것입니다.

3. 속죄제와 속건제의 차이점: 속죄제는 본질적인 죄성에 대한 제사입니다. 본래 죄라는 것은 헬라어에서 '하마르티아'인데, 이는 'Missing the Mark', 즉 '과녁을 빗나가다'는 뜻입니다. 활을 쏘는 궁수가 과녁을 빗나가게 쏘는 사람은 없을 것입니다. 그러나 실력이 모자라서, 또는 환경이 열악해서 실수로 못 맞추는 것입니다.

사람은 죄인입니다. 아담의 죄를 유전 받은 채로 태어났습니다. 죄를 지어서 죄인이 되는 것이 아니라, 처음부터 죄인이기 때문에 죄를 지을 수밖에 없습니다. 이 부분이 바로 인식되어야 합니다. 그래서 하나님 없는 인생이 죄를 짓는 것은 너무나 당연한 일인 것입니다. 그 본질적인 죄의 문제에 대한 제사가 속죄제이므로 속죄제는 하나님께만 제사하면 되었습니다.

그러나 속건제는 다릅니다. 이것은 Guilt Offering, 혹은 Trespass Offering이라고 불리는 제사로, 자신의 고의로 인한 행동의 범죄를 용서받는 절차입니다. 이런 범죄는 당연히 희생자가 따르게 되는 것입니다. 그래서 속건제는 하나님께 제사를 드리기 전에 먼저 자신의 죄로 희생을 입은 분에게 응당한 보상을 해주고 용서를 구한 후에 하나님께 제사를 드려야 하는 것입니다. 이것이 속죄제와 속건제의 차이입니다.

4. 우리의 생을 하나님께 온전히 희생하고 바쳐 드리는 헌신을 의미하는 번제 뒤에는 전제가 따릅니다.

전제란 Drink Offering이라 불리는 제사로서 타오르는 번제물 위에 올리브 기름, 혹은 포도주 한 숟가락을 부어서 그 뜨거운 불꽃 속에서 순간적으로 빠지직 타오르며 수증기로 승화할 때 내는 그 향기로운 냄새로 하나님을 기쁘시게 하는 제사입니다.

바울은 디모데에게 그의 생애 마지막 편지를 쓰면서 "나는 이미 관제와 같이 부음이 되었다"고 했습니다. 여기 관제가 바로 전제(Drink Offering)입니다. 그 말은 자신의 생애 전부를 불꽃처럼 태워 하나님께 헌신한 바울은 이제 자신의 마지막 남은 피 한 방울, 마지막 남은 땀 한 방울까지 주님을 위한 헌신에 쏟아 부은 것입니다. 그러니까 그에겐 이제 더 이상 남은 것이 없습니다. 그에게 남은 것이 있다면, 이제 주님 앞에 나아가 예비된 면류관을 받는 것뿐이라는 것입니다. 우리들 모두가 이 세상을 떠날 때, 바울처럼 말할 수 있기를 바랍니다.

5. 오늘의 단원에서 우리는 아주 불행한 사건을 봅니다. 그것은 바로 아론의 두 아들, 젊은 제사장들인 나답과 아비후가 성막에서 드려진 첫 번째 제사에서 불행히 죽음을 당했다는 것입니다.

이 사건은 우리들에게 경각심을 줍니다. 젊은 제사장들인 나답과 아비후는 새로 지어진 성막에서 처음으로 드려지는 이 영광스럽고 거룩한 제사에 쓰임 받는다는 사실에 매우 흥분해 있었던 것 같습니다. 그들은 어떡하든지 사람들에게 대단한 모습으로 나타나고 싶었을 것입니다. 그래서 그들은 그만 사람들의 시선을 자신들에게로 이끌려는 위험한 짓을 했습니다.

하나님께서 명령하신 불이 아닌 이상한 불로 제사를 하려다가 그만 제단에서 나온 불에 타 죽고 만 것입니다. 아~! 이것은 그야말로 영광스럽고 은혜롭던 첫 번째 제사에 찬물을 끼얹는 일이었습니다. 우리는 이 부분을 조심해야 합니다. 우리의 예배는 말씀대로 드려져야 합니다. 하나님께서 주신 말씀대로 삶이 뒷받침되어야 하고, 우리의 예배는 처음부터 끝까지 하나님의 영광만을 드러내야 합니다. 오늘날 많은 사람들이 하나님을 예배하는 교회에서 사람들의 시선을 자신에게로 끌려는 위험한 일을 합니다. 우리는 겸손히 오직 하나님의 영광만을 나타내야 합니다. 그러기 위해서 우리의 예배는 항상 깨끗한 말씀의 가르침이 중심이 되어야 합니다.

〈이 단원의 그리스도〉

1. 이 단원에 소개된 모든 종류의 제사의 제물들은 우리를 위하여 십자가에서 죽으사 하나님과 우리 사이의 막힌 담을 허물어 주시고, 우리로 하여금 하나님과 예배를 통한 사귐을 가능하게 만들어 주신 예수 그리스도를 보여주는 그림자들입니다.

1-3장에서 먼저 소개된 제사들은 향기로운 냄새를 가진 제사들(Sweet Savor Offerings)입니다.

번제는 우리를 대신하여 죽으신 그리스도를 의미하며, 소제는 그리스도의 사랑스러움을, 다시 말해서 한 알의 밀알로 땅에 떨어져 죽으심으로써 많은 열매를 맺으신 그리스도의 사랑을 의미하며, 화목제는 우리의 평화가 되시는 그리스도(에베소서 2장)를 예표하는 그림자입니다. 당연히 속죄제와 속건제의 제물들도 십자가 위에서 우리의 죄를 위하여 죽으신 예수 그리스도의 죽으심을 나타냅니다.

2. 특히 속죄제에 대해 규정하고 있는 4장에 보면, 순서대로 부지중에 율법을 범한 죄, 제사장의 죄, 회중들의 죄, 지도자들의 죄, 일반인들의 죄들이 모두 속죄제가 필요한 죄들임을 말해주고 있습니다.

이 말은 이 세상의 모든 사람들이 속죄가 필요한 죄인들이라는 것을 보여줍니다. 그 말은 바로 우리들 모두가 예수님을 필요로 하고 있다는 것을 말하는 것입니다. 국가, 영적 지도자들, 정치적 지도자들, 성전의 회중들, 즉 성도들, 일반 국민들, 즉 비신앙인들… 예수 그리스도는 모두를 위해 십자가에 죽으신 것입니다. 이 모든 이들의 죄가 하나님께 용서받기 위하여 제사를 드릴 수 있도록 허용되었다는 것은 예수 앞에 나오면 모든 죄가 용서될 수 있다는 것입니다.

3. 그제 묵상 자료에서 대제사장의 직무가 예수 그리스도를 보여주는 것이라고 제가 말씀드렸습니다. 그런데 8장을 보면 대제사장 아론과 그 아들들과 그들이 입을 모든 의복들에 대하여 정결케 하는 예식이 치러져야 했고, 그 정결케 성별하는 예식을 모든 이스라엘 회중이 참관하도록 하셨음을 봅니다.

당연히 우리의 영원한 대제사장이신 예수님은 그를 정결케 하는 예식이 필요치 않습니다. 왜냐하면 그는 전혀 죄가 없으시기 때문입니다. 이 제사장들을 정결케 하는 예식은 바로 예수 그리스도의 피로 속죄함을 받은 우리 모든 성도들이 이 땅에서 왕 같은 제사장의 직무를 수행하기 위하여 받아야 할 정결케 하는 예식인 것입니다.

예수님의 피에 온 몸을 담그고, 우리 모두 왕 같은 제사장들이 되어 이 세상을 변화시키는 직무를 수행해야 합니다. 아론의 두 아들 나답과 아비후는 불행히도 예수님만 드러내야 할 자리에서 자신의 존재를 드러내려 했던 죄로 성막에서의 첫 번째 제사에서 죽임을 당하는 비극을 맞게 됩니다. 우리는 조심해야 합니다. 우리는 예수님만 나타내기 위하여 제사장으로 부르심을 받은 사람들입니다.

하나님 자녀들의 생활 속의 정결과 거룩한 절기들

레위기 11-27장

- 11-22장: 하나님 자녀들의 생활 속의 성결

  ① 음식의 코드(11장) ② 자녀교육(12장) ③ 나병의 규례(13-14장) ④ 유출병의 규례(15장) ⑤ 속죄일의 규례(16장) ⑥ 제물을 드릴 장소와 피의 소중함(17장) ⑦ 가증한 풍속들로부터의 성결(18-19장) ⑧ 반드시 처형해야 하는 죄(20장) ⑨ 제사장들의 개인적 성결의 규례(21-22장)

- 23장: 거룩한 절기들

- 24-26장: 약속의 땅에 대한 계명들과 예언들

  ① 등잔, 진설병, 신성모독의 죄에 대한 처단의 규례들(24장) ② 안식년, 희년, 친족 구원의 규례(25장) ③ 약속의 땅에서의 상과 벌 / 다가올 역사에 대한 예언(26장)

- 27장: 서원의 규례

〈주요 통독자료〉

1. 하나님의 자녀들의 음식에 관한 규례들: 하나님께서 주신 음식에 관한 규례들은 시대와 상황에 따라 다르게 적용될 수 있는 일종의 건강코드입니다.

하나님께서 이스라엘 백성들에게 이 규례를 선포하실 때에는 이스라엘이 집단 캠프생활을 하고 있었습니다. 지금처럼 매일 샤워를 할 수도 없고, 항생제나 또는 질병의 치료에 대한 과학적 규명이 없었던 때입니다. 따라서 한 사람에게 질병이 들어오면, 특별히 그것이 전염성을 가진 것일 때 아주 작은 일에도 수많은 사람들이 떼죽음을 당할 수 있는 위험성이 있었던 것입니다. 그리고 식재료의 어떤 부분이 제거되어야 하는지, 어떻게 요리가 되어야 독소가 제거되는지, 이런 규명이 아직 되지 않을 때였기 때문에 이 음식물에 관한 코드는 그 시대와 이스라엘 백성들의 캠프생활과 광야생활이라는 특수한 상황윤리가 고려되어서 해석되어야 한다고 생각합니다.

그러니까 이것은 어디까지나 구원에 관한 교리가 아니라 건강과 사회의 안전을 위한 교리임을 기억해야 합니다. 과거에는 금지되었던 것이 오늘날에는 보편적 식단으로 자리잡고 있는 것들이 있습니다. 예컨대 복어의 독(테트로도톡신)은 청산가리의 1000배나 되는 맹독입니다. 하지만 이 독이 제거된 복어는 혈액을 맑게 해주어 혈액순환을 도와주고, 몸을 따뜻하게 하며, 근육경화를 방지해 주는 역할을 한다는 것입니다. 특히나 율법 가운데는 크리스천들 모두에게 보편적으로 적용되어야 할 법이 있고, 유대인들에게 특별히 주신 율법들이 있습니다. 다른 것은 나중에 기회 있을 때 이야기하기로 하고, 음식에 관한 규정들은 시대와 상황윤리를 고려하여 해석되어야 할 부분입니다.

2. 나병의 규례: 나병은 그 증세가 피부보다 깊은 곳에서 시작되는 것으로 급속한 전염성을 가지고 있고 몸의 신경 계통을 마비시켜 신체의 말단부위를 잃게 하는 무서운 병입니다.

이런 특성들 때문에 나병은 죄의 모형으로 쓰이고 있습니다. 나병처럼 죄도 표면이 아닌 깊은 영혼 속에서 시작됩니다. 그리고 급속히 온몸으로 퍼져나갑니다. 그리고는 감각을 잃게 합니다. 수치도, 아픔도 전혀 느끼지 못하는 상황이 되어버리는 것입니다. 그래서 마침내 가정과 친구들, 사회로부터 격리되어야 하는 고통을 가져오게 됩니다. 나병환자들은 길을 지나가다가 사람들을 만나면 윗 입술을 가리고 "부정하다! 부정하다!" 소리를 쳐서 사람들이 자기에게 접근하지 못하도록 해야 합니다.

다른 사람이 자기를 만지면 그 사람까지 부정하게 여겨졌습니다. 그래서 나병환자들은 성밖에 내쳐져서 쓰레기를 불태우는 곳에 집단 거주를 해야 했습니다. 죄는 하나님으로부터 우리를 고립시키며, 가정을 파괴시키고, 모든 사랑하는 사람들로부터 고립되어 고독하게 죽어 가도록 만드는 파괴력을 가지고 있습니다. 따라서 우리는 나병처럼 죄를 멀리해야 하고, 죄의 근원이 우리 마음과 영혼 안에서 시작되지 못하도록 뿌리부터 뽑아내야 하는 것입니다.

3. 레위기는 하나님의 자녀로서 이스라엘 백성들의 생활의 규범을 많이 다루고 있습니다.

하나님께서는 하나님의 자녀들이 하나님을 믿지 않는 사람들과 확연히 구별된 삶을 살기 원하십니다. 성도는 헬라어로 '하기오스'입니다. 이 말의 의미는 'Being Set Apart from the World to God' 즉 '세상으로부터 구별되어 하나님께 드려졌다'는 의미입니다. 그러므로 하나님의 자녀들은 먹는 것, 입는 것, 언어생활 등에서 믿지 않는 사람들과 확연히 구별되어야 합니다. 사실 하나님께서 금지시키신 행위들 중에는 그 뿌리가 우상숭배와 연관된 것들이 많습니다. 예컨대 몸에 문신을 새겨 넣는 행위는 본래 그 뿌리가 우상 사술의 개념에 있었습니다. 악귀를 쫓아낸다든지, 주술적인 의미로 행운을 가져온다든지 하는 일들은 하나님이 기뻐하시지 않는 일입니다.

그러므로 하나님께서 주신 우리의 몸에 문신을 넣는 일을 행하면 하나님이 기뻐하지 않으십니다. 서양 사람들은 별자리를 가지고 점을 칩니다. 동양사람들은 출생의 동물들을 규정짓는 십이간지를 따라 점을 칩니다. 하나님께서는 이런 일을 하는 자들을 죽이라고 하셨습니다. 크리스천들은 이런 일을 금하기 위하여 띠 이야기를 하지 않는 것이 좋습니다. 닭띠, 개띠… 이런 이야기는 우리가 점을 칠 목적으로 하지 않더라도 그 자체가 점술을 위해 만들어진 것이기 때문에, 우리의 문화 속에 자리잡고 있더라도 버리는 것이 좋습니다. 특별히 신접한 자들을 죽이라고 하셨습니다.

〈사랑과 영혼〉이라는 영화에서 우리는 우피 골드버그가 신접한 점술가의 역할을 한 것을 보았습니다. 사탄은 하나님의 자녀들이 이런 일들에 친숙해지도록 문화를 사용하는 것입니다. 우리는 이런 것에서 우리를 순결하게 해야 합니다.

〈이 단원의 그리스도〉

1. 우리는 먼저 23장에 나오는 절기들을 통해 우리 하나님의 구속의 역사 스케줄을 보게 됩니다.

먼저 유월절은 예수님의 십자가를 보여주는 절기입니다. 예수님은 유월절에 죽으셨습니다. 이스라엘의 종교력으로 정월 십사일 밤에 유월절이 시작되고, 그 다음 날부터 한 주간 동안 무교병을 먹는 무교절이 열립니다. 이것은 구원받은 성도들이 그 삶에서 죄를 제거하는 성회의 기간을 의미합니다.

유월절 기간은 보리 추수가 있는 때입니다. 그래서 유월절 절기에 포함된 안식 후 첫날에는 초실절이라는 제사를 드리게 되어 있었습니다. 이것은 예수 그리스도께서 십자가에 못 박혀 죽으신 후 사흘 만에 부활하신 구원의 첫 열매가 되심을 나타내는 절기입니다. 이 유월절 안식일로부터 49일, 즉 일곱 안식일이 지난 후 다시 안식 후 첫날에 오순절을 지키게 되어 있었습니다.

이때는 유월절 때에 뿌려진 밀 추수의 첫 열매를 다시 하나님께 드리는 절기입니다. 예수께서 십자가를 지시러 예루살렘에 올라가시면서 제자들에게 "한 알의 밀이 땅에 떨어져 죽으면 많은 열매를 맺는다"고 하신 것은, 우리에게 희생의 의미를 가르치신 보편적 비유가 아닙니다. 유월절에 땅에 떨어진 한 알의 밀알이신 예수님께서 그 첫 열매를 드리는 오순절에 이르러 이 땅에 교회를 탄생시키실 것을 의미하는 것입니다. 그래서 오순절에 이 땅에 교회가 탄생했습니다.

이스라엘의 종교력으로 7월 1일은 나팔절입니다.

이것은 이스라엘의 구속이 가까이 다가왔음을 제사장들이 긴 나팔 소리를 통해 선포하는 것입니다. 이것은 천사장의 소리와 하나님의 나팔 소리 가운데 예수님께서 공중에 재림하셔서 교회와 성도들을 공중으로 끌어올리시는 데살로니가전서 4장 13절 이하의 바울의 선포가 이루어지는 날을 의미합니다.

그리고 7월 10일은 대속죄일입니다.

이날은 두 마리의 숫염소가 희생을 당합니다.

첫째 숫염소는 죽임을 당해 그 피를 언약궤에 뿌림으로써 죄를 구속했고, 두 번째 숫염소는 이스라엘의 죄를 기록한 보자기를 쓰고 멀리 광야로 나가 다시 돌아올 수 없는 곳에 풀려졌습니다. 결국 그 숫염소는 맹수들에게 희생이 될 것입니다. 그러나 이스라엘의 죄는 다시 돌아올 수 없는 곳으로 옮겨진 것을 의미합니다. 하나님께서는 예수 그리스도의 십자가 희생으로 말미암아 우리의 죄가 다시는 우리에게 돌아올 수 없는 먼 곳으로 옮겨지게 하셨습니다.

7월 15일로부터 또 한 주간은 장막절, 혹은 초막절이라고 불리는 절기입니다. 이때는 모든 수확을 거두어 창고에 들인 것을 감사하며 지키는 절기입니다. 이것은 바로 예수님의 구속이 완전히 마쳐진 후 구속받은 성도들을 천국 창고에 들이시는 마지막 영원한 승리를 기념하는 절기입니다.

이렇게 하나님께서는 이스라엘 백성들에게 매년 7대 절기를 지키게 하셨습니다. 이 일곱 가지의 절기는 모두 3대 절기의 앞뒤에 연관을 가지고 연결되었습니다. 그 3대 절기, 즉 유월절, 오순절, 장막절은 예수 그리스도의 구속의 스케줄을 그대로 보여주고 있는 것입니다. 유월절은 십자가에 죽으신 예수님, 오순절은 십자가의 피 흘린 자리에서 교회를 탄생시키신 예수님의 첫 열매, 그리고 장막절은 재림하시는 예수님을 보여주는 절기입니다.

2. 이 단원에 나타난 그리스도에 관한 말씀 두 번째는 바로 25장에 나오는 친족 구원의 규례에 있습니다.

본래 땅은 하나님의 것으로 간주되었기 때문에 이스라엘 백성들에게는 땅의 매매가 근본적으로 금지되어 있었습니다. 그러나 어떤 사람이 먹고 살 길이 없어 땅을 매각했다면 이 땅은 다른 지파에게 넘어갈 수 있는 것입니다. 그러면 오랜 시간이 지난 후 한 지파의 땅을 다른 지파가 다 소유할 수도 있는 것입니다. 그것을 방지하기 위하여 땅을 매각한 사람의 가장 가까운 친척이 땅을 매각한 사람의 이름으로 그 땅을 무를 수 있게 해주셨습니다. 이 사람은 그 땅을 산 사람에게 가서 매입한 대금을 주고, 그 땅을 물러와서 매각한 사람의 이름으로 그 재산이 유지되게 해주는 것입니다.

이것이 친족구원의 규례입니다. 친족 구원을 해주려는 친족구원자는 세 가지 요건을 갖추어야 합니다.

●첫째는, 이 사람이 가장 가까운 근족이어야 합니다.

친척이 아니면 이것을 할 수 없습니다.

●둘째는, 이 사람에게 친족 구원을 하고자 하는 자원하는 마음이 있어야 합니다.

자기 물질을 들여서 땅을 사서는 자기 친척의 이름으로 그 땅을 보전하는 것은 희생입니다. 이런 희생을 치룰 의지가 있어야 하는 것입니다.

●마지막으로, 능력이 있어야 합니다.

아무리 원해도 능력이 없으면 땅을 되사오지 못하는 것입니다. 이 세 가지 조건은 바로 우리 인류를 구속하시기 위한 친족 구원자로 오신 예수님의 조건을 보여주는 것들입니다.

예수님은 우리의 친척이 되기 위하여 우리와 같은 사람으로 오셨습니다. 그리고 그는 십자가에 죽으심으로써 우리의 죗값을 지불하실 만큼 우리의 구원을 위한 의지를 가지고 계셨습니다. 그리고 그는 선천적으로나 후천적으로나 전혀 죄가 없으신 분이셨습니다. 따라서 그는 우리의 죄를 위해 죗값을 지불하실 자격이 있으셨던 것입니다. 우리는 나중에 룻기를 통해서 이 친족 구원의 그림과 예수 그리스도의 구속에 관한 내용을 보다 자세히 나누게 될 것입니다.

광야의 행진
시내산에서 가데스바네아까지
민수기 1-12장

- 1-8장: 광야 행진의 준비

  ① 첫 번째 인구조사(1장) ② 광야 행진에 있어서 열두 지파의 기준과 위치들(2장) ③ 레위 지파의 인구조사와 행진에 있어서의 위치(3장) ④ 성막에서의 레위 지파 사람들의 섬김(4장) ⑤ 캠프의 정결을 위하여, 의처증에 대한 판결(5장) ⑥ 나실인의 규례(6장) ⑦ 감독 된 자들이 드린 헌물(7장) ⑧ 등잔을 놓는 방식과 레위인들을 하나님께 바침(8장)

- 9-10장: 행진 앞으로…!!!

  ① 유월절과 구름이 회막에 덮임(9장) ② 행진의 명령(10장)

- 11-12장: 시내산에서 가데스바네아까지

  ① 다베라 사건(백성들의 원망이 하나님을 노하시게 하다/11장)

  ② 미리암과 아론의 질투: 미리암에게 임한 심판(12장)

〈주요 통독자료〉

1. 우리는 창세기가 '죄의 시작'을, 출애굽기가 '그 죄로부터의 구속을', 레위기가 '구속받은 신자들의 예배의 삶'을 보여주는 책임을 배웠습니다. 그렇다면 민수기는 어떤 책일까요? 민수기는 바로 '생활의 책'입니다. 진정한 예배자에게는 생활이 따라야 합니다.

하나님께서는 민수기에서 두 차례에 걸친 인구조사를 명하셨습니다. 그래서 이 책은 백성들의 수를 헤아린다는 의미의 '民數記'(Numbers)입니다. 이 책에서 우리는 이스라엘 백성들이 시내산에서 계명을 받은 후에 출발하여 가데스바네아를 거쳐 다시 신 광야에서 방황하던 시간들을 보내고, 드디어 모압 평야에서 요단강만 건너면 여리고를 향하여 갈 수 있는 바로 그 상황까지 광야 여행을 보게 됩니다.

이 책에서 우리는 본격적으로 이스라엘의 캠프에 부어주시는 만나와 메추라기에 관한 말씀을, 그리고 반석에서 솟아난 생수에 관한 두 번의 사건들을, 그리고 다베라 사건, 아론의 제사장직에 도전했던 고라 일당의 죽음, 불뱀과 놋뱀의 사건, 그리고 모압 평야에서의 발람의 사건 등을 배우게 됩니다. 이스라엘의 여행은 하나님께 대한 끊임없는 반역과 불신앙, 그리고 그에 따른 하나님의 징계와 채찍들, 그 안에서 아주 느리게 한 걸음씩 성장해 가는 광야에서의 이스라엘 백성들의 행진을 보여줍니다. 우리들의 예배 생활은 반드시 우리가 하나님을 진정으로 예배하는 사람들이라는 것을 입증하는 증거들이 따라야 합니다. 말씀대로 순종하는 삶, 사랑과 희생으로 예수님을 닮아가는 삶, 날마다 더 순결해져 가는 삶….

그러는 와중에 1장에 나온 첫 번째와 26장에 나오는 두 번째 인구조사를 통해 하나님께서는 광야에서 당신의 백성을 지키시는 일에 실패하지 않으셨다는 것을 증명하십니다. 우리의 구원은 궁극적으로 우리의 의에 달려있는 것이 아니라, 우리 하나님의 권능과 우리를 향한 사랑에 달려 있다는 것을 이 책이 보여줍니다. 하나님은 우리를 책임져 주시는 분입니다.

2. 6장에 나오는 '나실인의 규례'에서 우리는 하나님을 믿는 모든 신자들이 헌신된 하나님의 자녀가 되어야 한다는 것을 배웁니다.

나실인이란 히브리어의 '나지르'라는 단어의 음역으로서 이는 '구별되었다'는 뜻입니다. 하나님께서는 때로 어떤 특정한 사역을 위해서, 혹은 일평생 성전에서 종사하는 일을 위해서, 어떤 사람을 구별하여 나실인으로 사용하셨습니다. 때로는 일정 기간 동안만 나실인의 사명을 감당하는 경우도 있고, 때로는 일생 전부를 나실인으로 살아야 하는 경우도 있었습니다. 이 나실인들에게는 세 가지가 금지되었습니다.

● 첫째는, 머리를 밀지 말아야 합니다.

바울은 고린도전서 11:14에서 "남자에게 긴 머리가 있으면 자기에게 부끄러움이 되는 것"이라는 유대인 남자들의 보편적 사고에 대해 말했습니다. 남자가 긴 머리를 가지면 그것은 수치였습니다. 오늘날에는 남자들도 머리를 기르는 경우가 많습니다만 적어도 성경에서 유대인들의 의식에는 그랬습니다. 그러니까 나실인들에게 긴 머리를 자르지 말고 그대로 두라는 것은 '나와 함께 수치를 당할 준비가 되어 있느냐?'는 의미입니다. 하나님께 헌신하려면 우리는 때로 수치를 당할 준비가 되어 있어야 합니다. 예수님이 십자가에서 수치를 당하신 것처럼 말입니다.

● 둘째는, 나실인은 포도주를 먹지 말아야 했습니다.

이것은 나실인의 삶의 즐거움은 언제나 육신적인 것을 취함으로 얻는 것이 아니라 하나님께로부터 오는 것이어야 함을 말씀하는 것입니다. 사람들은 '술을 먹는 것이 성경에 위배되느냐' 하는 문제로 논쟁을 합니다. 그러나 이것은 질문이 잘못된 것입니다. '당신의 삶의 우선순위는 무엇입니까?'라는 문제로 바꾸어야 합니다. 당신은 육체를 즐겁게 하기 위하여 삽니까? 아니면 영을 즐겁게 하기 위하여 삽니까? 이 질문이 맞습니다. 영을 즐겁게 하기 위해 산다면 술이 아니라 성령의 충만을 받아야 합니다. 술이 아닌 성령의 충만으로 진정한 행복을 얻는 사람이 바로 하나님께 바쳐진 사람입니다.

● 셋째는, 시체를 가까이해서는 안 됩니다.

이것 역시 우선순위의 문제입니다. 단순히 짐승이나 타인의 시체만이 아니라, 심지어 그 부모나 사랑하는 이의 시체라도 만지지 말아야 했습니다. 그것은 나실인은 이 세상에서 주님을 섬기는 사명에 최우선 순위를 두어야 한다는 것을 의미하는 것입니다. 우리는 구약의 인물들이 아닙니다. 하지만 영적 의미에서 오늘의 크리스천들은 세상에서 구별되어 하나님께 바쳐진 사람들이 되어야 합니다.

자, 이 나실인의 규례에서 바울의 이야기를 좀 해보겠습니다. 바울은 사도행전 13장에서 안디옥 교회의 지도자로서 동역자들과 함께 금식하며 예배하던 중에, 성령께서 바나바와 함께 그가 시키실 일을 위하여 따로 구별하라는 명령을 받습니다. 바로 이 순간부터 바울은 나실인이 된 것입니다. 사도행전을 읽어나가다 보면, 2차 전도여행이 끝날 무렵 바울이 겐그레아에서 머리를 깎는 모습을 보실 것입니다. 이 말은 그가 선교 사역을 위해 헌신된 기간 중에는 나실인의 규례를 따라 머리를 깎지 않았다는 것입니다.

그런데 겐그레아에서 머리를 깎았다는 것은 '이제 하나님께 헌신한 나실인의 서약이 끝났다'는 것을 의미합니다. 바울은 계속 에베소에 들어가려 했습니다. 그러나 성령께서 계속 막으셨습니다. 그런데 바울의 소원은 없어지지 않았습니다. 그래서 바울은 머리를 깎은 후 에베소에 들어간 것입니다. 바울도 고집불통이죠? 나중에 사도행전에서 자세히 말씀드리겠습니다.

　3. 다음은 성경을 읽으면서 몹시 궁금해 하는 사안 중 하나는 바로 12장에 나오는 미리암의 나병 저주에 관한 말씀입니다.

　우리가 말씀을 읽어 보면, 모세가 구스 여자를 취한 것은 어떤 면에서나 잘못한 일 같습니다. 이스라엘의 지도자인 모세가 미디안에서 얻은 아내를 두고 또 아내를 얻었다는 것, 그것도 타 인종에 대하여 상당히 배타적 성향을 지닌 유대인의 지도자로서 아프리카의 이디오피아 여인을 아내로 얻었다는 것은 어떤 면에서도 지탄의 대상이 될 만한 일인 것입니다. 게다가 모세에게 아론이나 미리암이 누굽니까? 아론은 모세의 둘도 없는 조력자였고, 미리암 역시도 성경은 선지자라고 부르고 있습니다. 아론이나 미리암이나 모세의 잘못에 대해 조언을 할 수 있는 위치에 있었음에 틀림이 없습니다.

　우리는 이 사건을 두고, 주의 종의 잘못에 대해 지적을 하는 것은 저주를 초래한다는 뜻으로 해석을 해선 안 됩니다. 주의 종들도 명백히 실수할 수 있고, 실수가 있을 때에는 따듯한 사랑으로 조언해 줄 수 있는 것입니다. 특별히 아론과 미리암과 같은 동역자의 위치에 있다면 더욱 그렇겠죠. 문제는 12장 2절에서 보인 이들의 말입니다.

　"여호와께서 모세와만 말씀하셨느냐? 우리와도 말씀하지 않으셨느냐?"

　이 말씀은 모세의 실수를 지적하는 데서 그친 것이 아니라, 이 일을 기화로 해서 지도자로 세움 받은 모세의 직분, 즉 하나님의 기름 부으심에 대한 도전을 하려 했던 것입니다.

　하나님께서 분노하신 것은 바로 이 부분입니다. 주의 종이 무슨 시한폭탄도 아니고, 절대로 잘못을 저지르지 않는 신적 존재도 아닙니다. 동역자와 친구로서 주의 종들의 잘못에 대하여 중보하고 사랑으로 조언해 줄 수 있습니다. 그러나 그의 약점을 잡아서 하나님께서 주신 기름 부으심에 대한 도전으로 나타날 때, 하나님께서는 그것을 용서하지 않으신다는 것입니다. 사랑이 필요합니다. 그리고 그것이 최우선이 되어야 합니다. 누구에게나….

⟨이 단원의 그리스도⟩

우리는 민수기 2:3에서 성막을 중심으로 이스라엘의 각 지파가 자리를 잡을 때에 동편 해 돋는 곳에 자리를 잡을 세 지파를 봅니다. 이 세 지파의 대표는 유다 지파입니다. 그래서 그들은 유다 지파의 깃발 아래 진을 쳤습니다.

유다 지파의 양 옆으로 잇사갈과 스불론 지파가 자리를 잡게 되었습니다. 우리가 출애굽기에서 성막에 대해 이야기할 때, 성막의 모든 제도는 예수 그리스도를 보여준다고 했습니다. 성막으로 들어가는 문은 동편에 오직 하나뿐이었습니다. 그것은 구원으로 들어가는 문이 예수 그리스도 오직 한 분뿐이심을 분명히 하고 있는 것입니다. 그러니까 그 성막의 동편을 향한 문 바로 앞에 유다 지파가 자리를 잡고 있었던 것입니다. 이것은 우리의 구원의 유일한 길이 되시는 예수 그리스도가 유다 지파에서 오신다는 것을 예표하고 있는 것입니다. 할렐루야!

"내가 곧 길이요 진리요 생명이니 나로 말미암지 않고는 아버지께로 올 자가 없느니라"(요 14:6).

- 13-14장: 가데스바네아의 실패(정탐꾼들의 부정적인 보고로 인해 불신앙으로 약속의 땅에 들어가지 못함).
- 15-25장: 광야에서의 방황
  ① 하나님의 축복은 지연되었지만 그분의 목적은 파괴되지 않았다(15장).
  ② 제사장직에 대한 고라의 도전과 아론의 싹난 지팡이, 그리고 제사장직의 확증(16-18장).
  ③ 붉은 암송아지의 재(19장).
  ④ 반석의 생수와 미리암과 아론의 죽음(20장).
  ⑤ 호르마의 점령, 불뱀과 놋뱀, 요단 동편을 점령함(21장).
  ⑥ 발람 사건(22-25장).

〈주요 통독자료〉

1. 이스라엘이 가나안 남쪽 국경지대인 가데스바네아까지 오는 데는 1년 반 정도 밖에는 걸리지 않았습니다. 애굽에서 나와 홍해를 건너고, 마라와 엘림의 오아시스를 지나 시내 광야에까지 이른 시간과 시내산에서의 1년을 합치고, 다시 가데스바네아까지 행진한 시간을 다 합쳐도 1년 반이면 족했습니다. 하나님께서는 이스라엘에게 바로 이 가데스바네아에서 가나안 땅으로 들어가라고 하셨습니다. 하나님의 명령은 간단했습니다.

"가서 취하라"(Go and Take the Cities).

하나님의 명령이 단순한 것은 그만큼 믿고 올라가기만 하면 하나님께서 책임져 주시겠다는 것입니다. 그런데 여기 민수기 13장 1절만 읽는다면 정탐꾼들을 뽑아 가나안에 들여보내라는 아이디어가 하나님의 명령에서 나온 것처럼 보입니다. 하지만 신명기 1장19-23절에 보면, 하나님께서는 올라가서 취하라고 명령하셨는데, 이스라엘 백성들이 불순종하여 정탐꾼들을 뽑아서 정탐해 보고 가자고 한 것입니다. 그래서 하나님께서 "너희 마음대로 해보라"고 하신 것을 민수기가 말하고 있는 것입니다. 만약 여기에서 그들이 믿고 올라갔다면 그들은 애굽에서 나온 지 1년 반 만에 약속의 땅에 들어갈 수 있었습니다. 하지만 여기에서 믿음에 실패했기 때문에 결국은 광야에 나올 때 20세 이상이었던 책임 있는 성인들이 광야에서 다 죽임을 당할 것이 선포되고, 정탐꾼들 중에 불신앙의 고백을 했던 사람들은 모두 재앙으로 죽었고, 오직 믿음을 가졌던 여호수아와 갈렙만이 약속의 땅에 들어가게 된 것입니다.

2. 우리는 가데스바네아 사건에서 하나님의 뜻에는 '직접적인 뜻'(Directive Will)과 '허락하신 뜻'(Permissive Will)이 있음을 배웁니다.

'직접적인 뜻'은 하나님께서 직접 선포하신 하나님의 뜻입니다. 우리는 이 뜻대로 단순하게 복종하고 믿음으로 반응해야 합니다. 그러면 큰복을 받습니다. 하지만 때로 우리는 하나님의 뜻을 알면서도 복종하지 않을 때가 있습니다. 우리의 믿음의 부족함 때문이거나 혹은 욕심 때문입니다. 그래서 우리가 하나님께 이의를 제기하면 하나님께서는 우리 뜻대로 해보라고 하십니다. 그것이 바로 '허락하신 뜻'(Permissive Will)입니다. 우리는 가데스바네아 사건에서 하나님의 직접적인 뜻을 따라야 할 것을 교훈 받습니다.

이와 유사한 케이스를 우리는 발람 사건(민수기 22-25장)에서 다시 발견합니다. 발람은 우상을 숭배하고 사술을 행하면서도 동시에 하나님의 계시도 받는 신기한 사람이었습니다. 그는 하나님의 선지자이면서도 동시에 세상을 숭배하는 사탄숭배자이기도 했습니다. 발람은 하나님과 세상을 동시에 섬기려는 오늘날의 많은 교인들의 모습을 보여줍니다. 모압 왕 발락이 발람을 초대해서 이스라엘을 저주해 달라고 요청합니다. 하나님께서는 분명히 가지 말라고 하셨습니다. 그것이 하나님의 직접적인 뜻입니다. 그래서 처음에 발람은 가지 않겠다고 했습니다. 그러나 발락이 더 많은 뇌물을 보내자 발람은 다시 하나님께 물었습니다. 이번에는 가라고 하셨습니다. 이것이 바로 허락하신 뜻입니다. 직접적인 뜻에 순종하지 않으니까 허락하신 뜻을 말씀하신 것입니다. 그 결과 발람은 돌이킬 수 없는 저주를 받고 말았습니다. 짐승만도 못한 사람이 되지 않았습니까?

3. 고라의 반역과 아론의 싹 난 지팡이는 하나님께서 세우신 기름 부으심에 대한 도전이 얼마나 무서운 결과를 초래하는지를 교훈합니다.

어제의 통독 자료에서, 우리는 아론과 미리암이 모세의 약점을 잡아서 그에게 주신 기름 부으심에 도전했을 때 어떤 결과가 초래되었는지 배웠습니다. 그들은 모세의 약점을 잡아 "너만 하나님의 종이냐? 우리도 하나님의 종이다"라고 도전을 했습니다. 그것을 하나님께서 기뻐하지 않으셨습니다. 이번에는 고라가 아론의 대제사장직에 도전했습니다. 자기도 같은 레위 지파인데 왜 아론만 대제사장이 되어야 하느냐고 도전했습니다. 이 일에 르우벤 지파의 다단과 아비람과 온이 당을 지어 250명의 추종하는 지도자들을 데리고 반역을 시도한 것입니다. 그러자 하나님께서는 그들 모두에게 향로를 가지고 성막에 와서 분향하라고 하셨습니다. 이어서 그들만 따로 세우고 모두 그 곁을 떠나라고 하셨습니다. 그리고 지진을 주셔서 그들 모두를 땅 속에 삼키우게 하셨습니다.

이 일이 있은 후 하나님께서는 이스라엘 열두 지파에 하나씩 지팡이를 가져다가 그 위에 각 지파 수령들의 이름을 쓰고, 레위 지파의 지팡이에는 아론의 이름을 써서 언약궤 앞에 두라고 하셨습니다. 그리고 이튿날 오직 레위 지파의 지팡이에만 싹이 났습니다. 이렇게 해서 하나님이 아론의 집을 특별히 제사장의 집으로 택하셨다는 것을 증명해 보이신 것입니다. 우리는 하나님의 기름 부으심을 소중히 여겨야 합니다.

〈이 단원 속의 그리스도〉

1. 므리바 반석의 사건에 대해 어떤 집사님께서 질문하신 것에 대해 답변을 드린 것이 있어서 여기에 올려 드립니다.

사실 이스라엘 백성들의 광야 생활 중 반석에서 생수를 내어 마시게 한 사건은 두 차례 일어났습니다.

첫 번째 사건은 출애굽기 17장에서 있었습니다. 이것은 이스라엘 백성들이 홍해를 건너 광야 생활을 시작한 지 얼마 안 되어서 있었던 사건입니다. 그러나 약 40여 년의 광야 생활이 거의 끝나갈 무렵에 그들은 같은 지역에서 똑같은 사건에 다시 한 번 봉착합니다. 그것이 민수기 20장에 나오는 사건입니다. 우리는 이 이스라엘 백성들의 모습에서 영적 미성숙의 극치를 봅니다. 광야생활의 초입에 그들은 므리바에서 같은 경험을 했습니다. 그런데 40년이나 시간이 지난 후에도 아직 그들은 같은 장소에 있습니다. 왜냐하면 가데스바네아에서 믿음으로 가나안에 들어갈 수 있었는데, 그들이 하나님을 믿는데 실패했기 때문입니다. 결국 그들은 손바닥만한 신 광야에서 40년을 오르락내리락하며 상승했다 침체했다, 일어났다 자빠졌다 하는 똑같은 경험을 반복한 것입니다. 누구나 영적으로 자라지 못하면 늘 같은 문제에 걸려서 또 넘어집니다. 영적으로 극복이 되지 않으면 오랜 시간이 지난 후 같은 시험을 또 치러야 하는 것입니다.

출애굽기에서 우리는 광야에서 모세의 지팡이에 맞아서 깨어지며 생수를 쏟아낸 반석이 예수 그리스도를 상징한다는 것을 나누었습니다. 모세의 지팡이는 과거에 뱀이된 적이 있었으며, 지팡이에 맞아 깨어진 반석은 사탄에게 신체의 일부에 손상을 입으시며 그 피를 쏟아주실 예수님을 의미한다는 것을 기억하시죠? 고린도전서 10장에서 바울이 바로 이 반석이 그리스도이셨다고 말합니다. 40년이 지난 후에 그들은 같은 자리에 다시 왔습니다. 그리고 조금도 성숙되지 않은 모습으로, 또 그 자리에서 물이 없다고 원망과 불평을 늘어놓습니다. 이번에도 모세가 하나님께 나아가 이 문제를 해결해 달라고 기도합니다.

두 번째 사건은, 민수기 20장에서의 사건인데, 자세히 보면 출애굽기 17장에서와는 달리 하나님께서 좀 다른 명령을 하십니다. 첫 번째 므리바 사건 때는 우선 "이스라엘의 장로들만 모으라"고 하셨고, "그들 앞에서 지팡이로 반석을 치라"고 하셨습니다. 그러나 두 번째 사건 때는 "이스라엘의 총회를 그 앞에 모으라"고 하셨고, 이번에는 "지팡이를 잡고 반석을 명하여(Claim: 요청하다-기도를 의미) 물을 내라 하라"고 말씀하셨습니다.

하나님께서는 이 두 번의 사건을 통해서 예수 그리스도에 대한 아주 아름다운 그림을 보여주고자 의도하셨던 것입니다. 예수님은 십자가에 단 한 차례 못 박히심으로써 우리의 구원을 완성하신 분입니다.

"단번에…"(롬 6:10; 벧전 3:18).

예수님은 두 번 십자가에 죽으실 필요가 없었습니다. 예수님께서는 오직 한 번 십자가에 죽으심으로써 인류의 구원을 완성시키신 것입니다. 하나님께서는 이 두 번의 사건을 통해 그 그림을 보여주고자 하셨습니다. 예수님께서 십자가 위에서 한 번 죽으신 후에는 누구든지 십자가 앞에 나아와 믿음으로 구하기만 하면(Claim: 요청하기만 하면) 주님께로부터 구원의 생수, 즉 그리스도의 보혈과 성령의 능력을 입게 됩니다.

그러나 불행히도 모세와 아론은 하나님의 이 의도를 깨뜨려 버린 것입니다. 그들은 참으로 '겸손과 온유'에 있어서 지면의 어느 누구보다 승한 분들이었습니다. 그러나 그들의 인내가 바닥이 난 것입니다. 그래서 그들은 회중들에게 화를 냈습니다.

사람들은 화가 나면, "내가, 내가, 내가…"가 나옵니다. 모세와 아론은 "우리가 너희를 얼마나 더 참으랴. 우리가 너희를 위하여 이 반석을 쳐서 생수를 내어 너희에게 마시게 하랴?" 하고 성질을 못 이겨서 하나님이 명령만 하라고 하셨는데 반석을 두 번 친 것입니다. 결국 반석에서 물이 쏟아져 백성들이 마시기는 했지만, 하나님의 의도는 완전히 빗나가고 만 것입니다. 하나님은 분명히 말씀하셨습니다.

"너희가 나를 믿지 아니하고 이스라엘 자손의 목전에서 내 거룩함을 나타내지 아니한 고로"(민 20:12).

"…너희가 내 명령을 거역하고 그 물가에서 내 거룩함을 그들의 목전에 나타내지 아니하였음이니라"(민 27:14).

이 말씀은 이중적인 의미입니다.

첫째로, 우리 신앙인들이 믿지 않는 사람들 앞에서 행하는 것은 우리 하나님이 누구신지를 그들에게 보여주는 행위로 간주됩니다. 모세와 아론이 이성을 상실하고 화를 내며 혈기를 부린 것은, 백성들 앞에서 하나님의 모습을 잘못 보여준 것으로 간주된 것입니다. 이는 오늘날 믿는 우리가 불신자들 앞에서 어떻게 말하고 행동해야 하는가를 보여주는 말씀으로 하나님께서 성도들의 삶을 얼마나 중요하게 보시는지 깨달아야 합니다.

둘째로, 모세와 아론은 이 일로 하나님께서 계획하셨던 예수 그리스도의 십자가에 관한 또 하나의 아주 아름다운 모형적 그림자를 깨뜨려버린 것입니다. 하나님께서는 이 일을 몹시 서운해 하셨습니다.

우리는 훗날 모세와 아론이 이 일로 하나님께 나아와 자기들도 가나안에 들어가게 해달라고 기도했던 장면을 봅니다. 그러나 하나님은 단호하셨습니다.

"너희는 이 일로 다시는 내게 오지 말라."

하나님은 사랑의 하나님이십니다. 하지만 진리에 대해서는 절대 타협하지 않으시는 분입니다. 우리가 오해하지 말기를 바라는 것은, 그렇다고 해서 아론과 모세가 절대 지옥에 간 것은 아닙니다. 가나안은 천국이 아니라고 분명히 말씀드렸습니다. 모세와 아론은 역사 가운데 가장 아름다운 하나님의 종들이었고, 그들은 물론 구원받은 하나님의 자녀들이었습니다. 하지만 하나님께서 이 일에 단호하신 것은 그만큼 하나님의 자녀 된 우리들에게 이런 일에 대하여 경각심을 심어주시기 위함이며, 또한 하나님께서 얼마나 이 일을 중요하게 여기시는지를 나타내 주시는 것입니다.

4. 놋뱀을 통해 보여진 예수님의 십자가: 요한복음 3:14-15에서 예수님께서 직접 "모세가 광야에서 뱀을 든 것같이 인자도 들려야 하리니 이는 그를 믿는 자마다 영생을 얻게 하려 하심이니라"고 하셨습니다. 놋이라는 금속은 성경에서 '심판'을 상징하는 금속입니다. 그래서 성막의 번제단도 놋으로 되어 있었습니다. 제단에 올려진 제물은 불로 태워짐으로써 우리가 받을 심판을 그 제물이 대신 받아준 것이 되는 것입니다.

놋뱀은 불뱀에 물려 사망이 기정사실화 된 채 태어난 모든 인생들에게 초래될 사망으로부터 구원의 길이 되시는 예수 그리스도를 의미합니다. 놋뱀은 이스라엘의 캠프 중앙에 높이 달렸습니다. 예수 그리스도는 지구의 중심부인 이스라엘의 시온산에서 십자가에 달리셨습니다. 놋뱀을 바라보기만 하면 다 구원을 받은 것처럼, 예수 그리스도를 믿음으로 고백하기만 하면 구원을 받습니다. 불뱀에 물려 고통을 받던 수많은 사람들에게 놋뱀은 오직 하나만 필요했습니다. 수많은 인류의 구원을 위하여 십자가에 달리신 예수님도 오직 한 분뿐이십니다. 한 분이면 족했습니다. 불뱀을 바라보는데 어떤 대가도 지불되지 않았습니다. 돈이 있든 없든, 지식이 있든 없든, 권력이 있든 없든… 다른 아무 조건도 없습니다. 그저 믿기만 하면 되는 것입니다. 예수님도 마찬가지입니다.

5. 바로 발람의 예언 속에 나타난 예수 그리스도에 관한 예언입니다.

발람 같은 선지자의 입을 통해서도 하나님은 오직 예수님만 선포하게 하셨습니다. 모압 왕은 끝까지 발람을 통해 이스라엘을 저주하려고 각기 다른 세 군데의 조망대로 그를 데려가 이스라엘의 캠프 구석구석을 바라보면서 이스라엘을 저주하게 했습니다. 사탄도 우리 성도님들을 이리저리, 요모조모 살펴서 어떡하든 트집을 잡아 저주하려 듭니다. 그러나 하나님께서 축복하시기로 작정된 자녀들을 사탄은 저주할 수 없습니다. 발람이 입을 열 때마다 도리어 이스라엘을 축복하게 하셨습니다. 사탄이 성도에게 도전해 오지만 하나님께서는 그것을 모두 축복으로 바꾸어 주실 것입니다.

발람의 첫 번째 예언은 이스라엘을 세계 모든 민족 위에 뛰어나게 하실 것이라는 예언을 담았습니다. 두 번째 예언에 "하나님은 사람이 아니시니 거짓말을 하지 않으시고 인생이 아니시니 후회가 없으시도다 어찌 그 말씀하신 바를 행하지 않으시며 하신 말씀을 실행하지 않으시랴"(민 23:19)라는 저 유명한 말씀을 담았습니다. 그리고 세 번째 예언에서 "야곱의 장막들이 아름답고 그 기치가 골짜기와 동산 같고 여호와께서 심으신 백향목처럼 번성할 것"이라 했습니다. 그리고 마지막 예언에서 24장 17절을 꼭 외우기 바랍니다. 발람은 "한 별이 야곱에게서 나오고 한 규 즉 치리자의 지팡이가 나올 것이라"고 예언했습니다. 마침내 발람은 예수님의 오심을 예언한 것입니다.

● 26-36장: 약속의 땅에 들어갈 준비를 하는 신세대

① 신세대들의 인구조사(26장)

② 율법 아래에서의 여성의 위치(27장)

③ 각 제사에서 드려져야 할 제물들(28-29장)

④ 서원의 규례(30장)

⑤ 미디안의 심판(31장)

⑥ 요단 동편의 땅을 요구하는 르우벤과 갓 지파(32장)

⑦ 광야 여정의 총정리(33장)

⑧ 약속의 땅의 경계들(34장)

⑨ 레위 지파에게 주어진 도피성들(35장)

⑩ 상속된 땅에 관한 규례(36장)

〈주요 통독자료〉

1. 슬로브핫의 딸들과 여성에 대한 하나님의 생각

민수기 27장이 다루고 있는 이 사건은 매우 흥미로운 내용입니다. 슬로브핫의 딸들이 모세에게 와서 자기 아버지는 고라처럼 반역의 무리들 중에서 죽지 않고, "자기 죄에 죽었다"(민 27:3 - 일반적인 죽음을 당했다는 표현)고 했습니다. 그러면서 아버지가 아들을 남기지 못하고 죽었으니 집안에 남자가 없다는 것 때문에 기업 분배에서 배제시키지 말고 자신들에게도 기업을 분배해 달라고 요청한 것입니다. 이들은 참으로 신세대다운 여성들이었습니다. 당대의 문화적 배경을 염두에 둔다면 저돌적이고 당돌한 여인들이었습니다. 왜냐하면 그 시대에서 여성은 사람의 숫자에도 들지 못하던 때입니다. 모세는 이 일을 어찌 처리해야 할지 몰랐습니다. 그럴 때에 모세가 하나님께 이 일에 대해

여쭤어 보았다는 것이 중요합니다. 모세는 참으로 사려깊고 마음이 따뜻한 지도자였습니다. '어디서 감히 여자들이 나대고 있어!'라고 일언지하에 쫓아 보낼 수도 있었던 시대에, 모세는 이 여성들의 아픔을 가지고 하나님께 나아갔다는 것입니다. 그리고 하나님께서는 모세에게 당연히 그들에게도 정당하게 기업을 분배하라고 하셨습니다.

기독교 복음이 처음 들어가는 나라마다 보편적으로 나타나는 가장 큰 변화 중 하나는 여권신장입니다. 우리 나라도 마찬가지입니다. 교회는 처음으로 남녀칠세부동석이라는 규율을 깨뜨린 곳이 되었습니다.

베네수엘라 같은 나라는 자기 딸을 열 살도 되기 전에 다른 남자에게 팔아버리는 것이 관습이 되어 있는 종족들이 있었다고 합니다. 그러나 복음 때문에 그런 지역의 여성들이 축복을 받았습니다. 여성 여러분, 감사하십시오. 그리스도의 복음이 여러분들에게 가져다준 특권과 축복에 대해서….

2. 미디안의 심판(발람의 일)

민수기 22장과 23장에서 발람에 관하여 읽었을 때, 발람은 오직 이스라엘을 저주하는 대신 축복만 선언하고, 모압 왕 발락은 머리 끝까지 화가 치밀어 있는 모습만 보았을 것입니다. 문제는 발람이 돌아가면서 모압 왕에게 꾀를 넣어준 것입니다.

이스라엘을 저주하려면 그들이 하나님께 미움을 받게 해야 한다는 것입니다. 바로 미디안의 미녀들을 뽑아 이스라엘의 캠프에 들여보내 이스라엘 남자들이 그들의 유혹에 빠져 우상숭배에 참여하게 하라는 아이디어를 준 것입니다.

결국 24장과 25장에서 이스라엘이 하나님께 저주를 받아 큰 비극이 벌어집니다. 이일로 말미암아 나중에 여호수아 13장을 보면, 이 모압 지방에 은둔하던 발람이 르우벤 지파에 의해 죽임을 당하는 장면을 보게 될 것입니다. 발람은 참으로 불행한 사람이었습니다. 하나님의 계시를 받던 선지자로 하나님의 큰 축복을 받을 수도 있었는데, 결국 물질에 대한 탐욕을 이기지 못하여 이런 저주를 초래한 것입니다.

미디안 사람들에 대한 보복의 명령이 31장에 나옵니다. 여기에 앞장서 나갔던 리더들 중에 대제사장 아론의 손자였던 비느하스를 주목해 보십시오. 이스라엘이 발람의 어그러진 길에 빠져서 우상을 숭배하여 범죄하고 있을 때, 하나님의 징계로 염병이 들어 2만4000명이 죽었습니다. 온 백성들이 회막 문에서 곡을 하고 있는데, 백성들과 모세가 보는 앞에서 한 이스라엘 남자가 미디안 여자를 데리고 자기 장막으로 들어가는 것을 보았습니다. 이때 분노한 비느하스가 그들의 뒤를 따라 들어가 그 장막 안에서 두 남녀를 한꺼번에 창으로 꿰뚫어 버렸습니다. 하나님은 이 사건에 대하여 "비느하스가 나를 대신해서 질투를 풀어주었으므로 내 진노를 멈추겠다"고 하셨습니다. 이 세상에는 하나님의 질투를 대신 품을 수 있는 사람이 필요합니다. 악을 악이라 선언하고, 그것에 분노하며, 세상에서 악을 제거하려는 열심을 품은 하나님의 사람들을 하나님은 원하시는 것입니다.

3. 요단 동편의 지파들

32장을 보면 르우벤 지파와 갓 지파가 요단강 동편의 땅을 차지하겠다고 모세에게 요청하는 장면이 나옵니다. 미디안과의 전쟁이 끝난 후, 그들에게는 미디안에서 빼앗은 땅이 비옥하고 좋아보였습니다. 그래서 거기에 머물고자 한 것입니다. 물론 그들은 요단강을 건너가서 모든 가나안 정복 전쟁에 동참한 후에 다시 요단강을 건너와서 거기에 정착하겠다고 했습니다. 하지만 하나님께서 이스라엘 백성에게 약속하신 땅은 요단강 서편에 있었습니다.

요단강 서편은 요단강이라는 천혜의 지형지물로 보호를 받을 수 있었던 곳입니다. 요단강의 협곡을 건너 요단 서편을 공략하는 일은 당시 전쟁의 양상으로는 매우 어려운 일이었습니다. 결국 요단 동편에 머문 르우벤과 갓 지파, 그리고 므낫세 반 지파는 이방인들의 문화에 아주 쉽게 섞여버렸습니다. 훗날 앗수르에 의하여 이스라엘이 멸망당할 때, 제일 먼저 이방인의 땅에 흡수되어 버린 것이 이 세 지파였습니다.

우리는 언제나 쉽고 편안한 곳에 머물고자 하는 속성을 가지고 있습니다. 베드로가 변화산에서 "주여, 여기가 좋사오니 우리가 초막 셋을 짓고 여기 거하사이다"라고 말했던 것처럼, 우리는 하나의 업적과 영광스런 장소에 머물고 싶은 속성을 가지고 있습니다. 그러나 바울처럼 우리 주님의 손에 잡힌 것을 잡으려고 끊임없이 쫓아가는 자들이 되어야 합니다.

〈이 단원의 그리스도〉

도피성 #1 - 하나님을 기업으로 가진 사람들

하나님께서는 레위 지파에게 땅을 분배해 주지 않으셨습니다. 대신 그들에게 "내가 너희의 기업이다"라고 하셨습니다. 얼마나 큰 축복입니까? 레위 지파는 열두 지파의 땅 이곳저곳에 분포된 48개의 성읍들만을 분배받았습니다. 그들은 농사를 짓거나 장사를 해서 이문을 남기거나 하는 일들을 하지 않고, 다만 이스라엘 열두 지파의 땅에 두루 분포되어 그들의 신앙생활을 돕는 신앙 지도자로서의 사명을 감당하게 하신 것입니다. 땅이나 물질을 분배받는 대신, 하나님께서 직접 그들의 기업이 되어주시겠다는 약속을 받은 사람들… 얼마나 멋진 축복입니까?

우리 모두는 그리스도 안에서 왕 같은 제사장들이 되었으므로 레위 지파처럼 하나님을 우리의 기업으로 가진 사람들입니다. 이것이 바로 예수님으로 말미암아 우리가 누리는 축복입니다.

그런데 이 레위 지파에게 분배된 48개 성읍들 중 여섯 개의 성읍들은 따로 구별되어 이스라엘 전체 백성들을 위한 도피성으로 사용되어야 했습니다. 이 도피성들이란 고의적이 아닌 불의의 사고로 사람을 죽인 사람들이 피하여 목숨을 건질 수 있도록 하나님께서 마련해 주신 장치입니다. 이 도피성들은 하나님의 축복의 선물들을 받은 우리들이 우리에게 주신 축복의 일부를 다시 하나님의 사역을 위하여 내어 드려야 함을 나타내 줍니다.

바울은 하나님께서 우리에게 곡식을 주셨을 때, 거기에는 우리가 먹을 양식이 있고, 또한 다시 심어야 할 씨앗이 동시에 포함되어 있음을 분명히 했습니다. 그래서 "심는 자에게 씨와 먹을 양식을 주시는 이가 너희 심을 것을 주사 풍성하게 하시고 너희 의의 열매를 더하게 하시리니"(고후 9:10)라고 말씀하셨습니다.

우리는 하나님의 큰 복을 받은 사람들입니다. 우리는 하나님을 우리의 기업으로 소유한 사람들이며, 하나님께서 우리에게 주신 축복들 속엔 항상 많은 사람들을 위하여 전도와 생명 구원과 양육과 섬김을 위하여 사용해야 할 씨앗들이 포함되어 있음을 기억해야 합니다.

도피성 #2 – 우리의 도피성이신 예수님

부지중에 살인을 저지른 사람은 피는 피로써 보복해야 한다는 율법의 원칙으로 죽은 자의 친척들에게 죽임당할 위험에 처해지게 되는 것입니다. 그런데 이 사람이 속히 도피성으로 도망하면 목숨을 건질 수 있습니다. 예수님은 죄로 인하여 사망에 처한 우리들에게 도피성이 되어 주시는 분입니다. 하나님께서는 이스라엘 요단 동편에 세 개의 성읍, 요단 서편에 세 개의 성읍들을 구별하여 도피성을 삼으셨습니다. 그런데 이 성읍의 이름들이 매우 흥미롭습니다. 요단 동편의 가장 북쪽에 있었던 도피성으로부터 시계 방향으로 말씀을 드리겠습니다.

〈게데스〉는 '거룩함, 혹은 의'를 뜻합니다.

예수 그리스도는 우리의 의가 되어주시는 분입니다. 어떤 죄인도 예수 안에 들어가면 의롭다 함을 받습니다.

〈세겜〉은 '어깨'라는 뜻을 가지고 있습니다. 이사야 선지자는 예수님의 어깨에 정사(Government: 정부, 나라)가 있다고 했습니다. 그리스도께서 우리를 짊어지고 가 주신다는 것입니다. 그것이 하나님 나라의 의미입니다.

〈헤브론〉은 '사귐'이라는 뜻입니다. 우리는 그리스도 안에서 하나님과의 사귐(Fellowship)이 가능해졌습니다.

〈베셀〉은 '요새, 혹은 산성'을 의미합니다. 우리는 그리스도 안에서만 완전한 보호와 승리를 얻을 수 있습니다. 예수님의 품은 이 세상에서 가장 안전한 우리의 피난처입니다.

〈길르앗 라못〉은 '고원, 높은 곳'이라는 의미입니다. 우리는 그리스도 안에서 가장 높은 곳에 오르게 됨을 기억해야 합니다.

〈골란〉은 '완전함, 또는 행복'을 의미합니다. 우리는 그리스도 안에서 완전해지고, 그래서 진정한 행복을 누리게 되는 것입니다.

도피성 #3 – 도피성의 규례 속에 나타난 그리스도의 속성

이 도피성들은 인간의 요청에 의하여 만들어진 것이 아니라 하나님의 일방적인 은혜의 선포로 규정되어진 것입니다. 예수님도 인간의 요청에 의하여 오신 것이 아니라, 하나님의 일방적 사랑의 선물로 우리에게 오신 것입니다. 또한 이 도피성들은 말씀을 통해서 공포되었습니다. 이 성읍들은 바뀌지 않을 것입니다. 오늘은 이 도시가 도피성이었다가 내일은 다른 성이 도피성이 되거나 하지 않습니다. 이것은 우리에게 선포된 구원의 도피성은 오직 한 분 예수 그리스도밖에 없다는 것입니다. 다른 길은 없습니다. 이 부분은 절대로 타협될 수 없습니다.

또한 이 도피성들은 누구에게나 열려 있었습니다.

빈부귀천, 신분고하를 막론하고 이 도피성을 찾는 모든 이들에게 열려 있어야 했고, 이 도피성으로 가는 길은 레위 지파 사람들에 의하여 항상 깨끗하게 정리되어 누구라도, 약속의 땅 어디에서나 도피성으로 가는 일을 알아볼 수 있도록 이정표까지 확실하게 마련되어 있어야 했습니다. 이것이 우리들의 사명입니다. 우리는 이 세상 사람들에게 우리의 도피성이신 예수님께로 가는 길을 분명하게 제시해 주어야 할 사명을 가진 영적인 레위 지파, 즉 왕 같은 제사장들입니다. 이 일을 위해 우리 모두가 주님께 헌신되기를 바랍니다.

신명기는 크게 네 단원으로 나뉩니다.

1. 광야여행을 뒤돌아봄(1-4장)

2. 율법의 재해석-사랑과 순종(5-26장)

3. 약속의 땅에서의 미래-축복이냐 저주냐(27-30장)

4. 모세의 최후(31-34장)

이중에서 우리는 오늘 1-17장까지를 통독하겠습니다.

● 1-4장: 광야여행을 뒤돌아봄

● 5-7장: 십계명의 반복과 재해석

● 8장: 감사의 권고

● 9장: 겸손과 순종의 권고

● 10장: 새 율법의 돌판을 주심

● 11장: 순종의 복과 불순종의 저주

● 12장: 하나님께 제사할 장소

● 13-14장: 이방인들의 우상숭배와 관련된 죄악들을 따르지 말라

● 15장: 면제년의 규례

● 16장: 3대 절기

● 17장: 이스라엘의 지도자(왕)의 규례

〈주요 통독자료〉

1. **신명기의 개요**: 우리는 창세기에서 죄의 시작을 보았습니다. 그리고 출애굽기에서 그 죄로부터의 구속을 배웠습니다. 레위기는 구속받은 신자의 예배생활을, 그리고

민수기는 진정한 예배자는 하나님과 동행하는 삶이 따라야 한다는 것을 보여주었습니다.

신명기는 하나님과 동행하는 삶의 전형적인 특징은 '사랑과 순종'임을 보여주는 책입니다. 신명기의 제목은 한문으로 펼칠 신(申)자를 써서 申命記입니다. 이 말은 하나님의 계명을 재해석해 준다는 뜻입니다. 영어로는 신명기를 Deuteronomy라고 부르는데, 이것은 70인역 헬라어 성경의 헬라어 제목인 '듀테로노미온'을 음역한 것입니다. 헬라어의 '듀테로'는 '두 번째'라는 뜻이며, '노미온'은 '율법'입니다. 그러니까 이 제목은 '두 번째 율법'이라는 뜻입니다. 당연히 첫 번째 율법은 출애굽기에서 선포되었던 십계명을 비롯한 광야 1세대들에게 선포된 율법을 말합니다.

왜 두 번째 율법이 필요했을까요? 율법의 내용이 바뀐 것일까요? 그건 아닙니다. 율법에 대한 백성들의 태도의 문제에 대해 재해석해 주신 것이 신명기의 내용입니다. 출애굽기 19장을 보면, 광야 생활의 첫 세대는 갑자기 그들 가운데 임하신 하나님의 임재에 무척 당황하고 놀랐습니다. 백주에 빽빽한 구름이 하늘을 뒤덮고 캄캄한 가운데 우레소리가 나면서 나팔소리 같은 주님의 음성이 들려왔기 때문입니다. 그 두려움과 공포 때문에 그들은 율법의 내용을 자세히 들어보지도 않고 무조건 순종하겠다는 맹세를 한 것입니다.

모든 원시종교들과 헬라 신화들에 기초한 세상의 우상들을 숭배하는 제례행위들의 기초가 바로 이 두려움과 공포입니다. 그들은 신에 대하여 인간보다 초월한 능력을 가지고 끊임없이 인간과 갈등 관계를 조성하며, 인간을 괴롭히는 존재로 생각했습니다. 그 종교들은 언제나 신의 분노를 잠재우기 위하여, 신의 비위를 맞추기 위하여 온갖 노력을 기울이는 가련한 행위들을 해온 것입니다. 광야 생활 첫 세대도 이런 관점에서 하나님과의 계약관계를 시작했습니다.

그러나 두려움 때문에 억지로 하는 일은 오래가지 못합니다. 왜냐하면 두려움도 자꾸 당하다 보면 소위 간이 붓는 것입니다. 하나님의 계명을 한 번 두 번 어기면서 매를 맞고 징계를 당하다 보면 어느덧 이력이 나는 것입니다. 하나님은 자녀들과 이런 관계를 맺기를 원치 않으십니다. 비극은 오늘날 교회에 나오는 수많은 크리스천들이 하나님과의 관계를 이렇게 형성해 간다는 것입니다. 원시종교나 우상숭배의 종교들처럼 기독교가 기복적이고 세상의 영광과 번영만을 추구하는 신앙으로 변질되면서 오직 축복이 신앙의 목적인 종교로 전락해 가고 있는 것입니다. 그래서 하나님의 비위를 거스르면 저주를 받을까 두렵고, 열심을 내지 않으면 하나님께 매를 맞을까 두려운 그런 공포심이 동기가 되어 신앙생활을 유지하는 사람들이 아직도 교회 안에 너무나 많다는 것입니다.

얼마나 많이 그런 간증들을 들어왔습니까? 하나님께 순종치 않아서 하나님께 매를 맞았다든지, 꿈에 천국에 가는데 새벽 기도를 빠진 횟수만큼 천국으로 가는 계단이 유실되어서 천국에 들어갈 수 없었다든지, 마치 땅 투기만큼이나 지나치게 무리하여 드린 헌금으로 대박이 터졌다든지…. 물론 사람마다 믿음의 분량이 다르고, 하나님의 역사하심의 방법이 다르므로 더러 하나님의 특별한 이유 때문에 그렇게 복을 주신 사람들이 있을 수도 있겠지요. 그러나 그것이 우리 기독교 신앙의 본질은 아닙니다. 그런 기복적 탐심과 수틀리면 저주를 받을까 두려운 공포심이 동기가 되어서 하는 신앙생활은 정말 주님이 원하시는 것이 아닙니다.

2. 크레이지 러브(Crazy Love): 제게 기독교 신앙이 뭐냐고 물으신다면 주저 없이 이렇게 대답할 것입니다. 우리 하나님과 사랑에 빠지는 것이라고…. 사랑으로 하는 일이 진짜입니다. 7년을 엄청나게 어려운 근무조건에서 노동을 하면서도 라헬이 너무 좋아서 며칠밖에 지나지 않은 것처럼 느꼈던 야곱의 경우처럼, 하나님은 우리가 하나님과 더불어 그런 사랑에 빠지기를 원하십니다. 그래서 그분을 더 깊이 알기 위하여 말씀을 공부하고, 그분이 소원하시는 것을 내 삶에 이루기 위하여 자신을 쳐서 복종시키며, 성령의 능력으로 지성이 변하고 삶이 변하여 날마다 예수님을 더욱 닮아가는 것입니다. 물질은 있을 수도 있고 없을 수도 있습니다. 건강은 허락되지 않을 수도 있고 또 건강할 수도 있습니다. 하지만 그런 환경들이 절대로 주님을 향한 우리의 열정을 상쇄시킬 수 없는 그런 지독한 사랑에 빠지는 것, 그것이 바로 기독교 신앙인 것입니다. 프랜시스 챈 목사는 예수님을 통해서 우리에게 보여주신 하나님의 사랑을 그런 의미에서 "미친 사랑"(Crazy Love)이라고 불렀습니다.

기독교 역사 속에서 수없이 많은 성도들이 예수님을 위하여 그들의 신분상의 특권이나 물질이나 모든 자랑들을 배설물처럼 버리고 주님을 위해 목숨을 바친 것도 바로 같은 맥락의 '미친 사랑'(Crazy Love)인 것입니다.

3. 광야 생활 신세대에게 주신 말씀: 신명기는 모압 평지에서 이제 요단강만 건너면 약속의 땅으로 들어갈 수 있었던 광야 생활의 1.5세들과 2세들에게 주신 말씀입니다. 이미 1세대는 광야에서 다 죽었습니다. 그들이 1세대처럼 실패하는 신자들이 되지 않기 위해서 그들이 가져야 할 신앙관은 바로 하나님과 사랑에 빠지는 일뿐입니다.

그래서 신명기의 핵심이 되는 구절을 이야기하라면 바로 신명기 6장 4절 이하의 말씀을 꼽게 됩니다. 히브리 사람들은 이 구절을 '쉐마'(the Great Shema)라고 부릅니다. 히브리 문학의 특성은 어떤 문장이나 책의 첫 번째 단어를 가지고 제목을 붙이는 것입니다. 이 신명기 6장 4절의 히브리어 성경의 첫 단어가 바로 '쉐마'입니다. 이는 '들으라'(Hear)는 뜻입니다.

신약 성경에서 예수님도 가장 크고 첫째 되는 계명이 무엇이냐는 질문을 받으셨을 때 바로 이 구절을 짚으셨습니다. 그래서 이 구절은 율법의 노른자위입니다. 이 구절이 뭐라고 말합니까?

"이스라엘아 들으라 우리 하나님 여호와는 오직 유일한 여호와이시니 너는 마음을 다하고 뜻을 다하고 힘을 다하여 네 하나님 여호와를 사랑하라"(신 6:4-5).

바로 이것입니다. 1세대처럼 하나님과 기복적 관계만 형성하고 사랑이 없는 건조한 종교인들이 아니라, 순종치 않으면 매를 맞으리라는 공포심이 모든 일의 동기가 되는 그런 종교인들이 아니라, 바로 사랑하기 때문에 우리 주님께 생명을 내려놓을 수 있는 그런 신앙인이 되라는 것입니다. 사랑에는 반드시 순종이 따를 수밖에 없습니다.

〈이 단원에 나타난 그리스도〉

신명기 8장에서 완전히 자신을 종으로 팔아버린 귀 뚫린 종에 관한 규례를 봅니다.

근본적으로 하나님께서 같은 유대인들끼리는 다른 사람을 종으로 삼지 못하도록 규정하셨습니다. 하지만 전쟁포로로 잡혀온 종들도 있고, 빚을 졌는데 그 빚을 갚을 능력이 없으면 자신의 노동력으로라도 빚을 갚을 기회를 얻기 위하여 종이 되는 경우도 있었습니다.

모든 종은 6년이 지나고 나면 안식년이므로 놓여날 수 있었습니다. 그러나 6년간의 종살이 가운데, 주인과 너무나 좋은 관계를 가지는 경우도 있을 것입니다. 예를 들어 자신이 놓여난다 하더라도 이 주인 밑에서 종살이하는 것보다 더 나은 삶을 살 자신이 없는 경우가 있을 수 있는 것입니다. 게다가 그 좋은 주인이 같은 여종을 아내로 주어 결혼까지 시켜 주었고, 그래서 그 여종과의 사이에서 자녀까지 낳은 경우를 생각해 보십시오.

그런데 안식년을 맞으면 이 종은 풀려날 수 있지만, 아내와 자녀들은 여전히 주인에게 예속된 재산이므로 그들은 두고 나가야 하는 것입니다. 이런 경우, 이 종이 주인을 찾아가 "나는 자유를 얻지 않겠습니다. 나는 영원히 놓여나는 일을 포기한, 영원히 팔려간 종(a Bond Slave)이 되겠습니다"라고 고백을 하게 됩니다. 그러면 주인은 이 사람을 문설주로 데려가서 기둥에 귀를 대고 대못으로 구멍을 내어 거기에 주인의 이니셜이 담긴 귀고리를 걸어주게 되는 것입니다. 그것이 영원히 팔려버린 종의 표식입니다. 그런데 바로 이 일이 영원히 종이 되신 우리 예수님의 모습을 보여주는 그림이라는 것입니다.

예수님은 하나님이십니다. 빌립보서 2장에서 바울이 말한 것처럼, 예수님은 스스로 자신을 낮추시고 종의 형체를 가지셨습니다. 그리고 자기를 비우고 죽기까지 복종하셨습니다. 십자가에 죽으신 것입니다. 십자가 사건은 예수님께 영원한 상처를 남겼습니다. 부활하신 후에도 예수님의 몸에는 구멍이 있었습니다. 못자국과 창자국이 그것입니다. 이 세상에서는 어떤 질병이나 육체적 결함을 가지고 살았다 하더라도, 그 사람이 예수님을 믿고 구원받았다면 천국에서 깨어났을 때 그는 자신이 완전하게 된 것을 보게 될 것입니다. 그것이 예수님의 십자가가 우리에게 주신 축복입니다. 하지만 그 일을 위하여 예수님은 영원한 상처를 입은 종이 되신 것입니다.

바울 사도는 기꺼이 자신을 '그리스도의 종'(헬, 둘로스)이라 불렀습니다. 이 종의 개념이 바로 당시에 '생명보존권, 사유재산권, 의사결정권'을 완전히 포기한 종의 개념입니다. 이 종(Bond Slave)은 완전히 생명이 없는 무슨 가구처럼 주인의 소유물입니다. 자신을 구원하시기 위하여 십자가에 죽으신 예수 그리스도에 대하여 바울 역시도 같은 '미친사랑'(Crazy Love)에 빠지기로 한 것입니다. 그의 옥중서신에서 바울은 "그리스도를 위하여 갇힌 자 된 나 바울은"이라고 자신을 소개합니다. 이 말은 "the Prisoner of Christ", 즉 '그리스도를 위하여 갇혔다'는 의미도 있지만, "그리스도께 갇힌 바 된 수감자"라는 의미도 내포하고 있습니다.

우리 모두 예수님의 사랑의 포로가 됩시다. 신명기를 읽는 내내 그런 결정을 확인하는 우리가 되기를 바랍니다.

약속의 땅에서의 미래
신명기 18-34장

신명기는 크게 네 단원으로 나뉩니다.

1. 광야여행을 뒤돌아봄(1-4장)

2. 율법의 재해석-사랑과 순종(5-26장)

3. 약속의 땅에서의 미래-축복이냐 저주냐(27-30장)

4. 모세의 최후(31-34장)

이 중에서 우리는 오늘 18-34장까지를 통독하겠습니다.

- 18장 : 제사장들과 선지자들 / 참 선지자들의 구별법
- 19장 : 도피성들 / 토지분쟁의 문제 / 율법 집행의 공정성
- 20장 : 전쟁의 규례
- 21장 : 살인의 문제 / 전쟁포로 여인과의 결혼 / 장자권 / 패역한 아들의 심판
- 22장 : 잡다한 규례들
- 23장 : 세상과 육체와 마귀
- 24장 : 이혼
- 25장 : 친족구원의 법칙 / 아말렉을 지워버려라
- 26장 : 첫 열매와 감사의 제사
- 27-30장 : 이스라엘 앞에 놓인 축복과 저주
- 31-34장 : 모세의 마지막 모습

〈주요 통독자료〉

1. 하나님께서는 신명기 20:1에서, 이스라엘이 가나안에 들어가 그곳 원주민들과 전쟁할 때에, 대적의 수가 그들보다 많고 강한 것을 알았을 때 위축되지 말라고 하셨습니

다. 우리가 인생을 살아가다 보면 얼마나 많은 때에 이런 상황을 만납니까? 뜻하지 않은 다양한 종류의 전쟁 같은 우리의 삶의 고비가 다가왔는데, 내가 맞닥뜨려 싸워야 할 상대가 나보다 훨씬 강하다는 것을 발견하고 당황할 때가 얼마나 많습니까?

그럴 때에 이 말씀이 힘이 되기를 소원합니다.

첫째로, 이런 상황에서 우리는 내가 싸워야 할 환경에 집중하지 말아야 합니다. 내가 싸워야 할 환경이 크고 강할수록 우리는 점점 더 위축되기 때문입니다.

또한 약하고 부족한 자신을 바라보아서도 안됩니다. 자신을 바라보면 더욱 실망하기 때문입니다. 그럴 때 하나님께서는 우리와 함께하시는 하나님을 바라보라고 하셨습니다. 어떤 문제도 우리가 해결하려 하면 난이도가 너무 높습니다. 그러나 그 일을 하나님께서 하신다면 그 문제의 난이도는 제로입니다. 우리 하나님께는 능치 못함이 없으시기 때문입니다. 경수가 끊긴 사라의 잉태를 믿지 못하던 아브라함에게 하나님께서 도전하셨습니다.

"여호와께 능치 못한 일이 있겠느냐"(창 18:14).

앗수르의 산헤립이 18만5000명의 군사를 보내 예루살렘을 포위했을 때, 히스기야는 산헤립의 편지를 가지고 성전에 들어가 기도했습니다. 하나님께서 "이 전쟁은 내게 속했다"고 선포하셨습니다.

"이 전쟁에서는 네가 싸울 것이 없나니 너희는 가만히 있어 내가 너희의 하나님 됨을 알지어다."

그날 밤 천사 하나가 앗수르 군사들을 모두 죽였습니다. 그리고 이스라엘이 한 일은 오직 전리품들을 거두어 오는 일밖에 없었습니다. 이것이 우리 모두의 삶이 되기를 간구합니다.

2. **신명기에서** 우리 성도님들에게 가장 익숙한 장이 바로 28장일 것입니다. 수없이 들었던 말씀입니다.

"여호와께서 너를 세계 모든 민족 위에 뛰어나게 하실 것이라… 성읍에서도 복을 받고 들에서도 복을 받을 것이요…네 몸의 자녀와 토지의 소산과 네 짐승의 새끼와 우양의 새끼가 복을 받을 것이며, 광주리와 떡 반죽 그릇이 복을 받고 들어와도 나가도 복을 받을 것이니라."

하지만 이 말씀만 읽으면 안됩니다.

28장은 그 후반부의 말씀과 또한 그 앞에 있는 27장의 말씀과 세트입니다. 하나님께서는 이스라엘 백성이 가나안에 들어가면 그 백성들을 에발산과 그리심산 사이의 골짜기로 데려가라고 하셨습니다. 백성들을 거기에 세워 두고 레위 지파의 제사장들을 두 그룹으로 나누어 한쪽은 에발산에 오르고, 다른 쪽은 그리심산에 오르라고 하셨습니다. 각각 에발산에서는 저주를 선포하고 그리심산에서는 축복을 선포하라고 하셨습니다. 축복의 선포에는 아멘을 강요하지 않으셨습니다. 그러나 저주가 선포될 때는 그들이 일어서서 "아멘, 아멘" 하며 화답을 하라고 하셨습니다. 축복은 하라고 안 해도 아멘 하기 때문입니다. 가나안에서 이스라엘 백성들 앞에는 축복도 있고 저주도 있다는 것입니다.

앞서 신명기는 '사랑과 순종의 책'이라고 이야기했습니다.

만약 이스라엘이 하나님을 진정으로 사랑한다면 이스라엘은 하나님의 말씀에 순종할 것이고, 그러면 자연히 축복이 임할 것입니다. 그러나 만약 하나님을 사랑하지 않고, 그래서 그 말씀도 즐거워하지 않고 불순종하면 그 반대의 결과가 나타나게 될 것입니다. 모두가 알고 있듯이 불행히도 이스라엘의 역사는 순종과 축복의 역사가 아닙니다. 불순종과 징계로 점철된 역사입니다. 우리는 이스라엘의 역사를 통해 교훈을 받을 수 있는 지혜로운 이들이 되어야 합니다.

우리들 앞에도 두 가지 길이 있습니다.

어떤 쪽을 선택하시겠습니까? 여호수아의 선포가 귀에 쟁쟁합니다.

"너희는 오늘날 섬길 자를 택하라 나와 내 집은 오직 여호와만 섬기겠노라."

〈이 단원에서의 그리스도〉

1. **선지자**: 신명기 18장에서는 선지자의 규례에 대해 말씀하셨는데, 그 가운데 장차 선지자로 오실 예수 그리스도에 대한 선명한 예언이 있습니다. 18장 18절인데 거기에서 하나님은 장차 이스라엘 백성들 중에서 모세와 같은 선지자를 세우시겠다고 하십

니다. 그리고 그의 말씀을 듣는 자가 복을 받을 것이며, 불순종하는 자는 길에서 망할 것이라고 하셨습니다.

이 예언에서 메시아는 먼저 이스라엘 백성으로 오신다는 것을 예언했습니다. 예수님은 이스라엘 백성 중 하나로 오셨습니다. 그리고 그의 역할은 모세와 같은 것이 될 것을 말씀하십니다. 이스라엘이 시내 광야에 진을 쳤을 때, 하나님의 임재에 놀라고 두려워하던 백성들이 모세에게 와서 "당신이 우리를 대신하여 하나님께 가서 말씀을 듣고, 하나님을 대신하여 우리에게 돌아와 말씀을 전해달라"고 했습니다. 다시 말해서 하나님과 백성 사이의 중보자가 되어달라는 것입니다. 인간을 대신해서 하나님께 가고, 하나님을 대신하여 인간에게 오시는 그런 주님이십니다.

예수님의 때에 이르러서야 이스라엘 백성들은 이 선지자에 대한 예언이 바로 메시아에 대한 예언이라는 것을 보편적으로 받아들이고 있었습니다. 그래서 세례 요한이 와서 광야에서 놀라운 회개의 메시지로 사람들을 매료시키고 있을 때, 종교 지도자들은 요한에게 와서 "당신이 그 선지자냐?"(Are you the Prophet?)고 물었습니다. 바로 이 예언을 지적한 것입니다. 그러나 요한은 분명히 했습니다.

"나는 그 선지자가 아니라 나는 그의 오실 길을 예비하기 위한 광야의 소리라."

이 말씀은 메시아에 대한 확실한 예언이었습니다.

2. 신명기 21:22-23에 나오는 "나무에 달린 자"는 바로 십자가에 못 박히사 우리의 죄를 구속하실 예수님의 정확한 그림자를 보여줍니다. 모세가 이 글을 성령의 감동으로 쓰기는 했지만 모세 자신도 이것이 무엇을 의미하는지 정확히 몰랐을 수도 있습니다. 왜냐하면 하나님께서 이스라엘 사람들에게 주신 법정 최고형은 나무에 사람을 매다는 것이 아니라, 돌로 쳐서 죽이는 것이었기 때문입니다. 죄수를 나무에 달아 죽이는 형벌은 페르시아에서 시작되었습니다.

페르시아 사람들은 땅을 거룩한 것으로 여겼고, 세상의 모든 것이 다 땅에서부터 왔다고 믿었습니다. 그래서 죄수들은 땅에 묻힐 자격도 없다는 것이 그들의 생각이었고, 로마가 바로 페르시아에서 시작된 이 형법을 받아들였습니다. 그런데 예수님이 로마의 장악 아래 있었던 이스라엘에서 탄생하실 것을 하나님이 미리 아셨기 때문에 모세를 통해 이 예언을 기록하게 하신 것입니다.

흥미로운 것은 십자가의 형벌은 사실 죄수의 시체를 내려서 땅에 장사 지내는 것이 아니었습니다. 그런데 성경에 보면 "해가 지기 전에 그 시체를 내릴 것"이 예언되었습니다. 그날은 유월절 명절의 큰 안식일 전날입니다. 따라서 종교 지도자들이 죄수들의 시신을 내려서 안식일을 더럽히지 말아달라고 요청함으로써 예수님의 시신이 그날 내려져서 무덤에 장사될 것을 미리 예언하고 있는 것입니다.

여기서 또 한 가지 예언의 성취는, 십자가에 달린 그 짧은 시간에 죄수가 죽는다는 것은 신기한 일이었습니다. 두 강도는 아직 죽지 않았으므로 그들의 뼈를 꺾었습니다. 그러나 메시아의 뼈가 하나도 꺾이지 않으리라는 예언을 성취하시기 위하여 예수님이 "다 이루었다"고 말씀하셨을 때, 그 영혼을 스스로 떠나 보내심으로써 그 뼈가 꺾이지 않으리라는 예언을 성취시키신 것입니다. 이 내용들은 나중에 신약을 통독할 때 더 자세히 다루도록 하겠습니다.

성경 통독에 함께하시는 모든 지체들에게 하나님을 향한 뜨거운 사랑에 빠지는 복을 주사, 우리 앞에 놓인 축복에 함께 참여하게 되시는 복이 있기를 소원합니다.

"오늘은 모세오경 통독에서 다 읽지 못한 부분을 마저 읽고 하루 쉬시면서 지난 모세오경의 통독에서 배웠던 것들을 복습하시기 바랍니다.

〈모세오경 퀴즈〉

1. **성경 전체를** 아홉 개의 블럭으로 나눌 수 있습니다. 그 아홉 개의 블럭을 말해 보세요.
　A. 구약

　B. 신약

2. **모세오경의** 다섯 권의 책들의 주제를 정리해 보세요.
　A.
　B.
　C.
　D.
　E.

3. **창세기에서** 예수님의 그림자를 담고 있는 부분을 세 가지만 말해 보세요.

4. **출애굽기**에서 이스라엘(하나님의 백성)의 구속은 무엇을 통해 이루어졌습니까?

5. **성막의 제도**에서 다음의 항목들은 예수님에 대해 무엇을 보여주었나요?

   ① 성막 문 -

   ② 놋제단 -

   ③ 물두멍 -

   ④ 성소의 세 가지 가구 -

   ⑤ 지성소의 언약궤 -

6. **레위기**에 나타난 모든 제사들은 세 가지 종류로 분류됩니다. 그것들의 순서는?

7. **민수기**에서 우리는 광야에 들려진 놋뱀을 봅니다. 신약 성경에서 예수님은 이 놋 뱀이 자신의 십자가의 모형이었다고 설명하십니다. 누구에게 말씀하신 것인가요? 신약 성경의 어디에 나오나요?

8. **신명기**의 제목에 대해 설명해 보세요.

여호수아서는 크게 세 단원으로 나눌 수 있습니다.

1. 땅의 정복(1-12장)

2. 땅의 분배(13-22장)

3. 여호수아의 고별설교(23-24장)

이 중에서 우리는 오늘 1-12장까지를 통독하겠습니다.

● 1장: 여호수아의 사명

● 2장: 여리고 정탐과 기생 라합

● 3장: 요단강을 건넘

● 4장: 두 개의 기념비

● 5장: 승리의 조건

● 6-8장: 가나안 중부(여리고와 아이성) 정복

● 9-10장: 가나안 남부(기브온과의 조약: 아모리 족속의 다섯 왕들) 정복

● 11장: 가나안 북부 정복

● 12장: 정복당한 왕들의 리스트

〈주요 통독자료〉

　1. 여호수아서는 '정복의 책'(the Book of Conquest)입니다. 생각해 보십시오. 창세기는 죄의 시작을, 출애굽기는 죄로부터의 구속을, 레위기는 구속받은 신자의 예배생활을, 민수기는 진정한 예배자의 삶을, 그리고 신명기는 삶의 핵심은 사랑과 순종이라는 것을 보여주었습니다. 우리가 하나님과 더불어 이러한 달콤한 사귐이 있는 삶을 살 때, 우리는 하나님의 언약의 실현을 우리의 삶에서 보는 것입니다. 여호수아서에서 우리는 우

리가 정복해야 할 대상이 무엇인지를 배우게 됩니다. 그리고 그 대상을 어떻게 정복할 수 있는지 보여줍니다. 다시 말씀드리지만, 가나안은 천국을 보여주는 그림이 아닙니다. 가나안에서 여호수아가 남긴 실패의 그림자도 있습니다. 아직도 완전한 순종이 이루어지지 못했으므로 불행의 씨앗을 남겨두었고, 그 씨앗이 자라 종내 이스라엘의 옆구리를 찌르는 가시가 되었습니다. 가나안이 천국을 상징한다면 가나안에서는 더 이상 그런 실패나 좌절, 눈물과 아픔이 없어야 하는 것입니다.

하나님께서는 여호수아에게 승리의 비결을 아주 단순하게 선포하셨습니다. 모세가 그랬던 것처럼 '내게 집중하고, 내게 순종하라'는 것이었습니다. 당연히 그 길은 말씀에 집중하는 것입니다. 좌로나 우로나 치우치지 않고 하나님께 순종하면, 그가 모세와 함께하셨던 것처럼 여호수아와 함께하실 것이고, 이스라엘 백성들과도 함께하실 것이라 하셨습니다. 여호수아에 대한 하나님의 말씀이 이 시대를 살아가는 우리들에게도 승리의 원칙입니다. 말씀 위에 섭시다. 치우치지 맙시다.

2. 우리는 2장에 나오는 정탐꾼들에게 했던 기생 라합의 고백을 들으면서 많은 생각을 갖게 됩니다. 사실 이스라엘 백성들은 애굽에서 나온 지 약 1년 반 만에 가나안 남부 국경 지대인 가데스바네아에 당도했고, 하나님의 명령은 거기서 바로 "올라가서 취하라"는 것이었습니다. 그러나 그들은 믿음이 없었고, 정탐꾼들을 뽑아 정탐을 시켜 보자는 제안을 했습니다. 결국 부정적인 보고를 듣고 약속의 땅에 들어가는 것을 거부하고 원망과 불평에 사로잡혀 하나님을 거역했습니다. 그로 인해 광야에 나올 때 20세 이상이었던 성인들은 약속의 땅에 들어가는 것을 허락받지 못한 채 광야에서 다 죽고 말았습니다. 결국 1년 반 만에 들어갈 수 있었던 약속의 땅을 그 후로 38년 반을 더 광야에서 방황하다가 모두 죽고 그 뒤에 새로 태어난 세대들만이 여호수아의 인도를 받아 가나안에 들어가게 된 것입니다.

그런데 라합은 고백합니다. 이미 그들이 애굽에서 나와 홍해를 건널 때부터 가나안 종족들은 무서워 떨고 있었고, 심지어 사람들의 정신이 나갔다고까지 표현하고 있습니다. 홍해 사건, 아말렉과의 전쟁, 반석의 생수, 만나와 메추라기… 하나님이 함께하심의 축복을 그들은 다 듣고 있었고, 이스라엘 백성과 함께하시는 하나님 때문에 무서워 떨고 있었다는 것입니다. 그러니 사실은 38년 반 전에 그들이 하나님의 약속을 믿고 올라오기만 했다면 그 땅을 그냥 넘겨받았을 것이라는 이야기입니다.

이런 그림을 연상해 보십시오. 여리고 성벽을 사이에 두고 성벽 안쪽의 가나안 사람들은 이스라엘 백성이 무서워 떨고 있고, 성벽 바깥쪽의 이스라엘 백성들은 가나안 종족의 덩치가 무서워서 벌벌 떨고 있는 것입니다. 양쪽에서 서로를 보며 같이 떨고 있습니다. 얼마나 불행한 일입니까? 우리에게 필요한 것은 믿음입니다. 우리는 여호수아에게 명령하신 하나님의 말씀처럼 하나님의 말씀을 믿고 치우치지 않고 준행해야 합니다. 그러면 승리는 우리의 것입니다. 하나님은 살아 계시니까요.

3. 우리가 정복해야 할 세 가지 대적: 여호수아가 가나안 정복에서 중부 지방을 공략할 때 만나야 했던 세 종족들은 우리 크리스천들이 세상을 살아가면서 싸워야 할 대적이 무엇인지를 아주 잘 보여줍니다.

● 첫째로, 여리고는 환경적인 대적, 즉 '세상'의 상징입니다.

하늘을 찌를 듯 솟아있는 성벽, 강력해 보이는 아낙 자손들, 그러나 그 성의 공략은 의외로 쉬웠습니다. 너무 어렵다고 생각했기 때문에 그들이 의지할 수 있는 것은 하나님 밖에 없었습니다. 그래서 순종하며 성벽을 돌았고, 약속대로 무너져버렸습니다. 환경적인 대적, 세상은 엄청난 위용으로 신자들을 압박하지만 의외로 쉽습니다. 말씀에 순종만 하면 이길 수 있습니다.

● 둘째로, 아이성은 육체의 상징입니다.

우리 신자들이 싸워야 할 두 번째 원수가 바로 우리 육체입니다. 우리 자신의 육적 속성은 아주 정복하기 쉬워 보입니다. 하지만 이 손바닥만한 아이성과의 싸움은 사연이 많았습니다. 여호수아의 군대는 하나님께 묻는 대신 정탐꾼들의 말을 믿고 움직였습니다. 기도로 시작한 것이 아니라 실패로 넘어진 후에야 하나님 앞에 엎드려 울었습니다. 전력을 다하지 않고 3000명만 올려보내는 교만을 행했습니다. 이런 모든 요인들을 다 합친 것보다 더 중요한 패인은 그들 내부에 죄가 있었기 때문에 하나님께서 그들과 함께하지 않으셨다는 것입니다.

바로 아간의 문제였습니다.

그 죄를 도려낸 후에야 하나님께서 도와주셨고 승리했습니다. 외부로부터 오는 대적보다 내부에 숨은 우리 자아가 훨씬 어렵습니다.

● 셋째로, 기브온 족속입니다.

그는 마귀의 상징입니다. 그들은 간교하게 여호수아를 속여서 자신들은 여호수아의 싸움의 적이 아니라고 했습니다. 여호수아에게 항복하고 종이 되겠다고 했습니다. 여호수아는 하나님께 묻지 않고 덜컥 그들과 평화조약을 맺어버렸습니다. 그러나 그 후에 그들이 바로 자신들의 다음 공격 대상이었음을 알게 됩니다. 이 일들은 우리가 싸워야 할 대적이 '세상과 육체와 마귀'라는 것을 보여줍니다.

〈이 단원의 그리스도〉

1. 여호수아, 예수 그리스도의 그림자: 모세는 이스라엘을 애굽에서 구출하여 광야를 지나 가나안 입구인 요단 건너편 모압 평지까지 데려왔습니다. 그러나 여기까지가 모세의 역할이었습니다. 모세가 가나안에 들어갈 수 없었던 것은 참으로 안타까운 일이었지만, 여기엔 사실 하나님의 의도 또한 숨어 있었던 것 같습니다. 왜냐하면 모세는 하나님께 율법을 받은 지도자로서 '율법'을 대표하는 인물입니다.

율법은 우리의 본질이 무엇인지를 깨닫게 해주는 역할을 합니다. 우리가 죄인이라는 사실, 율법의 의로는 구원을 얻을 육체가 아무도 없다는 사실, 이런 것을 우리에게 일깨워 주는 것이 율법입니다. 그러나 여호수아는 이스라엘을 약속의 땅으로 들어가게 만들어 주었습니다. 여호수아는 예수 그리스도의 그림자입니다.

실제로 히브리어 버전으로 '여호수아'라는 이름을 헬라어 버전으로 바꾸면 '예수'입니다. 오직 예수 그리스도만이 우리를 거듭나게 하여 순종과 승리의 삶으로 인도해 가실 수 있는 것입니다. 본래 여호수아의 이름은 '호세아'(구원이라는 뜻)였는데, 모세가 그를 시종으로 삼으면서 그의 이름 앞에 여호와를 의미하는 '여'를 붙여 주어서 '여호수아(여호와는 구원이시다)'가 되었습니다.

우리는 마태복음 1장에서 마리아의 잉태 사실을 알고 가만히 헤어지고자 했던 요셉에게 나타난 천사가 "그녀가 성령으로 말미암아 잉태되었으며 아들을 낳을 것인데 그 이름을 예수라 하라 이는 그가 자기 백성을 죄에서 구원할 자임이라"고 했던 것을 기억합니다. 예수님은 우리에게 구원을 주시는 하나님이심이 선포된 것입니다. 여호수아는 그런 의미에서 예수님의 그림자입니다.

2. 기생 라합의 구원과 복음: 기생 라합의 구원은 우리에게 복음의 중요한 요소들을 고스란히 보여주고 있습니다. 기생 라합은 여리고에 살았습니다. 여리고는 죄악 가운데 있었고 이제 하나님의 심판을 목전에 두고 있습니다. 그러니까 그녀는 여리고에 살고 있다는 것만으로도 사망이 기정사실화 된 죄인의 전형인 것입니다. 그런데 라합은 그 죄악된 땅에서도 죄를 생활 수단으로 삼고 있었던 기생(히브리어: 이샤자나-음행하는 여자, 음행을 직업으로 가진 여자, 창녀)이었습니다. 그런데 그녀에게 여호수아에 대한 소문이 들려왔습니다. 죄악된 땅에서 죄인으로 살던 우리들에게 예수님에 관한 소문이 들려오는 것, 그것이 바로 복음입니다.

라합은 이 복음에 올바른 반응을 보이기로 결정했습니다. 결국 그녀는 정탐꾼들에게 호의를 베풀었고, 그들과 약조를 합니다. 정탐꾼들은 그녀에게 붉은 줄을 주어 창 밖에 매달라고 했고, 그녀의 집안으로 사랑하는 사람들을 모으라고 했습니다. 그리고 그녀와 사랑하는 사람들이 이 붉은 줄이 드리워진 집에 있는 한 그들은 모두 안전하게 구원을 받을 것이라고 했습니다.

바로 이 붉은 줄은 예수 그리스도의 십자가의 상징입니다. 십자가 밑에, 즉 그리스도의 보혈 아래 있는 사람들은 다 구원을 받습니다. 이제 곧 진격해 올 여호수아의 군대는 이 땅에 곧 재림하실 예수 그리스도를 보여줍니다. 예수님께서 이 땅에 오실 때에는 더 이상 십자가를 지러 오시는 것이 아니라 심판주로 오시는 것입니다. 십자가 그늘 밑에, 즉 그리스도의 보혈 아래에 있지 않은 사람들에 대해서 예수님은 책임을 지지 않으실 것입니다. 우리는 그리스도의 보혈 아래로 우리의 사랑하는 사람들을 데려와야 합니다. 이것이 재림 때까지 우리에게 주어진 소명입니다.

라합의 집은 성벽 꼭대기에 있었습니다. 이 말씀은 우리에게 하나의 그림을 보여줍니다. 여리고 성벽이 완전히 무너져내리는 순간, 라합의 집이 있었던 그 부분만 뾰족하게 솟아있는 모습을 연상해 보십시오. 방주가 물위에 떠오를 때 세상은 물속에 침몰했습니다. 함께 잠을 자던 사람들이, 함께 맷돌을 갈던 사람들이, 함께 들판에서 일을 하던 사람들이 둘로 갈라질 것입니다. 한 사람은 가고, 한 사람은 남고… 라합의 스토리는 구원의 복음 그 자체입니다. 그리고 그 중심에 여호수아, 곧 예수님이 계십니다.

3. 여호와의 군대 대장: 우리는 여호수아 5장 13절에서 여호수아를 방문한 한 사람

을 봅니다. 엄청난 대적과의 전쟁을 앞두고 긴장에 빠져 있던 여호수아는 갑자기 칼을 허리에 차고 자기 앞에 서 있는 사람을 본 것입니다. 그는 당장 자신의 편 같아 보이지 않았습니다. 왜냐하면 그가 이스라엘 군인이었다면 여호수아를 몰라볼 리가 없었기 때문입니다. 그래서 여호수아가 물었습니다.

"너는 누구냐? 이편이냐 저편이냐?"

그런데 이 사람의 대답이 엉뚱합니다.

"아니라."

아니 이 질문이 '예, 아니오'로 대답할 수 있는 소위 'Yes or No Question'은 아니지 않습니까? "이편이냐 저편이냐"고 묻는 데, "아니라"(No)라는 대답이 웬 말입니까? 분명합니다. 그분은 여러 차례 구약에서 하나님의 현현을 나타내 보이셨던 '화육하기 이전의 그리스도'(the Pre-Incarnated Christ)이셨습니다.

예수님은 이편도 저편도 아니십니다. 그냥 하나님의 편이십니다. 하나님이 내 편이시기를 원하십니까? 그렇다면 우리가 하나님의 편이 되면 되는 것입니다. 그는 자신을 "여호와의 군대 대장"(Captain of the Lord's Host)이라고 소개하십니다.

우리 하나님의 군대 대장은 바로 예수님이십니다. 우리는 그분의 뒤를 따라가기만 하면 승리합니다. 하나님께서는 이 장면을 통해서 그리스도인의 승리의 비결을 단순하게 정리합니다. 우리가 우리의 대장 되시는 예수 그리스도를 따라가기만 하면 우리는 전쟁에서 승리할 수 있다는 것입니다. 그 대적이 여리고든 무엇이든, 아무리 힘들어 보이는 대적이라 할지라도 예수께서 우리의 대장이 되시는 한 우리의 전쟁은 절대 실패할 수 없을 것입니다. 할렐루야! 이것이 바로 여리고 작전입니다. 그를 따르는 군대의 특징 중 하나가 아무도 말을 하지 않는 것입니다. 침묵 속에서 다만 순종만 하는 것입니다. 거기에 승리의 비결이 있습니다.

땅의 분배
여호수아 13-24장

여호수아서는 크게 세 단원으로 나눌 수 있습니다.

1. 땅의 정복(1-12장)

2. 땅의 분배(13-22장)

3. 여호수아의 고별 설교(23-24장)

이 중에서 우리는 오늘 13-24장까지를 통독하겠습니다.

● 13장: 명령에 완전히 순종하지 못한 채 서둘러 전쟁을 끝내다 / 요단 동편의 지파들

● 14장: 갈렙이 헤브론 산지를 요구하다

● 15-19장: 지파별 땅 분배

● 20장: 도피성

● 21장: 레위 지파의 성읍들

● 22장: 요단 동편의 지파들이 일으킨 문제 해결

● 23-24장: 여호수아의 고별 설교

〈주요 통독자료〉

1. 여호수아 13장 1-7절까지의 내용을 읽을 때 우리는 안타까움을 금할 수 없습니다. 하나님께서 이스라엘 백성들에게 주리라고 약속하신 땅 가운데 결국 이렇게 많은 지역에 이방인들을 남겨둔 채 여호수아의 정복 전쟁은 좀 서둘러 막을 내린 것 같은 마음을 지울 수 없기 때문입니다. 하나님께서는 이스라엘 백성들이 하나님께로부터 약속받은 모든 땅을 취할 수 있기를 바라셨습니다. 그러나 결국 그들은 완전한 믿음을 갖지 못하고 이제 정복 전쟁을 끝내려 하고 있습니다. 이제 남겨진 이방인들이 앞으로 계속해서 이스라엘의 옆구리를 찌르는 가시 역할을 하게 될 것입니다. 그것이 앞으로 이

어질 사사기의 내용입니다. 그리고 왕국 시대로 접어들면서 끊임없이 이스라엘을 공격하기도 하고, 또한 이스라엘을 미혹하여 우상숭배와 타락 가운데로 이끌기도 하면서 이스라엘이 하나님의 징계를 받게 만들고 마는 것입니다.

특별히 어제 내용 중에서 11장 21-22절을 우리는 꼭 기억해야 합니다. 이 구절은 여호수아와 이스라엘 백성의 정복전쟁의 성과를 약간 미화시켜 말하고 있습니다.

"그때에 여호수아가 가서 산지와 헤브론과 드빌과 아납과 유다 온 산지와 이스라엘의 온 산지에서 아낙 사람들을 멸절하고 그가 또 그들의 성읍들을 진멸하여 바쳤으므로, 이스라엘 자손의 땅에는 아낙 사람들이 하나도 남지 아니하였고 가사와 가드와 아스돗에만 남았더라."

이 구절은 여호수아가 모든 땅을 정복하고 가사와 가드와 아스돗에만 약간 남았다고 했습니다. 아마도 여호수아가 생각할 때 이 성읍들은 당시에 너무 작고 보잘것없어서 그 정도 남겨둔 것은 전부 차지한 것이나 마찬가지라고 생각했던 것 같습니다. 그러나 이 성읍들이 나중에 점점 커져서 마침내 블레셋의 5대 도시국가들 중 하나가 됩니다. 그리고 이 성읍들로부터 이스라엘의 숨통을 조이는 중요한 대적들이 나오게 되는 것입니다.

2. 가사에서 사사 삼손을 죽음의 위기에 몰아넣었던 블레셋의 기생이 나옵니다. 이 이야기는 나중에 사사기를 통독할 때 좀 더 하기로 하겠습니다. 그리고 가드에서 누가 나왔습니까? 바로 골리앗이 나옵니다. 골리앗은 이스라엘의 모든 군사들을 무서워 떨게 했고, 이스라엘을 풍전등화의 위기로 몰아넣었습니다. 그런데 따지고 보면 이 거인 골리앗을 누가 키웠습니까?

바로 이스라엘 백성들이 키운 것입니다.

작고 보잘것없는 성읍이었을 때 싹을 잘랐어야 합니다. 그것을 남겨 두니까 점점 자라서 나중에는 이스라엘의 숨통을 조이는 원수가 된 것입니다. 그리고 아스돗에서 누가 나옵니까? 사무엘상 6장에 보면 이스라엘과 블레셋의 에벤에셀에서의 대전투 장면이 나오는데, 죄를 범하고 있는 이스라엘을 하나님께서 돕지 않으셨습니다.

에벤에셀이 무슨 뜻입니까? '도움의 돌'이란 뜻입니다. 이스라엘 백성들이 여기까지 하나님께서 도우셨다는 감사의 의미로 세운 돌입니다. 여기까지는 하나님께서 도우셨습니다. 그런데 지금은요? 여기까지 하나님과 동행해 온 이스라엘이 여기에서 하나님을 배반합니다. 그러니 하나님께서 여기서부터는 돕지 않으시는 것입니다. 그래서 첫날 전쟁에서 대패를 합니다. 그러자 이스라엘 백성들이 엉뚱한 생각을 합니다. "우리가 언약궤를 전쟁터에 안가져와서 패배했다"고 생각한 것입니다. 그래서 엘리의 두 아들 홉니와 비느하스라는 젊은 제사장들이 언약궤를 전쟁터에 가져옵니다. 그러나 이 두 제사장은 블레셋에 의하여 죽임을 당하고 언약궤까지 빼앗깁니다.

이 언약궤를 빼앗은 사람들이 누굽니까? 바로 아스돗 사람들입니다. 그들이 아스돗으로 언약궤를 가져간 것입니다. 따지고 보면 가사와 가드와 아스돗은 모두 이스라엘의 큰 원수가 되었습니다. 우리는 말씀에 순종해야 합니다. 우리가 육적인 요소들을 남겨두면 그것이 점점 자라서 결국 우리의 영혼을 목조르게 될 것입니다. 육체는 완전정복해야 합니다.

3. 오늘 우리가 통독할 분량 중에 우리의 마음을 가장 통쾌하게 하는 것은 분명 갈렙의 이야기일 것입니다. 우리가 이미 다룬 대로 여호수아의 군대는 하나님의 약속을 완전히 성취하지 못하고 전쟁을 마쳤습니다. 하나님께서는 아직 정복되지 않은 땅도 하나님께서 주실 테니 믿음으로 그 땅들을 모두 열두 지파에게 분배하라고 하셨습니다. 그러니까 이제는 정복되지 않은 땅을 분배 받으면 땅을 분배 받은 후에도 계속 싸워서 빼앗아야 하는 것입니다. 그러니 각 지파의 우두머리들은 저마다 정복된 땅, 가장 쉽게 정복할 수 있는 땅을 분배 받으려 할 것입니다.

이때 갈렙이 여호수아에게 왔습니다.

이때 갈렙의 나이는 85세였습니다. 그는 40세에 여호수아와 함께 가데스바네아에서 가나안을 정탐하러 올라갔던 사람입니다. 그는 여호수아와 함께 긍정적인 보고를 하며, 올라가서 취하자고 백성들을 격려했습니다. 그때 갈렙이 헤브론 땅을 기업으로 받은 것입니다. 85세의 노인이 여호수아에게 와서 그 땅을 정복해서 빼앗겠으니 하나님의 언약대로 내게 분배해 달라고 요구하고 있는 것입니다.

얼마나 멋집니까? 헤브론은 가나안에서는 가장 중요한 요지였습니다. 가나안 족속들이 마지막까지 목숨을 걸고 지키려 했던 노른자위 땅입니다. 바로 여기에서 정탐꾼들은 두 장정이 막대기에 꿰어 메고 올 정도로 큰 포도송이를 얻은 것입니다. 85세의 노인인 갈렙은 이 치열한 싸움이 기다리고 있는 곳으로 가겠다고 "이 산지를 내게 주소서" 하며 요구하고 있는 것입니다.

사랑하는 여러분. 이것이 우리의 믿음이 되기를 바랍니다. 갈렙은 여호수아의 친구였고 동역자였습니다. 이스라엘의 최고 지도자의 친구라는 것만으로도 갈렙은 어쩌면 쉽고 편하게 살 수 있었을 것입니다. 그러나 그는 믿음으로 하나님께 약속 받은 것을 요구했습니다. 그리고 믿음으로 그 땅을 얻었습니다. 최고의 노른자위 땅을….

우리는 어떠합니까?

〈이 단원의 그리스도〉

1. **물론 우리가 이미** 민수기 35장에서 다루었습니다만, 레위 지파에게 주신 48개 성읍들 가운데 여섯 개의 성읍들을 구별하여 '도피성'(the Cities of Refuge)들로 만들라고 하신 말씀에서, 도피성들은 죄로 인하여 죽을 수밖에 없는 우리 인생이 피해 갈 수 있는 우리의 피난처이신 예수 그리스도를 보여주는 완벽한 그림이었습니다. 민수기에서 하나님이 명령하신 그대로 여호수아 21장에서 이스라엘 백성들이 그대로 순종했다는 것을 보여주고 있습니다.

2. **그리고 여호수아는** 그의 인생 자체를 예수 그리스도의 그림자로 산 사람입니다. 물론 그의 이름 자체가 '여호와 슈아', 즉 '구원이 되시는 여호와'라는 의미입니다. 이 히브리어 버전의 이름을 헬라어 버전으로 바꾼 것이 바로 '예수'입니다. 23장에서 여호수아는 지도자들을 모아놓고 이스라엘이 계속해서 하나님의 축복 가운데 거하려면 주변의 이방 나라들과는 달리 성별된 하나님의 백성으로 살아야 한다는 것을 말했습니다. 그리고 24장에서는 이스라엘의 모든 지파를 세겜으로 불러놓고 그들에게 선포합니다.

세겜 땅은 하나님께서 율법을 선포하게 하셨던 그리심산과 에발산 근처에 있는 성읍이었습니다. 여호수아는 그 사이에 이스라엘 백성들을 다시 모으고 그들에게 오늘날 누구를 섬길 것인지 택하라고 선언합니다.

"나와 내 집은 여호와만 섬기겠노라"라는 선포와 함께….

거기에서 이스라엘 백성들은 하나님과의 언약을 갱신했습니다. 하나님께서는 모든 세대에 언약의 갱신을 요구하십니다.

광야 생활 1세대들에게 율법을 선포하셨던 하나님은 2세대들에게 신명기, 즉 두 번째 율법을 통해서 언약의 갱신을 요구하셨습니다. 그리고 지금 여호수아의 죽음과 함께 남겨진 이스라엘 백성들에게 하나님과의 언약을 다시 새롭게 하기를 요구하고 계신 것입니다. 제가 가장 은혜롭게 생각하는 구절은 24장 31절입니다.

"이스라엘이 여호수아가 사는 날 동안과 여호수아 뒤에 생존한 장로들 곧 여호와께서 이스라엘을 위하여 행하신 모든 일을 아는 자들이 사는 날 동안 여호와를 섬겼더라."

하나님께 헌신된 한 사람의 생이 한 민족을 자기 세대와 그 다음에 일어난 세대까지 여호와를 섬기게 만들었다는 것은 얼마나 놀라운 영향력입니까? 우리들이 바로 그런 세대가 되기를 바랍니다.

예수 그리스도는 오는 세대에게 복음을 가르쳐 지키게 하는 사명을 제자들에게 주셨고, 제자들은 그 사명을 잘 감당했습니다. 여러 세대를 지나 이제 그 사명은 우리들에게 전달되었습니다.

우리는 어떻게 해야 할까요?

우리도 여호수아, 예수 그리스도의 약속하신 성령의 능력을 받아 우리 다음에 일어날 세대에게 이 복음의 횃불을 전해주어야 합니다. 예수 그리스도의 영광을 위하여….

사사기에서 우리는 이스라엘이 이 사명을 감당치 못했다는 것을 볼 것이며, 그 결과가 얼마나 비참한지를 배우게 될 것입니다.

사사기는 크게 세 단원으로 나눌 수 있습니다.

1. 사사 시대의 서론(1-2장)

2. 사사들의 시대(3-16장)

3. 사사 시대의 결과(17-21장)

이중에서 우리는 오늘 1-16장까지를 통독하겠습니다.

1. 여호수아 이후의 이스라엘의 상황(1장)

2. 사사 시대의 불행한 사이클(2장)

3. 첫 번째 배역과 메소포타미아의 지배, 사사 에훗을 통한 구원(3:1-11)

4. 두 번째 배역과 모압과 블레셋의 지배, 에훗과 삼갈을 통한 구원(3:12-31)

5. 세 번째 배역과 가나안 왕 야빈의 지배, 드보라와 바락을 통한 구원(4-5장)

6. 네 번째 배역과 미디안 족속의 지배, 기드온을 통한 구원(6:1-8:32)

7. 다섯 번째 배역과 내전, 아비멜렉, 돌라, 야일을 통한 구원(8:33-10:5)

8. 여섯 번째 배역과 블레셋과 암몬 족속의 지배, 입다, 입산, 엘론, 압돈을 통한 구원(10:6-12장)

9. 일곱 번째 배역과 블레셋의 지배, 삼손에 의한 부분적 구원(13-16장)

〈주요 통독자료〉

1. 사사기 1장은 여호수아가 죽은 후에 이스라엘 백성들이 가나안 땅 정복을 위한 전쟁을 계속한 것에 대한 기록으로 시작이 됩니다.

1장의 후반부는 각 지파가 완전히 정복하지 못한 지역들에 대한 리스트로 끝납니다. 여호수아서에서 말씀드린 것처럼 이스라엘은 하나님께 완전한 순종을 하지 못했습니다. 결국 2장에 들어오면서 여호와의 사자가 나타나 이스라엘 백성들의 불완전한 순종으로 완전히 쫓아내지 못하고 남겨둔 이방 족속들이 이스라엘의 옆구리를 찌르는 가시가 될 것을 선포하십니다(2:3).

우리는 어제 여호수아가 자기 시대와 또한 자신과 함께했던 장로들의 세대까지 여호와를 섬기게 하는 선한 영향을 미쳤음을 이야기했습니다. 그러나 2장 10절을 보면, "그 세대의 사람도 다 그 조상들에게로 돌아갔고 그 후에 일어난 다른 세대는 여호와를 알지 못하며 여호와께서 이스라엘을 위하여 행하신 일도 알지 못하였더라"라고 되어 있습니다. 이 구절이 바로 사사기의 서론입니다.

이스라엘 백성들은 우리가 신명기를 읽을 때 보았던 '쉐마'를 전혀 지키지 않았습니다. 그들은 여호와 하나님을 사랑하고 그에 대하여 자신의 자녀들의 귀에 외워 들려야 한다는 사명을 전혀 감당하지 않은 것입니다. 결국 여호수아와 함께했던 장로들의 세대 이후에 일어난 세대는 여호와 하나님이 누구신지, 그가 이스라엘을 위하여 무엇을 행하셨는지를 전혀 배우지 못한 것입니다. 그런 결과가 어떻게 나타나는지를 사사기가 보여줍니다. 사사기에서는 "그때에 이스라엘에 왕이 없으므로 백성이 자기 소견에 옳은 대로 행하였다"는 말씀이 반복되는데, 그들은 모두 자기가 옳다고 생각하는 대로 살았습니다. 하고 싶은 대로 하면 그게 곧 법이었다는 것입니다. 얼마나 무서운 일입니까? 제멋대로 산 사람들의 이야기… 그게 사사기입니다.

2. 사사기 안에는 일종의 불행의 연결고리들이 굴러갑니다.

여호수아의 정복 전쟁이 마침과 동시에 하나님께서 이스라엘에 안식을 주셨습니다. 그러나 이제 살만해진 이스라엘은 즉시 주변에 남아있던 이방인들의 우상숭배와 타락한 생활의 범죄에 빠져듭니다. 그러면 하나님께서는 주변에 남겨졌던 이방인들을 들어 이스라엘을 괴롭히게 하십니다. 그 괴로움 속에서 이스라엘 백성들은 구원을 달라고 하나님께 부르짖습니다. 그러면 하나님은 그들을 위한 구원자, 곧 사사들을 보내십니다. 그들이 이스라엘을 위기에서 구하고 다시 평화와 안식이 찾아옵니다. 하지만 이스라엘은 숨을 쉴만하면 다시 타락했습니다. 그러면 또 매맞고, 회개하고, 다시 사사들을 보내셔서 구원해 주시면 다시 안식 가운데 들어가고, 또다시 타락, 징계, 회개, 사사들을 통한 구원, 그리고 또 타락… 이렇듯 불행한 연결고리가 계속 굴러가는 것이 사사기의 이야기입니다. 그러는 동안 이스라엘 백성은 그들의 왕 되신 하나님을 완전히 버리고, 제멋대로 살기 시작한 것입니다. 여기에 여러 사사들이 쓰임 받습니다. 그들은 부분적으로 이스라엘을 위기에서 구원한 종들이었습니다.

그들 모두는 아주 평범한 사람들이었고, 평범 그 이하의 사람들도 많았습니다. 그러나 그들이 하나님의 손에 붙들렸을 때에 얼마나 아름답게 쓰임 받을 수 있는지 우리에게 아주 좋은 모델이 됩니다.

사사들 중에는 그들이 사사로서 무슨 일을 했는지도 불분명한 인물들이 몇 명 있습니다. 하나님은 아주 평범한 사람들을 들어서 당신의 소용대로 쓰시는 것입니다.

3. 예컨대 입다 같은 사람은 길르앗이란 사람이 창녀를 통해 낳은 서자였습니다.

본부인이 아들들을 낳고 그들이 자라자 그는 마을에서 쫓겨나 돕 지방이라는 광야에 나가 비슷한 문제들로 사회에서 축출당한 사람들의 우두머리가 됩니다. 그는 자신의 신세를 비관하며 아주 망가질 수 있는 여건 속에 있었지만 기도로 자신의 일을 하나님께 고하는 사람이었고, 하나님의 때가 오기까지 기다리던 사람이었습니다.

마침 암몬 족속이 쳐들어오고 다급해진 길르앗의 장로들이 광야로 그를 찾아와 자신들의 대장이 되어달라고 간청합니다. 그는 멋지게 자신을 쫓아냈던 사람들의 대장이 되어 돌아왔습니다. 그는 자신을 버린 사회에 보복하지 않았습니다. 다만 하나님의 도우심을 구하며 전쟁에 나가 승리를 거두고 이스라엘의 사사가 되었습니다.

하나님은 이렇게 사람의 삶을 바꾸시는 분입니다. 삼손의 경우는 사람들이 오해를 많이 하고 있습니다. 대개 사람들은 거인을 보면, 그리고 운동을 통해 단단한 근육질의 몸을 가진 사람을 보면, "저 사람 삼손 같다"고 말합니다. 하지만 삼손은 그렇게 덩치가 크고 아주 힘을 잘 쓰게 생긴 인물은 아니었습니다.

그는 성격적으로 대단히 여성적이었고, 수수께끼를 좋아했던 나약한 사람이었습니다. 그런데 그는 여자 문제가 심각했습니다. 그것도 항상 블레셋 여자들을 좋아했습니다. 사람들은 어떻게 그에게서 힘이 나오는지가 몹시 궁금했습니다. 그건 그가 전혀 힘이 세 보이지 않았다는 것을 반증합니다. 믿을 수 없는 그의 힘… 그는 그의 힘을 점점 의미 없는 힘 자랑이나 하는 등 쓸데없이 허비하며 계속 죄악된 삶으로 빠져들었습니다. 나실인으로서 해서는 안될 금지사항들을 그는 항상 가지고 놀았습니다. 결국 그는 이스라엘을 구원하기 시작했으나 완성하지 못하고 죽었습니다.

〈이 단원의 그리스도〉

우리는 사사기 6장에서 기드온에게 나타나신 또 한 번의 Pre-incarnated Christ의 모습을 봅니다. 사람들은 기드온이 매우 용감한 용사라고 생각하지만, 처음 등장했을 때의 기드온은 아주 겁 많고 왜소해 보이는 인물이었습니다. 미디안과 아말렉, 그리고 동방 사람들이 메뚜기 떼처럼 올라와서 7년 동안이나 경작물들을 빼앗아 가고 곡식을 약탈해 갔습니다.

먹을 것이 없었던 그때, 기드온은 포도주틀에 몸을 숨기고 밀을 까불고 있었습니다. 포도주틀은 일종의 목욕통처럼 생긴 나무틀로서 사람들이 포도 열매를 거기에 넣고 밟아서 터뜨리면 아래쪽의 구멍으로 포도즙이 나오는 그런 장치였습니다. 사람이 얼마나 왜소했으면 거기에서 밀을 까불고 있었겠습니까?

이스라엘 사람들의 키는 일종의 포크처럼 생긴 농기구였습니다. 언덕 위에 곡식을 쌓아놓고 그 삼지창으로 찍어서 하늘로 날리면 불어오는 바람에 쭉정이는 멀리 날아가고, 알곡은 가까운 곳에 떨어지는 것, 그것이 이스라엘 사람들의 타작 방식이었습니다.

그 뜨거운 햇빛이 작렬하던 이스라엘 땅에서 바람 한 점 안 통하는 사방이 막힌 포도주틀에 들어가 이런 방식의 타작을 하고 있었을 그를 상상해 보십시오. 낟가리를 찍어서 하늘로 던지면 바람이 없으니 그게 다 기드온의 머리로 떨어졌을 것입니다. 옷은 땀에 젖어 몸에 들러붙는데, 그 옷 속으로 밀려들어오는 밀깍지의 가시들이 사방에서 몸을 찌를 때, 여기저기 피가 배어 나오는 모습을 상상해 보십시오. 누구라도 그런 모습을 들키고 싶지 않을 것입니다.

그런데 그런 기드온을 찾아오신 분이 계십니다. 그가 바로 여호와의 사자(the Angel of the Lord)이셨습니다. 나중에 기드온은 그를 하나님이라고 부릅니다. 바로 이분이 화육하기 이전의 그리스도이셨습니다. 이토록 절망적인 상황에서 눈물과 땀과 피로 얼룩진 채 누구도 만나고 싶지 않은 사람들을 찾아와 주시는 분이 바로 예수님이십니다. 그리고 여호와의 사자는 선포합니다.

"너 큰 용사여! 여호와께서 너와 함께하시는도다."

기드온과 같은 왜소한 겁쟁이를 큰 용사가 되게 만드시는 분이 바로 예수님이십니다. 이분은 분명히 "여호와의 사자" 즉 천사라 했는데, 기드온이 그에게 제사할 준비를 해서 올 때까지 기다리신 그분은 기드온의 제사를 받으시고 지팡이 끝을 내어 밀어 제물에 댔을 때 불이 내려 제물을 태움으로써 그가 기드온의 제사를 받으셨음을 보여주셨습니다.

성경의 어느 곳에서도 천사가 예배를 받은 곳은 없습니다. 그는 바로 하나님이셨습니다. 그런데 다시 요한복음 1:18에서 "하나님을 본 사람이 아무도 없으되 아버지의 품속에 있는 독생하신 하나님이 나타내셨느니라"라는 말씀에 근거하여 볼 때, 이분 역시 화육하기 이전에 사람의 모습이나 혹은 천사의 모습으로 하나님의 현현을 나타내 보이신 독생자 예수님이셨던 것입니다. 기드온은 그 자리에 제단을 쌓고 그 이름을 "여호와 샬롬"(우리의 평화가 되시는 여호와)이라 불렀습니다.

구약에서 우리는 이 여호와란 이름 뒤에 어떤 단어가 붙어서 사용되는 경우를 자주 봅니다. 여호와는 I AM(나는 …이다)이라는 의미로 그 뒤에 보어가 와야 문장이 완성될 수 있는 이름입니다.

여호와 이레(예비하시는 하나님), 여호와 라파(치료하시는 하나님), 여호와 닛시(승리의 깃발이신 하나님), 여호와 샬롬(평강의 하나님), 여호와 로이(목자가 되시는 하나님), 여호와 지드케느(의가 되시는 하나님), 여호와 삼마(함께 계시는 하나님) 등…

그런데 이 이름들은 사실 예수 그리스도의 별칭들입니다.

마태복음 1장에 천사에 의해서 선포된 예수님의 이름도 이 패턴의 이름입니다.

'여호와 슈아'(헬라어 이름 예수의 히브리어 버전 - 구원이 되시는 하나님) 바로 예수님이십니다.

지쳐 계신가요? 자신의 왜소함과 연약함 때문에 분노하고, 어쩔 수 없는 상황에서 비탄에 젖어 진땀을 빼며 눈물로 일하고 계신가요?

예수님 앞에 엎드리십시오. 그가 우리를 전쟁에 능한 용사로 만들어 주실 것입니다.

사사기는 크게 세 단원으로 나눌 수 있습니다.

1. 사사 시대의 서론(1-2장)

2. 사사들의 시대(3-16장)

3. 사사 시대의 결과(17-21장)

이 중에서 우리는 오늘 17-21장과 룻기를 통독하겠습니다.

1. 종교적인 타락(17-18장)

2. 도덕적 타락과 가정의 파괴(19장)

3. 정치적, 국가적 타락(20-21장)

룻기의 내용

● 1장: 모압에서

● 2장: 회복의 일터, 보아스의 밭에서

● 3장: 당신의 날개로 나를 덮으소서

● 4장: 결혼

〈주요 통독자료〉

1. 사사기의 마지막 다섯 장은 '왕 되신 하나님을 버리고 저마다 자기 멋대로 행하면 그게 곧 법이었던 시대'의 결과가 무엇인지를 그야말로 총체적 타락의 국면을 보이고 있었던 이스라엘의 모습을 통해 보여줍니다. 타락의 시작은 먼저 '종교적 타락'으로 시작되었습니다. 하나님을 버렸으니까 그들은 저마다 우상들을 몇 개씩은 가지고 있었습니다. 열두 지파의 땅에 골고루 퍼져있는 48개의 성읍들을 얻은 레위 지파는 따로 기

업이 될 수 있는 땅을 분배받지 못했으므로 이스라엘 백성들의 십일조로 생활을 하게 되었습니다. 그런데 엉망이 되어버린 하나님께 대한 사고를 가진 그들이 십일조 생활을 했을 리 없고, 그래서 레위 지파 사람들은 먹고 사는 문제를 해결하기 위하여 가정 제사장의 자리를 얻으려고 사방으로 돌아다니면서 성직을 얻고자 했습니다.

17장에 나오는 미가라는 사람의 이야기는 우리를 정말 놀라게 합니다. 미가는 어머니의 은을 훔쳤다가 저주를 퍼붓는 어머니의 말에 찔림을 받아 은을 내놓습니다. 어머니는 어떤 훈계도 없이 밑도 끝도 없이 여호와의 이름으로 미가를 축복하면서, 훔쳤던 은을 미가에게 도로 주어 그것으로 우상을 만들게 합니다. 이에 미가는 그 우상을 자기 집에 두고, 자기 아들 가운데 하나를 지목하여 우상숭배를 주도할 제사장을 삼습니다. 이것이 여호와를 섬기는 자들이 여호와의 이름으로 행하는 일이었습니다. 때마침 먹고 살 길을 찾아 떠돌던 레위 지파 소년 하나를 만나서 미가는 그를 자기 집안 제사장으로 고용합니다. 이 레위 지파 소년은 미가가 하는 우상숭배의 행위에 대해 바른 소리 한마디 못하고 쫓겨날까 전전긍긍하며 미가의 비위나 맞춰주는 그런 제사장이 됩니다. 오늘날 성도들의 비위를 거슬릴까 봐 바른 진리를 선포하지 못하는 목회자가 있다면 비극 아니겠습니까?

2.18장을 보면, 이때 단 지파는 자기들에게 분배된 기업의 땅을 여태 차지하지 못한 채 거주할 땅을 얻으려고 방황하고 있었습니다. 이들은 말씀에 순종하지 않은 신앙인들의 삶을 여실히 보여줍니다. 결국 훗날 이 단 지파는 어디론가 사라져 버리고 맙니다. 어쨌든 이리저리 방황하던 단 지파의 첨병들이 마침 에브라임을 지나다가 미가의 집에서 머뭅니다. 그들은 그 집에서 제사장 노릇하던 레위 지파 사람에게 자기들의 갈 길을 하나님께서 도와주실 것인지 묻습니다. 하나님과의 교제도 순종도 없고 다만 제사장에게 점을 치는 것처럼 운세를 점치는 광경입니다. 레위 지파 사람은 하나님께서 그들과 함께하실 것이라는 덕담을 해주었고, 그들은 정탐을 마치고 돌아갔습니다. 그런데 600명의 군사를 이끌고 전쟁을 하러 가는 길에 이 정탐꾼들은 군인들을 미가의 집으로 데려가서 미가의 집에 있는 각종 부어 만든 우상과 드라빔, 그리고 에봇을 훔치고, 레위 지파의 제사장까지 빼앗아 달아납니다.

"왜 이러느냐?"고 묻는 제사장에게 단 지파 사람들은 "네가 한 사람의 제사장 노릇 하는 게 좋으냐, 아니면 한 지파의 제사장이 되는 게 좋으냐"고 묻자 입을 다물어 버립니다. 이것이 성직에 대한 그들의 관점이었습니다. 그들이 한참 갔을 때 뒤늦게 이 사실을 안 미가가 에브라임 사람들을 데리고 쫓아옵니다.

"왜 이런 짓을 하느냐?"고 묻는 미가에게 단 지파 사람들은 힘으로 위협을 합니다. 살고 싶으면 입을 다물라고 합니다. 순 깡패 아닙니까? 이들은 모두 이런 짓을 여호와의 이름으로 행하고 있었습니다. 더 큰 교회의 목사가 되기 위하여 작은 양을 버리고 떠나는 목사, 힘으로 남의 교회 것을 빼앗아 가는 사람들… 뭔가 오늘의 교회 양상과 흡사한 것이 아닌가 눈물이 글썽거려집니다. 여호와의 이름을 부르지만, 세상 사람들 누구도 닮고 싶은 것이 없는 삶을 살아가는 이들, 이것이 바로 왕 되신 하나님을 버리고 자기 멋대로 살면 그게 곧 법이 되었던 사회의 모습입니다.

3. 이들의 종교적 타락은 곧장 가정의 붕괴로 다가옵니다.

에브라임 산지 구석에 살던 레위 사람이 바람을 피워 저 남쪽 베들레헴에서 첩을 얻습니다. 그런데 그 첩도 또한 음란한 여인입니다. 그녀는 바람이 나서 집을 나갔다가 친정집에 돌아가 있었습니다. 넉 달 동안을 첩을 찾지 않다가 갑자기 첩을 찾아간 이 사람은 나흘 동안 첩의 장인으로부터 극진한 대접을 받고 첩을 데리고 돌아갑니다.

여부스 지역에 이를 때에 해가 떨어지자 여부스 땅은 이방인의 땅이라고 안 들어가고 그 맞은편 베냐민 지파에게 속한 기브아 땅으로 들어갑니다. 그러나 하나님의 백성이라는 그들 중 누구도 이 나그네들을 영접해 주는 사람이 없었습니다. 밤늦도록 방황하다가 성읍으로 들어오는 노인 하나를 만났는데, 마침 그가 에브라임 산지 구석 출신, 즉 동향 사람이었습니다. 그 노인이 이들을 영접하여 한참 먹고 마시고 하려는데 동네의 비류들이 문을 두드립니다. 이 집에 들어온 자를 끌어내라는 것입니다. 그들이 "관계하겠다"고 했는데, 이는 이 도시에 동성연애가 만연되어 있었음을 보여줍니다. 그런데 이 사람이 자기 첩을 끌어내어 이 패거리들에게 던져줍니다. 이들은 밤새 이 여인을 윤간하고 폭행했습니다.

이게 사람들의 사회입니까? 그래도 그녀는 자기 남편이 잠든 집까지 기어와서 그 문고리를 잡고 쓰러져버립니다. 아직 그녀가 죽었다고는 하지 않았습니다. 이 남자는 관심도 없이 아침에 일어나 나귀의 안장을 들고 문을 열다가 문 앞에 쓰러진 자신의 첩을 봅니다. 그리고는 참으로 무심하게 "일어나라. 가자"라고 말합니다. 법의학적 측면에서 피해자의 사망 추정시간이 매우 중요한데, 제 생각에는 이 순간 너무 기가 막혀서 그녀가 죽은 게 아닐까 싶습니다. 아무튼 그녀는 죽었습니다. 이 사람은 그녀의 시체를 싣고 집에까지 와서는 그녀의 시체를 열두 토막으로 나누어 이스라엘의 열두 지파의 두령들에게로 보냅니다. 이것이 19장의 내용입니다.

4. 마지막 20장과 21장의 내용은 이렇습니다.

열두 지파가 모였는데, 당연히 문제의 핵심인 베냐민 지파는 빠졌습니다. 이들은 이제 더 이상 하나님께 모여서 회개하고 울고 하나님의 뜻을 묻는 일 같은 것은 하지 않습니다. 서로 생각해 보고 상의하자고 모인 이들의 결정은 베냐민 지파 하나를 지상에서 완전히 멸절시키자는 결정입니다. 결국 40만 군대와 2만6700명의 군사가 각각 동원된 말도 안 되는 동족 간의 전쟁이 벌어집니다. 결국 베냐민 지파의 장정들이 거의 다 죽었습니다. 그러자 뒤늦게 이 일을 후회하고 명절에 모여 춤추며 놀 때에 베냐민의 남자들이 다른 지파의 처녀들을 보쌈을 해다가 종족을 이어가게 하는 웃지 못할 일을 꾸미고 맙니다.

이런 일들이 계속되면서 이스라엘 사람들은 이 모든 일이 오직 "이스라엘에 왕이 없기 때문"이라고 계속 평계를 댑니다. 이 말은 곧 이들이 왕 되신 하나님을 버렸다는 것입니다. 문제의 핵심을 자꾸 비껴가고 있는 모습입니다. 그래서 이제 사사 시대가 끝나면서 마지막 사사이며 또한 선지자들의 머리가 될 사무엘이 출생하고, 그에 의하여 이스라엘에 이방인들처럼 왕이 세워지게 되는 것입니다. 그 거룩하고 영광스러웠던 '신정통치' 시대가 가고 '왕정통치' 시대로 전환되는 비극이 이렇게 이루어지게 된 것입니다. 이것이 사사기의 비극입니다.

〈이 단원의 그리스도〉

1. 사사 시대의 마지막 이야기들 속에서 우리는 어디를 봐도 예수 그리스도의 그림자조차 찾을 수 없습니다.

결국 이렇게 되었습니다. 그러나 사사기의 부록과도 같은 룻기를 펼치면서, 우리는 그래도 하나님께서 아직 이스라엘을 버리지 않으셨다는 것을 발견합니다. 하나님은 참으로 인애가 크시고 자비와 긍휼을 베풀기를 잊지 않으시는 하나님입니다.

룻기는 제멋대로 살던 사사 시대의 전형적인 이스라엘 집안인 엘리멜렉 일가의 모압 이민 이야기로 시작됩니다. 하나님께서 직접 통치하시던 시대에 이스라엘에 흉년이 들었다면, 그것은 분명 하나님의 메시지가 있는 것입니다. 그러나 베들레헴에 살던 엘리멜렉 일가는 문제의 해답을 하나님에게서 찾으려 하지 않던 전형적인 당시의 이스라엘 가족이었습니다. 그들에게는 돈이 좀 있었고, 얼른 그것을 정리해서 모압으로 이민을 떠납니다.

모압이 어떤 곳입니까? 모압과 암몬은 아브라함의 조카 롯의 근친상간의 무서운 죄로 시작된 족속들입니다. 그런데다가 이스라엘이 광야를 지나 가나안으로 오는 과정에서 이스라엘을 자기 경내로 지나가게 허락해 주지 않아서 큰 어려움을 주었습니다. 이 일로 하나님께서는 모압과 암몬은 10대뿐 아니라, 영원히 이스라엘의 총회에 들어올 수 없다고 단언하셨습니다. 엘리멜렉이라는 이름의 뜻은 '하나님은 나의 왕'이라는 뜻입니다. 나오미는 '나의 즐거움, 나의 기쁨'이란 뜻입니다. 이름은 근사하지만, 삶은 하나님의 뜻과 상관이 없는 그런 사람들이었습니다. 그래서 맘대로 모압으로 이민을 가버린 것입니다.

2. 모압 땅에 이민 간 뒤 얼마 후에 엘리멜렉이 죽습니다.

나오미는 한 걸음 더 나아가 모압 여인들 오르바와 룻을 며느리로 삼아 결혼을 시킵니다. 그렇게 얼마나 살다가 두 아들이 다 죽습니다. 이 집엔 이제 세 과부만 남았습니다. 이 슬피 우는 장례식이 룻기의 시작입니다. 그러다가 모압으로 내려간 지 10년 즈음에 하나님께서 다시 베들레헴에 풍년을 주셨다는 소문이 들려옵니다. 얼마나 후회가 되었겠습니까? '그냥 거기 있을 걸…' 했겠죠? 그래서 나오미는 베들레헴으로 돌아가려 합니다. 두 며느리를 데리고 한참 국경을 향하여 가다 보니 나오미의 마음에 떠오르는 생각이 있었습니다. 모두들 어려운 때에 혼자 잘 먹고 잘 살자고 모압으로 내려갔다가 세 남자들이 다 죽고 히브리인들이 그토록 경멸하던 이방인, 그것도 영원히 이스라엘의 총회에 들어올 수 없다고 규정된 모압 며느리 둘을 데리고 피폐해질 대로 피폐해진 모습으로 돌아오고 있는 자신이 창피한 생각이 들었습니다. 그래서 나오미는 며느리들을 모압에 떼어놓고 가려는 작전을 쓴 것입니다. 다행히 오르바는 돌아갔지만, 룻은 절대 어머니를 떠나지 않겠다고 말합니다. 그녀의 고백이 멋집니다.

"어머니 가시는 곳에 나도 가고 어머니께서 머무시는 곳에서 나도 머물겠나이다. 어머니가 죽어 장사지내는 곳에 나도 장사될 것입니다."

워런 위어스비는 여기까지만 보면 룻의 이야기는 이스라엘판 효녀 심청전이었다고 말합니다. 그러나 룻의 이 이야기를 주목해야 합니다.

"어머니의 백성이 나의 백성이 되고, 어머니의 하나님이 나의 하나님이 되시리이다."

형편없이 맘대로 살던 타락한 히브리인 가정 하나가 모압 땅에 내려오는 바람에, 구원의 여망이 없이 모압 여인으로 태어난 이 가련한 여인에게 영원히 이스라엘 사람이 될 수 있는 유일한 희망이 생긴 것입니다. 그녀는 이것을 절대 포기하지 않겠다는 것입니다.

3. 이것은 마치 로마서에서 유대인들의 타락이 이방인인 우리들에게 구원의 희망이 되었다는 감람나무의 접붙임의 비유를 통해 말한 바울의 이야기와 같은 것입니다.

시어머니를 따라 베들레헴에 돌아온 룻은 어머니께 가서 자신을 밭에 나가 이삭이라도 주워 오라고 명령해 달라고 말합니다. 얼마나 예쁩니까? 자신의 아이디어지만 어머니의 명령에 따라 움직이기를 바라는 지혜로운 마음입니다. 그렇게 이삭을 주우러 밭에 나간 룻의 발걸음을 하나님이 인도하셔서 보아스의 밭으로 가게 되었습니다. 보아스는 엘리멜렉의 근족으로 엘리멜렉 일가의 친족 구원(레위기와 민수기에서 이 율법을 읽은 기억이 있으시죠?)을 해줄 수 있는 인물이었습니다.

보아스는 한눈에 룻을 향한 사랑에 빠졌습니다. 그래서 룻기 2장에서 보아스는 룻에게 인간적인 모든 애정을 쏟아줍니다. 보호해주고, 마음을 따뜻하게 하는 말로 위로해주고, 먹을 것을 공급해 주고, 한자리에서 함께 음식을 나누는 교제의 만족을 주었습니다. 룻이 엄청난 곡식을 가지고 오는 것을 보고 나오미는 처음으로 룻을 보살펴준 이에게 축복이 있을 것이라고 말합니다. 이때까지 "전능자가 나를 치셨다, 전능자가 나를 괴롭게 하셨다, 나로 풍요롭게 나갔으나 빈손으로 돌아오게 하셨다" 등등 불평과 원망으로 가득했던 그녀의 입술에 드디어 감사가 터지기 시작하면서 잊고 있었던 '친족 구원'에 대한 언약의 말씀을 떠올리게 된 것입니다. 그래서 나오미는 룻에게 보아스의 발치 이불을 들고 거기 들어가라고 아이디어를 줍니다. 처음으로 진정한 시어머니 노릇을 하고 있습니다.

4. 룻이 타작마당의 노적가리 곁에서 잠든 보아스의 발치 이불을 들고 그 발 아래로 들어가서 누웠습니다.

보아스가 잠결에 깨어나 자기 이불 밑에 웬 여인이 있는 것을 보고 "너는 누구냐"고 묻습니다. 그때 룻의 대답이 "나는 당신의 여종 룻이오니 당신의 옷자락을 펴 당신의 여종을 덮으소서 이는 당신이 기업을 무를 자(친족 구원자)가 됨이니이다"라고 합니다. 여기서 "옷자락"은 히브리 말로 '카나프'입니다. 이는 '날개'로도 번역됩니다. "옷이 날개"라는 우리 어른들 말이 딱 맞습니다. 사실 이 말은 룻기 2장에서 보아스가 룻에게 해준 말이었습니다.

"이스라엘 하나님의 날개 아래 보호를 받으러 온 네게 여호와께서 상 주시기를 원하노라."

룻은 그 말을 그대로 인용한 것입니다.

"내게 있어서 여호와의 은총의 날개는 바로 당신의 품입니다."

결국 보아스는 그녀를 받아들이기로 결정합니다. 그러나 문제가 있습니다. 보아스보다 더 가까운 근족이 있었던 것입니다. 그 사람이 토지 무르기를 하겠다고 하면 이야기는 다 끝납니다. 그러나 그가 하지 않는다면 그 다음 차례는 보아스입니다.

여기에서 보아스는 죄로 인하여 하나님의 자녀로서의 모든 특권을 팔아 넘긴 우리 인류를 다시 구속하기 위하여, 우리의 친족이 되시려고 육체를 입고 이 땅에 오신 예수 그리스도의 모습을 정확히 보여주는 그림자입니다. 이스라엘 백성들이 하나님의 은총을 '날개'에 비유하는 이유는, 지성소의 그룹천사들의 날개 아래에서 하나님께서 이스라엘 백성들을 만나시고, 죄를 사하시며, 기도를 들어주시마 약속하셨기 때문입니다. 그래서 그들은 항상 하나님께로 가는 것을 날개 아래 들어가는 것으로 묘사했던 것입니다.

5. 룻이 "당신의 날개로 나를 덮으소서"라고 요청한 것처럼, 우리는 "주님의 십자가 그늘 아래 나를 덮어 주시옵소서"라고 요청하며 나아가야 하는 것입니다.

그러나 현재는 사탄이 이 세상과 우리 인간의 왕 노릇을 하고 있습니다. 사탄은 우리의 유익을 위하지 않습니다. 예수님은 요한복음 10장에서 거짓 목자에 대해 말씀하실 때, "문으로 들어오지 아니하는 자는 다 절도요 강도니 도적이 오는 것은 죽이고 도적질하고 멸망시키려는 것 뿐"이라 했습니다.

사탄은 사람을 사랑하지 않습니다. 보아스보다 더 가까운 친족은 처음엔 자기 비즈니스에 이득을 얻을까 하여 욕심이 나서 토지 무르기를 하겠다 했지만, 엘리멜렉 일가에 아이를 낳지 못한 룻이 남겨졌다는 것을 알고, 자기가 룻과 결혼하여 낳은 자녀에게 죽은 자의 이름으로 기업을 물려줘야 한다는 것을 바보 같은 짓으로 생각하여, 신을 벗기우고 침 뱉음을 당한 자라는 수치스런 이름을 얻더라도 이 일을 하지 않겠다고 하여 보아스에게 차례가 온 것입니다. 그래서 보아스는 룻을 아내로 맞아 결혼을 하게 됩니다.

생각해 보십시오. 룻이 이 땅에 태어났을 때 그녀는 자기 의지와 상관없이 구원 밖에 있는 모압 여자로 태어났습니다. 그녀는 이 땅에 보아스라는 분이 있는지도 몰랐습니다. 그저 실패한 히브리인 일가 때문에 이스라엘의 하나님을 아주 조금 알게 되었을 뿐입니다. 그러다가 룻기 2장에 들어오면서 룻은 보아스를 단순히 자신에게 인간적 애정을 베풀어 주시는 분으로 알았습니다. 먹여주고, 보호해 주고, 위로해 주고, 교제해 주고, 격려해 주는 분입니다. 그러나 3장에서 룻은 그가 자신의 신분을 영원히 이스라엘 여자, 즉 구원 안에 있는 아브라함의 후손이 되게 해줄 수 있는 친족 구원자라는 것을 알고 그의 날개 아래로 들어갔습니다. 그리고 4장에서 그녀는 보아스와 결혼을 하여 아들 오벳을 낳았습니다. 오벳이 이새를 낳았고, 이새가 다윗을 낳았습니다. 그녀는 메시아의 조상이 된 것입니다.

6. 이것이 바로 예수 그리스도 안에서의 우리들의 신분의 변화를 정확히 보여주는 그림인 것입니다.

우리는 우리 의지와 상관없이 죄인으로 이 땅에 태어났습니다. 그러다가 어떻게 우리에게 들어온 복음으로 예수님을 알게 됩니다. 처음에 우리는 예수님을 인간적 애정을 베풀어 주시는 분으로 알았습니다. 병을 고쳐주시고, 물질의 복을 주시고, 위로해 주시고, 보호해 주시고, 격려해 주시는 분입니다. 그러나 말씀을 더 깊이 공부하면서 마침내 우리는 예수 그리스도가 우리의 영혼을 영원한 천국으로 데려다 줄 우리의 구원자이심을 알게 됩니다.

그래서 우리는 더 이상 예수님께서 우리에게 주시는 그 무엇을 얻으려고 예수님께 가는 것이 아니라, 예수님 자신을 얻기 위하여 예수님께로 가는 것입니다. 그의 십자가 그늘 밑에 날 덮어달라고 간구하면서 말입니다. 그리고 우리는 마침내 예수 그리스도의 신부가 됩니다. 예수님의 가족, 하나님의 가족의 일원이 되는 것입니다. 할렐루야!

우리는 룻기를 구속의 로맨스라고 부릅니다. 멋지지 않습니까? 왕 되신 하나님을 버린 엉망진창이 되어 버린 사사기의 부록과 같은 이 사사 시대의 이야기에서, 우리는 아직도 하나님께서 죄인된 우리를 포기하지 않으시고, 그 아들 예수 그리스도를 통하여 우리의 신분을 영원히 바꾸어 주시는 구속의 로맨스를 보여주시는 분이라는 것을 배우게 됩니다. 우리 모두 그리스도의 십자가 그늘 밑으로 함께 나아갑시다.

019

신정국가에서 왕정국가로

사무엘상 1-15장

사무엘상은 크게 세 단원으로 나눌 수 있습니다.

1. 사무엘, 하나님의 선지자(1-8장)

2. 사울, 사탄의 사람(9-15장)

3. 다윗, 하나님의 사람(16-31장)

이중에서 우리는 오늘 1-15장까지 통독하겠습니다.

● 1-2장: 사무엘의 출생

● 3장: 사무엘의 소명

● 4-8장: 마지막 사사이며 첫 번째 선지자인 사무엘

  (4장:언약궤를 빼앗기다 / 5-6장:돌아오는 언약궤 / 7장:에벤에셀의 광영 / 8장:왕을 요구하는 이스라엘)

● 9-10장: 사울의 출현

● 11-12장: 사울의 통치

● 13-15장: 버려진 사울

〈주요 통독자료〉

1. 기도의 여인 한나:

성경에서 기도 응답을 받은 인물을 이야기할 때 한나를 빼놓을 수 없을 것입니다. 한나는 기도의 사람 중에 대표적인 인물입니다. 우리는 한나를 통해 응답받는 기도의 특징을 배울 수 있습니다. 한나는 '은혜'라는 의미를 가진 아름다운 이름의 여인이었습니다.

그런데 그녀는 다소 불행한 배경을 가지고 있었습니다. 그녀의 남편 엘가나는 한나를 사랑했지만, 아들을 낳지 못한 한나 대신 브닌나라는 또 하나의 여인을 아내로 얻었

습니다. 당시엔 여인이 시집을 가서 아들을 낳지 못하는 것은 그 이유만으로 이혼을 당할 수 있는 큰 문제로 여겨졌습니다. 엘가나는 여인의 마음을 전혀 알지 못하는 아둔한 남편의 전형적인 케이스입니다. 남성들은 모든 것을 공식에 따라 생각하는 문제가 있는 듯 싶습니다.

"내가 당신을 사랑하잖아. 브닌나와 브닌나의 아들들보다 두 배로 당신에게 나누어 주잖아… 대체 뭐가 문제야? 뭘 더 해줘야 해?"

사랑은 이렇게 1+1=2라는 공식적 계산이 아닙니다. 여성은 남성의 따뜻함을 원합니다.

"여보, 당신의 아픔을 이해해. 많이 힘들지? 괜찮아. 당신을 사랑해…."

이런 남성을 여인은 원하는 것입니다. 한나를 사랑한다면서 브닌나를 통해서 계속 아들을 낳는 남편을 어떻게 신뢰할 수 있겠습니까? 엘가나가 "당신이 내게 열 아들보다 낫지 아니하냐?"고 말하는 것을 볼 때, 어쩌면 브닌나는 실제로 열 명의 아들을 두고 있었을지도 모릅니다. 어쩌면 해마다 아들을 하나씩 낳았는지도 모를 일입니다. 그래서 한나의 마음은 상처가 쌓이고 쌓여갑니다. 그래서 성전에 올라올 때마다 그녀는 울며 기도합니다.

이때 대제사장이었던 엘리는 나이가 많고 눈이 어두웠습니다. 어두운 것은 그의 육신적 눈의 시력만이 아니었습니다. 그의 영적 안목 역시 심히 어두웠습니다. 그는 하나님 앞에 마음을 쏟아놓는 한나의 기도를 전혀 이해하지 못한 것 같습니다. 한나가 애통한 마음으로 기도하는 것을 술 주정을 부리는 것으로 착각할 만큼 그의 눈은 어두웠습니다. 현대 교회에서 이런 일이 있었다면 이 목사는 바로 교인을 잃었을 것입니다.

"여자여, 어느 때까지 술에 취하여 있겠느냐? 독주를 끊으라"고 단언하는 제사장 앞에 한나는 진실하게 고백합니다.

"마음에 애통함이 있어 여호와께 마음을 쏟아놓은 것뿐입니다."

엘리가 얼마나 미안했겠습니까?

엘리는 한나를 축복했습니다. 한나는 엘리의 축복기도를 믿었습니다. 그리고 가서 다시는 근심 띤 얼굴을 하지 않았습니다. 우리가 여기에서 놓치지 말아야 할 것이 있습니다. 이 사건은 사사 시대의 말엽에 벌어진 일입니다. 우리는 사사기에서 마지막으로 언급된 사사 삼손의 출생에 대해서 읽었습니다.

삼손의 어머니도 아기를 낳지 못했습니다. 그런데 이스라엘의 남자들마다 총체적으로 타락해 있었던 그 시대에 하나님께서 사용하실 남자, 삼손을 낳아줄 여인을 찾으신 이야기를 한나가 들었을 것입니다. 같은 시대니까요. 하지만 삼손은 성공적이지 못했습니다. 이것이 한나의 기도를 바꾸어 놓은 계기가 되었습니다. 한나의 기도는 처음에는 억울함에서 시작되었습니다.

"하나님, 아들 하나만 주세요. 억울해요. 하나 아니면 반쪽이라도 주세요."

그것이 한나의 기도였을 것입니다.

우리의 기도가 깊어지고 오래되면 사실 하나님이 바뀌시는 것이 아닙니다. 하나님은 바뀌지 않는 분이라고 했지요? 바뀌는 것은 우리인 것입니다. 한나의 기도도 바뀌었습니다. 자신의 억울함 때문에 복수심에 불타는 유치한 동기의 기도로 그녀의 기도가 시작되었지만, 오래 계속되는 동안 그녀의 기도는 하나님의 관점으로 바뀌게 된 것입니다. 그녀는 하나님의 마음을 이해하기 시작했습니다.

"하나님, 제게 아들 하나만 주세요. 이 사사 시대 말엽의 타락한 세상에서 하나님의 마음을 시원하게 해드릴 수 있는 아들 하나 길러보겠습니다. 삼손 같은 아들이 아닌, 하나님의 마음을 시원케 해드릴 멋진 종을 하나님께 드릴게요."

바로 이것이 하나님의 마음을 터치한 기도입니다.

사실 남자마다 타락해서 하나님의 마음을 아프시게 하던 사사 시대 말엽에 이스라엘의 남자 아기 하나가 더 태어나는 것에 하나님의 관심이 있으실 턱이 없었습니다. 그런데 하나님의 마음에 합한 기도로 바뀐 한나의 기도는 하나님으로 하여금 한나의 태를 여시게 한 것입니다. 어쩌면 이 기도의 주도권 역시 하나님께로부터 시작되었을 것입니다.

한나의 어려운 환경을 사용하셔서 하나님이 한나로 하여금 사무엘을 낳을 수 있도록 사용하신 것일 테니까요. 이 시대에 부자는 얼마든지 있습니다. 또 한 명의 부자가 탄생하는 것에 대해 하나님은 전혀 관심이 없으실 것입니다. 이 시대에 강한 힘을 가진 사람은 얼마든지 있습니다. 그 강한 힘을 가지고, 또한 정치적 영향력을 가지고 죄를 짓는 많은 사람들 속에서 또 한 명의 부자나, 건강한 사람이나 혹은 정치적 영향력을 지닌 사람이 탄생하는 것에 하나님은 별 관심이 없으실 수도 있는 것입니다. 그러니 우리의 기도가 바뀌어야 합니다. 한나처럼, 하나님의 영광을 위하여 하나님의 기쁨을 위하여 주님께 드릴 것을 우리에게 달라는 그런 기도를 해야 합니다. 그것이 응답 받는 기도의 요건인 것입니다.

2. 사무엘의 소명

"사무엘아! 사무엘아!"

어린 사무엘에게 하나님의 음성이 들려온 때는 구전에 의하면 그의 나이 겨우 열두 살 때의 일입니다. 자신을 부르시는 하나님의 음성을 분간치 못할 만큼 아직 어린 나이의 사무엘을 하나님은 부르고 계셨습니다.

사무엘상 3:1은 "아이 사무엘이 엘리 앞에서 여호와를 섬길 때에는 여호와의 말씀이 희귀하여 이상이 흔히 보이지 않았더라"고 말씀합니다. 여호와의 말씀이 희귀했던 시대 그래서 이상(Open Vision), 즉 하나님과의 열린 사귐을 가지고 있는 사람이 없었던 시대였습니다. 그 시대에는 대제사장 엘리도 있었고, 그의 두 아들 홉니와 비느하스가 제사장의 직무를 수행하고 있었습니다. 많은 레위 지파의 제사장 라인에 속한 사람들이 있었고, 백성의 유사들과 장로들이 있었습니다. 그런데 그들 중 어느 누구도 하나님과 깊은 사귐을 가지고 있지 않았습니다.

우리는 사무엘상 2장에서, 엘리 제사장의 두 아들 홉니와 비느하스라는 젊은 제사장들의 죄악과 완전히 짓밟힌 당시 성전 시스템의 타락에 대해 읽습니다. 바로 이 시대는 우리가 지금까지 읽어온 사사 시대의 말엽이었습니다. 온 이스라엘이 타락할 대로 타락해 있었던 시대, 가장 종교적인 민족으로 일컬어지는 이스라엘이 하나님과 아무 상관없는 길을 가고 있던 때에, 하나님은 누군가와 사귐을 나누고 싶으셨던 것입니다. 장차 하나님께서 행하실 일에 대해서 듣고, 그 일을 행해줄 누군가를 찾고 계셨던 것입니다. 그런데 아무것도 모르는 이 열두 살짜리 아이밖에 없었습니다. 그것이 그 시대의 모습입니다.

어쩌면 이것이 우리 현대 교회의 모습은 아닐까요? 그래도 성경통독에 함께하시는 여러분들이 이 시대, 우리 하나님의 벗이 되어드릴 수 있기를 희망합니다. 하나님과의 깊은 교제를 유지하고 있는 사람들이 하나님께서 원하시는 사람입니다. 예레미야 선지자는 하나님께서 이른 새벽부터 쉬지 않고 백성들을 부르시고, 이 사람 저 사람 쫓아 다니며 뭔가를 말씀하시는데 아무도 하나님께 귀를 기울여 주는 사람이 없었다고 한탄했습니다. 이 시대, 한국에 아무리 교인들이 많아도 진실로 성경을 펼쳐놓고 개인적인 묵상, 혹은 큐티를 통해 하나님의 음성을 듣고, 하나님과 교제하며, 하나님의 마음을 아는 사람들이 아니면 진정한 크리스천이라고 말할 수 없습니다.

진정한 크리스천이라면 말씀을 통해 주님과 교제하는 사람이어야 합니다. 매일 아침마다 막 구워낸 신선한 냄새를 가진 빵처럼, 그렇게 하나님께서 우리의 영혼에 들려 주시는 음성을 들으며, 하나님의 기뻐하심을 위하여 그 뜻을 이루어 드리는 삶을 살기 위한 몸부림이 우리들 모두에게 있었으면 좋겠습니다.

사무엘의 시대는 엄청난 하나님의 징계를 앞두고 있었습니다. 열두 살 짜리 아이에게 들려주시기엔 너무나 벅찬 말씀이 하나님의 가슴에 차 있었습니다. 홉니 제사장 집안의 죄악과 타락, 그리고 예비된 징계, 이스라엘 백성들에 대한 하나님의 진노하심과 멸망에 관한 말씀들, 이런 이야기들을 나누실 하나님의 친구가 그 시대에 없었던 것입니다. 대화 상대가 없어서 어린 손주를 붙들고 이런저런 이야기를 하시는 노인들처럼, 그렇게 하나님은 어린 사무엘을 불러놓고 말씀하고 계셨습니다. 우리가 이 시대의 사무엘들이 되었으면 좋겠습니다. 하나님의 음성을 들어드리고, 말씀을 통해 날마다 주님과 교제하는 진짜 크리스천이 되었으면 좋겠습니다.

〈사울과 다윗의 대조 속에 보이는 예수 그리스도〉

굉장한 가능성을 가졌으나 그 가능성을 하나도 제대로 꽃피우지 못하고 망가져 버린 사람, 그가 바로 사울입니다. 우리는 본문의 사울과 다음 단원에서 나누게 될 다윗이라는 인물의 대조를 통해서 인간의 선택과 하나님의 선택의 극명한 대조를 봅니다.

사울을 보십시오. 우선 그는 이스라엘의 모든 남자들보다 머리 하나가 더 컸습니다. 키가 아주 큰 사람, 아마도 오늘날 NBA 농구 선수를 해도 될 만큼 키가 컸고, 그는 아주 뛰어난 장수였습니다. 그러니까 대단히 남자답고 멋진 사람이었던 것입니다. 게다가 그는 아주 미남이었습니다. 그의 용모가 준수했다는 것은 영어 성경에서 핸섬 (Handsome)이라고 번역되어 있습니다. 게다가 그는 부잣집 아들이었습니다. 그는 아버지의 잃어버린 나귀를 찾아 나섰다가 사무엘을 만났습니다.

당시 나귀는 부자들의 탈것이었습니다.

말은 군인들이 타는 것이고, 농군들은 소를 타고 다녔습니다. 나귀는 부자들, 귀공자들의 탈것이었습니다. 지금으로 말하면 벤츠 승용차에 해당되는 그런 고급 탈것이었습니다. 그러니까 사울의 아버지 기스는 나귀를 많이 가지고 있었던 부자였습니다. 생각해 보세요. 사울이야말로 오늘날 여성들의 결혼 상대 영순위 아니겠습니까? 잘생겼죠? 키 크죠? 남자답죠? 부잣집 아들이죠? 게다가 아버지의 나귀를 찾아 며칠을 헤맬 만큼 그는 효자였고, 처음 이스라엘의 왕으로 세워질 때 보인 겸손은 그야말로 그를 엄친아로 만들만한 조건들입니다. 하나님께서는 이스라엘 백성들이 왕을 달라고 할 때에 바로 사람들의 구미를 아시므로 사람들이 딱 좋아할 사람을 택하신 것입니다.

그러나 시간이 갈수록 사울은 변합니다.

이런 아름다움으로 포장된 그의 내면에 감추어진 온갖 탐욕과 교만들이 고개를 들기 시작하면서, 백성들은 하나님을 버리고 왕을 택한 것을 톡톡히 후회하게 되는 것입니다. 그는 전쟁을 즐겼고, 백성들의 많은 아들 딸들을 전쟁에서 죽게 했습니다. 그리고 왕궁을 유지하기 위해 백성들의 세금을 거두어들였습니다. 하나님께서 그들의 왕이셨을 때, 백성들은 하나님의 사랑받는 자녀들이었습니다. 그러나 왕정 국가가 된 다음부터 백성들은 종이 되었습니다.

하나님은 사람의 속성을 너무 잘 알고 계십니다. 하나님께서 처음부터 다윗을 세우셨다면 백성들은 절대 다윗을 받아들이지 않았을 것입니다. 사울을 통해서 자신들의 선택의 어리석음을 확연히 깨달은 후에 백성들은 하나님의 선택을 받아들일 준비가 되어 있었던 것입니다. 그때 하나님께서 다윗을 세우셨습니다. 그는 메시아의 조상입니다. 지난 시간 우리가 다룬 룻이 보아스를 통해 낳은 오벳의 아들 이새의 아들로 다윗이 태어났고, 그에게서 예수 그리스도께서 오신 것입니다.

이 세상엔 인간의 선택으로 세워진 많은 것들이 있습니다. 그러나 인간의 방법으론 아무것도 안 됩니다. 사람이 놓은 길들, 즉 철학, 지식, 부와 권세, 심지어 종교 시스템까지 그 어떤 길로도 하나님께 갈 수 없습니다. 하나님을 버린 인생이 갈 수 있는 길은 사탄의 노예가 되는 길밖에 없었습니다. 그러나 다시금 하나님의 선택으로 우리에게 주신 다윗, 그리고 그 라인에서 오신 예수 그리스도를 통해서 인간은 다시금 하나님의 백성으로 돌아갈 수 있고, 왕되신 하나님께서 사랑으로 섬겨 주시는 그런 하나님 나라의 백성들이 될 수 있는 것입니다. 죄악의 노예에서 사랑받는 자녀로⋯ 이것이 바로 사울과 다윗의 대조를 통해서 보여주시는 사탄의 노예로부터 예수 그리스도로 말미암은 하나님의 자녀 됨의 축복의 그림입니다.

다윗
사무엘상 16-31장

사무엘상은 크게 세 단원으로 나눌 수 있습니다.

1. 사무엘, 하나님의 선지자(1-8장)

2. 사울, 사탄의 사람(9-15장)

3. 다윗, 하나님의 사람(16-31장)

이 중에서 우리는 오늘 16-31장까지 통독하겠습니다.

● 16장: 다윗의 기름부음

● 17-18장: 다윗의 시련(골리앗, 요나단과 다윗, 미갈)

● 19-30장: 다윗의 훈련

　① 다윗을 죽이려는 사울(19장)

　② 다윗의 도망을 돕는 요나단(20장)

　③ 놉과 가드로의 다윗의 도망(21장)

　④ 다윗이 사람을 모으다 / 사울의 제사장 학살(22장)

　⑤ 다윗의 블레셋과의 싸움 / 사울의 다윗 추적 / 요나단과 다윗의 언약(23장)

　⑥ 엔게디에서 다윗이 사울의 목숨을 살려줌(24장)

　⑦ 사무엘의 죽음 / 다윗과 아비가일(25장)

　⑧ 다윗이 십 광야에서 다시 사울을 살려줌(26장)

　⑨ 망명지 시글락(27장)

　⑩ 엔돌의 점쟁이를 찾는 사울(28장)

　⑪ 다윗에 대한 블레셋의 불신(29장)

　⑫ 아말렉과 다윗의 싸움(30장)

　⑬ 사울의 부상과 자살 시도(31장)

〈주요 통독자료〉

1. 어제 범위의 마지막인 15장에서 우리는 사울이 아말렉을 완전히 섬멸하라는 하나님의 명령을 정면으로 어기고 아말렉의 기름진 짐승들을 살려두었고, 또한 아말렉의 쓸만 한 사람들, 특히 아각 왕가의 왕족들을 살려둔 것을 보았습니다. 이는 하나님의 명령에 대한 정면 도전이었습니다. 이때를 기점으로 사울은 사양길로 접어듭니다. 이것이 사울이 하나님께로 돌아올 마지막 기회였던 것입니다.

하나님의 오래 참으심이 끝나는 순간이 있습니다. 사울에게는 바로 이 순간이었습니다. 이때부터 사울에게서 여호와의 영이 떠나셨습니다. 그리고 악령이 사울을 괴롭히기 시작합니다. 한 사람의 일생에서 이렇게 돌아올 수 없는 다리를 건너는 순간이 있습니다. 우리는 창세기 6장 3절에서 셋의 후손들의 타락에 대하여 한탄하시는 하나님께서 "나의 영이 영원히 사람과 함께하지 아니하리니"라고 말씀하시는 것을 봅니다. 이 구절의 의미는 '하나님의 성령께서 이제 다시는 영원히 사람과 함께하지 아니하신다'는 뜻이 아닙니다. 이 구절을 KJV에서 찾아보면 "My Spirit shall not always strive with man"이라고 되어 있습니다. 이는 "나의 영이 사람과 씨름을 하되, 영원히 하지는 않는다"는 뜻입니다. 죄에 빠져 가는 인생을 향하여 하나님의 영, 즉 성령께서 씨름을 걸어오시는 것입니다. 그를 회개시키기 위하여 말씀의 깨달음을 통하여 그의 변화를 촉구하시는 것입니다. 그러나 이 일이 영원히 지속되지는 않는다는 것입니다.

2. 일정 시간 동안 하나님께서 회개를 촉구하시다가, 그가 계속 하나님 앞에 죄악을 저지르면 어느 순간, 이제 더 이상은 하나님께서 그를 다루지 아니하시고 포기하신다는 것입니다.

사울에게는 바로 이 순간이 그렇습니다. 이제 하나님의 성령께서는 더 이상 사울을 회개시키려 애쓰지 않으십니다. 그래서 성령께서 떠나시고 악령이 들어와 사울을 괴롭히기 시작하는 것입니다. 그러니까 아말렉과의 싸움에 대한 하나님의 명령이 사울에게는 마지막 기회였던 것입니다. 그러나 사울은 비웃듯이 하나님의 배려를 짓밟아 버린 것입니다.

여기에서 우리가 주목해야 하는 것이 바로 아말렉의 왕 아각의 족속들이 사울에 의하여 남겨졌다는 것입니다. 이 아각 왕은 사무엘에 의하여 죽임을 당했으나, 아각 왕가의 사람들이 살아남은 것입니다. 훗날 에스더서를 보게 되면 페르시아의 수산궁에 제2인자가 나오는데 그가 하만입니다. 이 하만을 성경은 "아각 족속"이라고 말합니다. 바로 사울이 남겨 둔 아각의 후손 중에서 하만이 나온 것입니다. 여호수아의 군대가 남겨두었던 "가사와 가드와 아스돗에만 약간 남았던 사람들"이 훗날 이스라엘에 얼마나 무서운 일을 했는지 우리는 여호수아서를 통해서 다루었습니다.

결국 한날한시에 히브리인을 모두 목매달아 죽일 뻔했던 아각 자손 하만도 사울 왕에 의하여 키워진 인물이었습니다. 많은 때에 우리의 대적을 키우는 게 우리입니다. 하나님께 완전히 순종하지 않는 것이 얼마나 위험한지 이 사건들이 우리에게 보여줍니다. 하나님은 역사를 모두 내다보시기 때문에 사울에게 이 명령을 내리신 것입니다.

3. 인간의 선택이었던 사울과 하나님의 선택이었던 다윗을 인간적으로 비교해 보면 정말 비교가 불가능해 보입니다.

사울은 이스라엘 남자들의 평균 키보다 머리 하나가 더 컸던, 그리고 아주 핸섬한 외모를 가지고 있었고, 게다가 부잣집 아들이었습니다. 모든 면에서 사울은 엘리트 형의 인물입니다. 반면 다윗은 베들레헴의 가난한 농사꾼의 여덟 아들 중 막내였습니다. 하나님께서 다윗에게 기름을 부으시려고 사무엘을 보내셨을 때, 이새와 그의 아들들을 전부 제사에 초대했습니다. 그러나 이새는 다윗을 이 모임에서 제외시켰습니다. 그 정도로 다윗은 자기 아빠에게도 중요하게 여겨지지 못했던 인물입니다. 그러나 "사람은 외모를 보거니와 나 여호와는 중심을 보느니라"(삼상 16:7)하시며 하나님께서는 다윗을 선택하셨습니다.

다윗이 사무엘에게 기름 부음을 받은 그날 이후로 다윗은 여호와의 영에 크게 감동되었습니다. 여호와의 영이 떠나신 사울과, 여호와의 영에 크게 감동을 받기 시작하는 다윗, 이것이 바로 지는 해와 떠오르는 태양의 차이입니다. 우리 모두에게도 여호와의 영이 함께하시는 복이 있기를 소원합니다. 여호와의 영에 크게 감동된 다윗에게 제일 먼저 다가온 것은 바로 찬양을 통해 악령에 시달리는 사울을 치유하는 일이었습니다. 그러나 이제부터 사울은 기회만 있으면 다윗을 죽이려 합니다. 그러나 매번 하나님께서 지키시고, 사울의 핍박들은 언제나 다윗을 훈련시키는 하나님의 손길이 되어 마침내 하나님께서 기름 부으신 다윗을 이스라엘의 왕으로 세워 주는 것입니다.

4. 여호수아가 완전히 섬멸하지 못했던 블레셋의 가드 출신 골리앗을 다윗이 죽입니다.

이 사건이 아말렉을 멸절시키라는 하나님의 명령을 어긴 사울에게서 성령이 떠나신 후에 등장하는 이유는 하나님의 의도입니다. 이스라엘이 골리앗 때문에 위기를 맞는 것처럼, 사울이 남겨 둔 아각 족속의 후손을 통해서 이스라엘은 또 한 번 위기를 맞을 것을 보여주신 것입니다.

역사 가운데는 끊임없이 아브라함의 혈통을 끊어 놓으려는 사탄의 시도가 있어왔습니다. 이것을 우리는 "반 셈족 운동"(Anti-Semitism)이라 부릅니다. 예컨대 아브라함의 아내 사라의 태를 닫은 것도 사탄의 도전이었습니다. 그러나 하나님께서 기적적인 방법으로 죽은 자와 방불한 사라의 태를 다시 여신 것입니다.

야곱의 때에 온 세계에 미친 기근도 가나안 땅에 살고 있던 아브라함의 후손인 야곱의 대를 끊어 놓으려는 사탄의 의도였습니다. 그러나 하나님께선 이 일을 미리 아시고, 요셉을 애굽에 먼저 들여보내셔서 야곱의 가족들을 생존하게 하신 것입니다. 페르시아의 수산궁에 있었던 하만이 히브리인 전부를 한날한시에 목매달아 죽이려 한 것도 같은 맥락입니다. 그러나 하나님께서는 이 수산궁에 에스더를 들여 보내셔서 그녀의 중보로 히브리인들을 살게 하신 것입니다.

다니엘이 보았던 세상의 역사를 장악한 네 제국들, 바벨론, 메대 파사, 헬라제국, 로마제국이 유독 히브리 민족을 가장 압박하고 있었다는 것도 같은 맥락입니다. 예수님이 탄생하셨을 때, 급기야 헤롯 왕을 시켜서 예수님의 별이 나타난 때를 기점으로 2세 미만의 남자 아이를 모두 학살한 사건에서 우리는 사탄의 숨은 의도를 파악할 수 있는 것입니다.

5. 인류 역사 가운데 끊임없이 일어났던 반 셈족 운동(Anti-Semitism)의 의도는 바로 예수님의 탄생을 저지하려는 사탄의 계획이었던 것입니다.

그러나 언제든 하나님께서는 사탄의 계획보다 먼저 길을 예비해 주셨습니다. 그래서 마침내 예수님께서 이 땅에 탄생하시게 된 것입니다. 이 싸움이 흥미진진합니다. 예수님의 탄생 이후에도 1940년대 히틀러에 의한 유태인 학살이 있었고, 에스겔 38-39 장을 보시면 예수님의 재림이 있기 직전에 다시 한 번 모슬렘 권의 모든 국가들이 주동이 되고, 로스(러시아)가 아가미를 갈고리에 꿰인 채로 어쩔 수 없이 이 전쟁에 휘말려 들어올 수밖에 없는 세계적인 규모의 전쟁이 다시 이스라엘의 멸절을 위하여 일어날 것입니다. 이제 사탄은 예수 그리스도의 재림과 관련된 언약들을 다시 수포로 돌아가게 하려는 궤계를 끊임없이 일으키고 있는 것입니다. 그러나 예수님은 승리하십니다. 그리고 예수님은 말씀하십니다.

"세상에서 너희가 환난을 당하나 담대하라 내가 세상을 이기었노라."

예수님의 승리는 곧 우리의 승리입니다. 사탄은 하나님의 사랑에서 우리를 끊으려는 많은 공격들을 해오지만, 우리를 그리스도 예수 안에 있는 하나님의 사랑에서 끊을 자가 없을 것입니다. 저와 여러분은 바로 그런 하나님의 자녀라는 것을 감사합시다.

오늘 통독 분량 속에서 우리는 하나님께서 사울의 공격으로부터 다윗을 지키시는 것을 볼 수 있습니다. 사탄의 끈질긴 공격이 있겠지만, 하나님께서는 다윗의 후손 예수 그리스도를 지키셔서 그를 탄생하게 하셨고, 십자가에 못 박혀 죽으시게 하셨고, 부활 승천하게 하심으로써 우리의 구원을 이루셨습니다. 예수님처럼 우리도 승리하는 자녀들이 되기를 바랍니다.

사무엘하는 크게 두 단원으로 나눌 수 있습니다.

1. 다윗의 승리(1-10장)

2. 다윗의 트러블들(11-24장)

이 중에서 우리는 오늘 1-10장까지 통독하겠습니다.

- 1장: 사울과 요나단의 죽음에 애도하는 다윗
- 2장: 다윗이 유다의 왕이 되다
- 3장: 내전-아브넬이 다윗에게 왔으나 요압에게 살해됨
- 4장: 사울의 아들 이스보셋이 죽임당함
- 5장: 다윗이 드디어 전체 이스라엘의 왕이 되다
- 6장: 언약궤를 예루살렘으로 봉송하려는 일의 실패와 성공
- 7장: 다윗의 집안을 향한 언약(the Davidic Covenant)
- 8장: 다윗이 그의 왕국을 공고히 하다
- 9장: 므비보셋에게 은총을 베푸는 다윗
- 10장: 암몬과 아람에 대한 다윗의 전쟁

〈주요 통독자료〉

1. 1-5장의 말씀들은 사울과 요나단이 전쟁에서 죽임을 당한 후에 다윗이 온 이스라엘의 왕위에 오르기까지 상당기간 내전을 겪어야 했던 것을 보여줍니다.

다윗의 생은 참으로 평탄치가 않았습니다. 사울 왕이 자신을 쫓아다니던 때, 그를 피해 광야와 산중과 암혈에 유리하면서 그가 지었던 시편들을 보면, 다윗은 자신을 광야의 당아새(펠리컨)와 같다고 묘사했고, 마치 벼룩을 사냥하는 자처럼 집요하게 자신을

추적해 오는 사울의 공격에 늘 두려움이 있었음을 고백합니다. 그런데도 두 차례 자신의 손으로 사울을 죽일 절호의 기회가 있었지만, 하나님께서 기름 부으신 자를 자신의 손으로 죽일 수 없다는 신념을 지켰던 그런 성품이 바로 "하나님의 마음에 합한" 여러 성향들 중 하나일 것입니다. 그는 어떤 일에도 서두르지 않는 사람처럼 보입니다.

하나님의 때에 하나님의 방법으로 모든 일을 이루시기를 바라보면서 기다릴 줄 아는 사람, 이것이 인간의 선호 성향이었던 사울과 극명한 대조를 이루는 부분입니다. 사울이 죽은 후, 사울과 요나단의 죽음에 대해 애도하는 다윗에게서 우리는 예수님의 마음을 봅니다. 자신을 찌른 자들을 위해 기도하시던 예수님의 "아버지 저들을 사하여 주옵소서 자기들이 하는 것을 알지 못함이니이다"라는 기도가 다윗에게서 보입니다.

2. 오랜 기다림 끝에 이스라엘 전체의 왕위에 오르자 다윗은 이스라엘의 수도를 예루살렘으로 정했습니다.

그리고 언약궤를 예루살렘으로 봉송해 왔습니다. 우리는 언약궤의 봉송이 담긴 6장을 읽으면서 '지식이 결여된 열심'이 얼마나 위험한지 배우게 됩니다. 선한 목적을 가지고 있더라도 방법이 잘못되었다면 하나님께서 허락지 않으신다는 것 또한 우리에게 일깨워 줍니다. 사람들은 모로 가도 서울만 가면 된다고 하지만, 하나님께서는 과정 또한 아주 중요하게 여기십니다. 우리 한국인 신자들이 교회에 나가 제일 먼저 배우는 것이 열심입니다. 하나님의 말씀에 대한 올바른 지식없이 오직 인간적 열심만 가지고 덤비게 되면 위험합니다. 예수님을 십자가에 못 박은 자들이 얼마나 무서운 열심을 가진 종교인들이었는지를 잊지 말아야 합니다.

시편 132편을 보면, 언약궤를 예루살렘으로 가져오려는 다윗의 열심을 볼 수 있습니다. 두로 왕 히람이 다윗의 예루살렘 입성을 축하해 주기 위하여 많은 재목들과 일꾼들을 보내 호화로운 궁궐을 지어주었습니다. 그러나 다윗은 언약궤를 모셔오기 전에는 그 궁궐에 들어가고 싶지도 않았습니다. 잠도 잘 수 없었다고 고백합니다. 이 열심은 대단한 것이었습니다. 그러나 문제는 언약궤를 이동하는 방법을 하나님의 가르침에 따르지 않고 인간적인 생각으로 했다는 것입니다. 율법은 언약궤의 이동 방법을 자세히 가르쳐 주고 있습니다. 그러나 다윗은 그 방법을 따르지 않았습니다.

3. 사무엘하 6:1-3을 보면 다윗은 이 행사를 아주 거창하게 치렀습니다.

3만 명의 무리를 동원했습니다. 그러나 언약궤를 운반하는 일은 그냥 레위 지파의 고핫 자손 몇 명만 있으면 되는 일이었습니다. 이렇게 많은 군중을 모아 거창함을 내세울 일이 아니었습니다. 하나님께서는 언약궤는 항상 고핫 자손들이 메고 옮기도록 명하셨습니다. 그러나 다윗은 새 수레를 만들어 수레로 옮기려 했습니다. 어쩌면 이것이 훨씬 멋져 보였을 것입니다.

그러나 하나님은 하나님의 일이 하나님의 뜻 안에서 이루어지기를 원하십니다. 그런데 다윗은 말씀대로 하지 않고, 과거에 블레셋 사람들이 언약궤를 빼앗아 갔다가 다시 이스라엘에 돌려줄 때 했던 그 방식을 따르고 있었습니다. 새 수레에 싣고, 새 암송아지가 끌고, 그래서 그 수레를 부수어 화목으로 삼고 암소를 잡아 제사를 바치던 블레셋 사람들의 거창한 행사가 다윗에게 감동이 되었던 모양입니다.

그러나 하나님께서는 하나님의 일을 이방인의 방식으로 하는 것을 기뻐하지 않으십니다. 문제가 생겼습니다. 수레가 움직이다가 소가 갑자기 뛰는 바람에 언약궤가 떨어질 뻔했습니다. 그러자 소를 몰던 웃사가 언약궤를 잡았습니다. 언약궤는 하나님의 임재의 장소였기 때문에 정해진 사람 이외에 누구라도 만지면 죽었습니다. 웃사도 죽었습니다. 우리는 나중에 역대상 13장을 읽을 때에 다윗이 이 일을 천부장, 백부장, 그리고 모든 장수들과 의논하고 행했다는 것을 읽게 됩니다. 번지수가 잘못 됐죠? 제사장을 찾아서 물어 봐야지요. 아니면 최소한 깨어있는 선지자를 찾아서 의논했어야지요. 지금까지 다윗은 매 순간 하나님께 묻고 모든 일을 행했고, 그것이 다윗의 매력이었는데, 이때는 장군들과 의논하고 일을 벌였습니다.

4. 역대상 13장의 글에서 우리가 놓치지 말아야 할 것은, 다윗이 이 일을 의논하면서 은근히 사울과 자신을 차별화하려는 언사를 행했다는 것입니다.

역대상 13:2-3에 보면 "사울의 때에는 하나님께 묻지 않았다"고 하면서 백성들에게 은근히 사울을 비난하면서 자신을 치켜세우는 모습을 봅니다. 다윗은 이 일을 통해서 백성들의 마음을 사려 했던 것입니다. 그래서 다윗은 최대한 사람들을 매료시킬 방법을 사용하게 된 것입니다. 그래서 하나님의 방법이 아닌 사람의 방법을 따르게 되는 것입니다. 어쩌면 나중에 사울의 딸 미갈이 다윗을 향하여 빈정대는 것에는 이런 다윗의 태도도 한몫했을 가능성이 매우 크다는 것을 배제할 수 없습니다. 사무엘하 6:5을 보면 다윗과 온 이스라엘 족속이 각종 악기를 연주했습니다. 그러나 다윗의 이런 기교들이 하나님께 받아들여지지 않았습니다.

여기에서 우리는 아주 중요한 것을 보게 됩니다. 이렇게 자기 맘대로 언약궤를 운반하려다가 이 일이 실패로 돌아가자 다윗은 갑자기 태도가 바뀝니다. 삼하 6:8-9을 보면 다윗이 분을 내면서 "여호와의 궤가 어찌 내게로 오겠느냐"고 버럭 화를 냅니다. 그리고 즉시 계획을 포기해 버립니다. 언약궤를 예루살렘으로 옮겨오기 전에는 잠도 자지 않겠다던 그는 갑자기 이 계획을 포기해 버리는 것입니다. 우리는 때로 우리 의지대로 뭘 하려다가 잘못되면 그 열심만큼 시험에 빠지는 경우를 봅니다. 다윗이 그런 모습을 보이고 있는 것입니다.

5. 그래서 다윗은 가드 사람 오벧에돔의 집으로 메어가게 했습니다. 여기에서부터 언약궤를 메어서 움직이기 시작합니다.

이 오벧에돔의 집에 언약궤가 석달 머물러 있었는데, 이 사람의 집에 하나님께서 큰 복을 주셨습니다. 하나님께서는 다윗이 다시 이 일을 하기 원하신 것입니다. 그래서 다윗의 열심을 다시 자극하신 것입니다. 어떤 사람이 다윗에게 오벧에돔이 언약궤로 인하여 큰 복을 받았다고 전해주자, 다윗은 즉시 언약궤를 기쁨으로 메고(물론 레위 지파의 고핫 자손에게 이 일을 하게 했겠지요) 예루살렘으로 올라왔습니다.

역대상 15:2을 보면, 다윗의 깨달음이 고백되고 있습니다. 레위 지파 사람만이 이 일을 할 수 있다는 것을 배운 것입니다. 우리는 다윗에게서 하나님의 일은 인간적 열심만 가지고 되는 것이 아님을 배웁니다. 지식을 좇아 해야 합니다. 하나님의 말씀이 가르쳐주는 지식 말입니다. 로마서에서 바울도 자신의 동족 이스라엘이 하나님께 대하여 열심은 있으나 지식을 좇는 열심이 아니라는 것을 한탄했습니다.

〈이 단원 속의 예수 그리스도〉

1. 우리는 오늘 통독 분량 중 두 군데에서 예수 그리스도의 선명한 그림자를 봅니다.

하나는 사무엘하 7장의 '다윗의 언약'(the Davidic Covenant)이고, 다른 하나는 요나단의 아들 므비보셋을 향하여 은총을 베풀어 주는 다윗의 모습 속에서입니다.

그 첫째를, 봅시다. 다윗은 그의 친구이며 모사였던 선지자 나단을 불러 그에게 자신이 하나님께 성전을 하나 지어드리고 싶다는 생각을 전했습니다. 나단은 처음에 매우 기뻐했습니다. "왕의 생각을 하나님께서 기뻐하신다"고 가볍게 대답해 버립니다. 그러나 하나님은 나단을 책망하셨습니다. 다윗의 손에 피를 많이 묻혔기 때문에 다윗의 손으로는 성전을 짓지 않으시겠다는 것입니다.

다윗 다음에 일어날 다른 왕 솔로몬에게 성전을 짓게 하시겠다는 것입니다. 그러나 다윗을 사랑하신 하나님께서는 다윗이 하나님께 집을 지어드리는 대신, 하나님께서 다윗에게 집(House: 가문)을 견고하게 세워주겠다고 하시면서 다윗의 집안에서 치리자의 지팡이가 떠나지 않을 것을 약속하십니다. 메시아가 오실 때까지 하나님의 이 언약이 지켜질 것이라는 예언은 바로 다윗의 혈통에서 메시아가 오실 것에 대한 예언이었습니다. 결국 예수님은 요셉을 통해서도 마리아를 통해서도 다윗의 혈통인 집안에서 탄생하셨습니다. 사무엘하 7장에 나오는 이 언약은 구약의 예언을 이해하는 데 있어서 아주 중심 뼈대가 되는 예언입니다.

2. 다윗과 요나단이 얼마나 따뜻한 사랑을 나누었는지 어제 보충 자료에서 말씀드렸습니다.

그때 요나단은 다윗에게 한 가지 언약을 맺었습니다. 요나단은 자신이 사울 왕의 아들이었고, 왕정 통치의 특성상 자신이 왕위를 물려받을 적자였지만, 하나님께서 사울 왕가를 버리시고 다윗을 택하셨다는 사실을 인정했습니다. 그래서 다윗에게 "나는 네 다음이다"라고 말하면서 마치 요나단과 같은 이름을 가진 요한이 예수님께 한 말과 동일한 말을 한 것입니다.

"그는 흥하여야 하겠고, 나는 쇠하여야 하리라."

이때 요나단은 다윗에게 자신의 아들을 다윗이 왕위에 오를 때에 지켜 주기를 구했고, 다윗은 그렇게 하겠다고 약속했습니다. 이 언약에서 요나단은 예수 그리스도의 모습을, 다윗은 하나님의 모습을 보여주는 그림입니다.

요나단에게는 므비보셋이라는 아들이 있었습니다. 이 아들이 어렸을 때, 사울과 요나단이 죽음을 당하자 유모가 생각했습니다.

"다윗이 분명 이 아이를 찾아 죽일 것이다."

그래서 아이를 안고 급히 도망을 치다가 아이를 떨어뜨려 두 다리가 다 부러졌습니다. 그래서 므비보셋은 자신의 힘으로는 어디에도 움직일 수 없는 아이가 되었습니다. 영어로 떨어졌다는 말은 'fall'입니다. 그런데 이 단어는 동시에 '타락'이라는 의미를 갖고 있습니다. 므비보셋은 하나님을 피하여 도망치다 타락해서 자신의 힘으론 아무것도 할 수 없는 사망에 처한 인생을 보여주는 그림입니다.

3. 다윗은 요나단이 남긴 므비보셋을 찾아 애를 씁니다.

이것이 죄인 된 인생을 찾기 위해 애쓰시는 하나님의 사랑을 보여주는 것입니다. 드디어 다윗이 므비보셋의 숨은 곳을 알아냈습니다. 그곳은 바로 '로 드발'이라는 곳인데, 히브리 말로 '초장이 없는 곳, 안식이 없는 곳'이라는 의미입니다. 하나님을 피하여 도망친 인생은 결코 안식이 없는 것입니다. 물도 없고, 초장도 없고 안식이라곤 찾을 수 없는 이 광야 지대에 므비보셋은 은둔하고 있었습니다. 이렇게 죄악 된 땅에 숨어 안식도 없이 지내던 우리 죄인들을 찾아내신 것은 하나님이십니다. 두 다리를 모두 잃은 므비보셋이 움직일 수 없듯이, 죄로 타락한 우리 인생도 우리 힘으로는 하나님께 갈 수 없는 것입니다.

드디어 다윗에 의하여 찾아내어진 므비보셋은 다윗의 집에 들어가 왕의 식탁에서 왕과 왕자들과 함께 왕자들 중 하나처럼 먹고 마시고 왕과 교제하게 되었습니다. 이것이 변화된 우리들의 신분입니다. 우리는 왕 되신 하나님의 테이블에서 하나님과 함께 교제하는 왕자와 공주들이 되었습니다. 할렐루야!

그런데 므비보셋이 구원을 받은 것은 므비보셋 자신의 공로 때문이 아닙니다. 다윗과 맺은 요나단의 언약 때문이었습니다. 십자가 위에서 "아버지여, 저들의 죄를 용서하여 주시옵소서"라고 구하신 우리 예수님과 하나님 사이의 언약 때문에 우리는 구원을 받은 것입니다. 이것이 복음입니다. 감격의 찬양이 입에서 터져 나오지 않습니까? 모두가 잠든 이 밤에 저는 혼자 이 글을 쓰면서 춤을 추고 있습니다. 사랑합니다.

다윗의 트러블들
사무엘하 11-24장

사무엘하는 크게 두 단원으로 나눌 수 있습니다.

1. 다윗의 승리(1-10장)
2. 다윗의 트러블들(11-24장)

이 중에서 우리는 오늘 11-24장까지 통독하겠습니다.

- 11장: 다윗의 두 가지 범죄
- 12장: 나단 선지자의 방문과 다윗의 회개
- 13장: 암논의 범죄와 압살롬의 암논 살해
- 14장: 불완전한 용서로 압살롬의 복귀를 허락한 다윗
- 15장: 압살롬의 반란
- 16장: 시바가 다윗을 속임, 시므이가 다윗을 저주함
- 17장: 압살롬의 모사들(아히도벨과 후새)가 다윗을 공격하는 일에 반대하다
- 18장: 압살롬의 죽음과 다윗의 애곡
- 19장: 다윗의 왕좌 복귀
- 20장: 세바의 반역
- 21장: 3년의 기근과 기브온 족속의 사울 집안에 대한 복수; 블레셋과의 전투
- 22장: 다윗의 구원의 노래(시편 18편)
- 23장: 다윗의 유언 / 다윗의 용사들
- 24장: 다윗의 인구조사의 범죄 / 아라우나의 타작마당

〈주요 통독자료〉

1. 다윗이 하나님 마음에 합한 자라는 점을 생각할 때, 오늘 우리의 통독 분량 속에 적힌 글들은 적잖이 우리에게 충격을 주는 말씀들임에 틀림없습니다.

그러나 성경이 중요하다는 것은 일반 위인전들과는 달리 성경은 위인들의 밝은 면들만을 기록하는 것이 아니라, 믿음의 사람들의 어두운 면도 정확히 기록하고 있다는 것입니다. 성경은 사람들을 미화하지 않습니다. 오히려 그들의 죄와 허물을 드러냄으로써 우리 하나님의 용서와 관용, 미숙한 사람들을 들어 위대한 일을 이루시는 놀라운 역사를 더욱 드러나게 하는 것입니다. 우리는 오늘의 통독을 통해서 다윗에게 실망하는 점도 있겠지만, 다윗의 허물 속에서 우리들의 허물을 보아야 하며, 그런 다윗을 용서하시고 사용하시며, 하나님의 마음에 합한 자라고 불러 주시는 하나님의 은혜에 더욱 집중해야 할 것입니다.

2. 밧세바와의 범죄: 모두가 전선에서 치열한 싸움을 벌이고 있을 때에 다윗은 궁궐에서 늦게까지 잠을 자고 느지막이 일어나 궁궐 발코니를 거닐고 있었습니다.

문제는 여기에서 시작됩니다. 이제까지 사울 왕에게 쫓겨 치열한 도망자의 삶을 살아야 했던 위기들이 지나가고, 내전의 위험한 시기들을 넘기고, 이제 좀 마음을 놓을 수 있다고 생각하는 순간 죄의 유혹이 찾아온 것입니다.

우리는 항상 여기서 조심해야 합니다. 이젠 좀 마음 놓을 수 있다고 생각하는 순간 죄의 위험에 노출됩니다. 우리는 끝까지 영적 긴장을 늦추지 않는 것이 중요합니다.

영어권 한인 2세들이 잘하는 농담이 있습니다. 밧세바의 이름 속에 그녀의 운명이 들어있었다는 것입니다. 밧세바의 이름은 영어로 'Bathsheba'입니다. 이 이름을 세 음절로 자르면 〈Bath: 목욕하다〉, 〈she: 그녀〉, 〈ba: 한국 말의 보다〉라는 뜻으로 나눌 수 있다는 것입니다.

"목욕하는 그녀를 보다." 다윗이 목욕하는 그녀를 보는 바람에 사고가 났다는 농담입니다. 물론 콩글리쉬입니다.

우리는 다윗의 다음 행동을 통해서 한 가지 죄악이 더욱 큰 죄를 초래한다는 평범하지만 무서운 진리를 배웁니다. 한 가지 죄는, 그 죄를 은폐시키기 위하여 또 다른 거짓말과 또 다른 죄를 낳게 되는 것입니다. 결국 다윗은 평범한 사람들도 상상할 수 없는 유치한 방법으로 죄를 은폐하려다 실패하자 아주 비열하고 잔인한 방법으로 충신 우리아를 살해하고 맙니다.

3. 그러나 역시 다윗은 달랐습니다. 그가 하나님 마음에 합했다는 것이 이런 면에서 드러나는 것이라 할 수 있습니다.

나단 선지자가 그에게 와서 신랄하게 그의 죄를 지적했습니다.

"당신이 그 사람이라!"

서슬 퍼런 나단 선지자 앞에서 다윗은 한 마디 변명도 핑계도 없이 "내가 여호와께 죄를 범하였나이다"라고 고백했습니다. 그러자 바로 다음 순간 "여호와께서도 당신의 죄를 사하셨나이다"라고 사죄의 선포가 있었습니다. 아주 짧은 순간에 회개와 용서가 이루어진 것 같지만, 사실 다윗의 마음속에는 끔찍한 고통의 시간들이 있었습니다. 우리는 나단 선지자가 다윗에게 왔을 때, 다윗이 지은 시를 알고 있습니다. 바로 저 유명한 시편 51편입니다.

이 시편에서 다윗은 하나님께 정결한 마음을 주시고, 정직한 영을 새롭게 하시며, 구원의 기쁨을 다시 새롭게 해주시고, 자신을 주님 앞에서 쫓아내지 마시고, 주의 영을 자신에게서 거두지 말아 달라고 호소했습니다. 그러면서 만약 주께서 자신의 회개를 받아주시고 용서와 사죄의 기쁨으로 자신을 채워 주신다면 자신이 주의 백성들을 가르치겠다고 약속합니다. 하나님께서는 나단 선지자를 통해서 바로 용서의 기쁨을 주셨습니다. 그리고 다윗도 약속을 지켜서 시편 32편을 쓴 것입니다.

시편 32편은 '다윗의 마스길'이라는 표제가 붙어 있습니다. 다윗의 교훈시, 즉 가르치는 시라는 뜻입니다. 그 시에서 다윗은 자신이 회개하지 않고 죄를 은폐하고 있었던 기간 중의 마음을 정직하게 고백했습니다.

"주의 손이 자신을 누르는 것처럼 늘 힘들었고, 자신의 영혼이 말라 마치 여름 가뭄에 갈라진 땅처럼 말라버렸다"고 고백했으며, "자신의 영혼이 속에서 신음하고 있었다"고 고백했습니다. 그러나 자신이 회개하기로 결정하자, 주님은 그의 은신처가 되어주시고 구원의 노래로 그를 채워주셨다고 고백합니다. 얼마나 멋진 고백입니까?

4. 다윗은 그의 곁에 충성을 맹세한 남자들을 거느린 사람이었습니다.

반면 솔로몬은 그의 곁에 항상 여자들이 끓었습니다. 나중에 다윗은 솔로몬에게 남자다워야 한다고 가르쳐야 했습니다. 어떻든 다윗 곁에는 항상 남자들이 들끓었습니다. 그러나 불행히도 다윗은 자신의 마음을 의탁할 여성을 가지고 있지 못했습니다. 그래서 다윗은 많은 여성들을 얻게 됩니다. 미갈, 아히노암, 아비가일, 밧세바 등 결국 다윗의 집안에서 어머니가 다른 이복 자녀들을 많이 낳게 되면서 그들 사이에 갈등이 빚어지게 됩니다. 그중 다윗의 마음에 가장 들었던 아들은 어쩌면 압살롬이었을 것입니다. 그가 다윗을 가장 닮은 아들이었습니다.

남자답고, 야인의 기질이 있었고, 정복욕과 영웅심리를 가진 아들이었습니다. 사실 솔로몬은 다윗 스타일의 남자가 아니었습니다. 첫 아들이면서도 늘 외모나 기질이나, 재능 면에서 밀렸던 암논은 결국 압살롬 집안에 대한 열등의식이 가득해서 압살롬의 동복 누이인 다말을 범했고, 이 일로 압살롬에게 살해당하고 맙니다. 다윗은 이 일로 압살롬을 내칩니다. 결국 요압 장군의 중재로 다시 압살롬을 받아들이긴 하지만 끝내 마음속에서 그를 용서하지 못합니다. 결국 압살롬은 다윗에게 반역의 칼을 들었습니다. 불행한 일이 아닐 수 없습니다.

5. 사실, 야전 사령관으로 평생을 살아온 다윗과 그를 위해 목숨을 건 요압 장군 같은 부하들에게 압살롬은 애송이에 불과했습니다.

그런데도 다윗은 자기 아들 압살롬이 다치는 게 싫어서 정면으로 압살롬과 충돌하지 않으려고 선뜻 보좌를 내주고, 그토록 애착을 가졌던 예루살렘을 떠나 요단을 건너 이방인의 땅 마하나임으로 갑니다. 압살롬은 백주 대낮에 왕궁 옥상에 텐트를 치고 다윗이 남긴 후궁들을 겁탈하는 패륜적이고 비인간적인 범죄를 저지릅니다.

결국 압살롬은 다윗의 군대의 반격으로 죽임을 당하고 맙니다. 그의 최고의 자랑이었던 그의 머리카락이 문제였습니다. 그 머리카락 때문에 말이 상수리 나무 아래를 달려갈 때에 그만 나뭇가지에 머리채가 걸려서 대롱대롱 매달리게 된 것입니다. 결국 요압 장군에 의하여 압살롬은 죽임을 당합니다. 이 세상의 많은 사람들이 자신의 최고의 자랑거리에 의하여 공중에 매달리게 됩니다. 우리는 압살롬처럼 살아서는 안 됩니다.

〈이 단원에서의 그리스도〉

1. 우리는 압살롬의 반역으로 예루살렘을 떠나 이방인의 땅으로 가는 다윗의 모습 속에서 예루살렘에서 영문 밖으로 나아가 십자가에 못 박혀 죽으시고, 지금은 성령의 권능으로 이방 땅에서 그리스도의 신부를 모으시고 교회를 세우시는 예수 그리스도를 봅니다.

다윗이 피난을 가는 동안 요단강 가에서 시므이가 다윗을 저주하는 광경을 봅니다. 아마도 이것이 시편 22편의 배경이었을 것입니다. 놀랍게도 다윗은 "나의 하나님이여, 나의 하나님이여, 어찌하여 나를 버리셨나이까"(엘리 엘리 라마 사박다니)라는 십자가 위에서의 예수님의 말씀을 시작으로, 마치 예수님의 십자가 광경을 그대로 보고 그린 것처럼 십자가 주변의 풍경들을 예언하는 시를 썼습니다.

그래서 우리는 시편 22편을 메시아 시편이라고 부릅니다. 이 부분은 나중에 시편 통독에서 좀 더 자세히 말씀드리겠습니다. 이방 땅 마하나임에서 다윗에게 편의를 제공했던 바르실래처럼, 우리는 이방인으로서 예수 그리스도를 믿고 주님을 기쁘시게 하는 신앙인으로 살고 있습니다.

때가 되면 요단강을 건너 이방 땅으로 도망쳤던 다윗이 다시 요단 동편에 선 것처럼, 예수 그리스도께서 이 땅에 돌아오시는 재림의 날이 올 것입니다. 압살롬이 파멸한 것처럼 예수 그리스도께 도전했던 사탄은 결박당하여 무저갱에 던져지고, 그를 추종하던 모든 마귀들이 함께 던져진 후에 이 땅에서 예수님은 천 년 동안 왕 노릇하시는 왕국시대를 여실 것입니다. 예수님의 재림의 날이 오기까지 우리는 바르실래처럼 우리 주님의 기쁨이 되기 위하여 주님을 섬겨야 합니다.

2. 우리는 24장에서 다윗의 인구조사를 통한 범죄를 봅니다.

그런데 다윗은 자신의 삶을 총정리하며, 자신의 통치 아래에서 이스라엘이 얼마나 축복을 받았는지 영광을 자신에게 돌리고자 하는 실수를 저지르고 맙니다. 하나님께서 이 일을 기뻐하지 않으셨습니다. 그로 인해 하나님께서는 다윗을 징계하고자 하셨습니다. 하나님은 다윗에게 세 가지 선택의 여지를 주셨습니다.

7년간의 기근, 3년간의 전쟁, 그리고 3일 동안의 온역입니다.

다윗은 원칙을 가지고 있었습니다.

"내가 하나님의 손에 빠지는 쪽을 택하겠다."

그래서 3일간의 온역을 택했습니다. 이것이 다윗의 매력입니다. 우리는 우리의 죄를 깨달았을 때, 우리를 향해 매를 들고 계신 하나님의 품으로 뛰어드는 자녀들이 되어야 합니다. 그게 매를 덜 맞는 비결입니다.

그런데 겨우 반나절만의 온역으로 죽은 사람이 7만 명에 달했습니다. 아마 3일 동안 온역으로 치셨다면 이스라엘이 전멸했을 수도 있습니다.

그러나 "진노 중에라도 은총 베풀기를 잊지 않으시는 우리 하나님"께서 저녁 제사 드릴 시간(오후 3시)이 되기 전에 온역을 그치고자 선지자를 보내어 다윗에게 제사를 명하십니다. 이때 다윗은 모리아산에 있었던 아라우나(혹은 오르난)라는 사람의 타작마당을 사서 거기서 여호와께 번제와 화목제를 드렸습니다.

3. 이 제사의 광경을 우리는 눈여겨보아야 합니다.

아라우나는 다윗을 맞이하면서 다윗이 필요한 것을 모두 무상으로 제공하겠다고 했습니다. 제단을 쌓을 땅도, 제사에 사용할 장작도 송아지도 모두 무상으로 제공하겠다는 것입니다. 그러나 다윗은 "값을 치르지 않고는 하나님께 제사하지 않겠다"는 원칙을 세우고 있었습니다. 이것이 매우 중요한 결정입니다. 만약 다윗이 대가를 지불하고 이 제단을 사지 않았다면 나중에 분명히 분쟁이 생겼을 것입니다.

좋을 때는 공짜로 얼마든지 쓰라고 하지만, 감정이 좋지 않을 때는 분명 문제가 됩니다. 이곳이 왜 중요하냐 하면, 바로 이 자리가 창세기 22장에서 아브라함이 이삭을 번제로 드리려 했던 그 자리이고, 역대하 3:1에 보면 바로 이 자리가 훗날 솔로몬에 의하여 예루살렘 성전이 지어진 장소이기 때문입니다.

훗날 솔로몬이 지은 성전을 느부갓네살이 훼파합니다. 그리고 스룹바벨에 의하여 포로생활 이후 성전이 재건되게 됩니다. 이 성전을 허물어 버리고 유대인들의 환심을 사려고 헤롯 대왕이 새로 성전을 지어주었는데, 본래 솔로몬의 성전이 있던 자리로부터 약간 비껴진 곳에 세웠습니다. 왜냐하면 아라우나의 타작마당이 있던 곳은 큰 반석이었는데, 일종의 대리석 광산이었던 것입니다. 여기에서 대리석을 캐내어 성전을 짓는 데 사용하느라고 구멍이 뻥 뚫린 것이 멀리서 바라보면 마치 해골바가지 모양이어서 이곳을 히브리어로 골고다라고 불렀고, 나중에 라틴어로 갈보리라고 번역이 된 것입니다.

4. 그러니까 다윗이 값을 주고 산 아라우나의 타작마당이 훗날 다윗의 자손 예수 그리스도께서 십자가에 못 박혀 죽으신 바로 그 장소인 것입니다.

그렇기 때문에 다윗이 그 장소를 값 주고 샀다는 것이 중요한 것입니다. 인간의 범죄로 인하여 하나님의 징계를 피할 수 없게 된 것이 인류의 문제입니다. 반나절 만에 7만 명이 죽임을 당한 그 무서운 진노가 질풍노도처럼 인간에게 쏟아 부어질 수 있었습니다. 그런데 하나님과 사람 사이에 중보자로 오신 예수 그리스도께서 십자가에서 화목제물로 죽으심으로 말미암아 우리 인류가 멸망을 면하게 된 것입니다.

이것이 바로 골고다에서의 그리스도의 사랑입니다. 다윗의 인구조사는 인간의 범죄의 본질을 잘 보여주었고, 그의 모리아산에서의 제사는 결국 그의 후손 예수 그리스도의 십자가를 아주 선명하게 보여준 그림이 된 것입니다. 그 예수 그리스도는 하나님과 우리 사이에 막힌 담을 허물어 주시고, 전에 원수 되었던 우리에게 화목을 주신 우리의 중보자이십니다. 그 예수 그리스도로 인하여 하나님을 찬양합시다. 할렐루야!

열왕기상은 크게 세 단원으로 나눌 수 있습니다.

1. 다윗의 죽음(1-2장)

2. 솔로몬 통치의 영광(3-11장)

3. 왕국의 분열(12-22장)

이 중에서 우리는 오늘 1-11장까지 통독하겠습니다.

● 1-2장: 다윗의 죽음

● 3-4장: 지혜를 구한 솔로몬의 기도

● 5-8장: 성전 건축

● 9-10장: 솔로몬의 명성

● 11장: 솔로몬의 수치와 죽음

〈주요 통독자료〉

1. 우리는 열왕기상 1장과 2장에서 다윗의 죽음의 광경을 봅니다.

다윗은 참으로 위대한 믿음의 사람이었습니다. 그는 베들레헴의 가난한 농부의 아들로 태어났지만 하나님께 선택되었고, 하나님이 택하심에 걸맞는 믿음의 성군이 되어 그의 후손들에게 다른 무엇과 견줄 수 없는 유산을 남겼습니다. 다윗은 마치 어떤 여행을 떠나려는 사람처럼 열왕기상 2:1에서 자신의 죽음에 대해 그 아들 솔로몬에게 "나는 모든 사람이 가는 그 길을 간다"라고 말합니다.

시편 23편에서 "내가 사망의 음침한 골짜기로 다닐지라도"라고 말할 때, 이 말의 의미는 '사망의 음침한 골짜기에서 헤맨다'는 뜻이 아닙니다.

"Though I walk through the valley of the shadow of death" 즉 사망의 음침한 골짜기를

통과해 간다는 뜻입니다. '사망의 음침한 골짜기에 머무는 것이 아니라 그 골짜기를 통과해 나간다'는 고백을 했던 다윗은 그의 죽음의 순간을 그렇게 맞이합니다. 그는 아들 솔로몬에게 제일 먼저 "대장부가 되라"고 유언합니다.

어제 통독 자료에서 말한 것처럼, 다윗은 그의 곁에 항상 남자들이 들끓는 사람이었습니다. 그러나 솔로몬은 대단히 여성적 성향을 가진 사람이었습니다. 아마 어려서부터 늘 여성들 사이에서 놀았나 봅니다. 다윗의 가장 큰 걱정은 솔로몬이 대장부답지 못하다는 것이었습니다. 다윗은 이 땅에 태어날 때, 그 아비 이새로부터 어떤 좋은 것도 상속받지 못했습니다. 그러나 다윗은 그의 후손들에게 믿음의 유산을 상속했고, 하나님의 말씀을 상속했고, 또 메시아의 혈통을 이어갈 왕위를 상속했습니다. 다윗은 그런 사람이었습니다.

2. 3-4장을 보면, 젊은 날의 솔로몬은 너무 촉망되는 장래를 가진 사람으로 보였습니다.

그는 젊어서부터 지혜를 구했습니다. 그리고 그 기도가 하나님의 마음에 흡족함을 드려, 지혜와 함께 온갖 부귀와 공명을 다 선물로 받았습니다. 그의 삶의 초기에 나타났던 이 좋은 점들은 모두 다윗에게서 물려받은 영적 자산이었습니다. 그러나 그는 젊은 날과는 달리 나이를 먹어가면서 변해가기 시작했습니다. 특별히 우리가 신명기 17장을 통독할 때 참고자료를 통해 나누었던 "지도자의 규례"의 항목에서 이스라엘의 왕이 될 사람이 금해야 할 세 가지 조항을 기억하실 것입니다.

"병마를 많이 두지 말고, 여자를 많이 두지 말고, 사적 재산을 늘리지 말라"는 세 가지 조항을 말입니다.

그때 이미 말씀드렸습니다만, 솔로몬은 하나님께서 금하신 이 세 가지를 다했습니다. 그것도 아주 넘치게 말입니다. 그는 마병을 많이 두고, 백성들로 하여금 좋은 종마를 얻기 위하여 애굽으로 들어가게 했고, 이방에서 들어온 천 명의 여인들을 곁에 두고 그들이 가지고 온 우상숭배와 이교도적인 문화로 이스라엘을 오염시켰으며, 사적 재산을 축적하기 위하여 백성들의 세금을 무겁게 했습니다.

3. 내일 통독 분량에서 보게 되겠습니다만 솔로몬의 죽음 이후에 이스라엘은 남북 왕조

로 나뉘게 됩니다.

비극이지요. 전도서에서 우리가 자세히 보게 되겠습니다만, 솔로몬은 자신에게 주어진 지혜와 물질, 왕으로서의 영광과 권세를 모두 이용해서 인생의 진정한 의미가 어디에 있는지를 찾기 위한 다양한 실험들을 행합니다. 거창한 사업, 끝없는 공부, 산해진미를 차려놓고 밤마다 벌이는 잔치, 수많은 여자들과의 쾌락, 엄청난 술에 관한 경험들⋯. 이런 모든 노력들을 통해 그가 발견한 생의 의미는 "허무하다, 혹은 헛되다"는 것뿐이었습니다. 오늘 이 세상에 살고 있는 모든 인생들의 목표는 솔로몬이 다 누려본 그것들을 잡으려는 것입니다. 하지만 솔로몬이 우리를 대신해서 모든 실험을 다 해주었습니다. 그러니 우리가 그 실험을 다시 할 필요는 없습니다. 결국 너무 멋진 일천번제와 기도로 시작한 지혜의 왕 솔로몬의 역사는 수치와 좌절, 그리고 국가 분열의 씨앗만 남긴 채 끝나고 만 것입니다. 우리는 솔로몬의 삶을 통해서 예수 그리스도를 추구하는 일 이외에 모든 것은 다 헛될 뿐임을 알아야 합니다.

〈이 단원의 그리스도〉

1. 다윗이 솔로몬에게 남긴 유산들을 검토해 보면, 우리가 예수 그리스도를 통하여 물려받게 된 유산들을 잘 정리해 줍니다.

다윗은 이스라엘의 왕권을 베냐민 지파, 사울의 집안으로부터 유다 지파, 다윗의 집안으로 옮겼습니다. 우리가 신약 성경을 펼치면 제일 먼저 나오는 구절이 바로 "아브라함과 다윗의 자손 예수 그리스도의 세계라"라는 구절입니다. 다윗의 왕권은 결국 왕의 왕 되신 예수님에게로 이어지고 있는 것입니다. 그러므로 다윗이 솔로몬에게 남긴 유산 가운데 가장 큰 것은 바로 그를 왕족으로 만들어 주었다는 것입니다.

예수 그리스도 역시 죄악의 노예였던 보잘것없는 우리들을 왕의 왕 되신 예수 그리스도를 따라 왕족이 되게 하신 유산을 주셨습니다. 우리는 모두 왕 같은 제사장들이 된 것입니다. 다윗이 솔로몬에게 물려준 두 번째 유산은 바로 예루살렘이라는 거룩한 성과 성전입니다.

솔로몬은 자기 아버지가 그토록 사랑했고, 또한 유산으로 남긴 이 도시를 가장 아름다운 도시로 만들었으며, 아버지의 계획대로 성전을 그곳에 지음으로써 이 도시를 이스라엘의 신앙의 중심지가 되게 했습니다. 솔로몬이 지은 성전은 사실상 다윗의 작품이었습니다. 다윗은 솔로몬에게 왕권뿐만 아니라 신앙도 물려준 것입니다. 예수 그리스도는 다윗처럼 우리에게 신앙을 물려 주셨습니다.

솔로몬은 예루살렘에 성전을 지었지만, 우리는 우리의 심령 속에 예수 그리스도의 몸된 성전을 이룰 것입니다. 이 성전은 음부의 권세가 미치지 못할 것입니다.

2. 다윗이 솔로몬에게 남긴 세 번째 유산은, 이스라엘 내에서 모든 우상과 사술을 숭배하는 것을 몰아내고 여호와를 숭배하는 사상을 온 이스라엘 백성에게 심어주었다는 점입니다.

솔로몬은 바로 이 신앙의 토대 위에서 그의 삶을 시작할 수 있었습니다. 하지만 솔로몬은 다윗의 이런 신앙의 유산을 잘 지켜내지 못했습니다. 그리스도와 함께한 후사들로서 우리들도 같은 선물을 누리고 있습니다. 우리가 예수 그리스도께 나와서 하나님의 자녀가 되었을 때, 하나님은 우리들의 삶 속에 자리잡고 있었던 모든 흑암의 권세들을 몰아내 주시고 깨끗이 소제해 주셨습니다.

다윗의 네 번째 유산은 그의 주변 국가들의 정벌이었습니다. 다윗은 주변의 열강들을 정복하고 그들로 하여금 이스라엘과 이스라엘 왕에게 조공을 바치는 나라가 되게 만들었습니다. 예수 그리스도 역시 사탄을 정복하시고 우리 신자들에게 승리의 유산을 주셨습니다. 우리는 더 이상 세상에 종노릇하지 말고 도리어 세상을 누리고 정복하는 자리에 서야 할 것입니다.

마지막으로, 다윗은 시인이었고 또한 음악가였습니다. 그는 "이스라엘의 노래 잘하는 자"(Sweet Psalmist of Israel: 이스라엘의 탁월한 시인)로 일컬어졌습니다. 다윗은 하나님을 향한 예술성과 영감을 유산으로 물려준 것입니다.

솔로몬은 그래서 아버지 못지않은 예술가였고 저술가였습니다. 그의 잠언 속에는 말할 수 없이 풍부한 시적 감각과 영적 감동이 있습니다. 예수님은 오늘 예수님을 믿는 많은 사람들에게 바로 이런 영감과 예술성을 주셨습니다. 우리 모두는 주어진 달란트들을 오직 예수님을 높이는 데 사용해야 합니다.

왕국의 분열
열왕기상 12-22장

열왕기상은 크게 세 단원으로 나눌 수 있습니다.

1. 다윗의 죽음(1-2장)

2. 솔로몬의 통치의 영광(3-11장)

3. 왕국의 분열(12-22장)

이 중에서 우리는 오늘 12-22장까지 통독하겠습니다.

● 12-14장: 르호보암과 여로보암, 그리고 왕국의 분열

● 15-16장: 남왕국 유다의 왕들 – 르호보암, 아비얌, 아사, 여호사밧 / 북왕국 이스라엘의 왕
들-여로보암, 나답, 바아사, 엘라, 시므리, 디브니, 오므리, 아합…

● 17장: 엘리야의 가뭄 선포 / 엘리야의 세 가지 시련

● 18장: 엘리야와 바알 선지자들

● 19장: 호렙산의 엘리야

● 20장: 아람 군대의 공격과 엘리사

● 21장: 나봇의 포도원

● 22장: 아합 왕에 대한 선지자 미가야의 경고

〈주요 통독자료〉

1. 솔로몬이 죽고 르호보암이 왕위에 오릅니다.

백성의 유사들과 장로들은 르호보암을 찾아와 솔로몬처럼 하지 말고 선정을 베풀어
줄 것을 요청합니다. 그러나 르호보암은 이를 거절합니다. 마침 솔로몬 때에 애굽으로
망명을 떠나 있었던 여로보암이 돌아오면서 솔로몬의 왕위를 계승한 다윗 왕조를 반
역하고, 유다와 베냐민 두 지파만 남기고 열 지파를 규합하여 북쪽 왕조 이스라엘을 세

웁니다. 결국 솔로몬의 죄악된 삶으로 인하여 이스라엘은 남북 왕조로 나뉘게 된 것입니다.

여로보암은 이스라엘 백성들이 왕국의 분열 이후에도 예루살렘으로 제사를 드리러 내려오는 것에 불만을 품고 단과 벧엘 두 군데에 송아지를 만들어 제단을 쌓고 그곳에서 제사하도록 명령을 내립니다. 이때로부터 북왕조 이스라엘은 단 한 차례도 선한 왕이 나오지 않습니다. 북쪽 이스라엘의 왕들을 향한 하나님의 평가는 언제나 여로보암이 세운 "산당을 제거하지 않았다"는 것으로 일관성을 보이고 있습니다.

남쪽 유다 역시도 르호보암의 악행으로 하나님을 거슬렀지만, 남쪽유다에는 역사 가운데 종종 하나님의 마음을 아주 기쁘시게 해드렸던 왕들이 나왔습니다. 아사, 여호사밧, 웃시야, 요시야, 히스기야 등 유다 왕들에 대한 하나님의 평가 기준은, 그들이 다윗의 길로 행하여 다시 하나님과의 사랑의 사귐 가운데로 국가를 돌이켰다는 것입니다.

2. 북쪽 이스라엘의 왕들 가운데는 선한 왕이 하나도 없었지만 그중에서도 가장 악했던 왕은 아합이었습니다.

그는 이세벨과의 결혼으로 바알과 아세라라는 우상을 이스라엘에 끌어들였고, 이것이 이스라엘로 하여금 끝끝내 하나님께 반역하게 하는 단초가 된 것입니다. 열왕기의 기록의 특징은 항상 왕들 곁에 선지자들이 있다는 것입니다. 열왕기는 선지자들의 영향을 받은 왕들의 관점에서 기록된 역사입니다. 반면 역대기는 제사장적 관점에서 기록된 역사입니다. 나중에 역대기를 통독할 때 이 이야기를 다시 해드리겠습니다. 최악의 이스라엘 왕이었던 아합 왕 곁에도 선지자 엘리야가 있었습니다. 하나님께서 엘리야를 다루신 것을 통해 우리는 많은 교훈을 얻습니다. 엘리야는 참으로 많은 매력을 지닌 선지자였으면서 동시에 다소 다혈질적인 면도 있었습니다.

초기 엘리야의 사역에서 하나님이 엘리야에게 주신 세 가지 경험을 재조명해 볼 필요가 있습니다. 우리는 하나님의 의도와 상관없이 이 이야기들을 너무 축복 개념으로만 해석하고 마는 실수를 범합니다.

그 세 가지 사건은 '그릿 시내에서 까마귀를 통해 엘리야를 먹이심 / 사르밧 과부의 집에서의 더부살이 / 사르밧 과부의 아들을 고치심'입니다.

3. 왜 하필 하나님은 까마귀를 사용하셔서 엘리야를 먹이셨을까요?

가뭄으로 먹을 것이 없었던 때에 하나님께서 새를 통해 엘리야를 공급하셨다는 것은 분명 감동적인 이야기로 보이지요?

그러나 왜 하필 율법으로 부정한 새로 분류된 까마귀를 사용하셨겠습니까?

하나님께서 이 이야기를 다만 하나님의 공급하심에 역점을 둔 축복 개념으로 주셨다면, 하나님은 절대 까마귀가 아닌 비둘기를 사용하셨을 것입니다.

하나님께서 까마귀를 사용하신 것은 엘리야에게 철저히 '내가 아니면 너는 아무것도 아니다'(Without Me, you are nothing!)라는 진리를 보여주신 것입니다. 엘리야로 하여금 오직 주만 바라보게 훈련을 시키고 계신 것입니다.

예수님도 말씀하셨습니다.

엘리야 때에 이스라엘엔 과부가 없었느냐고 하셨습니다. 하나님은 하필이면 히브리인 과부도 아닌, 이방인 사르밧 지역의 과부를 사용하셔서, 그것도 겨우 한 줌의 밀가루와 기름 병에 조금 남은 기름이 전부인 가난한 이방인 과부를 사용하셔서 엘리야를 먹이셨을까요?

이 교훈 역시도 "주의 종을 잘 대접했더니 밀가루가 떨어지지 않고 기름이 마르지 않았다"는 기적에 역점을 둔 스토리가 아닙니다. 만약 그랬다면 하나님은 히브리인 과부를 사용하셨을 것입니다. 하나님은 엘리야를 최대한 낮추신 것입니다. 히브리인들이 경멸하는 이방인 과부의 생명과도 같은 밀가루와 기름을 통해 빵을 얻어 먹으면서 엘리야는 다시 배워야 했습니다.

'주님이 아니시면, 나는 아무것도 아니야'(Without the Lord, I'm nothing).

4. 사르밧 과부의 외아들의 죽음도 마찬가지 맥락입니다.

엘리야도 선지자였으므로 일종의 나실인이었습니다. 나실인에게 금지된 세 가지 중하나가 바로 시체에 손을 대지 않는 것입니다. 그러나 엘리야는 죽은 아이의 시체 위에 엎드려야 했습니다. 하나님께서는 이 일련의 사건들을 통해서 엘리야를 철저히 낮추신 것입니다. 엘리야가 무슨 대단한 일을 하더라도 그것은 엘리야가 아니라 바로 그를 사용하시는 하나님이심을 알게 하려 하신 것입니다.

이 교훈이 주님을 섬기려는 모든 사람들에게 얼마나 중요한지요. 우리들에게서 만일 어떤 선한 것이라도 발견된다면 그것은 모두 우리 주님의 갈보리의 은혜 때문입니다.

엘리야는 이 일련의 훈련 과정을 통해서 눈에 보이는 것이 어떠하든지 오직 주님께만 기도로 집중하는 훈련을 받은 것입니다.

그래서 아합 왕 때에 엘리야는 큰 일을 했습니다. 가뭄의 선포, 그리고 갈멜산에서의 850대 1의 싸움의 승리, 그리고 3년 6개월 동안 닫혔던 하늘 문을 열어 비를 쏟아지게 했던 갈멜산의 기도, 그러나 시험이 온 것은 이제 모든 시련이 끝났다고 생각할 무렵이었습니다. 갈멜산의 믿음의 싸움을 대승으로 끝맺고, 아합 왕 앞에서 허리를 동이고 달려가는 멋진 모습을 보인 엘리야의 귀에 들려온 이세벨의 이야기에 엘리야는 믿을 수 없을 만큼 변해 버립니다. 그는 이제껏 자신이 해온 일이 모두 자신이 한 일인 것처럼 그런 태도를 보입니다. "이젠 정말 지긋지긋해." 이런 태도입니다.

5. 이 순간 엘리야에게 찾아온 것이 바로 '엘리야 콤플렉스'입니다.

이 세상에 의인은 모두 죽고 오직 나만 혼자 남았다는 생각입니다. 저는 오늘날 교회 안에도 엘리야 콤플렉스에 걸린 많은 사람이 있다는 것을 알게 되었습니다. 다른 사람은 모두 잘못되고 나만 의롭다는 생각이 사람을 지치게 합니다. 본래 사람들에게는 큰 역사가 있은 후에 느닷없이 찾아오는 허탈감(Post Victory Blue)이 있습니다. 갈멜산 전투에서 대승을 거둔 직후 엘리야의 마음에 바로 이 허탈감이 찾아온 것입니다.

그래서 엘리야는 도망을 칩니다. 광야로 나가 로뎀나무 그루터기 곁에서 잠이 들었습니다. 그런데 깨어보니 천사가 머리맡에서 떡을 굽고 있습니다. 천사가 엘리야를 어루만지며 깨웁니다.

"일어나서 먹으라. 네가 아직도 갈 길이 먼데, 가다가 지칠라…."

놀랍지 않습니까? 엘리야는 지금 하나님의 사명을 버리고 도망치는 중입니다. 그런데 하나님께서 천사를 보내셔서 극진히 대접을 해주시면서 "일어나서 먹고, 힘내서 도망가라"고 하시는 것입니다.

같은 경험이 두 번 있고, 엘리야는 정말 힘을 내서 도망을 쳤습니다. 호렙산까지 가서 동굴 속에 들어간 것입니다. 그런데 그곳에 벌써 하나님께서 계셨습니다.

"엘리야야, 여기서 뭐해?"

우리가 아는 대로 놀라운 자연현상들이 차례로 지나간 후 작고 세미한 음성으로 엘리야를 다시 세워 주십니다. 이것이 하나님의 사랑입니다. 제가 하나님이었다면 제게로부터 도망치는 엘리야를 다리를 부러뜨려 버렸지 않았을까 싶습니다. 그러나 하나님은 사랑의 하나님이십니다. 먹여서 힘을 내서 도망가게 하십니다. 가다가 지쳐버릴까 봐. 주님이 아니면 우리는 실로 아무것도 아닙니다.

열왕기하는 크게 세 단원으로 나눌 수 있습니다.

1. 분열 왕국의 왕들과 선지자들(1-16장)

2. 앗수르에 의한 이스라엘의 멸망(17장)

3. 바벨론에 의한 유다의 함락과 포로생활(18-25장)

이 중에서 우리는 오늘 1-16장까지 통독하겠습니다.

● 1장: 아하시야 왕과 엘리야

● 2장: 엘리야의 승천

● 3-4장: 엘리사의 기적들

● 5장: 나아만 장군

● 6장: 떠오른 도끼와 도단의 포위

● 7장: 사마리아의 기근과 하나님의 공급하심

● 8-10장: 악한 자들에 대한 심판

● 11-12장: 어린 왕 요아스

● 13장: 엘리사의 마지막 일들

● 14-16장: 이스라엘과 유다의 선한 왕들과 악한 왕들

〈주요 통독자료〉

1. 아합 왕이 죽은 후에 아하시야가 이스라엘의 왕위에 오릅니다.

그런데 그가 다락 난간에서 떨어져 병들자 에그론의 바알세붑에게 이 병이 낫겠는지 물어보라고 사람을 보냅니다. 엘리야가 듣고 "이스라엘에 하나님이 없어서 너희가 에

그론의 신 바알세붑에게 물으러 가느냐"고 꾸중을 하면서 아하시야가 그 일로 죽음을 당할 것을 예언합니다. 이 말을 듣고 분노한 아하시야가 엘리야를 잡아오라고 오십부장과 그 오십 인의 부하를 엘리야에게 보냅니다. 그러자 엘리야가 하늘에서 불이 떨어지게 해서 그 오십 인을 모두 불살라 버립니다.

신약 성경에서 사마리아 사람들이 예수님 일행을 받아들이지 않을 때에 야고보와 요한이 예수님께 "주여! 우리가 불을 명하여 하늘로 좇아 내려 저희를 멸하라 하기를 원하시나이까?"라고 여쭈었습니다. 그러자 예수님이 꾸짖으시고 그냥 다른 마을로 가셨습니다.

이때, 야고보와 요한은 바로 이 장면을 염두에 두고 예수님께 말씀드린 것입니다. 왜 예수님께서 야고보와 요한에게 "우뢰의 아들"이라는 별명을 붙여 주셨는지 아시겠지요?

우리는 요한계시록에서 하나님이 이 땅에 심판을 내리시는 7년 대환란이 전개될 때 두 증인이 내려오는 것을 봅니다. 이 두 증인들이 이 땅에 불을 내리게 하는 권세를 가지고 있고, 또한 그들이 예언을 하는 3년 반 동안 이 땅에 비가 내리지 않을 것이라고 했습니다(계 11:3-6). 엘리야와 똑같지요? 대부분 이 둘 중의 한 분이 엘리야일 것이라고 생각하고 있습니다.

2. 나머지 한 분이 누군가에 대해선 의견이 분분합니다.

더러는 엘리야가 선지자의 대표이고, 율법의 대표가 모세이기 때문에, 모세와 엘리야일 것이라고 말합니다. 글쎄요. 또 다른 분들은 이것이 에녹과 엘리야라고 믿고 있습니다. 왜냐하면 "사람에게 한 번 죽는 것은 정하신 것이요, 그 후에는 심판이 있을 것"이라고 히브리서 기자가 선포했기 때문입니다.

이 땅에 태어난 사람은 반드시 한 번 죽도록 정하셨다는 것입니다. 인류 역사 가운데 죽음을 보지 않고 이 땅에서 옮겨 간 인물이 둘 있습니다. 바로 에녹과 엘리야입니다. 이들이 하늘에서 내려와 증인으로서의 사명을 감당하고 순교합니다. 그래서 이 두 증인이 에녹과 엘리야일 것이라고 많은 사람들이 생각합니다. 저는 개인적으로 에녹과 엘리야가 아닐까 생각하지만, 섣불리 확언하는 것은 그만두고, 나중에 한 번 보지요.

3. 제가 흥미롭게 생각하는 것은 엘리야가 아하시야 왕의 죽음을 선포하자 아하시야가 엘리야를 잡아 오라고 명령을 내렸다는 것입니다.

하나님의 포고가 있으면, 잘못했다고 회개하는 게 지혜로운 결정입니다. 그러나 사람들은 어리석게도 말씀을 전하는 자를 죽이려 합니다. 그러나 체포하러 온 50명과 오십부장이 죽었습니다. 아하시야는 또 다른 오십부장과 50명의 부하를 보냈지만 결과는 똑같았습니다.

왕은 세 번째로 또 다른 오십부장과 50인을 보냅니다.

세 번째 오십부장은 지혜로운 사람이었습니다. 왕의 명령을 거역할 수 없어서 올라는 갔지만, 그는 엘리야를 통해서 나타나는 하나님의 권세를 믿었습니다. 그래서 엘리야에게 살려달라고 간청을 합니다. 이번에는 하나님께서 엘리야에게 그를 따라가라고 하셨습니다. 이 오십부장은 지혜로운 사람이었습니다.

우리에게도 이런 지혜가 있어야 합니다. 그래서 아하시야는 죽음을 당했습니다. 아하시야가 아들이 없이 죽자, 그의 동생 여호람이 왕이 되었습니다. 이때, 남쪽 유다에서는 여호사밧의 아들 여호람이 통치를 시작한 지 2년째가 되었을 때입니다. 그러니까 이때 유다와 이스라엘의 왕들이 모두 여호람이었습니다. 동명이인인 것이죠.

4. 이제 엘리야가 하나님의 부르심을 받게 됩니다.

당시에는 길갈과 벧엘, 그리고 여리고에 선지학교가 있었습니다. 이 선지학교는 사무엘에 의하여 시작이 되었습니다. 이 학교에 상당수의 생도들이 있었습니다. 그들은 엘리야가 이제 하나님의 부르심을 받아 승천한다는 정보를 가지고 있었습니다. 그러나 그들 중 엘리야를 끝까지 따라가 갑절의 능력을 받은 사람은 엘리사뿐이었습니다. 누가 어떤 정보를 얼마나 가지고 있는가는 그리 중요하지 않습니다. 그 정보를 가지고 어떻게 행동하는가가 중요한 것입니다.

예수님께서 탄생하셨을 때에, 예루살렘의 서기관과 제사장들은 모두 풍부한 정보를 가지고 있었습니다. 그러나 그들은 메시아가 베들레헴에서 탄생한다는 정보를 가지고 있으면서도 그들 중 누구도 예수님을 경배함으로 맞이하지 못했습니다. 도리어 들에서 양을 치던 목자들이 달려와 구유에 누우신 아기 예수님께 경배했습니다. 이렇듯 오직 엘리사만이 엘리야의 능력을 받기 전에는 떠나지 않겠다는 결단이 있었습니다. 우리 모두에게 하나님께서 이 열정을 주시기를 소원합니다. 엘리사는 갑절의 몫을 구했습니다. 그것은 장자의 몫입니다. 엘리사는 엘리야의 뒤에 남은 선지자들의 장자가 되고 싶었던 것입니다. 이런 욕심이 있으신가요?

5. 흥미로운 사실은 성경에 기록된 엘리야가 행한 기적들과 엘리사가 행한 기적들의 숫자입니다.

먼저 엘리야와 관련된 기적들입니다.

그릿 시냇가에서 까마귀가 떡을 날라다 준 일, 사르밧 과부의 밀가루와 기름병의 기적, 그 아들의 회생, 갈멜산의 불의 응답, 3년 6개월 만에 비가 내림, 시내산에서의 바람과 지진과 불, 아합의 죽음에 대한 예언, 아하시야가 보낸 오십부장들에게 불을 내림, 불 말과 불 병거 속의 승천, 모두 아홉 가지입니다.

그런데 엘리사가 행한 기적들은 모두 열 일곱 가지입니다.

흥미로운 것은 나중에 엘리사가 죽은 후, 모압의 도적떼들이 이스라엘을 공격해 올 때 마침 장례식을 하던 이스라엘 사람들이 급히 도망하느라고 죽은 자의 시체를 엘리사의 묘실에 던져 넣었는데 엘리사의 뼈에 닿은 시체가 곧 회생하여 일어난 것입니다. 그래서 엘리사는 죽은 후에도 기적에 연루되어 이것까지 합해서 열여덟 가지의 기적을 행함으로 엘리야가 행한 기적의 숫자에 꼭 두 배의 일을 행한 것입니다. 흥미롭지 않습니까?

6. 엘리사가 행한 여러 가지 일들 중 여러분이 이해하기 어려운 일이 한 가지 있을 것입니다.

그것은 바로 열왕기하 2:23-25까지의 이야기로, 엘리야의 승천 후에 엘리사가 벧엘로 올라가는데, 작은 아이들이 성에서 나와서 엘리사를 조롱하는 이야기가 나옵니다.

"대머리여 올라가라. 대머리여 올라가라."

엘리사가 그들을 향하여 돌이켜 여호와의 이름으로 그들을 저주합니다. 그러자 곧 수풀에서 암곰 두 마리가 나와서 아이들 중에 42명을 찢어 죽입니다. 이 사건은 참으로 우리를 놀라게 합니다.

무슨 하나님의 종이, 어린아이들이 자기를 놀린다고 화를 못 참아서 그 아이들을 저주합니까? 그가 저주를 한다 치더라도 하나님께서 어떻게 그 철없는 어린아이들을 곰을 보내서 42명이나 찢어 죽이신단 말입니까? 이해하기 정말 어렵죠?

그러나 이 이야기에 오해가 있습니다. 우선 우리 성경에서 "작은 아이들"이란 단어가 영어 성경에서도 같은 의미로 "Little children"이라고 번역되어 있습니다만, 히브리어에서는 이 젊은 아이들을 '나알'이라고 부르고 있습니다. 이 단어는 요셉이 30세였을 때, 그리고 39세 때에도 요셉을 부르는 말로 쓰여졌습니다.

7. 이 단어는 창세기 22장에서 아브라함이 이삭을 데리고 모리아산으로 올라갈 때, 이삭을 지칭하는 "아이와 함께"라는 구절에 쓰였습니다.

그리고 아브라함이 이삭과 함께 산 아래까지 함께 온 사환들을 일컫는 말로도 쓰였습니다. 히브리 사람들에게 한 사람이 정식 사환으로 채용될 수 있는 나이는 30세였습니다. 따라서 이 "작은 아이들"은 최소한 30세 정도에 달한 청년 성인들(Young Adults)이라는 것을 염두에 둘 필요가 있습니다. 그리고 그 아이들이 엘리사를 "대머리"라고 불렀다는 점에 우리는 항상 신경을 씁니다. 그러나 정작 엘리사가 분노한 것은 "대머리"라는 호칭이 아닙니다. 이 아이들이 말한 "올라가라"는 말입니다.

어디로 올라가라는 말입니까?

이때, 엘리사는 엘리야의 승천을 사람들에게 전했을 것입니다. 그가 하늘로 불 말과 불 병거를 타고 올라갔고, 자신은 그에게서 떨어진 겉옷을 가지고 요단강을 가르고 건너왔다는 것을 전했겠지요. 이 아이들은 지금 엘리사가 전한 이 말에 대해서 도전하고 있는 것입니다.

"웃기고 있네. 뭐? 사람이 하늘로 올라갔다고? 불 말과 불 병거를 타고? 어디 그렇다면 너도 한 번 올라가 봐라. 네가 올라가면 우리가 믿겠다."

바로 이런 상황입니다. 이 젊은 청년 성인들은 엘리사가 전하는 엘리야의 승천에 대해 조롱하고 있는 것입니다. 그들은 진리에 도전하고 있었던 것입니다. 이것이 하나님의 분노의 이유였습니다.

8. 게다가 이 아이들은 벧엘에서 나왔습니다.

벧엘은 '하나님의 집'이란 의미를 갖고 있습니다. 하지만 엘리사 때의 벧엘은 이름과는 딴판이었습니다. 왕국이 분열될 때, 여로보암이 바로 이곳에 우상숭배의 신전을 만든 것입니다.

이때부터 벧엘은 우상숭배의 본산지가 되었습니다. 이 아이들은 바로 이런 문화적 배경에서 자랐습니다. 게다가 당시 벧엘에는 가짜 선지학교가 세워져 있었습니다. 여로보암은 하나님의 부르심을 받은 사람들이 아니라, 자기가 원하는 사람들을 아무나 선지자로 세웠습니다. 그리고 벧엘에는 가짜 선지자들을 길러내는 가짜 선지학교가 있었습니다.

어쩌면 엘리사를 조롱하고 있던 무리들은 벧엘의 가짜 선지학교 학생들일 수도 있습니다. 이들은 가정에서도 전혀 훈계를 받지 못한 채 자랐습니다. 그들이 자란 사회는 그들에게 온갖 타락하고 부패한 삶을 훈련시켰을 것입니다. 그런 타락한 도시의 타락한 젊은이들이 엘리야의 승천을 전하는 엘리사의 이야기를 믿을 수 있었겠습니까? 그래서 그들은 엘리사를 조롱하고 있었습니다. 그들은 어른이 되어서도 정신 연령이 전혀 자라지 못한 것입니다. 결국 그들은 엘리사를 조롱하다가 큰 봉변을 당한 것입니다.

〈이 단원의 그리스도〉

우리는 엘리야와 엘리사의 모습 속에서 세례 요한과 예수 그리스도의 대조를 봅니다. 우선 엘리야는 그의 사역에 있어서 전혀 사교적인 인물이 아니었습니다. 그는 아주 털이 많았고 거친 들 사람의 모양을 가지고 있었습니다.

그의 사역도 그랬습니다.

그는 아합 왕에게 하나님의 심판을 선포했고, 그 일로 왕을 피해 다녀야 했습니다. 엘리야는 자기 시대에 깨끗하게 순결을 지킨 사람은 자기 혼자뿐이라고 믿었습니다.

반면 엘리사는 대단히 사교적인 인물이었습니다.

그가 행하는 기적들 속에는 하나님의 많은 사랑과 돌보심이 깃들어 있었습니다. 엘리야는 국가와 왕을 상대로 말씀을 선포했던 사람이지만, 엘리사는 다분이 오늘날의 목사들처럼 극히 개인적인 성도의 필요를 아주 따뜻하게 채워주던 그런 사역을 했습니다.

엘리사는 대단히 낙천적인 인물이었던 것 같습니다. 그는 하나님께서 주시는 대로 누릴 줄 아는 사람이었습니다. 그렇다고 물질을 따라다닌 건 아닙니다. 하지만 하나님께서 주실 때에는 자유롭게 누릴 줄도 아는 그런 인물이었습니다. 심지어 엘리사는 왕과 군대장관과도 친분이 있었던 것 같습니다.

그런 의미에서 엘리야와 엘리사의 대조는 마치 세례 요한과 예수 그리스도의 대조와 같은 의미를 갖습니다. 세례 요한은 전혀 사교적이지 않았습니다. 그는 약대 털옷을 입었고, 메뚜기와 석청을 먹으면서 광야에 혼자 거했습니다.

반면 예수님은 여인들에게 대접을 받기도 하셨고, 사람들의 실질적인 필요를 채워주시려고 일하기도 하셨습니다. 말라기 선지자는 세례 요한이 엘리야의 심정을 가지고 주 앞에 앞서가면서 그의 첩경을 마련하는 종이라고 묘사했습니다.

열왕기하는 크게 세 단원으로 나눌 수 있습니다.

1. 분열 왕국의 왕들과 선지자들(1-16장)

2. 앗수르에 의한 이스라엘의 멸망(17장)

3. 바벨론에 의한 유다의 함락과 포로생활(18-25장)

이 중에서 우리는 오늘 17-25장까지 통독하겠습니다.

- 17장: 이스라엘의 함락과 포로생활
- 18장: 히스기야 왕의 부흥운동
- 19장: 히스기야의 기도와 이사야의 예언
- 20장: 히스기야의 병과 치유
- 21장: 므낫세의 악한 통치
- 22-23장: 요시야의 선한 통치
- 24-25장: 유다 왕국의 함락과 포로생활

〈주요 통독자료〉

1. 오늘 우리들의 통독 분량은 이스라엘 역사의 가장 어두운 시대를 비추어 주고 있습니다.

북왕조 이스라엘이 먼저 앗수르에 의하여 함락되고 포로로 잡혀갑니다. 그리고 그로부터 150년의 유예 기간이 남왕조 유다에 주어졌지만 유다는 그 기회를 전혀 살리지 못하고 결국 함락하여 바벨론에 포로로 잡혀가게 됩니다. 이스라엘의 이와 같은 멸망의 이유를 하나님께서는 분명히 하셨습니다.

- 첫째 이유는, 바로 하나님께 대한 불순종 때문이었습니다. 하나님께서 보내신 모

든 선지자들이 백성들에게 악한 길에서 떠나 여호와의 얼굴을 구하라고 말했습니다(왕하 17:13).

●둘째 이유는, 하나님을 의심한 때문이었습니다. 온전히 믿지 않았다는 것입니다 (왕하 17:14과 대하 36:15-16을 보십시오). 하나님의 말씀을 듣지 않은 데서 끝난 게 아니고 그들의 조상들처럼 그들의 목을 곧게 했습니다.

●셋째 이유는, 그들은 하나님을 무시했습니다(왕하 17:15). 하나님께서는 그들에게 7년마다 1년의 안식년을 지키도록 명하셨습니다. 그러나 490년 동안 그들이 가나안에 머물면서 한 번도 안식년을 지키지 않았습니다(대하 36:21). 그들은 하나님의 백성으로서의 혜택은 누리면서 하나님의 자녀 된 의무는 전혀 이행하려 하지 않았다는 것입니다.

2. 북왕조 이스라엘의 함락을 보면 앗수르의 산헤립에 의해서 이스라엘이 공격을 받아 그들이 사방으로 포로로 끌려간 것을 볼 수 있습니다.

그러나 많은 이스라엘 사람들은 그들의 땅에 그냥 거주할 수 있었습니다. 다만 산헤립의 포로정책은 이스라엘 사람들 속에 많은 이방인들을 강제 이주시켜서 함께 살게 했습니다. 어찌 보면 그로부터 150년 동안 생존했던 남쪽 왕국 유다에 대해 그들은 질투를 느꼈겠지만, 나중에 느부갓네살에 의하여 유다가 완전히 함락된 후에는 북왕조 이스라엘 사람들은 일면 쾌재를 부른 면도 있었습니다. 왜냐하면 북쪽 이스라엘이 일부만 포로로 잡혀가고 상당수가 자기들의 땅에 그냥 머물러 있으면서 다만 이방 민족들을 그들의 땅에 이주시켜 살게 했던 것입니다.

반면 남쪽 유다를 공격했던 느부갓네살은 남왕조 유다 사람들을 모두 바벨론으로 이주시켰습니다. 하나님께서 말씀하신 것처럼 그들이 490년간 지키지 않았던 안식년 70년을 고스란히 지키게 하신 것입니다. 하지만 그 여파는 서로 완전히 달랐습니다. 이스라엘은 주변의 이방 나라들과 문화적으로 종교적으로 완전히 뒤섞여 버린 것입니다. 그래서 앗수르의 문화적 영향으로 이스라엘은 완전히 우상숭배에 빠졌고, 예수님 때에 와서는 유대인들이 사마리아 사람들을 유대인 동족으로 여겨주지도 않았던 이유가 바로 여기에 있었던 것입니다.

유다는 완전히 바벨론으로 강제 이주를 당했기 때문에 바벨론에서 집단 생활을 하면서 그들의 신앙적 전통을 그대로 고수할 수 있었습니다. 학사 겸 제사장이었던 에스라 같은 인물이 바벨론에서 회당을 세움으로써 포로 된 유다 백성들에게 하나님의 말씀을 공부하게 해주었고, 결국 유다 나라는 하나님께서 약속하신 70년이 찼을 때, 다시 예루살렘에 돌아와 성전을 재건하고 하나님의 백성으로서의 면모를 회복하게 된 것입니다.

3. 여기서 잠깐 히스기야라는 인물에 대해 생각해 봅시다.

히스기야는 유다가 죄악으로 기울어가고 있었던 때에 다윗의 길로 행하며 하나님을 의지했던 선한 왕이었습니다. 히스기야는 북왕조 이스라엘을 함락시킨 앗수르의 산헤립으로부터 위협이 담긴 편지를 받았습니다. 당시 앗수르는 아주 잔인하기 이를 데 없는 군사들이었습니다. 그들은 다른 백성들을 사로잡아 사지를 절단하고, 몸의 기관들을 도려내고, 몸뚱이만 남겨 말에 고리를 메어 끌고 다니는 너무 무섭고 잔인한 종족들로 유명했습니다. 그래서 한 도성이 앗수르에 포로로 잡힐 상황이 되면 그 도시 전체가 집단 자살을 감행하기도 했던 일들을 역사에서 볼 수 있습니다. 그런 앗수르의 산헤립이 위협이 담긴 공문을 보냈습니다.

그러나 히스기야는 백성들이 보는 앞에서 그 편지를 가지고 성전으로 들어가 하나님 앞에 기도했습니다. 하나님께서 이사야 선지자를 그에게 보내셔서 선포하게 하셨습니다.

"너희는 이 전쟁에서 싸울 것이 없다. 이 전쟁은 내게 속했다. 너희는 가만히 있어 내가 하나님 됨을 알지어다."

그날 밤 하나님께서 천사 하나를 보내셔서 앗수르 군대 18만 5000명을 죽였습니다. 유다 군사들은 가서 전리품 걷어 오는 것밖에 할 일이 없었습니다. 하지만 이 히스기야가 훗날 병들어 죽게 되었습니다. 하나님께서 이사야 선지자를 보내셔서 자리를 정돈하라 하셨습니다. 그의 생명을 가져가시겠다는 것이었습니다. 그때 히스기야는 낯을 벽으로 향하고 하나님께 기도했습니다. 결국 하나님께서는 이사야를 다시 보내셔서 그가 15년의 생을 연장받았음을 선포하게 하셨습니다.

4. 우리는 이 장면을 보면서 히스기야가 하나님께 놀라운 응답을 받은 케이스라고 생각하게 됩니다.

그러나 사실 이렇게 생명이 연장된 지 3년 만에 히스기야의 아들 므낫세가 잉태됩니다. 그리고 이 므낫세는 유다의 역사를 다시는 돌아올 수 없는 다리를 건너게 만드는 악한 왕이 되었습니다. 뿐만 아니라 자기 아버지와 절친이었고, 상담자였고, 어찌 보면 생명의 은인이었던 이사야 선지자마저 톱으로 켜서 죽게 합니다. 무서운 일이죠.

한번 생각해 봅시다.

"히스기야가 죽게 되었을 때에 그가 치유하심을 구하지 않았다면 어떻게 되었을까?"

물론 우리는 병든 지체들을 위하여 기도할 때, 그 사람이 구원받았으니 어서 생명을 데려가시라고 기도해서는 절대 안 됩니다. 우리는 끝까지 그를 고쳐주시도록 기도해야 할 것입니다. 그러나 히스기야에겐 그것이 유다 민족의 비극이 되고 말았다는 것입니다. 게다가 히스기야는 자기를 위문하기 위하여 찾아온 바벨론의 사자들에게 유다 나라의 모든 자랑거리들을 다 내어 보였습니다. 그는 자신의 업적을 자랑하고 싶었던 것입니다. 결국 이 일로 말미암아 히스기야도 하나님께 징계를 받아 죽게 됩니다.

사울까지의 계보들
역대상 1-10장

역대상은 크게 세 단원으로 나눌 수 있습니다.

1. 계보들(1-9장)

2. 사울의 통치(10장)

3. 다윗의 통치(11-29장)

이 중에서 우리는 오늘 1-10장까지 통독하겠습니다.

오늘 통독 범위가 10장밖에 되지 않는다 하더라도 너무 기뻐하지 마십시오. 내용의 흐름에 따라 범위를 나누었기 때문에 내일은 19장을 읽어야 합니다.

〈주요 통독자료〉

1. 역대기는 많은 점에서 열왕기와 유사합니다.

이 책들은 모두 사울 왕으로부터 시드기야까지 같은 역사적 배경을 다루고 있습니다. 그러면 역대기는 열왕기의 복사판이냐고요? 그렇지 않습니다. 70인역 헬라어 번역본에서 역대기의 제목의 뜻은 '생략된 것들'(Things Ommitted)이라는 뜻을 가지고 있습니다. 이것이 참 좋은 제목입니다. 하지만 그렇다고 역대기가 사무엘상·하 혹은 열왕기에서 빠뜨린 것들만을 기록했다는 의미는 아닙니다. 성경 기록에 있어서 성령님께서 갖고 계신 원칙이 하나 있습니다. 그것은 성령께서 강조하시고자 하는 영역에 대하여 아주 깊은 관점을 제시해 주신다는 것입니다. 어떤 기록이 있고 난 후에 마치 현미경을 가지고 특정 부분을 다시 확대해서 보여주시는 것 같은 그런 의미입니다.

우리가 절대로 놓쳐서는 안 될 중요한 부분들을 우리에게 상세히 들여다보게 합니다.

이런 원칙을 우리는 창세기에서 봅니다. 창세기 2장에서 하나님께서는 천지창조에 관한 전체적인 스토리를 들려주십니다. 하지만 3장에 들어오면서 특별히 하나님께서 창조하신 모든 것들 중에 사람의 창조와 사람에 대한 하나님의 기대 같은 것들을 현미경으로 상세히 들여다보게 하시는 것입니다. 왜냐하면 우리는 모두 아담의 후손으로 인류 패밀리의 일원이기 때문입니다. 출애굽기와 레위기에서 하나님께서는 율법을 들려주셨습니다. 그러나 신명기에 와서 하나님께서는 하나님의 율법 중에서 기본적 사고인 '사랑과 순종'에 관한 주제를 집중해서 보여주신 것입니다. 지난 40년의 광야생활에서 이스라엘 백성들이 깨닫지 못하고 지나갔던, 그래서 너무 많은 희생을 해야 했던, 바로 그 핵심을 재조명해 주신 것입니다.

2. 사무엘상·하와 열왕기에서 그냥 덮고 지나가셨던 중요한 것들을 이제 하나님께서는 역대기에서 다루실 것입니다.

성령께서 중요하다고 생각하시는 것들을 현미경을 통해 들여다보도록 우리를 초청해 주시는 것입니다. 예를 들어보겠습니다. 역대상은 다윗에 강조점을 두고 있습니다. 그리고 역대하는 다윗의 후손들에 강조점을 두고 있습니다. 그래서 북왕조 이스라엘은 역대기의 기록에서 무시되고 있는 것입니다. 또 하나 중요한 것은, 역대기는 다윗의 죄를 기록하지 않습니다. 제가 믿기는 하나님께서 다윗의 죄를 완전히 용서하셨기 때문일 것입니다. 그래서 하나님께서는 그의 죄를 다시 언급하려 하지 않으셨을 것입니다. 하나님께서 용서하시면, 하나님은 정말로 잊어버리십니다. 기억조차 하지 않으시는 것입니다. 열왕기에서 얘기했습니다만, 열왕기는 보좌의 관점에서 본 역사입니다. 그러나 역대기는 제단에서 내려다본 역사입니다.

열왕기는 항상 왕궁으로부터 모든 이야기가 시작되었습니다. 그러나 역대기는 성전으로부터 이야기가 시작됩니다. 열왕기는 정치적인 역사를 다루어주고 있고, 역대기는 종교적인 역사를 다루어주고 있습니다. 열왕기를 읽다가 종종 "이 이야기는 이스라엘 왕들의 역대 지략에 기록되지 아니하였느냐"라는 구절들을 읽은 기억이 있으실 것입니다. 역대기는 어떤 의미에서 열왕기의 해석서입니다. 신명기가 율법의 해석서로서 두 번째 율법이라는 이름을 갖고 있듯이 말입니다. 가장 중요한 것은, 열왕기는 인간적 관점에서의 역사관을 가지고 있고, 역대기는 하나님의 관점에서의 역사관을 보여줍니다.

3. 참고로 역대기의 저자는 에스라였을 것이라는 점에 많은 이들이 의견을 같이합니다.

왜냐하면 이 책이 에스라의 저작인 에스라와 느헤미야와 기록 스타일의 유사성을 가지고 있기 때문이며, 특별히 역대기의 원본은 처음에 상하로 구분되지 않고 한 권이었으며, 거기에 에스라와 느헤미야를 부록처럼 덧붙였었습니다. 그래서 학자들은 역대기가 에스라의 저작이었을 것이라고 추론합니다.

1-9장까지는 계보들을 다루고 있습니다.

아마도 이 계보들은 성경 전체를 통틀어 가장 주목할 만한 장면일 것입니다. 이 이름들을 보시면, 창세기에서의 계보의 기록 원칙을 그대로 따르고 있음을 봅니다. 먼저 선택되지 못한 계보를 다룬 후에 맨 나중에 메시아이신 예수 그리스도께로 이어지는 계보가 나옵니다. 셈이 노아의 장자이지만, 야벳의 계보가 먼저 나오고, 그 다음 함의 계보가 나오고, 맨 나중에 셈의 계보가 나옵니다. 왜냐하면 셈이 메시아로 이어지는 계보이기 때문입니다. 다른 두 형제의 계보는 끊어지고 셈의 계보는 계속 이어집니다.

1장의 끝에는 이삭의 아들 에서에 관한 이야기로 끝납니다. 그러나 2장에서 다시 야곱이 나옵니다. 왜냐하면 야곱에게서 메시아가 오시기 때문입니다. 그리고 9장까지가 바로 야곱의 후손들의 계보입니다. 그중에서도 2장에서 야곱의 후손들 중 유다 지파의 이새에게로 초점이 맞추어지는 것을 봅니다.

4. 3장에서부터 다윗의 가족에 관한 기록으로 들어가는 것입니다.

여기 나오는 다윗의 자녀들의 이름에는 앞서 사무엘이나 열왕기의 기록에 전혀 언급되지 않은 다른 자녀들의 이름이 나옵니다. 여기서 중요한 것이 나단입니다. 우리는 구약 성경의 다른 곳에서 이 나단에 대한 언급을 보지 못합니다. 이 사람은 당연히 다윗의 모사였던 나단 선지자는 아닙니다. 그런데 신약 성경에서 우리는 마리아가 바로 이 나단의 후손이었음을 보게 되는 것입니다.

요셉은 다윗의 아들 솔로몬을 통해 내려온 후손이며, 마리아는 다윗의 아들 나단을 통해 내려온 후손입니다. 그래서 예수님은 요셉 쪽이나 마리아 쪽이나 어느 쪽으로든 다윗의 후손입니다. 예언의 완벽한 성취죠.

4장은 유다의 후손들입니다. 그리고 시므온 지파의 계보가 나옵니다. 5장은 르우벤 지파의 계보를 지나 포로생활까지 이야기가 계속 이어집니다. 르우벤이 왜 장자의 권리를 잃어버렸는지 설명한 후에 이어서 장자의 명분은 유다가 아닌 요셉에게 주어졌음을 말씀하고 있습니다. 그러나 결국 왕가는 유다 지파로 이어집니다. 6장은 레위 지파, 즉 대제사장의 계열을 보여줍니다. 게르손, 고핫, 므라리 집안에 관한 이야기가 이어지고, 7장에서 잇사갈, 베냐민, 납달리, 므낫세, 에브라임, 그리고 아셀 지파의 계보가 나옵니다. 이들이 북쪽 이스라엘을 형성했던 지파들로 결국 앗수르에 포로로 잡혀가고 맙니다. 8장은 베냐민 지파의 계보로서 특별히 사울과 요나단에 대한 특별 언급이 나옵니다. 그리고 9장은 놀라운 말씀으로 시작됩니다. 그것은 여기까지의 모든 계보가 성전에 기록되었다는 것입니다.

바벨론 포로생활에서 돌아왔을 때, 유다 백성들은 이 계보를 보전하고 있었습니다. 결국 이 계보들이 예수 그리스도의 탄생과 함께 예수님께서 약속된 다윗의 혈통에서 오신 메시아이심을 확실히 증거하게 된 것입니다. 누구도 반론을 제기하지 못하도록, 요셉은 사실상 예수님의 탄생에 어떤 영향도 주지 못했으므로, 요셉을 예수님의 아버지로 볼 수 없습니다. 그러니까 누가가 마리아의 계보를 보여줌으로써 마리아를 통해서도 예수님은 다윗의 후손이시며, 약속된 메시아이심을 선포하게 된 것입니다.

5. 저는 성경에 나타난 계보들을 볼 때마다 감동을 받습니다.

그것은 바로 사람들이 전혀 기억조차 하지 않을 것 같은 인물들을 우리 하나님은 전혀 잊지 않고 기억하고 계신다는 것입니다. 우리들 모두는 하나님의 눈동자 속에서 그렇게 소중합니다. 하나님께선 우리의 이름을 모두 기억하십니다. 우리는 바로 이 계보들 속에서 '이 단원 속의 예수 그리스도'를 보게 됩니다.

역대상은 크게 세 단원으로 나눌 수 있습니다.

1. 계보들(1-9장)

2. 사울의 통치(10장)

3. 다윗의 통치(11-29장)

이 중에서 우리는 오늘 11-29장까지 통독하겠습니다.

- 11-12장: 다윗의 용사들
- 13-16장: 다윗과 언약궤
- 17장: 다윗과 성전
- 18-20장: 다윗이 치룬 전쟁들
- 21장: 인구조사를 통한 다윗의 범죄
- 22-29장: 성전 건축을 위한 다윗의 준비와 조직

〈주요 통독자료〉

1. 어제 통독자료에서 말씀드렸던 것처럼, 하나님께서는 사무엘상·하와 열왕기에서 다루어진 역사의 분량들 중에서 현미경을 들이대고 아주 상세한 일들을 집중해서 확대시켜 보여주고 계십니다.

사무엘의 '기록에 나타났던 다윗의 역사는 상당히 젊고 패기 있는 용사의 모습이었습니다. 그러나 역대상 11-12장에 나타난 다윗은 대단히 치밀하고 굉장한 조직력과 정치력을 가진 엄청난 위용을 지닌 인물이었다는 점을 충분히 보여줍니다. 오늘날의 어떤 정치인도 이처럼 막강한 영향력을 가진 인맥을 소유한 사람은 없을 것입니다.

다윗은 10년 이상의 시간을 사울 왕을 피해서 광야를 전전해야 했습니다. 사울이 죽고 난 후에도 다윗은 7년의 내전 기간 동안 오직 남쪽의 두 지파 유다와 베냐민만을 장악했습니다. 그 후에야 다윗은 이스라엘의 열두 지파를 완전히 장악하고 통솔하게 되었습니다. 그러니까 여기에 언급된 다윗의 용사들은 상당수가 다윗이 사람들에게 받아들여지지 못하고 광야에 있을 때 그에게 헌신한 용사들입니다. 이것은 참으로 멋진 그림입니다.

빌립보서 2장에서 바울이 말한 것처럼, 본래 하나님과 본체이신 예수님께서 하나님과 동등됨을 취할 것으로 여기지 아니하시고 자기를 비워 종의 형제를 가지사 사람의 모양으로 오셔서 자신을 낮추시고 십자가에 죽기까지 복종하셨습니다. 이 기간 동안 사람들은 예수님을 받아들이지 않고 있습니다. 그러나 하나님께서 예수님을 높이시는 날 예수님께는 모든 이름 위에 뛰어난 이름이 주어질 것이며, 모든 무릎이 그 이름 앞에 꿇어지고 만민의 입으로 예수를 주로 시인하여 하나님 아버지께 영광을 돌리게 되는 것입니다. 바로 이때 예수님께 충성을 맹세한 그의 용사들도 함께 높임을 받게 될 것입니다.

2. 이것이 바로 11-12장에 나오는 다윗의 용사들의 명단이 갖고 있는 교훈입니다.

우리가 살고 있는 지금 이 시대는, 다윗의 후손으로 오신 예수 그리스도께서 다윗처럼 사람들에게 멸시를 받으시고 외면당하시는 그런 시대입니다. 이때에 예수님 곁에 서서 충성을 맹세하는 용사들이 되기를 바랍니다. 그리고 훗날 우리 예수님께서 이 세상의 일부인 교회만이 아니라, 참으로 온 세상의 왕의 왕, 주의 주로서 다시 오실 때에 그의 곁에 여전히 서 있는 주님의 용사들의 명단에 우리가 포함되어 있기를 간절히 바랍니다. 특별히 다윗의 군대가 블레셋과 전쟁을 할 때에, 30인의 우두머리 중 세 사람이 베들레헴 성문 곁 우물물을 마시고 싶다는 다윗의 갈망함을 듣고 달려가 블레셋 진영을 돌파하여 그 우물물을 길어다가 다윗에게 주었던 것을 우리는 주목해 볼 필요가 있습니다.

다윗은 그의 군사들이 목숨을 걸고 이 일을 행하라고 명령을 내린 것이 아니었습니다. 그냥 그의 마음의 소원을 이야기했을 뿐입니다. 그런데도 다윗의 용사들은 다윗을 기쁘게 해주기 위하여 이 일을 행한 것입니다. 다윗은 이 용사들의 핏값과도 같은 이 물을 마실 수가 없어서 하나님 앞에 전제로 드렸습니다. 다윗이 소원을 피력할 때 그 소원을 이루어주기 위해 목숨을 걸었던 다윗의 용사들처럼, 예수님께서 오늘 그의 소원을 말씀하실 때 목숨을 걸고 달려가 그 소원을 이루어 드리는 우리 모두가 되었으면 좋겠습니다.

3. 오늘의 통독 자료 가운데 마지막은 성전 건축을 위한 다윗의 준비와 체계 확보에 관한 이야기입니다.

우리는 열정이 없는 사람에게 열정을 갖도록 촉구하는 일보다, 지나친 열심을 가진 사람에게 자제를 시키는 일이 훨씬 힘들다는 것을 잘 알고 있습니다. 열정을 가진 사람이 그 열정에 대해 인정을 받지 못한다거나 혹은 그 열정이 거부당했을 때 상대적으로 나타나는 반대의 반응은 참으로 감당키 어려운 일입니다. 예를 들면, 다윗은 하나님께 성전을 지어드리고 싶다고 했습니다.

처음에 나단 선지자는 그 말을 듣자 곧 너무나 행복했습니다. 당연히 하나님께서 이 일을 기뻐하실 것이라고 단정하고 다윗을 칭송했습니다. 그러나 뜻밖에 하나님께서는 다윗은 손에 피를 많이 묻혔기 때문에 다윗이 아닌 그 뒤에 일어날 솔로몬에게 성전 건축을 시킬 것이라고 하십니다. 다윗은 하나님께 호의를 베풀어 드리고 싶었으나 그것을 보기 좋게 거절당한 것입니다. 이런 경우 다윗에게서 얼마든지 나타날 수 있는 자연스런 반응은 하나님을 위해 열정을 가졌던 것만큼 반대로 하나님께 대한 미움으로 나타날 수 있다는 것입니다. 사랑을 거절당하면 사랑했던 만큼 미워할 수 있는 것 아닙니까?

그러나 다윗이 다른 사람과 다른 점이 바로 여기에 있었습니다. 다윗은 하나님께서 자신이 아닌 다른 사람을 통해 성전을 건축하겠다고 하시는 것에 대해 충분히 이해해 드렸습니다. 그래서 자신이 아닌 다른 사람이라도 그가 성전을 건축할 수 있는 준비를 다 해주고 싶었던 것입니다. 이것이 바로 진정한 사랑의 모습입니다.

자신의 호의가 거절을 당했을 때 그 호의만큼 미움으로 작용할 수도 있었겠지만, 다윗은 진심으로 하나님을 사랑했기 때문에 하나님께서 원하시는 사람을 통해서 그 일을 이루실 수 있기를 바랐고, 그 일이 성공적으로 이루어질 수 있는 준비를 자신의 손으로 다 해드리고 싶었던 것입니다. 우리는 다윗에게서 진정으로 하나님을 사랑하는 것이 어떤 것인지를 배워야 합니다.

역대기를 통해 하나님께서 다시 다루고 싶으셨던 다윗의 이야기들은 모두 그의 순수한 열정에 관한 이야기들이었습니다. 언약궤에 대한 열정, 성전에 대한 열정….

하나님은 22-29장까지 여덟 장에 걸쳐서 다윗이 성전 건축을 위해 행한 일들을 다루어 주신 것입니다. 다윗은 성전을 지어드리는 일에 거절을 당했지만, 솔로몬이 지은 성전은 사실상 다윗이 지은 것이나 마찬가지였습니다.

우리가 교회를 섬기다가 우리의 열정이 무시를 당하거나 혹은 우리가 베푼 호의가 거절당할 때, 그 일이 우리의 순수한 사랑의 동기에서 나온 것이라는 가장 큰 증거는 다윗처럼 행하는 것입니다. 거절당한 후에도 혹은 무시를 당했다고 생각이 되더라도 처음부터 하나님을 위한 순수한 사랑의 열정으로 한 일이었다면, 하나님의 기뻐하심을 위하여 끝까지 보이지 않는 자리에서도 열심을 다하는 우리 모두가 되기를 바랍니다.

솔로몬의 통치

역대하 1-9장

역대하는 크게 두 단원으로 나눌 수 있습니다.

1. 솔로몬의 통치(1-9장)

2. 왕국의 분열과 유다의 역사(10-36장)

이 중에서 우리는 오늘 1-9장까지 통독하겠습니다.

- 1장: 솔로몬이 왕이 되며 지혜를 구함
- 2-4장: 성전의 건축
- 5-6장: 성전의 완공
- 7장: 하나님께서 성전을 받아주심
- 8-9장: 솔로몬이 성취한 일들과 그의 명성

〈주요 통독자료〉

1. 역대상의 마지막 부분에서 우리는 다윗이 성전 건축을 위한 모든 준비를 마쳤음을 보았습니다.

모든 자재들이 준비되었고, 일을 할 사람들까지 지휘자들을 세우고 지휘 계통을 마련하는 일까지 완전히 마쳤음을 봅니다. 그리고 다윗은 솔로몬을 불러 이 일을 서두르도록 분부했습니다. 그리고 이제 역대하로 들어오면서 솔로몬이 아버지께 분부받은 그 일을 서두르는 것을 봅니다. 사무엘과 열왕기의 역사서들이 인간적 관점의 역사관을 가지고 있고, 역대기는 하나님의 관점에서의 역사관을 가지고 있다고 했습니다.

물론 그것이 사무엘과 열왕기의 기록들이 하나님께 영감되지 않았다는 것을 말하지는 않습니다. 다만 하나님께서 인간적 관점의 역사를 먼저 보여주셨다는 것입니다. 그리고 역대기는 하나님이 보시는 역사입니다. 인간에게서 나타나는 화려하고 훌륭한 많은 업적들 가운데 많은 부분들이 하나님께는 간과된다는 사실을 놓치지 마시기 바랍니다. 이 세상에 많은 왕들과 영웅들이 일어나고 그들이 세우고 또한 누리는 수많은 일들이 우리 하나님께 전혀 감동적이지 않고, 오히려 인간적 관점에서 볼 때 별 보잘 것없이 여기는 것들이 하나님께는 대단히 소중한 가치를 갖게 될 수도 있다는 것을 역대기가 보여주고 있는 것입니다.

성경은 하나님의 기록임을 잊지 마십시오.

그런데 다윗의 성전 건축을 반대하신 하나님께서 이 성전이 지어지는 데 다윗이 얼마나 소중한 업적을 세웠는지를 현미경으로 확대하듯 꼼꼼히 기록하고 계시다는 점을 잊지 마셔야 합니다. 하나님은 누구보다 다윗을 잘 아시는 분입니다. 다윗이 하나님의 말씀에도 불구하고 이토록 정성을 다해 성전 건축을 위해 열정을 불태울 것을 하나님은 분명히 아셨다고 저는 믿습니다. 그래서 다윗은 하나님의 마음에 합한 자인 것입니다.

2. 역대하의 처음 아홉 장이 솔로몬의 통치에 관한 기록입니다.

그런데 그중 여섯 장이 솔로몬의 성전 건축과 연관된 기록들입니다. 보십시오. 하나님의 관점에서 솔로몬이 행한 생의 최고의 일은 바로 성전을 지어 드린 일이었습니다. 우리는 열왕기에서 솔로몬의 생에 관한 많은 기록들을 봅니다. 그의 영광과 부, 위대한 업적들, 그의 연구와 결과 보고들, 많은 부인들, 그가 누렸던 쾌락과 즐거움, 하지만 하나님께는 그런 것들이 전혀 인상적이지도 않았고 다시 재론하고 싶으실 만큼 큰 일도 아니었습니다. 물론 솔로몬의 젊은 날에 지은 죄들을 하나님께서 간과하셨다는 뜻은 아닙니다. 솔로몬의 그 모든 일들은 우리들에게 누구나 대속의 주님을 필요로 한다는 것을 강조해 주고 있는 것입니다. 그리고 그 대속주는 바로 다윗의 후손 예수 그리스도이십니다.

우리는 역대하 1장에서 솔로몬이 취한 지혜로운 행동과 기도를 참조해야 합니다. 당시에 하나님의 언약궤는 이미 예루살렘으로 봉송되어 있었지만, 아직 임시로 마련된 천막 안에 있었습니다. 그때 성전은 기브온에 있었습니다. 그 말은 그곳에 제단이 있었다는 것입니다. 놋으로 만든 제단 거기가 바로 우리가 나아가야 할 곳입니다. 솔로몬이 왕위를 물려받은 후 바로 언약궤를 향해 나아갔다면 큰 문제를 맞았을 것입니다. 우리는 제단으로 가야 합니다. 그 놋 제단은 우리가 출애굽기 통독에서 나누었던 것처럼 우리 예수님의 십자가를 의미하는 곳입니다. 예수님께서 우리들을 위한 화목 제물로 죽으신 그 십자가가 아니면 우리는 하나님의 임재 가운데로 나아갈 수 없는 것입니다. 하나님께서 솔로몬의 제사를 받으시고, 그에게 무엇을 하여주기를 원하는지 구하라고 하셨을 때 솔로몬이 지혜를 구한 것은, 역대상 22:7-12의 말씀에서 다윗이 솔로몬에게 일깨워 주었던 것을 기억했기 때문입니다. 그에게 필요한 것이 바로 지혜였음을 다윗이 일깨워 준 것입니다.

3. 참으로 솔로몬의 생에서 발견될 수 있는 모든 좋은 것들은 오직 다윗의 유산이었고 축복이었습니다.

사실상 나중에 이스라엘이 나뉘게 된 것은 솔로몬의 잘못 때문이었습니다. 그런데 분열 왕국에서 일어났던 모든 왕들에 대한 하나님의 평가 기준은 무엇이었습니까? 바로 다윗입니다. 북쪽 왕국 이스라엘에서는 아무도 다윗 같은 사람이 일어나지 않았습니다. 그들은 모두 여로보암이 세운 산당을 제거하지 않았다는 것으로 평가되었습니다. 북쪽 이스라엘 왕들 중에는 하나님께 착한 왕이었다고 칭찬을 받은 사람들이 없었습니다. 남쪽 유다 왕국에서는 간혹 하나님께 칭찬을 들었던 왕들이 일어났습니다.

특별히 역대하에서 솔로몬 이후에 등장하게 될 다섯 왕들이 그 대표적인 케이스들입니다. 그들 모두는 하나님께로부터 다윗의 처음 길로 행했다는 칭찬을 들었습니다. 이것이 중요합니다. 우리의 기준은 바로 다윗의 후손으로 이 땅에 오신 예수 그리스도이십니다. 우리의 삶에서 무엇이라도 좋은 것이 발견된다면 그것은 전부 예수님 때문입니다. 우리가 할 수 있는 최고의 일은 예수 그리스도의 길을 바로 따르는 것입니다.

"아무든지 나를 따라오려거든 자기를 부인하고 날마다 제 십자가를 지고 나를 좇을지니라"라는 예수님의 말씀을 따라야 하는 것입니다. 그래서 예수님은 "내가 곧 길이요 진리요 생명이니 나로 말미암지 아니하고는 하나님의 나라에 들어갈 자가 없다"라고 하신 것입니다. 우리들 모두는 다윗의 처음 길로 행했던 유다의 왕들처럼, 예수 그리스도의 발자취를 따라 살아야 할 것입니다.

역대하는 크게 두 단원으로 나눌 수 있습니다.

1. 솔로몬의 통치(1-9장)

2. 왕국의 분열과 유다의 역사(10-36장)

이 중에서 우리는 오늘 10-22장까지 통독하겠습니다.

● 10-12장: 르호보암 통치 때에 왕국의 분열

● 13장: 아비야의 유다 통치

● 14-16장: 유다 왕 아사의 부흥운동

● 17-20장: 여호사밧의 부흥운동

● 21-22장: 배도와 죄 가운데로

〈주요 통독자료〉

#1 아사왕의 부흥운동

1. 아사 왕(Asa: 14-16장)에 대하여

아사 왕은 남쪽 유다의 3대 왕으로서, 르호보암의 아들 아비야의 아들이었습니다. 그러니까 르호보암에게는 손자가 되겠지요? 아사 왕의 행적에 대해서는 역대하 14:2-8에 나와 있습니다. 그의 행적의 특징은 우상을 제거하는 일이었습니다. 그리고 우리가 괄목할만한 사실은 유다 성읍들이 아직 자기들의 손에 남아 있는 것은 자기들이 "여호와를 찾았기 때문"이라는 확신입니다. 이것을 보면 아사는 기도를 중요시하는 왕이었습니다.

우리가 어려움이 있다고 생각될 때 하나님께 엎드려 기도하는 것이 무엇보다도 중요합니다. 이것은 아무리 강조해도 지나침이 없을 것입니다. 기도하지 않고 동분서주하는 것은 아무런 열매도 없습니다. 마침 구스(에티오피아) 사람 세라가 백만 명의 군사와 300승의 병거를 거느리고 침략해 왔을 때, 그가 보인 행동이 그것을 대변하고 있습니다. 아사는 마레사의 스바다 골짜기에 진 치고 하나님 여호와께 부르짖었습니다.

"여호와여 힘이 강한 자와 약한 자 사이에는 주밖에 도와줄 이가 없사오니 우리 하나님 여호와여 우리를 도우소서 우리가 주를 의지하오며 주의 이름을 의탁하옵고 이 많은 무리를 치러왔나이다 여호와여 주는 우리 하나님이시오니 원하건대 사람이 주를 이기지 못하게 하옵소서"(대하 14:11).

물론 하나님께서 이 전쟁에 개입해 주셨고 유다는 그랄까지 구스 사람들을 쫓아갔는데, 13절에 보시면 구스 사람들 중에 살아남은 자가 하나도 없었다고 말하고 있습니다.

2. 선지자 오뎃의 아들 아사랴의 출현

아사랴는 하나님의 신이 임한 사람이었으며, 그는 기탄없이 왕과 백성들에게 하나님께로 돌아오라고 선포했습니다.

"아사와 및 유다와 베냐민의 무리들아 내 말을 들으라 너희가 여호와와 함께하면 여호와께서 너희와 함께하실지라 너희가 만일 그를 찾으면 그가 너희와 만나게 되시려니와 너희가 만일 그를 버리면 그도 너희를 버리시리라"(역대하 15:2).

아사 왕은 아사랴를 통하여 선포된 하나님의 말씀에 전적으로 순종했습니다. 마침 아사 왕의 모친 마아가가 아세라의 목상을 만들었습니다. 아사는 비록 자기 어머니였지만 그녀의 태후로서의 위를 폐하고 그 우상을 찍고 빻아서 기드론 시냇가에서 불살랐습니다. 하지만 그런 아사 왕에게도 결점이 있었습니다. 그가 우상들을 다 제하고, 특별히 자기 어머니가 만든 아세라 목상으로 인하여 어머니의 태후의 위를 폐한 것까지는 좋았는데, 한 가지는 살짝 지나가고 있는 것이 있습니다.

"산당은 이스라엘 중에서 제하지 아니하였으나 아사의 마음이 일평생 온전하였더라"(역대하 15:17).

이 산당은 솔로몬이 성전을 짓기 전까지 때로 하나님을 경배하는 제단으로 사용되었지만 훗날 우상숭배의 온상이 된 곳입니다. 하나님께서는 예루살렘에 성전이 완공

된 후로는 예루살렘에서 하나님께 제사를 드리라고 명하셨습니다. 북쪽 이스라엘에게 있어서 우상숭배가 그랬던 것처럼, 유다에 있어서는 산당이 두고두고 문제가 됩니다. 주목할만한 일입니다.

3. 아사 왕의 부흥운동에 대한 하나님의 축복들

하나님은 아사가 왕위에 오르자 10년간 평화를 주셨습니다(대하 14:1). 구스와의 전쟁에서도 승리를 주셨습니다. 무엇보다도 아사는 구스와 유다의 전쟁을 사람과 하나님의 전쟁으로 규정했습니다. 그리고 하나님은 그것을 인정해 주셨습니다. 개중에는 이스라엘의 몇몇 지파에서도 하나님께서 아사와 함께하시는 것을 보고 유다로 귀화하는 무리들이 있었습니다(대하 15:9). 그리고 그 모친의 우상을 파괴한 이후 하나님은 아사 왕 35년까지 전쟁이 없는 평화를 주셨습니다(대하 15:19).

4. 아사 왕의 슬픈 최후: 하나님의 축복으로 35년간의 평화를 누린 후 아사 왕은 갑자기 타락했습니다.

보십시오. 평화가 찾아올 때 조심해야 합니다. 35년간의 평화 기간 동안 아사는 하나님과의 교제를 점점 멀리했던 것 같습니다. 왜 하나님께서 35년간만 평화를 주셨을까 생각해 볼 필요가 있습니다. 하나님께서 아사에게 다시 하나님께로 돌아오라고 부르고 계신 것입니다. 아사 왕 36년째에 북쪽의 이스라엘 왕 바아사가 유다를 치러 왔습니다. 그리고 바아사는 예루살렘 북쪽 8km지점에 이스라엘 백성들이 예배를 드리러 유다에 왕래하지 못하도록 큰 방벽을 세우고자 했습니다.

이때, 아사 왕은 14-15장에서와는 아주 다른 반응을 보입니다. 그는 하나님을 찾지 않고, 즉시 하나님 성전의 은금을 취하여 이방 나라의 왕을 매수하려 듭니다. 얼마나 인간적인 방법입니까? 결국 벤하닷의 도움으로 일단 위기는 면하게 됩니다. 오히려 이스라엘 왕이 라마의 성벽을 건축하려던 자재들을 빼앗아서 게바와 미스바라는 도시를 건설하기까지 했습니다.

겉으로 보기에는 얼마나 큰 성공처럼 보입니까? 하지만 이 사건 직후에 하나님은 하나니라는 선지자를 보내셔서 아사를 책망하십니다. 여기에 대한 아사의 반응은 우리를 놀라게 하기에 충분합니다. 아사는 분노하여 선견자를 옥에 가두고, 몇몇 백성들을 학대하였습니다. 좋은 시작이 항상 좋은 결과를 가져오지 않는다는 아주 좋은 교훈입니다.

#2 여호사밧의 부흥운동

1. 여호사밧(Jehoshaphat: 17-20장)에 대하여

여호사밧은 아사 왕의 아들로 유다의 4대 왕이었습니다. 그는 다윗의 처음 길로 행했습니다. 그리고 하나님의 말씀에 순종했습니다. 자기만 하나님의 말씀을 따랐을 뿐 아니라 온 백성들에게 말씀으로 교육하기 위하여 주의 종들을 양성하여 각 성으로 보냈습니다. 그리고 그는 매사에 하나님께 묻는 기도의 사람이었습니다. 특별히 훗날 모압 자손과 암몬 자손이 그를 쳐들어왔을 때 여호사밧의 반응을 눈여겨볼 필요가 있습니다.

"여호사밧이 두려워하여(위로가 되지요? 그도 우리와 같은 반응을 보이고 있습니다. 우리는 문제가 생기면 얼마나 불안해 하고 잠도 못 자고 염려합니까? 하지만 그 다음 행동을 보십시오.) 여호와께로 낯을 향하여 간구하고 온 유다 백성에게 금식하라 공포하매"(역대하 20:3).

그는 유다와 예루살렘의 회중들을 모아놓고 그 회중들 앞에서 하나님께 기도합니다. 우리에겐 바로 이런 지도자가 필요합니다.

"이르되 우리 조상들의 하나님 여호와여 주는 하늘에서 하나님이 아니시니이까 이방 사람의 모든 나라를 다스리지 아니하시나이까 주의 손에 권세와 능력이 있사오니 능히 주와 맞설 사람이 없나이다"(대하 20:6).

"우리 하나님이여 그들을 징벌하지 아니하시나이까 우리를 치러 오는 이 큰 무리를 우리가 대적할 능력이 없고 어떻게 할 줄도 알지 못하옵고 오직 주만 바라보나이다 하고"(대하 20:12).

2. 선지자 야하시엘의 출현: 하나님은 여호사밧 왕의 기도가 끝나자 즉시 야하시엘을 보내셔서 응답해 주셨습니다(대하 20:15-17).

이 전쟁은 이제 더 이상 유다 백성들의 전쟁이 아니라 하나님의 전쟁이었습니다. 그들이 무슨 일을 할 필요가 없습니다. 그들은 그저 진을 쳐놓고 하나님이 하시는 것을 구경만 했습니다. 우리들도 그렇게 하는 것입니다. 하나님이 자신을 사용하시는 것을 구경만 하는 것입니다. 하나님의 일은 그렇게 되는 것입니다.

3. 여호사밧의 결점

이런 좋은 점들에도 불구하고 여호사밧에게는 한가지 결점이 있었습니다. 그것은 그가 아합 왕과 연혼하였다는 것입니다. 이것은 유다왕국에 상당히 지대한 영향을 가져오게 됩니다(우상숭배와 아달랴로 인한 다윗 혈통의 단절 위험). 그는 매사에 하나님께 묻는 기도의 사람이었는데, 단 한 가지 하나님께 묻지 않고 행한 일이 이토록 큰 문제를 가져온 것입니다. 얼마나 큰 교훈인지요. 그리고 그도 산당에 관하여 완전히 정리하지 못했습니다(대하 20:32-33). 그리고 그는 아합 왕의 아들 아하시야와도 상업을 위해서 조약을 맺었습니다.

이 아하시야는 악한 왕으로 2년밖에는 통치를 못하고 죽임을 당합니다. 그는 아들도 없이 죽었기 때문에 그의 동생 요람이 왕이 됩니다. 여호사밧의 아들 여호람이 아합의 딸 아달랴와 결혼하여 낳은 아들 아하시야가 북쪽의 아합 왕의 아들 요람과 함께 사귀게 되고, 결국 예후의 반란으로 요람이 죽을때 같이 죽임을 당하게 됩니다. 그리고 아달랴에 의해서 다윗 혈통 말살이 획책된 것입니다. 자, 이 시점에서 양국의 왕들의 이름이 같은 것을 주목해 보십시오. 의인이 악인과 짝한 모습을 보여줍니다.

4. 여호사밧에 대한 하나님의 축복

하나님은 여호사밧에게 그 나라를 그의 손에서 견고하게 하셨으므로, 무리가 여호사밧에게 예물을 드렸고, 그의 부귀와 영광이 극에 달했습니다(대하 17:5).

또한 유다 사면의 열국에 두려움을 주셔서 전쟁을 일으키지 못하게 하셨고, 블레셋과 아라비아 사람들까지 조공을 바치기 시작하여 여호사밧이 점점 강대하게 되었습니다. 그래서 그는 큰 국고성을 건축하게 되었습니다. 이외에도 아합 왕으로 인하여 전쟁에 휘말렸으나 하나님께서 그의 생명을 구원해 주셨습니다. 그리고 모압과 암몬 사람들이 연합하여 쳐들어온 전쟁에서 하나님은 큰 승리를 주셨습니다.

왕국의 분열과 유다의 역사(2)

역대하 23-36장

역대하는 크게 두 단원으로 나눌 수 있습니다.

1. 솔로몬의 통치(1-9장)

2. 왕국의 분열과 유다의 역사(10-36장)

이 중에서 우리는 오늘 23-36장까지 통독하겠습니다.

- 23-24장: 요아스의 통치 기간 중의 부흥
- 25-28장: 아마샤, 웃시야, 요담, 그리고 아하스의 통치
- 29-32장: 히스기야의 통치 기간 중의 부흥
- 33장: 므낫세의 악한 통치
- 34-35장: 요시야 왕의 통치 기간 중의 부흥
- 36장: 유다의 패망과 바벨론 유수, 고레스의 포고령

〈주요 통독자료〉

1. 요아스(JOASH: 23-24장)에 대하여

아들 아하시야가 이스라엘에 있는 자기의 동생 요람을 방문하러 갔다가 죽자, 아달라는 자신의 권세를 더 유지하기 위하여 다윗의 혈통을 모조리 없애버리려 했습니다. 그래서 그녀는 칼을 들어 자기 남편 여호람과 아들 아하시야의 혈족을 모조리 죽여 버렸습니다.

이때 제사장 여호야다와 그의 아내이자 요아스의 고모인 여호세바가 1살 된 요아스를 숨겨서 목숨을 건짐으로써 다윗의 혈통이 끊어지는 것을 막았습니다. 자기 고모의 집에서 6년을 길러져 온 요아스는 7세가 될 때 여호야다의 개혁의 기치 아래 왕위에 오르게 됩니다. 어떤 의미에서 요아스의 부흥운동은 제사장 여호야다의 부흥운동이었

습니다. 하지만 여호야다는 철저히 정치적 유혹을 뿌리치고 요아스를 왕으로 내세웠습니다. 참으로 훌륭한 제사장이었습니다. 요아스는 제사장 여호야다가 살아있는 동안에는 여호야다의 교훈을 받아 하나님 앞에서 정직히 행했습니다. 요아스는 성전의 중수에 뜻을 두었습니다. 아달랴에 의하여 파괴되고 버려져 있던 성전을 고친 것입니다. 이 일을 위해서 그는 성전 앞에 연보궤를 설치했습니다.

2. 요아스의 슬픈 최후

여호야다가 130세에 죽자, 요아스는 더 이상 하나님의 종들의 교훈을 받지 않았습니다. 대신 정치꾼들의 교훈을 받아 곁길로 나가기 시작했습니다(대하 24:17-19). 마침내 하나님께서는 요아스의 생명의 은인이자 스승이었던 여호야다의 아들 스가랴에게 성령을 부으셔서 요아스의 죄를 지적하게 하셨습니다. 하지만 요아스는 그를 돌로 쳐서 죽였습니다. 나중에 예수님은 이 스가랴의 죽음을 구약의 최후의 순교자로 부르셨습니다. 예수님 당시에 유대인들이 사용한 구약 성경은 역대하가 맨 마지막 책이었기 때문입니다.

그래서 예수님은 아벨을 첫 번째 순교자로, 스가랴를 마지막 순교자로 칭하심으로써 하나님의 이름을 위하여 죽은 사람들을 통칭하신 것입니다(마 23:35 참조). 결국 요아스는 아람 군대의 침략 때 부상을 입었고, 유다 백성들이 모반을 일으켜서 그를 침상에서 죽였습니다. 배은망덕의 최후입니다. 하지만 왕위는 그의 아들 아마샤에게로 이어졌습니다. 이렇게 모반으로 왕이 죽어도 반드시 다윗 혈통의 남겨진 자들을 찾아서 그들 중에서 왕을 세운 것이 유다 왕국의 특징입니다.

3. 웃시야(Uzziah: 26장)에 대하여

웃시야는 강력한 지도력을 가진 왕이었습니다. 그는 아버지 아마샤를 이어 16세에 왕위에 올랐습니다. 하지만 그는 지도력을 발휘해서 도시들을 건축하고, 여호와 보시기에 정직히 행했습니다. 그렇게 그는 52년을 유다의 왕으로서 통치했습니다. 웃시야는 블레셋을 쳐서 가드 성과 야브네 성과 아스돗 성을 헐고 그 땅에 유다의 성읍들을 건축했습니다. 그리고 아라비아 사람들과 암몬 사람을 쳐서 유다에 조공을 바치게 했습니다.

4. 선지자 스가랴의 조언(물론 이 사람은 스가랴서를 쓴 선지자는 아닙니다.)

웃시야의 행위를 보여주는 유일한 구절이 여기에 있습니다.

"하나님의 묵시를 밝히 아는 스가랴가 사는 날에 하나님을 찾았고 그가 여호와를 찾을 동안에는 하나님이 형통하게 하셨더라"(대하 26:5).

하지만 "그가 여호와를 찾을 동안에는"이라는 말씀이 뭔가를 암시하고 있지요? 16절을 보시면, 그가 강성해질 때에 그 마음이 교만해져서 악을 행하여 하나님께 범죄했다고 했습니다. 그 범죄는 바로 여호와의 전에 들어가서 향단에 분향하려 한 죄입니다. 제단에서 분향을 하는 것은 오직 레위 지파의 아론의 후손들뿐이었습니다.

왕은 왕의 할 일이 있고, 제사장은 제사장들이 할 일이 있는 것입니다. 왕이 권력을 얻었다고 해서 그가 제사장의 일까지 하려 한 것은 하나님의 제도를 무시한 교만이었고 결국 웃시야는 나병이 발하고 말았습니다. 결국 그는 죽는 날까지 나병자로 살았고, 여호와의 전에서 끊어져서 별궁에 홀로 거했으며, 그 아들 요담이 왕궁을 관리하여 국민을 치리했습니다. 결국 한때 유다를 강성하게 했던 강력한 지도자 웃시야 왕은 나병으로 인하여 죽은 후에도 왕의 묘실에 장사되지 못하고 그 곁에 장사되고 말았습니다.

5. 히스기야(Hezekiah: 29-32장)

히스기야 왕에 대해서는 열왕기를 통독할 때에 자세히 나누었으므로 여기서는 생략하겠습니다.

6. 요시야(Joshia: 34-35장)에 대하여

위대한 믿음의 사람이었던 히스기야가 죽자 그 아들 므낫세가 왕이 되었습니다. 그는 히스기야와는 대조적으로 악한 왕이었습니다. 그가 죽자 그 아들 아몬이 왕이 되었는데, 그도 므낫세처럼 악을 행하다가 심복의 반역으로 죽습니다. 그리고 그의 아들 요시야가 왕위에 오릅니다. 그는 왕위에 오를 때에 겨우 8세였습니다. 하지만 그는 여호와 보시기에 정직히 행했고, 다윗의 길로 행하여 좌우로 치우치지 않았습니다(대하 34:3). 요시야 왕 때에 괄목할만한 일은 므낫세 왕으로 인하여 폐허가 되다시피한 성전을 다시 중수한 일입니다. 이때 성전을 중수한 사람들은 다시 그들의 경비를 계산해볼 필요가 없을 정도로 성실하게 일을 했습니다. 참 아름다운 사람들이었습니다.

이때 사실 언제부터인지 정확히는 모르지만(아마 므낫세 때일 것이라고 생각합니다만) 예루살렘 성전에서 율법책이 없어졌습니다. 그리고 그때에는 아직 사본이 없었던 때라 원본을 잃어버리면 우리에게까지 모세오경이 전해질 수 없었던 터였습니다. 그런데 요시야 왕에 의하여 성전을 중수하다가 바로 그 율법책이 발견된 것입니다.

7. 제사장 힐기야의 도움

성전에서 분실했던 이 율법책을 발견한 사람이 바로 제사장 힐기야였습니다. 이 힐기야의 아들이 저 유명한 제사장 에스라였습니다. 에스라는 어려서부터 아버지에게서 말씀을 배웠고, 포로생활 동안에는 제사장으로서의 직무를 수행하지 못했지만 하나님의 말씀을 연구하는 기간으로 삼았습니다. 포로생활이 끝나자 에스라는 말씀의 선포자로 유다에 큰 부흥을 일으켰습니다. 이것은 에스라서를 통독하면서 다시 다루겠습니다. 말씀이 이렇게 연결되는 것입니다. 어떻든 힐기야는 발견된 율법책을 사반에게 주었고, 사반은 요시야 왕과 백성들 앞에서 이 율법책을 읽었습니다.

말씀은 그 자체가 놀라운 능력을 가지고 있습니다. 백성들이 이 말씀을 들을 때에 요시야 왕으로부터 큰 회개의 운동이 일어났습니다. 요시야 왕은 자기 앞의 유다 왕들과 백성들이 얼마나 하나님의 말씀에서 벗어나 있었는지를 발견하고 자기 옷을 찢었습니다. 특별히 요시야가 사는 날 동안에 백성들은 하나님을 떠나지 않았고, 요시야는 그때까지 지켜지지 않던 유월절을 다시 지키기 시작했습니다(대하 35:17-18).

8. 요시야 왕 때의 선지자들

요시야 왕 때에는 유명한 선지자들이 많이 일어났습니다. 하박국, 스바냐, 예레미야가 그 사람들입니다. 특별히 예레미야는 이때로부터 유다가 바벨론에 포로로 잡혀가고 예루살렘이 황폐하게 될 것에 대해 예언하기 시작했습니다. 그리고 요시야 왕의 죽음에 대한 애도의 노래가 예레미야 애가의 일부입니다.

우리가 이제까지 살펴본 바와 같이 역대하에 나타난 이 여섯 가지 부흥운동에는 몇 가지 공통점들이 있었습니다.

(1) 이 왕들의 부흥운동의 요점은 기도와 말씀과 예배의 회복, 그리고 성전의 보수

였습니다. 오늘날에도 이런 것들이 교회를 부흥시키고 영적 각성 운동을 일으키는 요인이 됩니다.

(2) 이 왕들의 부흥운동의 뒤에는 반드시 훌륭한 선지자 혹은 제사장들이 자리잡고 있었습니다. 우리가 하나님의 종들로부터 배우는 하나님의 말씀에 귀를 기울이고 순종하는 것이 참된 축복의 길임을 명심해야 합니다.

(3) 모든 왕들이 저마다의 실수들을 우리에게 보여줌으로써 이들도 우리들과 같은 평범한 사람들임을 보여주고 있습니다. 사실 위대하신 분은 하나님 한 분뿐이십니다. 그리스도 안에 있는 하나님의 사랑이 우리를 우리 되게 하시는 것입니다. 이들이 아무리 위대한 일을 했다 해도 그리스도를 통해서 행하신 하나님의 일의 그림자일 뿐입니다. 여호사밧에게서 배울 수 있듯이, 우리는 그저 하나님께서 우리를 통해 행하시는 일들을 구경만 할 뿐입니다. 그것이 신자로서의 우리 삶의 정체입니다.

에스라는 크게 두 단원으로 나눌 수 있습니다.

1. 스룹바벨의 인도 아래 바벨론에서 돌아온 포로귀환대(1-6장)

2. 에스라의 인도 아래 돌아온 2차 귀환대(7-10장)

이 중에서 우리는 오늘 에스라 전체를 통독하겠습니다.

● 1-2장: 고레스 왕의 칙령과 남겨진 자들의 귀환

● 3-4장: 성전 재건의 시작과 중단

● 5-6장: 성전 재건, 완공 그리고 봉헌

● 7-8장: 에스라가 이끈 2차 귀환

● 9-10장: 에스라의 부흥운동

〈주요 통독자료〉

1. 에스라의 저자, 에스라에 대하여

에스라는 요시야 왕의 부흥운동 때에 성전 보수 공사 중 잃어버렸던 모세오경을 발견한 힐기야의 후손입니다. 구약 시대에 제사장의 직임은 혈통을 따라 계승되었으므로, 에스라는 제사장이었지만 포로기간 중에는 제사장으로서 섬길 수가 없었습니다. 왜냐하면 바벨론에는 유대인들이 제사를 드릴 수 있는 성전이 없었기 때문입니다. 하지만 에스라는 그 포로기간을 하나님의 말씀을 공부하는 기간으로 삼았습니다. 에스라 7:6을 보면, 그가 포로귀환 당시에 이미 하나님의 말씀에 박사가 되어 있음을 보여주고 있습니다. 성경은 그를 "모세의 율법에 익숙한 학사"라고 부르고 있습니다. '학사'는 히브리어로 '싸파르'인데, 이 말은 KJV에서 "He was a ready scribe"라고 부르고 있습니다. 준비된 서기관이며 또한 학자였다는 것입니다.

우리가 신앙 생활을 하다 보면 에스라처럼 낮아짐을 경험해야 할 때가 있습니다. 손과 발이 꽁꽁 묶인 것처럼 무력감에 빠져들 때가 있는 것입니다. 바벨론 유수 기간의 에스라가 그런 상황이었습니다. 하지만 에스라는 결코 낙심하거나 하나님께 불평하거나 원망하는 것으로 시간과 힘을 낭비하지 않았습니다. 하나님께서 제사장으로 섬기는 일을 허락지 않으시니까 그는 말씀을 공부하는 기간으로 삼았습니다. 그리고 마침내 그는 한 사람의 준비된 학사가 된 것입니다. 이제 하나님은 그를 제사장뿐 아니라 말씀을 가르치는 자로, 그리고 유대인들에게 큰 부흥을 가져오는 부흥사로 사용하고자 하시는 것입니다. 얼마나 아름다운 일입니까? 우리도 하나님께서 행하시는 일에 유연하게 적응해 가는 법을 배워야 합니다. 에스라는 열심히 말씀을 배웠고, 이제 준비된 학사가 되었을 때 하나님께서 그에게 기회를 주십니다.

2. 에스라는 위대한 부흥사였고, 또한 개혁자였습니다.

그가 말씀을 읽을 때에 이미 부흥이 시작되었습니다.

우리는 느헤미야 8장에서 이 일을 읽을 수 있습니다.

우리는 여기에서 하나님이 기뻐하시는 예배의 참된 형태를 발견하게 됩니다. 이스라엘 백성들의 예배의 정점이 제사의 형식에서부터 하나님의 말씀의 선포로 바뀌어 가는 전환점을 보게 되는 것입니다. 이스라엘 백성들이 에스라가 단 위에 서서 말씀을 펼칠 때에 자리에서 일어선 것은 하나님의 말씀에 대한 존경심에서입니다. 특별히 백성들 앞에서 에스라는 하나님을 찬양했습니다. 그 찬양에 모든 백성들이 "아멘, 아멘" 응답하고 함께 여호와께 경배했습니다.

이어서 에스라가 말씀을 읽고 그 말씀을 해석하며 가르칠 때 백성들이 울기 시작했습니다. 성경에 자세히 예언된 말씀들이 성취된 것을 자기들 눈으로 볼 때에 그 감동으로 울고 있었을 것입니다. 이때 느헤미야의 말이 우리에게 큰 교훈이 됩니다.

"울지 말라, 근심하지 말라, 여호와를 기뻐하는 것이 너희의 힘이니라."

우리가 예배를 통해서 얻을 수 있는 가장 큰 힘은 바로 여호와를 기뻐하게 되는 것입니다. 여호와를 기뻐하는 것이 우리들로 하여금 이 세상을 살아가게 하는 힘입니다. 사탄과 싸워 이기게 하는 힘입니다. 이 에스라가 포로생활 중에 바벨론에서 회당을 만든 것입니다. 그래서 유대인들에게 말씀을 가르쳤습니다. 그는 성경공부를 통해서 부흥을 일으킨 최초의 인물입니다. 짐승을 잡아 드리던 제례 예식으로부터 하나님을 찬양하고, 말씀을 공부하는 것을 통해 예배하는 새로운 예배 프로그램을 만든 것이 바로 에스라인 것입니다. 그러니까 에스라는 성경과 교회의 역사에 크나큰 획을 그은 인물이라고 할 수 있습니다.

3. 에스라의 주제는 바로 '여호와의 말씀'(the Word of the Lord)입니다.

10장으로 되어 있는 이 작은 책에서 에스라는 10번이나 직접적으로 '여호와의 말씀'을 언급했습니다. 그 첫 번째 언급이 바로 에스라 1:1입니다. 그리고 3:2, 6:14, 18, 7:6, 10, 14, 9:4, 10:3, 5 등이 '여호와의 말씀'을 언급하고 있습니다. 에스라서에서 여호와의 말씀은 유대인들의 모든 생활 면에서 적용되고 있습니다. 종교적인 면, 사회적인 면, 경제적인 면, 정치적인 면… 그들은 하나님의 말씀 앞에서 떠는 사람들이었습니다. 우리들도 하나님의 말씀 앞에서 떠는 사람들이 되어야 합니다. 여기서 떤다는 것은 극한 존경과 사랑과 소중히 여김에 대한 표식일 것입니다.

4. 우리가 에스라서를 공부할 때 고레스라는 인물에 관한 이야기를 빼놓을 수 없을 것입니다.

하나님께서는 고레스라는 인물이 태어나기 약 200년 전에, 그러니까 사실상 고레스의 할머니도 태어나기 전에, 벌써 이사야 선지자를 통해서 그의 이름까지 직접적으로 거명하시면서 그의 출현을 예고하셨습니다. 최소한 4분의 1의 성경이 처음 기록될 당시에는 예언의 말씀으로 기록되었습니다. 그리고 그중의 많은 부분들이 이미 성취되었습니다. 에스라 1:1도 바로 그중의 하나입니다.

"바사 왕 고레스 원년에 여호와께서 예레미야의 입을 통하여 하신 말씀을 이루게 하시려고 바사 왕 고레스의 마음을 감동시키시매."

그런데 여기에서 우리는 포로시대 이후의 책들(Post Captivity Books)에서 발견되는 아주 중요한 교훈을 기억해야 합니다. 고레스의 포고령을 보게 되면 그는 "하늘의 신 여호와께서 세상 만국을 내게 주셨다"라고 고백합니다. 그러니까 그는 세계 열국을 통치하는 직분을 하나님께서 주셨다고 이해하고 있었던 것입니다.

오늘날 과연 이 세계의 지도자들 가운데서 특히 한국의 국회의원들이나 장관들이나 혹은 대통령이라도, 그들의 직책을 하나님께서 그들에게 주셨다고 알고 있는 정치인들이 과연 몇이나 될까 생각해 봅시다. 그들이 알든 모르든 그들은 하나님께로부터 위임받은 사람들입니다. 이것을 그들에게 부각시키는 일이 바로 우리 크리스천들에게 주어진 책임이라는 것을 잊지 말아야 합니다. 고레스가 하나님을 어떻게 부르고 있습니까? "하늘의 신, 여호와"입니다. 이 호칭은 에스라, 느헤미야, 그리고 다니엘 등 선지자들이 부르던 하나님에 대한 호칭이었습니다. 그러니까 고레스나 아닥사스다 같은 왕들은 바로 이 선지자들에게서 하나님을 배웠던 것입니다. 오늘 우리 크리스천들이 바로 믿지 않는 이들에게 하나님을 가르치는 사람들이 되어야 할 것입니다.

5. 마지막으로 포로 귀환의 순서를 눈여겨보아야 합니다.

느부갓네살이 유다 백성들을 포로로 잡아간 것은 모두 세 차례에 걸쳐서였습니다. 1차 포로는 주로 왕족들 혹은 귀족 출신의 젊은이들로 이들은 바벨론 본 성에 거주하면서 왕실 재정으로 왕의 측근에서 왕을 도울 인재들로 훈련되기 위하여 잡혀갔습니다. 바로 다니엘, 사드락, 메삭, 아벳느고 같은 인물들이 그들입니다.

2차 포로는 에스겔 선지자를 비롯해 그발강 같은 거대한 강에서 건설된 '왕의 운하'(the Royal Canal)의 토목공사 현장에서 강제노동을 착취당하기 위하여 끌려간 노동력들이었습니다. 그리고 3차 포로는 마지막으로 예루살렘 함락과 함께 거의 모든 남겨진 자들을 바벨론으로 옮겨간 사건이었습니다. 그런데 흥미로운 것은 포로생활을 마치고 돌아올 때도 크게 세 차례에 걸쳐서 돌아왔다는 것입니다.

1차 포로 귀환대가 바로 이 에스라 1-2장에 나오는 스룹바벨과 여호수아의 인도 아래 돌아왔습니다. 이들은 모두 4만9897명, 그러니까 5만 명이 채 못되는 소수의 그룹이었습니다. 그리고 에스라 7장에서 에스라의 인도 아래 돌아온 2차 귀환대의 숫자는 약 2000명이었습니다. 그러니까 이들을 모두 합쳐도 6만 명 미만이었습니다. 당시 페르시아 영토에 흩어져 살던 유대인들은 수백만에 달했을 것입니다. 그러니까 대부분이라고 해도 좋을 만한 숫자의 사람들이 페르시아에 남아있었음을 알 수 있습니다.

1차 귀환대의 사명은 성전의 재건이었습니다.

그러나 5만 명이 채 못되는 소수의 그룹으로는 일종의 돌산처럼 그들 앞에 버티고 서 있던 솔로몬 성전의 폐허를 치우는 일만으로도 벌써 지칠 수밖에 없었습니다. 게다가 주변의 종족들이 끊임없이 가져오는 유혹과 방해로 그들은 성전 재건을 포기하고 맙니다. 그러나 학개 선지자가 나와서 그들의 마음을 휘저어 놓습니다. 그들이 다시 재건 현장에 돌아왔을 때, 하나님께서는 페르시아의 왕의 국고를 여셔서 성전 재건을 완성하게 도와주셨습니다. 이 일은 학개를 통독할 때 다룰 것입니다. 그리고 2차 귀환대의 사명은 재건된 성전에서 예배를 회복하는 일이었습니다. 1차 귀환대가 성전을 재건하자, 레위 지파의 제사장들과 문지기들을 비롯한 성전 종사자들, 그리고 성가대원들로 이루어진 2차 귀환대가 돌아와 재건된 성전을 예배로 채우는 사명을 감당하게 됩니다.

제3차 포로 귀환대

느헤미야 1-13장

느헤미야는 크게 두 단원으로 나눌 수 있습니다.

1. 성벽의 재건(1-7장)

2. 부흥과 개혁(8-13장)

이 중에서 우리는 오늘 느헤미야 전체를 통독하겠습니다.

● 1장: 예루살렘의 남겨진 자들을 위한 느헤미야의 기도

● 2장: 느헤미야의 예루살렘 귀환

● 3장: 성벽과 문들의 재건

● 4-6장: 대적들에 대한 느헤미야의 반응

● 7장: 느헤미야의 백성들 등록

● 8장: 에스라가 주도한 수문 앞 집회

● 9-10장: 부흥, 그리고 그 결과

● 11-13장: 개혁, 또 다른 결과

〈주요 통독 자료〉

1. 느헤미야와 3차 귀환대

어제 에스라서를 통해서 우리는 유다 백성들이 바벨론으로 잡혀갈 때에 3차에 걸쳐 이송되었음을 나누었습니다. 그리고 예레미야의 예언처럼 70년이 지나자 고레스 왕의 칙령으로 유다 사람들 중에 예루살렘으로 돌아갈 마음이 있는 자들은 돌아가서 성전을 재건하고 왕과 왕자들을 위하여 기도하라고 하였습니다.

유다 백성들은 바벨론의 느부갓네살에 의하여 바벨론으로 옮겨졌습니다. 그 후에 느부갓네살의 손자 벨사살 왕 때에 바벨론이 메대, 파사 연합군에 의하여 패망하고, 메

대의 다리오 왕이 한때 권력을 장악했지만 후에 고레스 왕의 페르시아가 주도권을 장악함으로써 이제 페르시아에서 포로생활을 계속하던 상황인 것입니다. 그러나 고레스 왕의 칙령에 의하여 1차 귀환대가 스룹바벨과 여호수아의 인도 아래 돌아와 예루살렘 성전을 재건했고, 2차 귀환대가 에스라의 인도 아래 돌아와 재건된 성전을 예배로 채우기 시작했습니다. 그리고 우리는 오늘 느헤미야가 이끄는 제3차 귀환대가 예루살렘으로 돌아가는 것을 봅니다.

3차 귀환대의 주 임무는 성벽의 재건이었습니다. 먼저 성전이 재건되고, 둘째로 예배가 회복되고, 그 후에 성벽이 재건됩니다. 이것이 하나님께서 언제나 성도들을 축복하시는 순서입니다. 먼저 하나님과의 사귐이 회복된 후에 하나님께서 보호의 울타리가 되어 주심으로 우리의 삶을 복되게 하시는 것입니다.

2. 성벽과 성벽의 문들

느헤미야 3장에서 우리는 재건된 성벽에 있었던 열 개의 문들을 봅니다. 이 성벽과 성벽의 문들은 예수 그리스도를 영적으로 보여주는 그림입니다. 예수 그리스도는 성벽이십니다. 성벽을 사이에 두고 구원 안의 백성과 구원 밖의 백성들이 나뉘는 것입니다. 예수 그리스도 안에 있는가, 예수 그리스도 밖에 있는가 그것이 이 세상의 모든 사람을 나누는 유일한 경계입니다. 예수 그리스도만이 유일한 구원의 길이기 때문입니다(요 14:6; 행 4:12-13). 그래서 예루살렘 성벽에 빙 둘러가며 존재했던 열 개의 문들은 예수 그리스도와 함께 행하는 신자들의 삶의 성장 과정을 선명하게 보여주는 그림인 것입니다.

● 먼저 양문(the Sheep Gate)으로부터 시작이 됩니다.

이 양문은 제사에 쓸 양을 데리고 들어가는 문입니다. 복음서를 보면 예수님께서 예루살렘 성전을 들어가실 때에는 주로 이 양문을 사용하셨던 것 같습니다. 우리를 위하여 십자가 위에서 화목제의 제물이 되신 유월절 어린 양 예수 그리스도를 통해서만 우리가 구원을 얻을 수 있음을 보여줍니다. 다른 문들과는 달리, 이 양문의 경우는 문빗장과 문고리에 대한 언급이 없습니다. 그 말은 이 양문은 언제나 밀면 열릴 준비가 되어 있었다는 뜻입니다. 어린 양 예수님을 믿는 것은 어떤 제한도 없는 일입니다. 누구든지 믿을 준비가 되면 마음 문을 열고 예수님을 구주로 영접할 수 있는 것입니다.

●두 번째 문은 어문(the Fish Gate)입니다.

이는 구원 얻은 모든 신자들은 사람을 낚는 어부가 되어야 함을 보여줍니다.

●세 번째 문은 옛 문(the Old Gate)입니다.

이는 사람을 낚는 어부가 되려면 우리가 옛 교훈에 귀 기울여야 한다는 것을 보여줍니다. 옛 진리 가운데로 돌아가야만 우리는 사람을 낚는 어부가 되는 것입니다.

●네 번째 문은 골짜기 문(the Valley Gate)입니다.

이 문은 아주 낮은 곳에 위치하고 있고 문지방이 매우 낮아서 허리를 숙이지 않으면 지나갈 수 없었다고 합니다. 이는 우리가 옛 교훈에 귀 기울이고 순종하다 보면 우리가 겸손히 낮아지는 것을 보여줍니다.

빌립보서 2장에서 바울은 우리에게 예수 그리스도를 본받으라고 합니다. 예수님은 자기를 낮추시고, 자기를 비우시고, 복종하신 분입니다. 우리도 낮아져야 쓰임 받을 수 있습니다.

●다섯 번째는 분문(the Dung Gate)입니다.

이는 예루살렘의 재래식 화장실 통을 비워 가지고 성 밖으로 나가는 문입니다. 우리가 진정으로 낮아지려면 바울이 그랬던 것처럼 과거에 자랑하던 모든 것들을 배설물처럼 버려야 합니다. 바로 이 분문이 그것을 영적으로 보여주는 것입니다.

●여섯 번째 문은 샘 문(the Fountain Gate)입니다.

이 샘은 바로 성령께서 우리에게 부어주시는 기쁨을 말합니다. 우리가 지난 죄를 회개하고 우리의 모든 과거의 교만과 자랑들을 배설물처럼 버리면 우리들의 영혼에서 성령의 충만함과 기쁨의 샘이 솟게 되는 것입니다.

●일곱 번째 문은 수문(the Water Gate)입니다.

이 문은 바로 하나님의 말씀을 가리킵니다. 성경에서 물은 하나님의 말씀을 나타냅니다. 시편 1편의 시냇가에 심기운 나무도 역시 말씀에 깊이 뿌리 내린 신자의 모습을 보여주는 것입니다. 수문이 일곱 번째 문이었다는 것을 기억하십시오. 7은 성경에서 완전함을 의미합니다. 말씀은 완전합니다. 다른 문들은 전부 '수리했다'는 기사가 있지만 수문은 '수리했다'는 설명이 없습니다. 보수공사가 필요 없었던 문, 그것이 바로 수문입니다. 하나님의 말씀은 보수공사가 필요하지 않습니다. 말씀은 처음 쓰인 그대로 지금까지 보존됩니다. 증보개정판 같은 것이 있을 필요가 없습니다. 왜냐하면 변화가 필요 없는 진리이기 때문입니다.

이렇게 수문에서 하나님의 말씀을 열심히 공부합시다.

● 여덟 번째 문은 마문(the Horse Gate)입니다.

이는 영적 전쟁을 의미하는 문입니다. 우리가 말씀으로 무장했으면 예수 그리스도의 좋은 군사로 영적 전쟁에 나서야 하는 것입니다. 신자의 삶은 눈에 보이지 않는 치열한 영적 싸움터이기 때문입니다.

이렇게 영적 전쟁을 열심히 싸웁니다.

● 아홉 번째 문은 동문(the East Gate)입니다.

이는 바로 예수님의 재림을 보여주고 있는 문입니다. 에스겔은 여호와의 영광의 임재가 성전에서 떠올라 성전 동편을 향한 문을 지나고, 예루살렘 동문을 지나서 감람산에서 하늘로 올라가는 모습을 보았습니다.

그리고 다시 에스겔은 이 임재의 영광이 예루살렘 동문으로 들어오셔서 예루살렘 성전에 좌정하시는 것을 보았습니다. 이 동문은 예수님의 재림을 의미하는 문입니다. 우리가 하나님의 말씀으로 무장하여 열심히 싸우다 보면, 우리 예수님의 재림을 맞이하게 되는 것입니다.

● 그리고 마지막으로 열 번째 문은 함밉갓문(the Gate of Mipcad)입니다. 이는 히브리어의 밉갓(Mustering: 군대에서 사령관 앞에 모든 병사들이 무장하고 집결하는 것)에서 유래된 것입니다. 예수님의 재림이 있고 난 후에는 이 세상에 살았던 모든 영혼들이 우리 주님의 백보좌 심판대 앞에 불려나가 재판을 받게 되는 것입니다. 우리 믿는 신자들은 이 심판에 나가지 않습니다. 대신 우리는 고린도전서 3장이 말한 상급 주시는 심판대(the Bema Seat)에 나아가게 됩니다. 우리는 믿음 안에서 행한 대로 상급을 받기 위하여 그 심판대에 나아가는 것입니다. 할렐루야!

3. 낫 놓고 기억자도 몰랐던 사람들

제가 흥미롭게 생각하는 것은, 구약 성경에서 이미 하나님은 오실 메시아 예수 그리스도에 대하여, 그를 믿는 성도들이 삶에서 경험하게 될 놀라운 영적 성숙의 과정들에 대하여 이렇게 선명한 그림을 주셨다는 것입니다. 그러나 유대인들은 이 놀라운 이름들이 담긴 문들을 매일 드나들면서도 그 의미를 몰랐다는 것입니다.

얼마나 놀라운 일입니까? 성령께서 깨닫게 해주지 않으시면 아무도 깨닫지 못하는 것입니다. 지금 우리는 예수 그리스도 안에서 바로 이 놀라운 예루살렘 성벽의 문들, 즉 예수 그리스도와의 놀라운 경험을 하는 삶을 살아가야 하는 것입니다.

4. 한 손엔 망치를, 한 손엔 말씀을

성도들이 이 성벽과 문들을 재건하는 과정에서 도비야와 산발랏 같은 대적들의 공격과 미혹이 끊이지 않고 있었음을 우리는 눈여겨보아야 합니다. 그래서 느헤미야의 군대는 항상 한 손엔 망치나 공사용 도구를 들고 다른 한 손에는 검을 들고 일을 해야 했습니다. 우리는 그리스도인으로서 항상 한 손에는 하나님의 말씀인 성령의 검을 들고, 다른 한 손엔 은사의 도구들을 들고 영적 싸움을 싸우면서 우리에게 주어진 사명을 감당해야 하는 것입니다.

5. 아름다운 사역의 하모니

포로 시대 이후 하나님의 역사의 현장에선 항상 두 사람씩 짝을 지어 일하게 하셨다는 것도 흥미로운 부분 중 하나입니다. 하나님은 항상 평신도(정치적) 지도자와 영적 지도자를 묶어서 둘씩 짝을 지어 사용하셨습니다. 스룹바벨이라는 정치적(평신도) 지도자와 여호수아라는 제사장(영적 지도자)을 짝을 지어 사용하셨고, 느헤미야라는 정치적(평신도) 지도자와 에스라(학사 겸 제사장)라는 영적 지도자를 짝을 지어 사용하신 것입니다.

우리의 사역의 현장에도 항상 이런 아름다운 하모니가 있어야 합니다. 느헤미야는 성벽을 완공했고, 수문 앞 광장에 특별히 나무 강단을 지어 에스라를 세우고 하나님의 말씀을 가르치게 했습니다. 어제 에스라서에서 보았던 것처럼, 에스라는 순수한 말씀의 가르침을 통하여 큰 부흥을 일으켰던 하나님의 종이었습니다. 에스라와 느헤미야의 하모니, 이런 하모니가 여러분의 교회와 사역의 현장에서 늘 나타나기를 축복합니다.

에스더는 크게 세 단원으로 나눌 수 있습니다.

1. 무대의 설정(1-4장)

2. 수산 궁의 잠 못 이루는 밤(5-7장)

3. 부림절의 기원(8-10장)

이 중에서 우리는 오늘 에스더 전체를 통독하겠습니다.

- 1장: 와스디의 폐위

- 2장: 미스 페르시아, 에스더

- 3장: 하만과 반 셈족 감정

- 4장: 죽으면 죽으리라

- 5장: 에스더의 잔치

- 6장: 수산궁의 잠 못 이루는 밤

- 7장: 저 악한 하만이니이다

- 8장: 왕의 명령 반포

- 9-10장: 부림절의 시작

〈주요 통독 자료〉

1. 에스더, 섭리의 책

에스더서는 여러 가지 면에서 흥미로운 책입니다. 성경에 있는 책 중에 유일하게 하나님에 대한 직접적인 언급이 전혀 없는 유일한 책입니다. 이 책에는 하나님의 이름이 한 번도 등장하지 않습니다. 그러나 이 책의 어느 페이지에도 하나님의 손길이 나타나지 않는 곳이 없습니다. 이 책은 바로 역사 가운데 전혀 보이지 않으시지만, 역사의 어느 순간도 하나님의 간섭하심이 없는 때가 없다는 것을 보여주고 있습니다. 그래서 이 책은 바로 섭리의 책(the Book of Providence)입니다. 이 책을 읽으면서 우리 모두의 삶에도 눈에 보이지 않지만 우리를 사랑하시는 하나님의 섭리의 손길이 늘 함께하신다는 믿음을 갖게 되기를 간절히 바랍니다.

에스더서는 성경에 여성의 이름으로 이름 지어진 두 권의 책(룻기와 에스더) 중 하나로 저자가 누구인지 전혀 알려지지 않았습니다. 다만 모르드개가 이 책을 썼을 것이라는 추론이 있을 뿐입니다.

2. 무대의 설정(1-4장)

우리는 에스라와 느헤미야를 읽으면서 이미 고레스 왕의 칙령으로 페르시아에 있던 약 5만 명의 유대인들이 예루살렘으로 돌아가 성전을 재건하고, 그 후에 2000명의 제사장 그룹과 성전 종사자들이 돌아와 예배의 회복을 가져왔고, 그 후에 느헤미야가 이끄는 3차 귀환대가 돌아와 성벽과 성벽의 문들을 재건한 것을 읽었습니다.

에스더서는 아직도 페르시아에 남아있던 유대인들에게 벌어진 사건을 다루고 있는 책입니다. 에스더에 나오는 아하수에로는 사람의 이름이 아니라, 페르시아 왕의 직함입니다. 애굽의 바로처럼 본명은 따로 있고 '왕'을 일컫는 호칭으로 '아하수에로'라는 이름이 쓰였던 것입니다.

에스더 시대의 아하수에로는 역사책에서 읽을 수 있는 저 유명한 '크세르크세스'입니다. 그는 아주 호전적인 인물로 전쟁을 굉장히 즐겼고, 아주 많은 나라들을 정복해 큰 영토를 확장시켰던 인물로, 그의 통치 아래에서 페르시아는 아시아의 인도에서부터 아프리카의 에티오피아(구스)까지 전 세계의 127개 지역에 영토를 확장하고 있었습니다. 그 127개 지역에 유대인들이 흩어져 살고 있었던 것입니다.

이 호전적인 크세르크세스는 헬라제국과의 전쟁을 준비하기 위하여 백성들의 민심을 얻으려고 장장 180일간의 잔치를 열었습니다. 그 잔치가 끝나자 이번에는 수산궁의 백성들을 위한 잔치를 다시 7일 동안 열었습니다. 그리고 왕후 와스디도 후원에서 여성들을 위한 잔치를 7일 동안 열었습니다. 주연이 한참 고조될 무렵 왕은 왕비를 잔치에 나오도록 명령했습니다.

와스디는 왕비인 자신을 마치 술집 호스티스처럼 주연의 흥을 돋우는 데 사용하려는 왕의 기괴한 행동에 화가 나서 왕의 명령을 거역하고, 이 일로 인하여 괴팍한 성격의 소유자인 크세르크세스는 와스디 왕후를 폐위시켜 버립니다. 그리고 헬라제국과의 원정에 올랐던 크세르크세스는 이 전쟁에서 쓰라린 패배를 겪고 돌아오게 됩니다.

일정 시간 동안 괴로움에 빠져있던 왕은 갑자기 폐위시켰던 왕후 와스디가 생각이 납니다. 이때 왕의 측근에 있던 신하들은, 폐위된 왕후를 다시 찾는 것은 페르시아의 왕 아하수에로의 위신에 저해가 되므로 미인대회를 열어 새로 왕비를 뽑는 것이 좋겠다는 제안을 합니다. 그래서 페르시아의 127개 지역에 방을 붙여 미인대회를 열었는데, 우리가 아는 대로 에스더가 왕비에 발탁이 됩니다. 여기서 흥미로운 것은 에스더의 사촌 오라비인 모르드개가 굉장히 유대적 사고와 자존심으로 뭉쳐 있는 인물이었는데, 어떻게 마음이 움직여서 그가 딸처럼 자기 손으로 길렀던 에스더를 이 기괴하고 괴팍하기 이를 데 없는 크세르크세르 왕의 왕비를 뽑는 미인대회에 내보낼 생각을 했는지가 매우 의아한 일입니다. 2장 6절에서 모르드개가 페르시아로 옮겨진 것이 바벨론의 느부갓네살 왕이 유다 왕 여고니아를 생포해 갈 때의 일이라는 것을 감안할 때, 이때 모르드개는 이미 최소한 80세가 넘어 있었다는 것을 알 수 있습니다. 만약 일이 잘못되어 에스더가 왕후로 발탁되지 않는다면, 에스더는 이 이방 왕의 눈에도 평생 띄지 못하는 불행한 후첩으로 평생을 보내야 하는 것입니다. 그것은 율법에도 위배됩니다. 그런데도 모르드개는 이 일을 행했습니다.

어떻든 에스더가 왕비가 되고, 대단한 잔치가 열렸습니다.

그러나 아하수에로는 에스더를 바로 잊어버리고 4개월 동안 그녀를 한 번도 찾지 않습니다. 크세르크세스는 그런 사람이었습니다. 그러는 와중에 모르드개가 궁궐 문을 지키던 중에 왕의 모살 계획을 가진 신하들의 계획을 엿듣고 에스더에게 알림으로써 왕의 생명을 구하는 엄청난 사건이 있었습니다. 하지만 이 괴팍한 왕은 이런 일에 대해서 상급도 하나 주지 않고 잊어버리고 맙니다.

여기에 설상가상으로 수산궁에서 하만이라는 자가 제2의 실력자로 일어나게 되는데, 그는 과거 사무엘상 15장에서 사울 왕이 하나님의 명령을 어기고 살려둔 아말렉 왕 아각의 후손으로 모르드개를 지독히 미워해서 그의 동족인 히브리 민족을 페르시아 땅에서 쓸어버리는 것이 그의 삶의 목표가 됩니다. 그래서 하만은 점쟁이를 불러서 히브리 민족을 학살할 날짜를 제비를 뽑아 얻게 되는데 12월에 제비가 뽑혔습니다. 여기서부터 하나님의 개입하심이 나타나기 시작합니다. 이때가 정월이었는데, 만약 바로 다음달로 날짜가 뽑혔다면 히브리인들은 어떻게 손을 쓸 겨를도 없이 학살을 당할 것이었습니다. 그러나 일단 거의 1년 가까운 시간을 얻은 것입니다.

3. 수산궁의 잠 못 이루는 밤(5-8장)

여기까지 에스더와 히브리인들에게 너무나 좋지 않게 돌아가던 역사적인 사건들이 극적 반전을 이루는 것을 보게 됩니다. 전혀 보이지 않지만 하나님의 손길이 역사의 모든 사건들을 돌리고 계시다는 것을 보여줍니다. 다급하게 된 모르드개는 에스더에게 왕궁의 계율을 깨뜨리고 왕에게 나아가 히브리인들을 위하여 중보하라고 전갈을 보냅니다. 페르시아 왕궁의 법칙을 들어 불가능하다고 했지만, 결국은 승복하고 에스더가 금식하고 왕에게 나아가겠다고 전갈을 보내며, 온 히브리인들도 함께 금식하며 중보해 달라고 요청합니다. 사흘 동안 금식을 하고 창백한 얼굴로 왕 앞에 에스더가 나타납니다. 에스더의 존재에 대해 까맣게 잊고 있던 왕의 눈이 에스더의 금식 후의 창백하고 예쁜 얼굴에 닿는 순간 왕은 마음을 빼앗겨 버렸습니다.

"대체 무슨 소원이 있기에 목숨을 걸고 내게 나아왔느냐? 말하라. 나라의 절반이라도 주겠노라."

하지만 에스더는 말하지 않습니다. 다만 자신이 잔치를 열겠는데 오셔서 즐겨 달라고 합니다. 대신 올 때에 하만을 꼭 데려오라는 것이었습니다. 왕은 하만과 함께 에스더의 잔치에 갑니다. 하만은 영문도 모르고 자신이 왕후에게까지 총애를 받고 있다는 착각에 좋아서 어쩔 줄 모릅니다. 잔치가 모두 끝나고 왕은 마음이 달아올라 어쩔 줄 모릅니다.

"대체 소원이 뭐냐?"고 묻는 왕에게 에스더는 "내일은 대답해 드리겠습니다"라며 내일도 한 번 더 하만과 함께 잔치에 와 달라고 요청을 합니다.

하만이 기분이 최고로 고조되어 돌아오는 길에 모르드개를 만났는데, 여전히 모르드개는 하만에게 경의를 표하지 않습니다. 기고만장한 하만은 집에 돌아가 화가 나서 안절부절합니다. 왕비에게까지 총애를 받는 자신을 몰라보는 모르드개를 죽이기 전에는 직성이 풀리지 않을 것 같았습니다. 한편 에스더의 미모와 사랑의 잔치에 한껏 들뜬 아하수에로는 왕궁에 돌아왔지만 좀처럼 잠에 빠지지 못합니다. 그러다가 이 괴팍한 왕이 문밖에 대기하는 내시를 부릅니다. 왕궁 서고에 가서 역사책을 아무거나 하나 뽑아오라고 시킨 것입니다. 흥미로운 일 아닙니까? 왕정시대에 왕이 잠을 이루지 못하는데, 그가 잠들기 위해 할 수 있는 일은 얼마든지 있습니다. 궁녀들을 모두 깨워 갑자기 잔치를 열자고도 할 수 있고, 뭐 별일을 다 할 수 있을텐데 하필이면 잠 못 이루는 밤에 선택한 일이 역사책을 읽어달라니요.

아무튼 이 내시는 서고로 달려갔습니다. 페르시아 정도 되는 대국의 역사책을 보관하고 있는 서고엔 두루마리가 수천 권 쌓여있었을 것입니다. 그중에 아무거나 하나 뽑아들고 달려온 것입니다. 그런데 하필이면 그 두루마리가 예전 모르드개가 왕을 모살하려던 반역죄인들을 발각해서 왕의 목숨을 살려준 사건을 담은 역사책이었던 것입니다. 내시가 그 부분을 읽는데, 왕이 벌떡 일어나서 말합니다.

"내가 그 신하에게 무슨 상을 내렸던고?"

"아무것도 내리지 않은 줄로 아뢰오!"

왕이 벌떡 일어나 "밖에 누가 있느냐"고 묻습니다. 바로 이때 하만이 장대를 마련해 놓고 모르드개를 목매달기 위한 재가를 받으려고 왕에게 오고 있는 중이었습니다. 그것도 한밤 중에 말입니다. 모든 것이 우연의 연결고리처럼 보이지 않습니까? 우연치고는 너무나 기가 막힙니다.

"예, 하만이 있나이다."

왕은 반색을 하며 어서 들어오라고 합니다. 그리고는 하만에게 묻습니다.

"내가 수산궁에서 제일 높이고자 하는 자가 있다. 그에게 내가 무엇을 해주면 좋겠는고?"

하만은 필경 그가 자신일 것이라고 김칫국을 마십니다. 그래서 하만은 최대한 좋은 것을 왕에게 말합니다.

"왕이여, 왕께서 수산궁에서 제일 높이고자 하는 자가 있다면, 그에게 왕의 면류관을 씌우고, 왕의 조복을 입히고, 왕이 최고로 아끼시는 준마에 태우고, 왕이 가장 신임하는 신하에게 고삐를 잡게 하고 온종일 수산궁을 돌면서 '아하수에로가 높이고자 하는 자에게는 이같이 할지라'라고 외치게 하소서."

왕이 하만에게 명령합니다.

"내일 아침 날이 밝는 대로 너는 모르드개를 데려다가 네가 말한 대로 하되 고삐는 네가 잡거라."

이게 웬일입니까?

다음날 온종일 하만은 모르드개를 왕의 준마에 태우고 수산궁을 돌면서 모르드개를 높였습니다. 화가 머리 꼭대기까지 치밀어 오른 하만은 저녁에 왕과 함께 다시 에스더의 잔치에 나아갑니다. 둘째 날 잔치로 기분이 너무나 좋아진 왕이 에스더에게 다시 말합니다.

"소원이 무엇이냐? 나라의 절반이라도 주겠노라. 어서 말하라."

이때 에스더가 말합니다.

"왕의 나라에 소녀와 소녀의 민족 전부를 한날한시에 목매달아 죽이려는 자가 있나이다."

왕은 깜짝 놀라 노발대발하며 외칩니다.

"뭣이라? 그게 대체 누구냐? 누가 감히 그런 짓을 한단 말이냐?"

그때 에스더가 하만을 가리키며 말합니다.

"저 악한 하만이니이다."

이 구절을 구성하는 히브리어 단어의 알파벳이 지닌 숫자를 모두 합치면 흥미롭게도 666이란 숫자를 얻을 수 있습니다.

여기에서 하만은 바로 사탄의 상징인 것입니다. 아무튼 가장 놀란 것은 하만일 것입니다. 그는 에스더가 히브리인이라는 것을 전혀 몰랐기 때문입니다. 왕이 너무나 화가 나서 문을 박차고 나갑니다. 왕이 나가자 하만이 즉시 에스더에게 다가와 무릎에 엎드려 살려 달라고 애원을 합니다. 그 순간 왕이 다시 돌아옵니다. 왕은 에스더를 겁탈하려는 것으로 보았습니다.

결국 하만은 끌려나가 자기가 모르드개를 매달기 위하여 준비한 장대 끝에 목매달려 죽임을 당합니다. 그리고 아하수에로는 자신의 이전 명령보다 더 권세가 있는 명령을 새로 선포합니다. 히브리인들을 살려줄 뿐 아니라, 히브리인들을 괴롭히는 자들은 집의 대들보를 뽑아버리라는 것입니다. 완전한 반전이 이루어졌습니다.

4. 부림절의 시작(9-10장)

하만이 제비를 뽑아 얻었던 히브리인들을 죽이려던 날짜는 결국 하만을 추종하던 자들을 모두 죽이는 날이 되고 히브리인들은 생명을 구하는 날이 되었습니다. 여기서 제비가 바로 히브리어로 '부르'이며, '부르'의 복수형태가 '부림'입니다. 바로 이것이 '부림절'이라는 히브리인들의 새로운 명절의 기원이 된 것입니다.

5. 섭리하시는 하나님

따지고 보면 에스더서는 하나님이 한 번도 언급되지 않지만, 기막힌 우연의 연결고리를 붙잡고 역사의 수레바퀴를 돌리시는 분이 바로 하나님이시라는 것을 선명하게 보여줍니다.

어떻게 모르드개가 에스더를 왕비가 되게 했을까요? 어떻게 왕을 모살하려는 계획을 하필 모르드개가 발견하고 에스더를 통해서 왕의 목숨을 구하게 되었을까요? 처음에 왕이 아무런 포상도 하지 않았을 때 모르드개는 얼마나 서운했을까요? 하지만 그때 상을 주었다면 이야기는 달라졌을 것입니다.

왕이 잠 못 이루던 밤에 어쩌면 역사책을 읽을 생각을 했을까요? 왕궁서고에 있는 그 많은 두루마리 중에서 하필이면 모르드개의 선행을 담은 두루마리가 뽑혔을까요? 왕이 모르드개에게 상급을 내릴 생각을 할 때에 하필이면 하만이 왕에게 올게 됩니까? 하만이 에스더의 무릎에 엎드렸을 때에 하필 왕이 돌아올 게 됩니까?

어느 것 하나도 놀랍지 않은 일이 없습니다. 오늘 우리의 삶에 어떤 상황이 전개되고 있을지라도, 하나님께서 혹시 우리를 잊고 계신 것처럼 우리의 삶에 아픔이 있을지라도 잊지 마십시오. 하나님은 섭리의 하나님이시며, 살아 계신 하나님이시며, 모든 것을 합력해서 우리에게 선을 이루어 주시는 분이라는 것을 말입니다.

"오늘은 역사서 통독에서 다 읽지 못하신 부분을 마저 읽으시고 하루 쉬면서 지난 역사서의 통독에서 배웠던 것들을 복습하시기 바랍니다.

1. 역사서는 모두 몇 권인가요? 각 책의 이름을 순서대로 나열해 보세요.

2. 여호수아가 요단을 건너 가나안에 들어갔을 때 여호수아는 먼저 중부지방을 공격했습니다. 가나안 중부 지방에서 여호수아가 싸워야 했던 세 가지 대적을 쓰시고 그 대적들이 가진 영적인 의미들을 설명하시오.

3. 사사기에 나타난 사사들의 이름을 순서대로 나열해 보십시오.

4. 룻기에서 룻의 친족구원자가 되었던 엘리멜렉의 친족의 이름은 무엇이며 무슨 뜻입니까?

5. 기생 라합으로부터 다윗까지의 계보를 설명해 보세요.

6. 사무엘상을 대표하는 세 사람의 인물과 각자가 어떤 사람이었는지 말해 보세요.

7. 솔로몬의 뒤에 왕이 된 솔로몬의 아들과 솔로몬 때에 애굽에 망명 갔다가 솔로몬이 죽은 후 돌아와서 북쪽의 열 지파를 나누어 북왕조 이스라엘을 세운 사람은 누구입니까?

8. 엘리야가 보인 기적들을 아는 대로 써 보세요.

9. 남쪽 유다의 왕들 중 하나님께 칭찬을 들은 선한 왕들을 아는 대로 기록해 보세요.

10. 웃시야 왕으로부터 히스기야 왕 때까지 선지자로 쓰임 받은 사람은 누구입니까?

11. 열왕기와 역대기는 둘 다 왕국의 역사를 다루고 있지만 관점에 중요한 차이점이 있습니다. 그 차이점을 이야기해 보세요.

12. 요시야 왕 때에 남쪽 유다의 성전재건과 부흥운동을 주도했던 제사장의 이름은 무엇입니까?

13. 유대인들이 예루살렘으로 돌아가도 좋다는 포고령을 내린 페르시아의 왕은 누구입니까?

14. 유다는 포로로 끌려갈 때도 세 차례에 나뉘어 끌려갔고, 귀환할 때도 세 차례에 나뉘어 돌아왔습니다. 각각의 지도자와 그 귀환대의 주된 사명은 무엇이었는지 써보세요.
    - 1차 귀환대: (지도자)   (주된 사명)
    - 2차 귀환대: (지도자)   (주된 사명)
    - 3차 귀환대: (지도자)   (주된 사명)

15. 느헤미야 3장에 나타난 예루살렘 성벽의 열 개의 문들에 대해 써보세요.

16. 에스더의 주제는 무엇입니까? 에스더서에서 새로 생긴 유대인들의 명절은 무엇입니까? 간단히 설명해 보세요.

욥기는 크게 세 단원으로 나눌 수 있습니다.

1. 하늘의 광경과 땅의 일들(1-2장)

2. 대화(3-41장)

3. 욥의 갑절의 축복(42장)

이 중에서 우리는 오늘 욥기 1-14장까지 통독하겠습니다.

● 장면 #1: 우스 땅 – 욥의 부와 의로움(1:1-5)

● 장면 #2: 하늘 – 하나님과 욥 사이를 이간하려는 사탄(1:6-12)

● 장면 #3: 우스 땅 – 욥의 자녀와 부에 대한 상실(1:13-22)

● 장면 #4: 하늘 – 하나님과 사탄(2:1-6)

● 장면 #5: 우스 땅 – 욥의 건강 상실, 욥의 부인

● 장면 #6: 티끌과 재 가운데에서 – 2:11-37:24

　(1) 친구들의 오해를 받기 시작하는 욥(2:11-18)

　(2) 욥과 엘리바스, 빌닷, 소발의 논쟁(3:1-32:1)

　(3) 욥과 엘리후(32:2-37:24)

● 장면 #7: 여호와 하나님과 욥(38:1-42:6)

● 장면 #8: 우스 땅 – 욥이 갑절의 축복을 받다(42:7-17)

〈주요 통독 자료〉

1. 욥기에 대한 개요

욥기는 성경 가운데 가장 오래된 책입니다. 욥기의 배경은 창세기의 족장시대입니다. 우선 욥기에서 '이스라엘'이라는 국가의 명칭이나 혹은 이스라엘의 국가적 정황들

에 대한 것이 한 번도 언급되지 않습니다. 또한 모세의 율법에 대한 언급도 전혀 없습니다. 그것은 이 책이 이스라엘이라는 국가가 탄생한 출애굽기 이전의 일을 담고 있는 책이며, 모세의 율법이 선포되기 이전의 일을 담고 있는 책이라는 것을 보여줍니다.

또한 이 책에서 욥은 그 가정 안에서 제사장의 직무를 수행하고 있습니다. 그것은 욥이 족장시대의 인물임을 보여줍니다. 아브라함, 야곱, 이삭이 그랬던 것처럼, 족장 시대는 한 가족의 가장이 제사장으로서의 역할을 수행했던 것입니다.

또한 이 책의 마지막 장에 나오는 욥의 수명이 그가 고난 받은 후에 140년을 더 살면서 4대를 보고 죽었다고 되어 있는데, 그것이 수한이 차서 죽은 것이라 말하고 있다는 것입니다. 만약 욥이 고난을 받은 것이 50세 때였다면 욥은 190세를 살았다는 것입니다. 180-190세… 그것이 족장시대의 일반적인 수명이었습니다. 흥미로운 것은 데만 사람 엘리바스가 나오는데, 에서의 후손의 명단 가운데, 엘리바스와 데만이라는 이름이 나오는 것을 볼 수 있습니다. 그래서 어쩌면 욥은 야곱과 동시대의 인물이었을 가능성이 크다는 것입니다. 그래서 욥기는 성경에서 가장 오래된 책입니다. 사실 창세기는 모세가 출애굽의 과정에서 기록한 책이기 때문에 욥기보다 한참 후에 기록된 것입니다.

2. 시가서로서의 욥기

욥기는 성경의 분류에서 시가서의 첫 번째 책입니다. 이 부분이 매우 당혹스러울 수 있습니다. 욥기의 문학 형태를 어떻게 시로 분류할 수 있느냐는 것입니다. 여기서 우리는 히브리 문학에 있어서의 시 문학의 특성을 참조해야 합니다. 우리가 보통 시라고 하면 제일 먼저 떠올리는 것이 바로 '운율'(Rhyme)입니다. 대개 시는 리듬 혹은 어감의 운율을 가지고 있습니다. 하지만 히브리 문학에 있어서의 시는 아이디어의 운율을 중시합니다.

예를 들면, 시편 1편의 경우 '복 있는 사람'에 대한 아이디어와 '악인'에 대한 아이디어가 규칙적인 대조를 이루고 있습니다. 이것을 시적인 운율로 보는 것입니다. 욥기를 시가서로 분류하는 이유는, 하늘의 장면과 땅의 장면이 대조적으로 반복되고 있는 것을 시적 운율로 볼 수 있고, 욥과 엘리바스, 욥과 빌닷, 욥과 소발… 이렇게 돌아가면서 대화가 계속되는 것에서 욥에 대한 친구들의 비난과 그에 대한 욥의 항변… 이런 면에서 이 욥기를 시적 운율을 가진 책으로 보게 하는 것입니다.

3. 욥기의 주제는?

많은 경우 욥기의 주제는 의로운 욥이 시련을 받았지만 그 시련을 잘 참고 견딜 때에 "쨍~ 하고 해 뜰 날 돌아왔단다"라는 것이라고 생각합니다. 하지만 욥기의 주제는 그렇게 단순치가 않습니다. 욥은 인간적으로 거의 완벽해 보이는 인물이었습니다.

하나님께서도 "그 같은 자가 없다"고 사탄에게 자랑하실 만큼 그는 그 시대에 의로운 사람이었습니다. 그리고 그는 부자였습니다. 그리고 그의 부를 가지고 많은 선행을 행했던 사람입니다. 그런 욥이라도 자신의 의를 가지고는 하나님 앞에 설 수 없다는 것이 욥기의 주제입니다.

욥같이 완벽해 보이는 도덕적 의를 가진 사람이라도 하나님과 그 사람 사이에 서신 예수 그리스도라는 중보자가 필요하다는 것을 욥기가 보여주고 있는 것입니다. 욥기의 주제도 역시 예수 그리스도이십니다. 그것을 발견하는 것이 욥기에서 우리가 가장 관심을 가져야 할 부분입니다.

4. 문제의 발단

우리는 욥기 1-2장에서 욥의 삶에 느닷없는 시련이 닥쳐오는 것을 봅니다. 그런데 이 땅에서 욥에게 그 일들이 벌어지기 전에 하늘 나라에서 먼저 어떤 일들이 있었다는 것을 욥기가 보여주는 것입니다. 여기에서 우리는 몇 가지 중요한 사실을 배우게 됩니다.

첫째로, 천사들이 하나님 앞에 소집될 때, 사탄도 그 사이에 섞여서 하나님 앞에 보고를 해야 하는 존재라는 것입니다. 그리고 사탄이 무슨 일이라도 하려면 하나님께 허가를 받아야 한다는 영적인 아주 중요한 양상을 이 책이 우리에게 가르쳐 줍니다.

하나님의 허락을 받지 않고는 아무것도 할 수 없으며, 하나님께서 허락하신 한계 안에서만 사탄이 일할 수 있다는 것을 보여줍니다. 그러므로 하나님의 자녀들인 우리들에게 어떤 일이 벌어지더라도 하나님께서 허락하지 않으시면 아무 일도 벌어질 수 없다는 것을 욥기는 분명히 보여주고 있으며, 하나님께서 그의 자녀인 우리들에게 어떤 일이 벌어지도록 허락하셨다면 거기에는 분명히 하나님의 선하신 뜻이 있다는 것과, 우리에게 그것을 이길 만한 능력이 있다는 것을 동시에 보여주는 것입니다. 우리가 찬양하는 것처럼 "주께서 행하신 일 헤아리기 어렵더라도, 언제나 주 뜻 안에 내가 있음을 믿노라" 이것이 참으로 올바른 신앙고백인 것입니다.

5. 욥과 친구들의 갈등

욥기의 흥미로운 부분은 욥의 감정의 변화입니다.

1장에서 욥은 그 사랑하는 자녀들과 모든 재산을 잃었지만 흔들리지 않았습니다. "주신 자도 여호와시요 취하신 자도 여호와시니 여호와의 이름이 영광을 받으시리로다" 이렇게 찬양하면서 그는 입술로 여호와께 범죄하지 않았습니다. 멋진 신앙 아니겠습니까?

그리고 2장에서 욥은 그의 건강을 잃었습니다. 뿐만 아니라 그의 아내가 와서 "차라리 하나님을 저주하고 죽으라"는 독설을 남기고 떠났습니다. 이때까지만 해도 욥은 "그대의 말이 어리석은 여자 중 하나의 말과 같다"라는 의젓한 반응을 보일 수 있었습니다.

하지만 욥기 3장에 들어가 보면, 욥은 믿을 수 없을 만큼 바뀐 태도를 보이고 있습니다. 그는 자신을 잉태한 어머니의 태를 저주하는가 하면, 자기가 태어난 날이 사라져 버렸으면 좋았을 뻔했다고 한탄하고, 또한 자기를 받아준 산파의 손을 저주하기까지 합니다.

대체 2장과 3장 사이에 무슨 일이 있었던 것입니까? 우리는 그 사이에 욥의 친구들이 원방으로부터 와서 욥을 위로하려고 티끌과 재를 뒤집어쓰고 욥과 함께 앉아 일주일을 밤낮으로 함께 통곡하고 있는 모습을 봅니다. 여기에서 우리는 문제를 찾을 수 있는 것입니다. 욥을 바라보는 친구들의 마음속에 욥에 대한 의심이 싹트기 시작한 것입니다.

"우리는 욥이 대단한 의인인 줄 알았어. 그런데 어떻게 이런 일이 욥에게 벌어질 수 있단 말인가!"

"혹시 우리가 알지 못했던 욥의 숨겨진 죄악들이 있어서 저주를 받은 것은 아닌가?" 이런 생각들이 친구들 속에 싹트기 시작한 것입니다.

엘리바스는 욥을 "위선자"라고 불렀습니다. 빌닷은 욥을 "은밀한 죄인"이라 부릅니다. 소발은 욥을 "옛 사람의 교훈에 귀기울이지 않는 방자한 사람"으로 규정합니다. 욥은 일주일 동안을 친구들과 함께하면서 친구들의 점점 변해가는 표정을 읽은 것입니다. 그래서 3장에서 욥이 원망을 쏟아놓자, 기다렸다는 듯이 세 친구가 돌아가며 욥을 비난하기 시작한 것입니다.

이것이 사람입니다. 많은 경우 사람들이 우리 곁에 와서 우리를 위로한다고 하지만, 사실은 그들이 입히는 상처가 더 큰 경우가 얼마나 많습니까?

우리는 철저히 주님만 신뢰해야 합니다. 내일 계속되는 변론 속에서 좀 더 이야기하도록 하겠습니다.

욥기는 크게 세 단원으로 나눌 수 있습니다.

1. 하늘의 광경과 땅의 일들(1-2장)

2. 대화(3-41장)

3. 욥의 갑절의 축복(42장)

이 중에서 우리는 오늘 욥기 15-31장까지 통독하겠습니다.

- 15장: 엘리바스의 2차 변론

- 16-17장: 엘리바스에 대한 욥의 답변

- 18장: 빌닷의 2차 변론

- 19장: 빌닷에 대한 욥의 답변

- 20장: 소발의 2차 변론

- 21장: 욥의 답변

- 22장: 엘리바스의 3차 변론

- 23-24장: 욥의 답변

- 25장: 빌닷의 3차 변론

- 26-31장: 욥의 답변

〈주요 통독 자료〉

1. 욥과 친구들의 변론의 요지

우리는 욥기에서 고대인들의 싸움이 참으로 철학적이라는 것을 발견합니다. 아마 이 일이 현대 사회에서 일어났다면 벌써 한 차례 논쟁이 끝나기도 전에 주먹다짐이 오 가고, 온 몸이 상처투성이가 되어 끝나버렸지 않았을까요?

고대인들의 싸움은 상당히 철학적인 긴 논쟁으로 이어지고 있다는 것이 흥미롭습니다. 아무튼 욥의 친구들은 하나같이 같은 결론에 도달했습니다. 그들의 논지는 3단 논법에 의하여 정리될 수 있습니다.

- 대명제: 하나님은 죄 지은 자를 심판하시고, 고통스럽게 하신다.
- 소명제: 욥은 고통을 당하고 있다.
- 결론: 고로 욥은 죄인이다.

어제 통독자료에서도 말씀드렸습니다만 엘리바스는 계속 욥을 위선자라고 비난했고, 빌닷은 욥에게 숨겨진 죄가 있다고 추궁하고 있고, 소발은 욥이 거짓말쟁이라 비난합니다.

엘리바스는 일종의 경험주의자(Empiricist)였으며, 빌닷은 일종의 전통주의자(Traditionalist)였으며, 소발은 일종의 율법주의자(Legalist)입니다. 인간의 문제에 종교가 접근하는 세 가지 방식을 이 친구들이 대표로 보여주는 것입니다. 경험주의, 전통주의, 율법주의, 하지만 이런 종교적 접근이 오늘날의 교회와 신앙 체계를 망가뜨리고 있다는 것을 주목해야 합니다.

이렇게 친구들이 욥을 다그치자, 욥의 마음은 점차 억울함으로 들어차게 됩니다. 그래서 욥은 더욱 힘을 주어 자신의 의로움을 자랑하게 되는 것입니다. 만일 친구들의 변론처럼 자신이 죄를 지어서 이런 고통을 받는다면, 이 세상에는 자기보다 더 끔찍한 죄를 지은 사람들이 많은데 왜 나만 이런 고통을 받아야 하느냐는 것입니다. 억울함에 들어찬 욥이 항변합니다.

"하나님은 나처럼 사람이 아니신즉 내가 그에게 대답할 수 없으며 함께 들어가 재판을 할수도 없고 우리 사이에 손을 얹을 판결자도 없구나"(욥 9:32-33).

이것이 모든 인생들의 외침입니다. 여기 판결자라는 단어가 뉴킹제임스 성경에 보면 'Mediator: 중보자'라고 번역되어 있습니다. 이 억울하기 짝이 없는 인생들에게 하나님께로 나아갈 수 있도록 중재자가 되어줄 중보자의 필요성, 이것이 바로 모든 인생들의 외침인 것입니다.

2. 인간에게 진정한 탈출구가 있는가?

어제 우리의 통독 범위의 끝에 있었던 14장 14절에서 욥은 의미심장한 질문을 했습니다. 제가 우리 한글 성경의 번역에 불만을 가지고 있는 구절 중 하나가 여기에 있습니다.

"장정이라도 죽으면 어찌 다시 살리이까 나는 나의 모든 고난의 날 동안을 참으면서 풀려나기를 기다리겠나이다."

이 구절을 킹제임스 성경에서 보면 이렇게 번역되어 있습니다.

"If a man die, shall he live again? All the days of my appointed time will I wait, till my change come."

이 구절을 번역하면 이렇습니다.

"사람이 죽으면 다시 살아나리이까? 나의 변화가 올 때까지 나의 정해진 때의 모든 날들을 나는 기다리나이다."

뜻이 분명하지 않습니까? 욥은 자신의 삶을 이해할 수가 없었습니다.

"나는 왜 모든 것을 잃어야만 했는가?

왜 모든 재산을 잃어 버려야 했는가?

왜 모든 가족을 잃어 버려야 했는가?

왜 건강을 잃어 버려야 했는가?"

그래서 욥은 "정녕 이것이 삶의 전부란 말인가?"라는 의문을 가지고 있는 것입니다.

"겨우 이것을 위해서 내가 이 땅에 태어났단 말인가?"

"무덤은 결국 모든 것의 끝을 가져오는 것인가? 아니면 그 무덤 저편에도 삶이 있는 것인가? 혹시 다른 형태의, 다른 차원의 삶이 있는 것은 아닐까?"라는 생각을 하고 있는 것입니다. 분명히 욥은 아직 이 시점에서 죽음 이후의 삶에 대하여 확신을 가지고 있지는 못한 것이 사실입니다.

다만 욥은 "여인에게서 난 사람은 사는 날이 적고 괴로움이 가득할 뿐"이라고 결론 짓습니다. 욥은 그런 고뇌에 빠져 있는 것입니다. 지금까지 정말 올바르게 살아보려고 몸부림쳤는데, 의롭게 살려고 애썼는데 자신에게는 오직 고난뿐이고, 21장 1-16절까지의 말씀을 보면, 악인은 자신에게 주어진 날의 유예된 호황을 누리다가 느닷없이 음부에 떨어지지만, 자신은 그런 삶을 살지 않았다고 항변하고 있는 것입니다.

그런 욥에게 "너는 하나님과 화목하고 평안하라 그리하면 복이 네게 임하리라"는 엘리바스의 이 철딱서니 없는 변론은 욥을 더욱 미치게 만드는 것입니다. 욥은 지금까지 누구보다 하나님과 화목하게 살아왔습니다. 그러니 욥은 갈수록 억울하고 미칠 듯이 답답한 것입니다. 처음엔 욥을 위로하겠다고 욥에게 다가왔는데, 가면 갈수록 친구들은 욥을 더 괴롭게 합니다. 이것이 인간입니다. 우리의 진정한 위로는 오직 하나님께로부터만 옵니다. 욥이 친구들을 이렇게 부릅니다.

"너희는 다 재난을 주는 위로자들(Miserable comforters)이로구나"(욥 16:2)."

이 구절의 영어 번역인 Miserable comforters라는 말이 무섭습니다. '너희는 날 위로해 준다고 와놓고는 날 끔찍하게 만드는 위로자들이 되고 있다'는 말입니다. 입을 열 때마다 욥의 고통은 더욱 가중되는 것입니다.

3. 극에 달한 욥의 교만

욥의 친구들과의 변론은 욥을 점점 더 자극했고, 마침내 욥은 끝간 데 없는 교만을 보입니다. 욥기 29장을 읽고 또 읽어보십시오. 여기에서 점점 더 커지는 단어들이 있을 것입니다.

"내가, 나의, 나를, 나는…"

욥은 친구들에게 자신이 얼마나 의롭게 살았는지를 강조합니다. 마침내 29장은 I, My, Me, Mine Chapter라고 불리는 자기 퍼레이드로 귀결됩니다. 그는 젊은 날부터 하나님을 섬겼고, 하나님과 좋은 관계를 유지했으며, 그는 부요하여 모든 사람들에게 영향을 미치는 사람이었고, 그가 만지는 것마다 황금으로 변했습니다. 그는 갈대아에서 참으로 모범시민이었고, 젊은이로부터 노인들에 이르기까지 모든 이들에게 존경을 받았습니다.

그는 구제의 사람이었으며, 과부를 구제하기 위한 기금을 운영하고 있었고, 맹아학교의 이사였고, 장애자 복지 시설의 원장이기도 했습니다. 노숙자들을 위한 보호시설의 원장이기도 했고, 동시에 경찰청의 최고 후원자이기도 했습니다.

29장의 내용을 읽어보십시오. 욥은 마치 신데렐라처럼 살았습니다. 밤 12시 정각을 알리는 종이 울리자 그의 마차는 호박으로 변했고, 그의 아름다운 옷자락들은 모두 누더기가 되었습니다. 제가 직접 세어 본 바로는 29장에서 욥은 "나", "나의" 혹은 "나를"이라는 일인칭 대명사를 모두 39회 사용했습니다. 하지만 문장마다 주어를 덜 생략한 킹제임스 영어성경에서 29장을 보시면 I, My, Me, Mine이라는 단어가 모두 52회 언급됩니다. 그의 바닥에 감추어져 있었던 교만이 극단적으로 표출되고 있는 것입니다.

바로 이런 부분이 하나님께서 욥에게 고난을 허락하신 이유입니다. 사실상 욥은 인간적인 관점에서 볼 때, 이 세상의 어떤 사람보다 훌륭한 의인입니다. 하지만 그의 내면에 숨은 우월감과 교만을 하나님은 알고 계신 것입니다. 고난을 통해서 욥 자신이 자아를 제대로 발견하게 되는 것입니다.

4. 논쟁에서 승리한 욥, 그러나…

결국 친구들은 엘리바스와 빌닷이 세 차례, 소발이 두 차례 번갈아 가며 욥을 정죄하고 비난하며 욥을 항복시키려 했지만 고통만 안겨주고 실패하고 말았습니다.

욥이 26장에서 31장까지 장장 여섯 장에 걸친 마지막 여덟 번째 변론으로 세 친구들에게 답변을 하자, 소발은 이제 변론을 포기하고 욥이 대승을 거둔 것처럼 보입니다.

그러나 내일 우리가 읽게 되는 욥기의 마지막 통독 분량에서 욥은 복병을 만납니다. 이제껏 침묵하며 지켜만 보고 있었던 또 다른 인물 엘리후가 욥에게 변론을 하는 것입니다. 그의 변론을 통해서 욥은 단 한 마디도 대꾸를 할 수 없도록 무너져 버립니다. 그리곤 결국 이제까지 자신이 하나님에 대해서 알아왔던 것은 모두 귀로 듣기만 했던 것에 불과했다는 회개에 이르게 됩니다. 비로소 하나님을 눈으로 뵙게 되었다는 것입니다.

엘리후의 변론에서 우리는 욥기의 주제가 확실히 인간과 하나님 사이의 유일한 중보자이신 예수 그리스도이심을 발견하게 될 것입니다. 기대하십시오.

엘리후의 변론과 하나님의 개입

욥기 32-42장

욥기는 크게 세 단원으로 나눌 수 있습니다.

1. 하늘의 광경과 땅의 일들(1-2장)

2. 대화(3-41장)

3. 욥의 갑절의 축복(42장)

이 중에서 우리는 오늘 욥기 32-42장까지 통독하겠습니다.

● 32-37장: 엘리후의 변론

● 38-42장: 여호와 하나님과 욥

〈주요 통독 자료〉

1. 의기양양한 욥과 엘리후의 일격

26장에서 31장까지 이어졌던 욥의 마지막 변론에 친구들은 더 이상 아무 말도 하지 못했습니다. 이 상황을 32장 1절이 잘 묘사해주고 있습니다.

"욥이 자신을 의인으로 여기므로 그 세 사람이 말을 그치니…."

욥이 끝까지 자신의 의를 주장하니 이제 친구들은 아무 말도 할 수가 없었습니다. 이때 엘리후라는 인물이 등장합니다. 엘리후는 부스 사람이라고 소개되고 있습니다.

창세기에 보면 아브라함의 동생 나홀의 아들들의 명단 가운데 부스가 나옵니다. 엘리후는 분명 아랍사람이었을 것입니다. 어떤 사람은 엘리후는 욥의 친구가 아니라 욥과 친구들의 대화를 듣고 있었던 청중 가운데 하나라고 하는 사람도 있습니다.

어떻든 엘리후는 분노를 폭발시키고 있습니다.

그 이유는 두 가지입니다.

● 첫째는, 지금까지의 변론을 통해서 욥은 "하나님께서 뭔가 자신에게 실수를 하고

계시다"라는 논지를 펼쳤고, 그것은 자신이 하나님보다 의롭다는 주장으로 비쳤기 때문입니다.

●둘째는, 욥의 친구들이 올바른 변론으로 욥에게 정확한 답변은 주지 못하면서 다만 욥을 정죄하기만 했었던 것 때문입니다.

엘리후는 섣불리 나서는 성격이 아니었던 듯합니다.

그는 자기보다 연장자인 이들이 문제를 잘 해결해 줄 것이라고 믿었는데, 결국 아무 결론도 얻지 못하는 것을 보고 이제 자신이 나서고 있는 것입니다. 엘리후는 욥기 32:8에서 "사람의 속에는 영이 있고 전능자의 숨결이 사람에게 깨달음을 주신다"라고 말합니다. 여기에서 엘리후는 사람이 영적 존재이며, 성령의 감동이 있을 때에만 인생은 진정한 지혜를 얻게 된다고 말하고 있습니다.

욥의 친구들은 욥의 문제를 자신들의 지적 수준에서 해결하려고 했습니다. 그들에겐 성령의 능력이 없었던 것입니다. 엘리후는 정확히 문제를 지적하고 있습니다. 욥의 친구들은 오직 욥의 마음에 고통만 가중시켜 놓고, 자존심만 건드려 욥을 더 꼿꼿하게 해서 교만의 목을 들고 하나님께 대들게 만들었던 것입니다.

다윗은 "하나님께서 구하시는 제사는 상한 심령이라 하나님이여 상하고 통회하는 마음을 주께서 멸시하지 아니하시리이다"라고 말했습니다. 욥에게 지금 필요한 것은 바로 그것입니다. 그러나 친구들은 욥에게서 그것을 끌어내지 못했습니다. 욥의 친구들과 엘리후의 변론의 가장 큰 차이는 엘리후가 먼저 하나님을 높이고 있다는 것과, 또한 자신을 욥보다 더 우월한 존재로 내세우려 하지 않고, 자신도 욥과 똑같은 흙으로 지음받은 연약한 존재로서 욥의 고난을 이해한다는 설득으로 시작하는 것입니다.

33장 19-22절에 묘사된 인간의 고통과 아픔에 대한 묘사는 어쩌면 욥의 눈시울을 붉히게 만들었을 것입니다. 그러면서도 엘리후는 매우 단호했습니다. 오히려 친구들이 전혀 하지 못했던 말들까지 합니다. 엘리후는 욥의 교만을 철저히 부수어 주었고, 그가 아무리 의로워도 여호와 하나님 앞에서 의롭다 주장할 육체가 아무도 없다는 것을 욥에게 확인시켜 줍니다. 그러면서 욥이 고난을 더 받아야 한다는 무서운 말도 서슴없이 해버립니다. 하지만 욥은 엘리후에게 한 마디도 반박을 할 수가 없었습니다.

2. 엘리후의 변론의 핵심 : 중보자가 필요한 인간

엘리후의 변론의 핵심은 바로 욥기 33:23-28에 있습니다.

"만일 일천 천사 가운데 하나가 그 사람의 중보자로 함께 있어서 그의 정당함을 보일진대 하나님이 그 사람을 불쌍히 여기사 그를 건져서 구덩이에 내려가지 않게 하라 내가 대속물을 얻었다 하시리라 그런즉 그의 살이 청년보다 부드러워지며 젊음을 회복하리라 그는 하나님께 기도하므로 하나님이 은혜를 베푸사 그로 말미암아 기뻐 외치며 하나님의 얼굴을 보게 하시고 사람에게 그의 공의를 회복시키시느니라 그가 사람 앞에서 노래하여 이르기를 내가 범죄하여 옳은 것을 그르쳤으나 내게 무익하였구나 하나님이 내 영혼을 건지사 구덩이에 내려가지 않게 하셨으니 내 생명이 빛을 보겠구나 하리라."

얼마나 놀라운 구원의 복음입니까?

여기에서 "일천 천사 가운데 하나"는 "One among a thousand messenger"(일천 메신저들 중 한 분)입니다. 바로 예수 그리스도를 의미하는 것입니다. 예수님께서 이 불쌍한 죄인을 위한 중보자로 하나님과 이 사람 사이에서 십자가에 달려 돌아가실 때에, 하나님께서 바로 이 죄인을 위한 대속물을 받으셨으므로 이 사람을 구덩이(지옥)에 들어가지 않게 하라는 구속의 선포를 주시는 것입니다. 엘리후는 욥의 고난을 바로 그렇게 해석하고 있는 것입니다.

욥의 친구들은 욥이 숨겨진 죄를 짓고 있다고 단정했습니다. 그러나 욥은 자신이 그런 고통을 받아야 할 만큼 남다른 죄를 짓지 않았다고 항변합니다. 그것은 결국 하나님께서 실수를 하셨다는 의미가 되는 것입니다. 이것이 욥과 친구들이 만들어낸 결론입니다. 엘리후는 34장 10절에서 하나님께서는 결단코 악을 행치 아니하시고, 불의를 행치 않으신다고 말합니다. 그러면서 엘리후는 34장 36-37절에서 욥이 끝까지 시험 받기를 원한다고 하면서, 욥이 하나님을 거역하는 말을 많이 하고 있다고 지적합니다.

욥이 자신을 변호하는 일을 그만두고 오히려 하나님을 변호하고자 하는 마음을 가질 때까지 시련을 더 받았으면 좋겠다는 것입니다. 무서운 말씀이지만 이것이 욥을 사랑하는 엘리후의 진심일 것입니다.

3. 무너지는 욥

엘리후는 36장 24-25절에서 욥에게 "너는 하나님의 하신 일 찬송하기를 잊지 말라"고 말합니다. 주께서 행하시는 일을 우리가 다 헤아릴 수는 없지만, 우리는 하나님의 완전하심을 신뢰해야 합니다.

다만 우리가 죄인이라는 것과, 죄에는 반드시 형벌이 따른다는 것, 그리고 예수 그리스도께서 우리의 구주로 오셔서 십자가에서 우리 죄를 사하시기 위하여 죽으셨다는 것, 오늘 예수님을 자신의 구주로 믿기만 하면 구원을 받는다는 아주 간단한 몇 가지 진리가 확실하다면, 그 외의 것들은 바로 그 믿음 안에서 다 자리를 잡게 될 것입니다. 37장 21절의 엘리후의 변론이 참 매력적입니다.

"사람이 어떤 때는 궁창의 광명을 볼 수 없어도 바람이 지나가면 맑아지느니라."

엘리후 역시 욥의 문제에 대해 확실한 해답을 가지고 있지 못하다는 솔직한 답변입니다. 하지만 최소한 엘리후는 욥으로 하여금 오직 하나님만 믿음으로 바라보는 것이 유일한 해답임을 일깨워주기에 충분한 변론을 했습니다. 엘리후는 35장 10절에서 "하나님은 우리를 밤중에 노래하게 하시는 하나님"이시라고 노래했습니다. 이때까지 욥은 친구들과의 논쟁에서 한 치도 물러서지 않았습니다. 오히려 더 당당하게 친구들의 변론에 맞섰습니다.

그러나 엘리후가 말을 마쳤을 때 욥은 한 마디도 대답할 수가 없었습니다. 드디어 욥은 예수 그리스도의 중보 없이는 하나님 앞에 설 수조차 없는 죄인으로서의 자신을 알게 된 것입니다. 욥이 이렇게 무너져 내리자 드디어 하나님께서 직접 욥에게 입을 여십니다. 보십시오. 우리가 펄펄 살아있을 때에는 하나님께서 우리의 삶의 문제에 개입하실 수가 없는 것입니다.

우리가 무너질 때, 하나님께서는 우리의 문제 속에 발을 들여 놓으시는 것입니다. 하나님은 "무지한 말로 이치를 어둡게 하는 자가 누구냐"고 말씀하십니다.

"너는 대장부답게 허리를 묶고 내가 묻는 질문에 대답하라."

그리고 하나님께서는 욥이 전혀 대답할 수 없는 놀라운 질문들을 퍼부으십니다.

"내가 천지를 창조할 때에 너는 어디 있었느냐? 우주의 크기를 누가 정했는지 네가 아는

냐? 아무런 주초도 없는데 이 거대한 별 지구가 공중에 매달려 있는 원리를 네가 아느냐?"

욥은 지금으로부터 약 4000여 년 전에 살았던 인물입니다. 그가 이런 과학적 지식이 있었을 리 없지 않습니까? 해가 뜨고 지는 원리에 대해, 땅과 바다의 정확한 치수에 대해, 별자리들에 대해, 번개와 구름의 원리에 대해, 동물의 세계에 대해, 95개의 문항 속에 100가지가 넘는 질문들을 퍼부으시는데, 욥은 한 마디도 대답지 못합니다. 여기에서 욥은 완전히 무너져 버린 것입니다.

4. 욥의 고백, 그리고 갑절의 축복

욥기 42장은 하나님께 대한 욥의 항복선언문으로 시작이 됩니다. "무지한 말로 이치를 가리는 자가 누구냐?"고 물으셨던 하나님께 욥은 "무지한 말로 이치를 가리는 자가 누구입니까? 내가 스스로 깨달을 수 없는 일을 말하였고, 스스로 알 수 없고, 헤아리기 어려운 일을 말하였나이다"라며 이제껏 자신이 잘난 척하고 교만하게 말했던 것이 실로 무슨 뜻인지도 모르고 고백한 무지의 소치였음을 고백합니다.

드디어 욥은 "내가 주께 대하여 귀로 듣기만 했었는데 이제는 눈으로 주를 뵈옵나이다 그러므로 내가 스스로 한탄하며 티끌과 재 가운데서 회개합니다"라고 고백하기에 이르렀습니다.

여기에 이르자, 하나님께서는 이제부터 욥이 잃어버린 모든 것들을 다시 되돌려 주십니다. 그것도 갑절로 말입니다. 친구들 때문에 자존심이 상해서 친구들과 논쟁을 벌이던 욥은 이제 친구들을 용서해 주는 자리에 섰습니다. 친구들이 욥에게 용서를 구하도록 하나님께서 명령하셨기 때문입니다. 그리고 욥의 소유는 이전보다 꼭 두 배로 채워졌습니다.

저는 욥기를 읽으면서 생각합니다. 욥의 고난을 다루고 있는 장이 41장이나 됩니다. 그런데 욥의 축복에 대해서는 고작 마지막 한 장이 할애되고 있습니다. 하지만 단 한 장의 축복만으로도 욥은 지난 41장의 고통을 모두 잊었을 것입니다. 그것이 하나님의 사랑이고 축복입니다. 어쩌면 하나님은 욥기에서 욥이 받은 축복에 대해 전혀 강조하지 않으려고 작정하셨는지도 모릅니다. 이 세상도 욥처럼 고난을 받는 사람들이 있는데, 그들이 모두 욥처럼 갑절의 축복을 받는 것으로 끝나지는 않습니다. 어쩌면 고난과 역경 가운데 순교로 생을 마쳐야 하는 사람들도 허다하게 많을 것입니다. 그러니까 우리의 생이 이 땅에서 모두 보상을 받는 것은 아닐 수도 있다는 것입니다.

그러나 욥처럼 하나님을 완전히 아는 기쁨 가운데 선다면 그것이 바로 축복입니다. 분명히 욥은 당대 최고의 의인이었지만, 이 고난을 통해서 더욱 완전한 신자가 되었습니다. 하나님은 모든 것을 합력하여 선을 이루시는 분입니다. 인간적 관점에서 욥처럼 완벽해 보이는 의인이라도 예수 그리스도 없이는 누구도 하나님 앞에 설 수 없다는 것이 욥기의 최고의 주제입니다.

시편은 크게 다섯 권으로 나눌 수 있습니다.

제1권 창세기 시편집(1-41편)

복있는 사람에서, 타락한 사람으로, 그리고 회복으로… (사람을 주제로 한 시편들)

- 1편: 완전한 사람(마지막 아담)

- 2편: 반역적인 사람(타락한 사람)

- 3편: 완전한 사람이 거부됨

- 4편: 여자의 후손과 뱀의 싸움

- 5편: 대적들 가운데 있는 완전한 사람

- 6편: 징벌 받는 완전한 사람(발꿈치를 상함)

- 7편: 거짓 증인들 사이에 선 완전한 사람

- 8편: 사람의 치유가 사람을 통해 다가옴(머리를 상함)

- 9-15편: 대적과 적그리스도 전투 / 마지막 구원

- 16-41편: 그의 백성들 가운데 계신 그리스도께서 그들을 하나님께 구별하여 드림

제2권 출애굽기 시편집(42-72편)

파멸과 구속(이스라엘을 주제로 한 시편들)

- 42-49 편: 이스라엘의 파멸

- 50-60 편: 이스라엘의 구속자

- 61-72 편: 이스라엘의 구속

제3권 레위기 시편집(73-89편)

어두움(성전을 주제로 한 시편) 성막, 성전, 주의 집, 회중 등의 단어들이

거의 모든 시편에 등장함

제4권 민수기 시편집(90-106편)

재앙과 보호하심(땅을 주제로 한 시편들)

제5권 신명기 시편집(107-150편)

완전함, 그리고 하나님의 말씀을 주제로 한 찬양들

이 중에서 우리는 오늘 시편 1-21편까지 통독하겠습니다.

〈주요 통독 자료〉

1. 시편에 대하여…

시편은 쉽게 이야기해서 이스라엘의 찬송집입니다. 히브리 성경에서 시편의 제목은 '찬양들, 혹은 찬양의 책'이라는 의미를 갖습니다. 우리 성경의 제목은 70인역 헬라어 성경의 제목인 '프살모스'(psalmos)에서 왔습니다. 성전에서 사용되던 일종의 송북(Song Book)이라고 할 수 있을 것입니다. 많은 기자들이 시편들을 썼습니다.

"이스라엘의 노래 잘하는 자"로 일컬어지던 다윗이 73편을 썼습니다. 시편에서 작자 미상으로 된 2편과 95편이 각각 사도행전 4:25과 히브리서 4:7에서 다윗의 저작으로 인용되고 있는 것을 포함해서 그렇습니다.

물론 그 외에도 작자가 밝혀지지 않은 시편들 중 다수가 다윗의 저작일 가능성이 매우 큽니다. 그 외에 모세가 1편(90편)/솔로몬이 2편/고라자손들이 11편/아삽이 12편/헤만이 1편(88편)/에단이 1편(89편)/히스기야가 10편/작자미상이 39편(이중 다수가 다윗의 저작일 가능성이 매우 높습니다), 이렇게 해서 모두 150편의 시편들이 우리 성경의 시편에 수록되어 있습니다.

아마도 시편 50편과 150편이 시편의 열쇠가 되는 시편들일 것입니다. 시편 50편은 아삽의 시로 다른 모든 시편들보다 많이 인용되고 있고, 시편 150편은 다른 모든 시편들의 내용을 합했을 때 나올 수 있는 할렐루야 시편입니다.

시편의 열쇠가 되는 단어는 바로 '할렐루야'(Praise the Lord: 여호와를 찬양하라)입니다. 시편 150편은 여섯 절로 된 짧은 시편인데, 여기에 모두 13회나 할렐루야가 나옵니다. 시편 속에는 인간이 느낄 수 있는 모든 종류의 감정과 심리적 요인들이 등장합니다. 슬픔, 기쁨, 환희, 탄식, 아픔, 고통, 상실감, 감사….

어떤 학자는 시편 속에는 인간의 감정을 묘사하는 126가지의 느낌을 담고 있다고 말합니다. 어떻게 그런 숫자에 도달했는지 모르지만 아무튼 시편은 인간이 경험할 수 있는 모든 종류의 상황을 다루고 있고, 그런 모든 상황 속에서 우리의 신앙은 결국 하나님을 향한 찬양으로 승화될 수 있음을 보여줍니다. 예컨대 많은 다윗의 찬양들이 애통함과 갈망함, 말할 수 없는 절망의 부르짖음으로 시작이 됩니다. 하지만 그 모든 찬양들이 한결같이 환희에 들어찬 찬양으로 마무리 지어진다는 것입니다. 이것이 찬양의 힘이며, 또한 기도의 힘입니다.

2. 독립된 모든 시편들을 관통하는 일관된 주제: 예수 그리스도

시편은 성경의 다른 책들과는 달리 1장, 2장, 3장… 이렇게 이어지지 않고, 1편, 2편, 3편… 이렇게 불립니다. 이유는 다른 책들은 내용이 계속 연결되고 있지만, 시편은 한 편, 한 편이 모두 독립된 시편들이기 때문입니다. 그래서 시편은 1장, 2장, 3장… 이렇게 부르지 않습니다.

이 시편들은 저자들의 각양각색의 상황에서 우러나온 찬양과 기도들을 담고 있기 때문에 각 편이 모두 독립된 주제를 가지고 있습니다. 하지만 예수님께서 요한복음 5장에서 "모든 성경이 나에 대하여 말하고 있다"고 말씀하신 것처럼, 누가복음 24:44에서 "모세의 율법과 선지자의 글과 시편에 나를 가리켜 기록된 모든 것이 이루어져야 하리라" 말씀하신 것처럼, 시편의 선명한 주제는 예수 그리스도이십니다.

특별히 시편 가운데는 신약 성경에서 그 말씀이 예수 그리스도와 관련된 예언으로 기록된 말씀이었다는 것이 직접적으로 언급된 시들이 있습니다. 이 시들을 우리는 메시아 시편(the Messianic Psalm)이라고 부릅니다. 우리는 시편 통독이 계속되는 동안 이 메시아 시편들에 집중하면서 말씀을 나누도록 하겠습니다.

3. 시편 2편: 삼위일체 하나님의 선포

시편 2편은 사도행전에서 초대 교회가 핍박을 받을 때에 예수 그리스도와 그의 교회를 향한 핍박에 대한 예언으로 직접적으로 언급되었습니다. 그래서 이 시는 바로 메시아 시편입니다.

"이방 나라들과 민족들이 헛된 일을 꾸미고, 세상의 군왕들이 나서며 관원들이 서로 꾀하여 여호와와 그 기름 부음 받은 자를 대적한다"는 말씀입니다. 이방 나라는 당연히 이방인들이고, 민족들은 이스라엘을 말합니다. 세상의 군왕들은 정치적 지도자들이며, 관원들은 종교 지도자들입니다. "기름 부음 받은 자"는 히브리어로 '메시아'이며, 헬라어로는 '그리스도'입니다. 예수님을 십자가에 못 박는 데 이방인들(로마인들)과 유대인들이 함께 모의했고, 정치적 지도자(빌라도)와 종교 지도자들(바리새인들과 제사장들)이 결탁했습니다.

4-6절은 성부 하나님의 선포입니다.

"내가 나의 왕을 내 거룩한 산 시온에 세웠다"(6절).

바로 예수 그리스도의 십자가를 시온에 우뚝 세우셨다는 것입니다.

7-9절은 성자 예수님의 선포입니다.

"여호와께서 내게 이르시되 너는 내 아들이라…내게 구하라 내가 이방 나라를 네 유업으로 주리니 네 소유가 땅끝까지 이르리로다"(7-8절)는 이 말씀은 예수님의 왕국시대에서 이루어질 말씀입니다.

그리고 10-12절은 성령님의 선포로 성령님은 모든 인생들에게 예수님을 믿도록 선포하시는 분입니다.

"그의 아들에게 입맞추라 그렇지 아니하면 진노하심으로 너희가 길에서 망하리니… 여호와께 피하는(믿는 자) 모든 사람은 다 복이 있도다"(12절).

4. 시편 8편

두 번째 메시아 시편입니다.

우선 2절 "주의 대적으로 말미암아 어린아이들과 젖먹이들의 입으로 권능을 세우심이여 이는 원수들과 보복자들을 잠잠하게 하려 하심이니이다" 는 말씀이 바로 예수님께서 나귀를 타고 예루살렘에 입성하실 때에 아이들이 찬양하는 것을 꾸짖으라는 종교지도자들의 불평에 대하여 예수님께서 인용하신 성경구절입니다. 그래서 이 시편은 메시아 시편입니다.

또한 4-5절입니다.

"사람이 무엇이기에 주께서 그를 생각하시며 인자가 무엇이기에 주께서 그를 돌보시나이까 그를 하나님보다 조금 못하게 하시고 영화와 존귀로 관을 씌우셨나이다"는 말씀 역시 히브리서에서 예수님에 관한 예언으로 인용되었습니다.

예수님께서 육체를 입으시고 이 땅에 오셨을 때에 예수님은 하나님이시면서도 하나님보다 조금 못한 우리와 같은 육체를 입으시고 이 땅에 오셨다는 것입니다. 그러나 하나님께서 그를 죽음에서 일으키사 영화와 존귀로 관을 씌우셨다는 것입니다. 이렇게 시편들 가운데 신약 성경에서 그 말씀들이 예수님에 관한 예언으로 직접적으로 인용된 구절들을 우리는 메시아 시편이라고 합니다.

시편은 크게 다섯 권으로 나눌 수 있습니다.

제1권 창세기 시편집(1-41편) - 복있는 사람에서, 타락한 사람으로, 그리고 회복으로… (사람을 주제로 한 시편들)

제2권 출애굽기 시편집(42-72편) - 파멸과 구속(이스라엘을 주제로 한 시편들)

제3권 레위기 시편집(73-89편) - 어두움(성전을 주제로 한 시편들) 성막, 성전, 주의 집, 회중 등의 단어들이 거의 모든 시편에 등장함

제4권 민수기 시편집(90-106편) - 재앙과 보호하심(땅을 주제로 한 시편들)

제5권 신명기 시편집(107-150편) - 완전함, 그리고 하나님의 말씀을 주제로 한 찬양들

이 중에서 우리는 오늘 시편 22-41편까지 통독하겠습니다.

● 22편: 그리스도의 십자가 ● 23편: 우리의 큰 목자이신 그리스도 ● 24편: 우리의 목자장으로서 하늘에 오르신 예수님 ● 25편: 은총과 구원을 간구함 ● 26편: 개인적인 의에 기초한 간구 ● 27편: 기도 ● 28편: 고난의 때의 부르짖음 ● 29편: 태풍 속에서의 주님의 음성 ● 30편: 치료를 인한 찬양 ● 31편: 고난에서의 구원을 위한 간구 ● 32편: 회개의 축복을 가르치는 교훈 시 ● 33편: 구속받은 백성들의 찬양의 노래 ● 34편: 구속을 위한 찬양의 노래 ● 35편: 대적들로부터 구원을 간구함 ● 36편: 악한 자의 그림 ● 37편: 미래의 축복에 대한 언약 ● 38편: 육체의 질병으로 말미암은 참회의 시 ● 39편: 장례를 위한 시편 ● 40편: 그리스도의 십자가를 예언하는 메시아 시편 ● 41편: 유다의 배신을 예언하는 메시아 시편

〈주요 통독 자료〉

1. 22, 23, 24편 시리즈

이 세 편의 시들은 메시아 시편인 22편으로부터 아주 중요한 의미를 가진 예언적인 시편 시리즈입니다. 시편 22편은 시편 가운데 예수 그리스도에 관한 가장 많은 예언을 담고 있는 시편일 것입니다.

"내 하나님이여 내 하나님이여 어찌 나를 버리셨나이까"

예수님께서 십자가에서 남기신 소위 가상칠언의 첫 번째 말씀을 시작으로, 다윗은 마치 예수님의 십자가의 광경을 그대로 보고 그린 것처럼 정확하게 십자가 주변에서 벌어진 일들을 그려주고 있습니다. 십자가에 달리신 예수님 앞에서 머리를 흔들며 조롱하는 사람들의 냉소, 십자가 밑에서 예수님의 옷을 제비 뽑아 나누는 로마 군인들의 모습, 시편 22편은 예수님의 가상칠언을 모두 담고 있는 시편입니다.

혀가 이틀에 들어붙는 목마름, 모든 뼈마디마다 벌어지는 끔찍한 고통, 제자 요한에게 어머니를 의탁하고, 어머니께 요한을 아들로 소개하는 광경, 이런 모든 장면들이 시편 22편에 그대로 묘사되고 있는 것입니다. 이렇게 시편 22편은 예수님의 십자가를 보여주고 있으며, 시편 23편은 예수님의 부활을 보여주는 시편입니다.

다윗은 시편 23편에서 "내가 사망의 음침한 골짜기로 다닐지라도…"라고 노래합니다. 이 구절을 영어 성경에서 보면 "Though I walk through the valley of the shadow of death" 즉 "내가 비록 사망의 그림자가 드리운 골짜기를 통과해 나갈지라도"라는 의미입니다. 그리고 "내가 여호와의 집에 영원히 거하리로다"라는 구절은 예수님께서 죽음을 이기시고 부활하신 승리의 광경을 보여주는 것입니다.

그런가 하면 시편 24편은 예수님의 승천의 광경을 묘사하는 시편입니다.

"문들아 너희 머리를 들지어다 영원한 문들아 들릴지어다 영광의 왕이 들어가시리로다"라는 구절은 사망을 이기고 부활하신 예수님께서 하늘의 보좌에 오르시는 광경을 묘사하고 있는 것입니다.

시편 22편은 예수님의 십자가, 시편 23편은 예수님의 부활, 그리고 시편 24편은 예수님의 승천을 보여주는 시리즈 시편입니다.

2. 또 한 편의 메시아 시편, 시편 40편

사도행전에서 베드로는 다윗의 시편을 인용하면서 다윗을 선지자라고 불렀습니다. "성령께서 선지자 다윗의 입을 의탁하사…."

그러므로 신약 성경은 다윗을 선지자로 인정하고 있으며, 또한 다윗의 시편 가운데 여러 편이 우리 예수님의 생애와 직접 연관되어진 예언으로 인용되고 있는 것입니다.

이 시편 40편에서 6, 7절 그리고 8절이 예수님의 생애에 대한 예언입니다. 우선 이 말씀에서 다윗은 "주께서 내 귀를 통하여 내게 들려 주시기를"이라고 말합니다. 이 구절을 KJV에서 보시면 "Mine ears hast thou opened"라고 되어 있습니다. 이 구절을 직역하면 '주께서 내 귀를 뚫으셨다'는 의미입니다.

레위기에 보면 종의 규례 가운데 귀 뚫린 종에 관한 규례가 있습니다. 모든 종들은 6년 동안 주인에게 봉사했으면 7년째는 안식년을 맞아 풀려날 수 있었습니다. 그러나 이 종이 주인을 너무 사랑한다든지, 주인에게서 자유함을 얻더라도 그 주인의 종으로 사는 것보다 행복할 자신이 없다고 생각되면, 그리고 무엇보다 주인이 허락한 여종과 결혼을 해서 자녀를 낳은 경우 안식년을 맞은 자신만 자유하게 될 수 있기 때문에, 사랑하는 아내와 자녀를 두고 나갈 수 없는 상황일 때, 이 종은 주인에게 가서 비록 안식년이 되었지만 자신을 주인에게 평생토록 노예로 예속시키기 원한다고 하면, 주인은 이 종을 문설주에 데려가서 문설주에 귀를 대고 못으로 구멍을 뚫어 주인의 이니셜이 담긴 귀고리를 걸어주는 것입니다. 이렇게 해서 이 종은 "귀 뚫린 종"이라 불리며, 이 사람은 평생토록 주인에게서 나갈 수 없는 예속된 종(a Bond Slave)이 되는 것입니다.

빌립보서 2장에서 바울은, 예수 그리스도는 본래 하나님의 본체이시지만 스스로 자신을 비어 종의 형체를 가지시고 자신을 낮추어 사람의 모습으로 나타나셨고, 십자가에 죽임을 당하시기까지 복종하셨다고 말합니다. 예수님은 스스로 종이 되신 것입니다. 그러면서 다윗은 "주께서 제사와 예물을 기뻐하지 아니하시며 번제와 속죄제를 요구하지 아니하신다"고 말합니다. 예수님께서 십자가에 못 박혀 죽으심으로써 자신을 우리 인류의 구속을 위한 제사로 드리실 때에 더 이상 짐승을 잡아 하나님께 바치는 그런 제사는 의미가 없어진다는 것을 의미하고 있는 것입니다.

히브리서 10:5-7의 말씀이 바로 이 구절을 예수 그리스도에 대한 예언으로 인용하고 있는 것입니다. 그래서 이 시편은 메시아 시편입니다. 그리고 다윗의 시는 이렇게 이어집니다.

"그때에 내가 말하기를 내가 왔나이다 나를 가리켜 기록한 것이 두루마리 책에 있나이다."

예수님은 요한복음 5장에서 "너희가 성경에서 영생을 얻는 줄로 알고 성경을 상고하거니와 모든 성경이 내게 대하여 증거하는 것이라"고 말씀하십니다.

창세기로부터 요한계시록까지 모든 성경은 바로 예수 그리스도에 대하여 말하고 있는 것입니다. 예수님께서는 구약의 모든 성경이 자신에 관하여 말한 것을 성취시키기 위하여 이 땅에 오신 것입니다. 예수 그리스도께서 이렇게 스스로 귀 뚫린 종이 되셔서 십자가를 지셨으므로, 우리는 구원을 받아 하나님의 자녀로서 영생을 누릴 수 있게 된 것입니다. 그러므로 이제는 우리가 우리 자신을 예수님을 위하여 하나님께 귀 뚫린 종으로서 자신을 바쳐야 할 때입니다.

바울 사도는 그의 서신서의 대부분에서 문안을 할 때 "그리스도의 종이며 또한 사도로 부르심을 받은 나 바울은"이라고 자신을 소개합니다. 여기서 바울이 사용한 '종'이라는 헬라어 단어가 바로 '둘로스'이며, 이 단어가 바로 "Bond Slave", 즉 귀 뚫린 종을 의미하는 것입니다. 바울은 자신을 구원하신 예수 그리스도를 위하여 기꺼이 영원히 주님께 예속된 종이 되기를 선택한 것입니다. 이것이 바로 우리 모두의 모습이 되기를 간절히 소원합니다.

3. 가룟 유다의 배신이 예언된 메시아 시편, 시편 41편

시편 41:9은 "내가 신뢰하여 내 떡을 나눠 먹던 나의 가까운 친구도 나를 대적하여 그의 발꿈치를 들었나이다"라고 말하고 있습니다. 이 말씀은 요한복음 13:18에서 예수님에 의하여 이렇게 인용되고 있습니다.

"내가 너희 모두를 가리켜 말하는 것이 아니니라 나는 내가 택한 자들이 누구인지 앎이라 그러나 내 떡을 먹는 자가 내게 발꿈치를 들었다 한 성경을 응하게 하려는 것이니라."

예수님께서는 당신께서 열두 명의 제자를 택하셨지만 그중 하나는 처음부터 마귀였다고 하셨습니다. 그러니까 가룟 유다는 처음부터 예수님을 배신하여 십자가에 못 박히시게 하기 위해 부름을 받았다는 의미의 말씀입니다.

물론 예수님께서 가룟 유다를 일부러 죄에 빠뜨리기 위하여 그의 악을 조장하셨다는 것은 아닙니다. 예수님께서는 가룟 유다에게 끝없이 기회를 주셨습니다. 그는 예수님과 제자들 일행의 재정을 맡고 있으면서 매일 연보궤에서 돈을 훔쳐갔습니다. 그가 이런 짓을 한다는 것을 사실 제자들은 다 알고 있었습니다. 오직 가룟 유다 자신만 모르고 있었던 것입니다.

그러나 예수님께서는 그에게 기회를 주셨습니다. 다만 예수님께서는 유다가 이렇게 예수님을 배신하게 될 것을 처음부터 아셨다는 뜻입니다. 어떻든 이 시편은 가룟 유다의 배신을 예언한 메시아 예언시입니다.

우리는 오늘 시편 42-72편까지 통독하겠습니다.

● 42-43편: 하나님을 두려워하는 남겨진 이스라엘의 부르짖음 ● 44편: 대환란 중의 이스라엘의 부르짖음 ● 45편: 예수님의 재림 ● 46편: 하나님은 우리의 도피성, 천년왕국의 노래 ● 47편: 천년왕국의 찬양과 경배 ● 48편: 메시아의 마지막 승리 ● 49편: 부를 자랑하는 자들의 종국 ● 50편: 심판의 시편 ● 51편: 다윗의 회개의 시 ● 52편: 적그리스도의 출현 ● 53편: 하나님의 존재를 부정하는 적그리스도의 어리석음 ● 54편: 적그리스도 때의 믿음의 외침 ● 55편: 적그리스도 통치의 암흑기 ● 56편: 다윗의 두려움과 믿음 ● 57편: 자비를 구함 ● 58편: 대적에 대한 저주의 기도 ● 59-60편: 대적들에 둘러싸인 하나님의 백성 ● 61편: 경건한 자의 부르짖음과 확신 ● 62편: 어두운 날의 노래 ● 63편: 생수의 강을 향한 목마름 ● 64편: 악한 자의 승리, 하나님의 심판 ● 65-66편: 천년왕국의 노래 ● 67편: 천년왕국의 축복과 찬양 ● 68편: 구원과 승리의 노래 ● 69편: 그리스도 생애의 침묵의 시간들 ● 70편: 구원을 위한 다급한 기도 ● 71편: 노년의 노래 ● 72편: 왕과 왕국이 도래함

〈주요 통독 자료〉

1. 시편 제2권:

출애굽기 시편집(42-72편) - 파멸과 구속 (이스라엘을 주제로 한 시편들)

오늘 우리가 읽을 시편들은 시편의 다섯 권 중에 제2권입니다. 이 시편은 출애굽기와 같은 내용의 시편들의 묶음입니다. 출애굽기는 애굽에서 종이 된 이스라엘의 부르짖음을 들으시고 그들을 애굽에서 구해내시는 하나님의 역사의 기록입니다.

마찬가지로 이 제2권의 시편들은 이스라엘의 파멸과 구속에 대한 내용을 담고 있는 시편들입니다. 시편 42편에서 다윗은 "하나님이여 사슴이 시냇물을 찾기에 갈급함같이 내 영혼이 주를 찾기에 갈급하니이다 내 영혼이 하나님 곧 살아 계시는 하나님을 갈망하나

니 내가 어느 때에 나아가서 하나님의 얼굴을 뵈올까"라고 부르짖습니다. 이 시편은 바로 이 땅에 7년 대환란이 전개될 때, 이 땅에 남겨진 이스라엘 백성들의 부르짖음입니다. 이 질문에 대해 예수님이 신약에서 답변을 주십니다.

"누구든지 목마르거든 내게로 와서 마시라 나를 믿는 자는 성경에 이름과 같이 그 배에서 생수의 강이 흘러나오리라 하시니 이는 그를 믿는 자들이 받을 성령을 가리켜 말씀하신 것이라"(요 7:37-39).

그들의 메시아를 버린 이스라엘은 결국 역사 가운데 말할 수 없는 박해와 고난을 받으면서 메시아를 기다리고 있습니다. 그들의 목마름은 결국 예수님의 재림 때에나 해갈될 것입니다. 시편 제2권은 이렇게 이스라엘의 죄악과 파멸, 7년 대환란, 그리고 메시아의 재림으로 말미암은 구원과 천년왕국의 일들을 노래하는 시편들입니다.

2. 예수님의 재림을 노래하는 메시아 시편 – 시편 45편

재림하시는 예수님에 대한 사랑이 넘쳐서 시인의 혀는 필객의 붓과 같이 주님의 아름다움에 대한 멋진 시어들을 쏟아내고 있습니다. 이 시편에서 예수님은 더 이상 고난을 받으시고 십자가에 못 박히시기 위하여 오시는 것이 아닙니다.

예수님은 칼을 허리에 차고 왕의 영화와 위엄을 입고 오시는 능한 분이십니다(시 45:3). 이 시편의 6-7절이 이 시편을 메시아 시편이 되게 합니다.

"하나님이여 주의 보좌는 영원하며 주의 나라의 규는 공평한 규이니이다 왕은 정의를 사랑하고 악을 미워하시니 그러므로 하나님 곧 왕의 하나님이 즐거움의 기름을 왕에게 부어 왕의 동료보다 뛰어나게 하셨나이다."

이 구절이 히브리서 기자에 의하여 예수님께 대한 예언으로 인용되고 있는 것입니다.

"아들에 관하여는 하나님이여 주의 보좌는 영영하며 주의 나라의 규는 공평한 규이니이다 주께서 의를 사랑하시고 불법을 미워하셨으니 그러므로 하나님 곧 주의 하나님이 즐거움의 기름을 주께 부어 주를 동류들보다 뛰어나게 하셨도다 하였고"(히 1:8-9).

예수님은 완전한 승리자로 오실 것입니다. 모든 왕의 왕, 주의 주로 오실 것입니다.

시편 45편에는 재림의 주님을 맞으러 나오는 신부들에 관한 묘사가 나옵니다. 그런데 뜻밖에 예물을 들고 재림의 주님을 만나러 오는 여인들은 모두 이방 사람들입니다. 오늘날 교회는 이방인들의 나라에서 왕성하게 자라고 있습니다. 10-11절에 보면, "딸이여 듣고 보고 귀를 기울일지어다 네 백성과 네 아버지의 집을 잊어버릴지어다 그리하면 왕이 네 아름다움을 사모하실지라 그는 네 주인이시니 너는 그를 경배할지어다"라고 되어 있습니다.

오늘날 그리스도의 신부인 교회와 신자들의 직무는 우리 주님의 입에서 나오는 모든 말씀을 깊이 듣고 생각하고 귀를 기울이는 일입니다. 그리고 우리들의 죄악된 출생, 이 세상에 관한 모든 것을 잊어야 합니다.

3. 거대한 승전의 찬양들 - 시편 46, 48편

시편 46편은 히스기야 왕 때에 앗수르의 산헤립이 18만5000명의 군사를 보내 예루살렘을 포위하고 있을 때, 산헤립의 위협이 담긴 공문을 가지고 히스기야가 성전에 들어가 하나님께 기도할 때에 하나님께서 이사야 선지자를 통해서 주셨던 응답을 노래한 것입니다.

"하나님은 우리의 피난처시요 힘이시니 환난 중에 만날 큰 도움이시라."

이 시는 훗날 대환란을 통과하고 나오는 이스라엘의 남겨진 백성들이 천년왕국 시대에 들어가면서 하나님께 드릴 노래입니다. 하나님께서는 "이 전쟁에서는 네가 싸울 것이 없다 너희는 가만히 있어 내가 너희 하나님 됨을 알지어다"라고 선포하셨습니다. 하나님께서 친히 열방과 세계 가운데 높임을 받으시리라는 것입니다. 그리고 하나님께서 천사를 보내셔서 하룻밤 사이에 18만5000명의 앗수르 군대를 멸절시키셨습니다.

그리고 시편 48편은 여호사밧 왕 때에 모압과 암몬과 세일 산지족(마온 족속들)이 연합군을 형성해서 유다를 공격해 왔을 때, 여호사밧이 온 유다 백성들에게 금식을 선포하고, 하나님께 나아가 "우리 조상들의 하나님 여호와여 주는 하늘에서 하나님이 아니시니이까 이방 사람들의 모든 나라를 다스리지 아니하시나이까…우리 하나님이여 그들을 징벌하지 아니하시나이까 우리를 치러 오는 이 큰 무리를 우리가 대적할 능력이 없고 어떻게 할 줄도 알지 못하옵고 오직 주만 바라보나이다"(대하 20:6,12)라고 기도했습니다.

역시 하나님께서 그 전쟁에 개입해 주셨습니다. 결국 모압과 암몬이 함께 세일 산지족을 물리치고, 나중엔 모압과 암몬이 서로 싸워 피차 멸망했습니다. 여호사밧의 군대는 다만 항오를 지어 찬양대를 앞세우고 나아가 하나님께서 이스라엘을 위하여 행하시는 큰 구원을 목격했습니다. 이 시편 역시 훗날 이스라엘의 남겨진 자들이 대환란을 마치고 왕국시대에 들어가면서 하나님께 부를 승리의 찬양인 것입니다.

우리는 이 찬양들을 통해서 큰 믿음을 배웁니다.

우리의 삶에 다가오는 어떤 종류의 싸움이라도 우리가 기도로 하나님께 가져가면, 그때부터 우리의 싸움은 더 이상 우리의 것이 아니라, 하나님의 것이 되는 것입니다. "이 전쟁은 내게 속한 것이다"라고 하나님께서 선포하시는 순간, 그것은 문제도 아닌 것입니다. 우리가 하려면 우리는 감당치 못합니다. 그러나 같은 문제도 하나님께서 하시면 하나님께는 아무것도 아닌 것입니다. 기도는 우리의 모든 문제를 하나님의 문제가 되게 만드는 방편입니다. 기도로 승리하는 우리 모두가 되기를 소원합니다.

042

시편 제3권
시편 73-89편

우리는 오늘 시편 73-89편까지 통독하겠습니다.

● 73편: 악인의 형통에 대한 오해 ● 74편: 바벨론에 의한 성전 파괴에 대한 부르짖음 ● 75편: 구원의 노래 ● 76편: 보좌에 앉으신 메시아 예언 ● 77편: 하나님의 은혜와 선하심에 대한 찬양 ● 78편: 모세에서 다윗까지의 이스라엘 역사 ● 79편: 대환란 중의 이스라엘 ● 80편: 이스라엘의 목자에게 드리는 기도 ● 81편: 구원의 노래 ● 82편: 백성들의 재판관을 심판하시는 하나님 ● 83편: 심판을 위한 부르짖음 ● 84편: 하나님의 집을 향한 갈망 ● 85편: 이스라엘의 미래의 회복 ● 86편: 미래의 왕국을 위한 다윗의 기도 ● 87편: 하나님의 도성, 시온 ● 88편: 고난 가운데서의 하나님에 대한 확신 ● 89편: 다윗의 언약 시편

〈주요 통독 자료〉

1. 시편 제3권:

레위기 시편집(73-89편) – 거룩함과 제사(성전을 주제로 한 시편들)

우리가 레위기를 통독할 때, 레위기는 예배의 책이라고 한 것을 기억하십니까? 우리들의 시편의 세 번째 묶음은 바로 레위기 시편들의 묶음입니다. 레위기가 예배의 책인 것처럼, 레위기 시편들도 하나님께서 요구하시는 거룩과 성별에 강조점을 두고 있으며, 하나님께 나아가기 위해서 피흘림과 속죄가 필요함을 강조하는 시편들입니다. 이 묶음의 시편들 속에는 끊임없이 성전이 보입니다. 성전에 대한 사모함, 성전에 들어가는 노래, 성전에 올라가는 노래, 성전에서 주님을 수종 드는 제사장들의 모습들, 이런 내용들이 이 세 번째 묶음의 시편들의 주제입니다.

자, 레위기 시편집의 첫 번째 시인 73편을 보십시오. 이 시는 37편에서 다윗이 말한 "악인의 형통을 질투하지 말라"는 내용들을 다시 반복적으로 노래하는 시편입니다. 그런

데 이 시는 아삽의 시라고 묘사되고 있습니다. 우리는 이 시를 통해서 다윗의 시가 다윗 당시에 성가대를 이끌고 있었던 음악가 아삽에 의하여 곡이 붙여져서 아삽의 시로 알려진 시들이 더러 있다는 것을 발견하게 됩니다. 아무튼 여기 73편에서 시인은 악인의 형통함을 보고 하마터면 실족할 뻔했다는 고백을 합니다. 그러나 그가 성전에 들어갈 때, 즉 예배를 통하여 하나님을 만나고 하나님의 말씀을 배울 때에 비로소 악한 자의 형통이 일시적인 것이며, 하나님께서 악인을 반드시 심판하실 것이라는 확신을 얻게 되었다는 고백을 담고 있는 것입니다. 바로 레위기 시편 묶음의 첫 번째 시편부터 성전과 예배의 중요성을 다루고 있는 것입니다.

저 유명한 84편 역시도 '세상 속에서 천 날을 사느니 주님 앞에서 하루를 사는 것이 낫고, 궁궐에 거하는 것보다 하나님 집의 문지기로 있는 것이 더 낫다'고 고백하면서 주의 집을 향한 말할 수 없는 갈망함과 사모함을 노래하고 있습니다. 레위기 시편들은 바로 이런 내용의 시편들입니다.

2. 셀라 – Stop, Watch, and Listen

우리가 시편을 읽다 보면 가끔 '셀라'라는 단어가 등장하는 것을 볼 수 있습니다. 일단 이 '셀라'라는 단어는 문자적으로 '높인다'(to Lift Up)는 의미입니다. 문자적인 의미로 본다면 이 셀라는 그 부분에서 소리를 높이라는 악센트의 표시로 볼 수도 있고, 또한 '올라간다, 상달된다'라는 의미에서 '아멘'과 같은 의미의 단어로 볼 수도 있습니다. 하지만 이 '셀라'는 많은 때에 일종의 음악 부호로서 쉼표로 해석됩니다. 시편은 히브리 사람들의 일종의 찬송집이었습니다.

그런데 제가 아주 존경하는 강해설교가인 버넌 메기(J. Vernon McGee) 목사님은 이 '셀라'라는 단어를, 미국에서 기찻길 건널목에 써 있는 세 가지 표지판, 즉 "서자(Stop), 보자(Watch), 듣자(Listen)"의 의미로 해석합니다.

미국에는 지금도 철길을 건너가는 찻길마다 이 표지판이 붙어 있으며, 스쿨버스 같은 공공 운송 차량들은 모두 이 표지를 지켜야만 합니다. 일단 철도 건널목에 오면, 우선 멈추어야 합니다. 기차가 오지 않더라도 양쪽을 주의 깊게 살펴야 하며, 운전석과 조수석의 유리창을 내리고 소리가 나는지 반드시 확인한 후에 건너야 하는 것입니다.

저는 메기의 이 해석에 매우 의미가 있다고 생각합니다.

우리가 인생을 살아가다 보면, 격정과 분노 혹은 실망과 좌절에 사무쳐서 이성을 잃게 되는 경우가 있습니다. 그럴 때에 고조된 감정에 따라 행동을 하면 우리는 반드시 실수를 하게 되는 것입니다. 그럴 때 우리는 모든 것을 멈추고 우리 주님을 바라보고, 또한 주님의 음성에 귀를 기울여야 하는 것입니다. 그렇게 한 템포를 쉰 후에 행동을 하게 되면 우리는 전혀 새로운 눈으로 상황을 보게 되고, 승리의 기틀을 마련하게 됩니다.

실제로 시편들 가운데 이 '셀라'가 모두 71회 등장하는데, 흥미로운 사실은 어떤 상황에 대한 말할 수 없는 절망과 낙심이 묘사된 후에 '셀라'가 한 번 나오고 나면, 그 다음엔 그 상황들을 우리 주님께 기도 가운데 가져오는 모습이 등장합니다. 그리고 또 다시 '셀라'가 나온 후에는 주님으로 말미암은 큰 승리의 감동과 기쁨에 들어찬 환희의 찬양으로 시편을 끝내게 되는 경우가 많은 것입니다.

오늘 흥분되십니까? 아니면 절망하고 계십니까? 실망하고 낙심하십니까? 마음에 '셀라' 부호를 떠올리십시오. 모든 행동을 멈추고 한 번 더 주님을 바라보며, 주님의 음성에 귀 기울여 보십시오. 길이 보일 것입니다. 우리의 삶이 감사와 감격의 찬양으로 들어차게 될 것입니다.

3. 또 한 편의 메시아 시편 – 89편

89편 4절을 보면 "내가 네 자손을 영원히 견고히 하며 네 왕위를 대대에 세우리라 하셨나이다(셀라)"라는 말씀이 나옵니다. 이 구절은 사도행전에서 베드로에 의하여 인용되었습니다.

"하나님이 약속하신 대로 이 사람의 후손에서 이스라엘을 위하여 구주를 세우셨으니 곧 예수라"(행 13:23).

천사 가브리엘이 마리아에게 나타났을 때 이렇게 말했습니다.

"그가 큰 자가 되고 지극히 높으신 이의 아들이라 일컬어질 것이요 주 하나님께서 그 조상 다윗의 왕위를 그에게 주시리니 영원히 야곱의 집을 왕으로 다스리실 것이며 그 나라가 무궁하리라…우리를 위하여 구원의 뿔을 그 종 다윗의 집에 일으키셨으니"(눅 1:32-33,69).

4. 고라 자손들의 시편 - 84편

민수기 26장에서 모세와 하나님을 대적하다가 땅 속에 삼키운 고라의 이야기를 읽었습니다. 고라는 모세와 아론의 지도자 지위에 도전하다가 멸망당했습니다. 그러나 흥미로운 것은 그의 자녀들이 그 아버지의 반역에 참여하지 않고 살아 남아 훗날 역대상 9장과 26장을 보면, 성막이나 성소의 문지기직을 맡는 자들이 되었다는 것을 보게 됩니다. 그런데 그 후손들 중에 이처럼 성소의 예배를 위한 찬양 사역자들이 된 사람들이 있었다는 것이 흥미롭습니다.

하나님은 참으로 진노 중에라도 은총 베풀기를 잊지 않으시는 분입니다. 이 고라 자손들은 성전을 장악하려다가 죽임을 당했던 아비와는 달리, 주의 성소에 대한 말할 수 없는 영적 갈망함을 가진 자들이었습니다.

이 시편 기자는 적어도 하나님의 집, 성소에 들어가는 일을 마치 작은 참새 혹은 제비가 자기의 둥지를 찾아가는 것과 같은 너무나도 평화롭고 흠모할 만한 일로 간주한 것입니다. 그래서 그는 하나님께서 거하시는 "주의 집에 거하는 자가 복이 있나이다"라고 선언합니다. 이런 사람들은 하나님께서 축복하셔서 눈물 골짜기로 통행하더라도 그곳으로 많은 샘의 곳이 되게 하며, 힘을 더 얻어 시온에서 하나님 앞에 나타날 수 있게 해주십니다.

고라의 집안은 제사장으로 부름을 받은 것이 아니라, 제사장을 돕는 직무를 위해 부름을 받았습니다. 고라는 이것이 불만이었습니다. 자신에게 주신 기름 부으심을 제쳐 두고 남의 기름부음을 받은 사명에 눈독을 들였습니다. 그래서 고라는 아론의 직무에 도전하다가 죽임을 당한 것입니다. 그러나 그 참화로부터 살아남은 후손들은 "주의 궁정에서 한 날이 다른 곳에서 천 날보다 낫고, 악인의 장막에 거함보다 하나님의 문지기로 있는 것이 낫다"는 고백을 가졌습니다. 우리들 모두는 내게 주신 사명이 무엇인지 바르게 알고 거기에 헌신해야 할 것입니다.

043

시편 제4권
시편 90-106편

우리는 오늘 시편 90-106편까지 통독하겠습니다.

●90편: 모세의 기도 ●91편: 생명과 빛의 노래 ●92편: 안식일 찬양 ●93편: 천년왕국 시편 ●94편: 악한 자에 대하여 하나님의 간섭하심을 구함 ●95-99편: 기쁨의 노래들 ●100편: 주님께 드리는 찬양 ●101편: 의와 심판으로 통치하시는 왕께 드리는 노래 ●102편: 고통과 슬픔의 기도 ● 103편: 하나님의 은총에 대한 위대한 찬양 ●104편: 창조의 하나님께 대한 찬양 ●105-106편: 서사시들

〈주요 통독 자료〉

1. 시편 제4권:

민수기 시편(재난과 보호하심) - 신자의 지상의 삶에 대한 찬양들

민수기를 통독할 때 우리는 민수기가 '삶의 책'이라고 나누었습니다. 민수기는 이스라엘의 애환이 담긴 광야생활의 책입니다. 하나님께서는 백성들의 수를 헤아리는 분이셨고, 그것은 결국 백성들이 광야에서 마주치게 되는 많은 종류의 역경과 문제들 속에서도 그 백성들을 지켜주신 하나님의 보호하심을 보여주는 이야기였습니다.

민수기 시편의 묶음인 제4권의 시편들에서도 우리는 하나님의 자녀들이 이 땅에서 받게 되는 모든 고난과 아픔들, 그리고 그 일들 속에 개입하시는 하나님의 사랑과 보호하심에 관한 일들을 주제로 하는 시편들을 봅니다.

특별히 제4권이 모세의 기도로 시작되고 있다는 점이 흥미롭습니다. 시편에서 모세의 시는 딱 한 편입니다. 시편 90편에서 모세는 인생의 의미가 수고와 아픔뿐이며 마치 날아가는 것처럼 신속히 간다는 것을 노래합니다. 인생에게 주어진 날들이 70년, 혹 강건하면 80년인데, 마치 지난 밤의 한 경점처럼 그렇게 빨리 지나가는 우리의 인생에서 우리들에게 주어진 날들을 계수하는 지혜를 주시도록 간구하고 있습니다. 민수기의

섹션을 우리에게 주어진 날의 수를 계수하는 지혜를 달라는 기도로 시작하고 있는 것은 매우 상징적인 편집이라고 생각합니다.

2. 90편과 91편의 대조

사망과 생명, 첫 아담과 마지막 아담 예수님

이미 앞의 단원에서 말씀드렸듯이 시편 90편은 사망의 시입니다. 91편은 상대적으로 생명의 시입니다. 91편은 예수 그리스도의 그림을 보여주는 시편입니다. 그러면서 우리 주님의 보호하심과 지키심을 보여주는 시입니다. 이 시편은 참으로 많은 찬양을 낳은 시입니다. 그래서 많은 연로한 사람들과 젊은이들에게 공히 은혜를 끼친 시편이라 하겠습니다.

이 시에서 시편 기자는 "여호와는 나의 피난처요 나의 요새요 내가 의뢰하는 하나님이라"고 선포합니다. 그리고 "그가 너를 위하여 그의 천사들을 명령하사 네 모든 길에서 너를 지키게 하심이라 그들이 그들의 손으로 너를 붙들어 발이 돌에 부딪히지 아니하게 하리로다"(11-12절)라고 선포합니다.

이 구절은 바로 예수님께서 공생애를 시작하시던 때에 40일간 금식하시고 광야에 나가셔서 사탄에게 시험을 받으실 때에 사탄이 예수님께 인용했던 말씀입니다. 예수님을 성전 꼭대기에 데리고 올라가서 거기서 뛰어내리라고 하면서 바로 이 말씀을 인용한 것입니다. 그러나 예수님께서는 "주 너의 하나님을 시험치 말라"고 말씀하시면서 사탄의 시험을 이기셨습니다.

사탄의 의도는 예수님으로 하여금 십자가 없는 영광과 승리를 추구하시도록 유혹한 것입니다. 그러나 예수님은 인기와 명성을 끌려는 행동을 하지 않으시고, 하나님께서 허락하시는 모든 십자가의 고통을 받아내시고 부활 승천하심으로써 승리하신 것입니다. 바로 이 시편은 예수님의 승리를 보여주는 메시아 시편입니다.

3. 94-100편 시리즈의 스토리라인

시편 94편에서 100편까지의 일곱 편의 시들은 일종의 시리즈입니다. 일정한 순서의 이야기 흐름을 가진 시들의 묶음입니다.

먼저 94편은 악한 자가 주는 고통에 하나님께서 개입해 주시기를 구하는 의인들의 노래입니다. 이 노래는 바로 대환란 기간을 통과해야 하는 이스라엘 백성들이 하나님께 간구할 노래입니다. 그래서 94편에서의 하나님은 복수하시는 하나님입니다.

"악인이 언제까지 개가를 부르리이까 그들이 마구 지껄이며 오만하게 떠들며 죄악을 행하는 자들이 다 자만하나이다 여호와여 그들이 주의 백성을 짓밟으며 주의 소유를 곤고하게 하며 과부와 나그네를 죽이며 고아들을 살해하며 말하기를 여호와가 보지 못하며 야곱의 하나님이 알아차리지 못하리라"(3-7절)고 주님께 부르짖고 있습니다.

그러나 95편에서는 모든 것을 감찰하시는 하나님께 감사하며 찬양하며 나아가자고 호소합니다. 환난 가운데 있는 이스라엘 백성들에게 "그는 우리의 하나님이시요 우리는 그가 기르시는 백성이며 그의 손의 돌보시는 양이라"(7절)고 격려를 하고 있는 것입니다.

그리고 96편에서 드디어 이 땅에 재림하셔서 왕으로 군림하실 여호와이신 예수님을 찬양하는 노래가 이어집니다. 97편은 96편과 아주 유사한 시로 "기쁘다 구주 오셨네"라는 찬양의 근거가 되는 시입니다. 역시 재림 예수님을 향한 찬양입니다.

98편은 승리의 예수님께서 행하신 모든 일들을 향한 찬양입니다. 99편은 은혜와 자비의 보좌에 앉으신 왕 되신 예수님에 대한 찬양입니다. 그리고 100편은 이 시리즈의 위대한 피날레입니다. 이 찬양은 다섯 절로 된 아주 짧은 시이지만 이 시의 각 구절마다 오늘날 수많은 찬양들을 만들어 낸 위대한 시편입니다. 이 시는 우리의 선한 목자이신 예수님의 초장에서 주님의 목양을 받는 승리한 백성들의 찬양입니다.

"여호와가 우리 하나님이신 줄 너희는 알지어다 그는 우리를 지으신 이요 우리는 그의 것이니 그의 백성이요 그의 기르시는 양이로다"(3절).

우리는 영원한 천국에 들어갈 것입니다.

"감사함으로 그의 문에 들어가며 찬송함으로 그의 궁정에 들어가서 그에게 감사하며 그의 이름을 송축할지어다"(4절).

얼마나 영광스런 찬양의 묶음입니까? 우리가 지금은 고난으로 가득한 삶을 살고 있지만, 결국은 예수 그리스도로 말미암아 궁극적인 승리를 차지하게 될 것이고, 영원 무궁토록 우리 주님의 초장에서 예수 그리스도의 품에서 안식과 평안을 얻게 될 것입니다.

우리는 오늘 시편 107-119편까지 통독하겠습니다.

●107편: 하나님은 선하시다 ●108편: 이스라엘의 찬양과 소유 ●109편: 그리스도의 낮아지심을 보여주는 메시아 시편 ●110편: 그리스도의 높아지심을 보여주는 메시아 시편 ●111편: 하나님의 행하심으로 인한 할렐루야 찬양 ●112편: 하나님의 의로 인한 할렐루야 시편 ● 113편: 창조주와 구속주로서의 하나님께 할렐루야 찬양 ●114편: 사랑하는 자녀를 인도해 주시는 하나님 ●115편: 이방인들의 우상과 비교되시는 하나님께 영광을 ●116편: 승리를 주신 하나님을 향한 사랑의 노래 ●117편: 여호와의 인자와 진실하심으로 인한 할렐루야 찬양 ●118편: 유월절 찬양(그리스도께서 만찬 후에 겟세마네로 가시면서 제자들과 함께 부르셨던 찬양) ●119편: 하나님의 말씀에 대한 찬양

〈주요 통독 자료〉

1. 시편 제5권:

신명기 시편(하나님의 말씀의 완전성과 그에 대한 찬양들)

신명기 통독에서 우리는 신명기라는 책의 제목이 '두 번째 율법'이라는 문자적 의미를 갖고 있으며, 율법의 재해석서에 해당되는 의미를 갖고 있음을 나누었습니다.

첫 번째 율법을 받았던 광야세대가 그 율법을 지키는 데 실패한 원인은 하나님과의 사랑의 사귐이 없이 다만 종교적인 두려움으로 하나님의 말씀에 접근했기 때문이었습니다. 그래서 하나님께서는 신명기 6장에서 선포된 '쉐마'를 통해서 "너는 마음을 다하고 뜻을 다하고 힘을 다하여 네 하나님 여호와를 사랑하라"고 말씀하셨습니다.

바로 하나님과 사랑의 사귐을 통해서 하나님께 순종하는 백성들이 되라는 것이 하나님의 말씀이었던 것입니다. 여기 신명기 단원의 시편 묶음도 하나님의 말씀에 대한 완전성과 하나님의 말씀에 대한 칭송과 찬양들을 담고 있습니다. 하나님과의 사랑의

사귐, 그리고 그에 따른 말씀에의 순종, 그것이 신명기 시편들의 내용들입니다. 이 시편들은 주로 하나님의 선하심, 하나님의 축복하심, 메시아를 보내주신 사랑의 하나님, 자녀들을 위한 하나님의 위대한 행하심, 창조주와 구속주로서의 하나님께 대한 사랑의 노래, 유월절의 노래, 말씀의 우월성에 대한 찬양 등을 담고 있습니다.

2. 109편 – 그리스도의 낮아지심을 표현한 메시아 시편

이 시편은 그리스도께서 대적들에게 이유 없이 미움을 받으시고, 제자 가룟 유다에게 배신을 당하시는 그림을 묘사하고 있는 시편입니다.

"그들이 악한 입과 거짓된 입을 열어 나를 치며 속이는 혀로 내게 말하며 또 미워하는 말로 나를 두르고 까닭 없이 나를 공격하였음이니이다"(2-3절).

특별히 이 시편을 메시아 시편이 되게 만드는 구절은 8-10절입니다.

"그의 연수를 짧게 하시며 그의 직분을 타인이 빼앗게 하시며 그의 자녀는 고아가 되고 그의 아내는 과부가 되며 그의 자녀들은 유리하며 구걸하고 그들의 황폐한 집을 떠나 빌어먹게 하소서"

이 구절은 가룟 유다에 대한 예언으로 신약에서 인용되고 있습니다.

사도행전 1:20에서 베드로가 말합니다.

"시편에 기록하였으되 그의 거처를 황폐하게 하시며 거기 거하는 자가 없게 하소서 하였고 또 일렀으되 그의 직분을 타인이 취하게 하소서 하였도다."

3. 110편 – 그리스도의 높임 받으심을 표현한 메시아 시편

이 시편은 전체가 메시아의 주 되심을 말하고 있습니다. 그의 제사장직, 불신자들에 대한 그의 심판, 지상에서의 그의 통치에 대해서 이 시는 노래합니다. 이 시편은 신약성경에서 모두 일곱 차례 주 예수 그리스도와 관련해서 인용되었습니다.

1절 말씀, "여호와께서 내 주에게 말씀하시기를 내가 네 원수들로 네 발판이 되게 하기까지 너는 내 오른쪽에 앉아 있으라 하셨도다"라는 말씀이 마태복음 22:44에서 인용되었습니다.

"주께서 내 주께 이르시되 내가 네 원수를 네 발 아래에 둘 때까지 내 우편에 앉아 있으라 하셨도다."

예수님께서는 이 말씀을 가지고 종교 지도자들에게 질문하셨습니다. 메시아가 다윗의 후손이라면, 어떻게 다윗이 그의 후손을 '주'라고 불렀느냐? 그들은 한 마디도 능히 대답하지 못했습니다. 또한 이 말씀은 베드로에 의하여 그리스도의 주 되심을 강조하기 위하여 인용되었습니다. 사도행전 2:33-35, 5:30-31 말씀입니다.

"하나님이 오른손으로 예수를 높이시매 그가 약속하신 성령을 아버지께 받아서 너희가 보고 듣는 이것을 부어 주셨느니라 다윗은 하늘에 올라가지 못하였으나 친히 말하여 이르되 주께서 내 주에게 말씀하시기를 내가 네 원수로 네 발등상이 되게 하기까지 너는 내 우편에 앉아 있으라 하셨도다 하였으니."

"너희가 나무에 달아 죽인 예수를 우리 조상의 하나님이 살리시고 이스라엘에게 회개함과 죄 사함을 주시려고 그를 오른손으로 높이사 임금과 구주로 삼으셨느니라."

히브리서 기자도 같은 인용을 했습니다.

"그 후에 자기 원수들을 자기 발등상이 되게 하실 때까지 기다리시나니"(히 10:13).

그 다음 4절 말씀인 "여호와는 맹세하고 변하지 아니하시리라 이르시기를 너는 멜기세덱의 서열을 따라 영원한 제사장이라 하셨도다"는 구절이 히브리서 5:6, 6:19-7:28까지에서 그리스도를 영원한 제사장으로 규명하는 데 인용되었습니다. 레위 지파의 제사장 직은 제사장들이 죽기 때문에 계속해서 다른 사람들에게 이임되었습니다. 그러나 예수 그리스도는 레위 지파의 제사장이 아니라, 멜기세덱의 반차를 좇은 제사장이셨습니다. 우리는 창세기 통독에서 이 멜기세덱이라는 존재에 대하여 다룬 바 있습니다.

4. 시편 118편 – 전통적인 유월절 찬양으로서의 메시아 시편

시편 118편은 예수님 당시에 와서 유월절 명절에 부르던 찬양이 되었습니다. 예수님의 예루살렘 입성에 사람들이 불렀던 찬양과 만찬 후에 겟세마네로 향하여 가시면서 부르셨던 찬양의 노래가 바로 이 시편이었습니다.

22-23절이 신약 성경 여섯 군데에서 인용되었습니다.

"건축자가 버린 돌이 집 모퉁이의 머릿돌이 되었나니 이는 여호와께서 행하신 것이요 우리 눈에 기이한 바로다."

이 구절이 이렇게 인용되었습니다.

"예수께서 이르시되 너희가 성경에 건축자들이 버린 돌이 모퉁이의 머릿돌이 되었나니 이것은 주로 말미암아 된 것이요 우리 눈에 기이하도다 함을 읽어 본 일이 없느냐?"(마 21:42).

"너희가 성경에 건축자들이 버린 돌이 모퉁이의 머릿돌이 되었나니 이것은 주로 말미암아 된 것이요 우리 눈에 놀랍도다 함을 읽어 보지도 못하였느냐 하시니라"(막 12:10).

"그들을 보시며 이르시되 그러면 기록된바 건축자들의 버린 돌이 모퉁이의 머릿돌이 되었느니라 함이 어찜이냐?"(눅 20:17).

이 세 가지는 예수님께서 그의 예루살렘 입성에서 인용하신 말씀이었습니다. 제자들에 의하여 이 말씀이 다시 인용되었습니다. 베드로와 요한이 산헤드린 앞에서, 성전 미문에 앉아 있던 앉은뱅이를 일으키신 분은 그들 안에 계신 예수 그리스도임을 증언하며 그분에 대하여 변호할 때도 말했습니다.

"이 예수는 너희 건축자들의 버린 돌로서 집 모퉁이의 머릿돌이 되었느니라"(행 4:11).

그리고 바울 사도도 에베소 교인들에게 말했습니다.

"너희는 사도들과 선지자들의 터 위에 세우심을 입은 자라 그리스도 예수께서 친히 모퉁잇돌이 되셨느니라"(엡 2:20).

다시 베드로는 그의 서신서에서 이 말씀을 인용했습니다.

"그러므로 믿는 너희에게는 보배이나 믿지 아니하는 자에게는 건축자들이 버린 그 돌이 모퉁이의 머릿돌이 되고"(벧전 2:7).

그리고 26절, "여호와의 이름으로 오는 자가 복이 있음이여 우리가 여호와의 집에서 너희를 축복하였도다"라는 말씀 역시 예수님의 예루살렘 입성에서 사람들이 예수님을 향하여 불렀던 찬양의 내용으로 인용되었습니다.

마태복음 21:9입니다.

"앞에서 가고 뒤에서 따르는 무리가 소리 높여 이르되 호산나 다윗의 자손이여 찬송하리로다 주의 이름으로 오시는 이여 가장 높은 곳에서 호산나 하더라."

여기서 '호산나'는 히브리로 '지금 구원하소서'(Save us now)라는 의미를 갖고 있습니다. 이 구절은 바로 21절의 인용인 것입니다.

"주께서 내게 응답하시고 나의 구원이 되셨으니 내가 주께 감사하리이다."

5. 하나님의 말씀의 위대함을 찬양하는 위대한 찬양 - 시 119편

시편 119편은 답관체 형식의 시로 되어 있습니다. 답관체란 오늘날 삼행시, 사행시, 혹은 오행시 등으로 불리는, 어떤 의미를 가진 단어나 혹은 알파벳의 순서대로 머릿글을 삼은 시의 형식입니다.

시편 119편은 히브리어 알파벳 22글자에 각각 8절씩을 할애해서 지어진 놀라운 시편입니다. 그러니까 모두 176절로 된 성경에서 단일 챕터로 가장 긴 장입니다.

물론 시편은 '장'으로 부르지 않습니다만, 처음 여덟 절(1-8절)은 히브리어 알파벳의 첫 글자인 '알렙'으로 매 구절이 시작되고, 두 번째 여덟 절(9-16절)은 두 번째 알파벳인 '베스'라는 글자로 매 구절이 시작되는 그런 식입니다.

그런데 흥미로운 것은 이 긴 시편의 모든 구절들이 하나같이 하나님의 말씀의 위대함에 대해 찬양하고 있다는 것입니다. 말씀을 통해서 우리가 받게 되는 축복, 말씀을 통해서 시험을 이김, 말씀이 우리 삶의 등불이 되고 발에 빛이 되는 것, 고난 극복의 비결은 하나님의 말씀으로 돌아가는 것 등이다.

저는 성경의 가장 긴 장이며 동시에 성경의 가장 중심부에 위치한 이 시가, 하나님의 말씀 자체의 권위와 영광과 능력과 위대함을 찬양하고 있다는 것은 절대 우연이 아니고 성령님의 계획이었다고 믿습니다. 왜냐하면 하나님께서는 우리 모든 자녀들이 하나님의 말씀을 높이고 소중히 생각하기를 바라시기 때문입니다.

시편 138:2에 "주께서 주의 말씀을 주의 모든 이름보다 높게 하셨음이라"라는 말씀이 나옵니다. 주님의 이름이 얼마나 높임 받기를 주께서 원하십니까? 그런데 하나님은 말씀을 그 이름들보다 더 높이기 원하신다는 것입니다. 그러니 우리는 하나님의 말씀을 얼마나 더 사랑해야 하겠습니까? 우리가 말씀을 소중히 여기며 성경통독을 하면서 말씀을 깊이 배우려 노력하는 것이 하나님을 얼마나 기쁘시게 하는 일이겠습니까? 할렐루야!

045

시편 제5권 B

시편 120-150편

우리는 오늘 시편 120-150편까지 통독하겠습니다.

● 120-134편: 성전에 올라가는 노래 시리즈(하나님과의 교제를 향하여 가는 순례자들의 찬양들-광야, 예루살렘으로 올라가는 언덕, 성전, 시온산, 그리고 마침내 예루살렘의 견고함 등이 찬양되고 있음) ● 135편: 할렐루야(여호와를 찬양하라!) ● 136편: 여호와께 감사하라 ● 137편: 바벨론에서의 포로들의 찬양 ● 138편: 전심으로 드리는 노래 ● 139편: 하나님은 누구신가? ● 140편: 악인으로부터의 구원을 위한 기도 ● 141편: 악으로부터의 구원을 위한 기도 ● 142편: 다윗의 고난의 시작 ● 143편: 다급히 도우심을 구하는 다윗의 기도 ● 144편: 하나님은 누구신가에 대한 찬양과 기도 ● 145편: 하나님은 무엇을 하셨는가에 대한 찬양 ● 146-150편: 할렐루야 시편들

〈주요 통독 자료〉

1. 성전에 올라가는 노래 시리즈

성전에 올라가는 노래는 예배를 향해 가는 노래입니다. 하나님의 임재 속으로 그분과의 달콤한 교제를 향한 기대를 가지고 들어가기 위해 여행을 하는 순례자들의 노래입니다. 성전에 나아가면 그룹들의 날개 아래에서 그 백성들을 만나주시기로 약속하신 하나님께서 계십니다. 예루살렘을 향하여 가려면 이 세상에서 가장 험준한 돌짝밭으로 유명한 유다 광야를 지나가야 합니다.

많이 거칠고 힘들겠지요. 야곱이 형 에서의 낯을 피하여 도망치던 그 유다 광야는 이 세상에서 돌이 많기로 가장 유명한 곳이랍니다. 유대인들의 조크가 있습니다. 하나님께서 천사 둘을 불러서 온 세상에 골고루 나누어 줘야 할 돌들을 두 천사에게 나누어 주면서 모든 나라들을 두루 다니며 골고루 나누어 주고 오라고 하셨답니다.

한 천사는 성실하게 여러 나라를 두루 다니며 나누어 주고 왔는데, 한 천사는 게으르고 악해서 유다 남부 광야에 다 쏟아 부어 버리고 갔다는 것입니다. 그러니까 온 세계에 있는 돌들을 다 합친 것만큼의 돌들이 유다 남부 광야에 있다는 것입니다. 실로 나 그네가 밤잠을 자려고 돌이 배기지 않는 땅을 찾았으나 몸 하나 누일 만큼도 찾을 수 없는 곳이 유다 광야라는 것입니다.

어쩌면 예배자들로 살아가는 우리들에게 하나님께로 가는 길은 늘 그리 평탄하고 행복한 길만은 아닐 것입니다. 여기저기에서 복병을 만날 수밖에 없는 길이 될 것입니다. 안락함과 평화로움을 포기해야 하는 길일 수도 있습니다. 수많은 방해와 기대하지 않았던 돌발 변수들이 기다리고 있을 수도 있고, 때아닌 친구들의 습격이나 혹은 많은 유익이 걸린 일들이 가로막고 서서 예배냐, 유익이냐 결정을 해야 하는 때도 있을 것입니다. 그래서 이 "성전에 올라가는 노래" 시리즈는 반복적으로 '눈을 들어' 주님을 바라보고, 시온산을 바라보고, 자신의 지난날 함께하셨던 하나님과의 아름다운 추억들을 바라보도록 권하고 있는 것입니다.

또한 성전에 가는 것이 힘들어도 성전에 가기만 하면 주님과의 만남이 있고, 은혜가 있고, 축복이 있다는 것, 성도의 교제의 만족이 있고, 섬기는 주의 종들을 인한 행복이 있다는 것을 끊임없이 상기하는 것이 바로 성전에 올라가는 노래들의 내용입니다.

2. By the Rivers of Babylon(137편)

저와 같은 세대를 산 분들은 보니엠의 "Rivers of Babylon"이라는 노래를 누구나 기억할 것입니다. 그 노래의 가사가 바로 시편 137편의 내용입니다. 느부갓네살의 바벨론에 의하여 멸망당한 유다는 모두 세 차례에 걸쳐서 바벨론으로 포로가 되어 끌려갔습니다. 그중 2차 포로들은 바로 티그리스 강과 그발 강이 만나는 지역에서, 소위 왕의 운하(the Royal Canal)라는 엄청난 토목공사 현장에서 강제 노동을 착취당하기 위하여 끌려갔습니다.

느부갓네살은 세계 역사 가운데 엄청난 토목공사의 업적으로 세계를 놀라게 한 인물입니다. 바벨론 본성인 공중궁전(the Hanging Garden)은 지면으로부터 약 2km 가까운 높이의 공중에 지어진 궁전이었습니다.

생각해 보십시오. 그 엄청난 공사를 누가 다했겠습니까?

바로 유대인들이 전쟁포로로 끌려가서 그 엄청난 공사들을 한 것입니다. 바벨론의 여러 강변에서 포로수용소에 수용되어 강제노동을 착취당한 포로들이 부른 137편은 바벨론의 군사들이 그들에게 노동을 시키면서 간혹 휴식 시간에 그들을 앞에 나와 노래를 부르도록 시켰던 것입니다.

당시에 유대인들은 노래 잘하는 민족이었습니다. 왜냐하면 그들은 찬양하는 민족이었기 때문입니다. 그런데 바벨론 사람들이 하나님을 찬양하는 그 시온의 노래들을 자기들을 즐겁게 하기 위해 장난 삼아 부르도록 시키고 있었던 것입니다. 그래서 유대인들은 이 포로 생활이 끝나고 다시 시온에 돌아가 성전에서 하나님을 찬양하기까지 다시는 이 노래를 부르지 않겠다고 결심했다는 것이 바로 이 시편의 내용인 것입니다.

버드나무에 수금을 걸어두고 다시는 시온 노래를 부르지 않겠다고 결심한 유대인 포로들, 하나님과의 교제 단절은 그들에게서 노래를 빼앗아 간 것입니다. 우리는 이 세상에서 절대로 찬양을 빼앗기는 사람들이 되지 않기를 바랍니다.

3. 조직신학의 신론의 기초를 제공한 다윗의 시편 - 139편

139편은 조직신학의 신론의 뼈대를 제공해 주는 시편입니다. 다윗은 이 24절로 된 시편에서 정확히 6절씩으로 나누어질 수 있는 네 개의 단원으로 "하나님은 누구신가?"라고 하는 질문에 대한 해답을 주고 있습니다.

●첫 번째 여섯 절을 통해서 다윗은 '하나님의 전지하심'(God's Omniscience)에 대해 말했습니다.

하나님은 모든 것을 아시는 분입니다. 무엇보다 하나님의 자녀인 '나'에 대하여 모르시는 것이 없습니다. 나의 생각, 입술의 언어, 골방에서의 모든 비밀스런 행동, 내가 걷는 길 등 모든 것을 아십니다. 하나님은 우리 위에도 계시고, 우리 앞에도 계시고, 우리 뒤에도 계시며 항상 우리와 함께하는 분이십니다. 그렇지 않아도 하나님께서는 우리를 지으신 분이니 우리에 대해 가장 잘 아시는 게 너무나 당연합니다.

그런데 한 걸음 더 나아가 하나님은 우리를 '살펴보시고' 아시는 분입니다. KJV에서 1절을 보면 "Thou hast searched me and known me"(주께서 나를 깊이 연구하시고 나를 아셨다)

라고 되어 있습니다. 하나님은 마치 지구상에 나 한 사람만 살고 있는 것처럼 그렇게 우리의 형편과 사정을 면밀하게 살피시고 연구하셔서 아시는 분입니다. 얼마나 행복한 우리들입니까?

●두 번째 여섯 절을 통해서 다윗은 우리 하나님의 무소부재하심(God's Omnipresence)에 대해 말했습니다.

하나님은 어디에나 계십니다. 하늘에도 계시고, 음부에도 계시고, 우리가 새벽 날개를 치며 저 바다 끝으로 도망친다 해도 거기에도 이미 하나님께서 계시다는 것입니다. 요나는 하나님을 피하여 땅끝으로 도망치고 싶었지만 결국 그가 간 곳은 물고기 뱃속이었고 물고기가 그를 토해 놓은 곳은 처음부터 그가 갔어야 했던 사명지였습니다. 그러니 하나님의 눈을 피해 어디론가 숨을 수 있다고 생각하는 것은 가장 어리석은 일입니다.

●세 번째 여섯 절을 통해서 다윗은 하나님의 전능하심(God's Omni-potence)에 대해 찬양합니다.

무엇보다 다윗은 하나님께서 나를 심히 기묘하게 지으셨다고 말합니다. 우리의 인체를 하나님께서 얼마나 기묘하게 지으셨습니까? 이런 섬세한 디자인에 의하여 만들어진 육체를 우연의 연결고리와 돌연변이의 연속인 진화의 과정을 통해 만들어졌다고 믿는 일은 다윗의 말처럼 바보만이 가질 수 있는 생각입니다. 이렇게 다윗은 하나님의 전지하심, 무소부재하심, 그리고 전능하심을 전부 '나'를 특별 관리하시는 하나님의 섬세한 사랑으로 묘사했습니다. 심지어 하나님은 다윗 자신을 향한 너무나 아름다운 생각들을 바닷가의 모래알보다 더 많이 갖고 계시다고 노래했습니다. 얼마나 멋진 일입니까?

●네 번째 여섯 절을 통해서 다윗은 우리 하나님과 자신의 사랑의 사귐에 대해 논합니다. 하나님께 그렇게 큰 사랑을 받은 존재로서 당연히 다윗은 하나님께서 기뻐하시는 일을 하고, 하나님께서 기뻐하지 않으시는 일을 하지 않는 악을 행하는 자들은 다 자기 주변에서 쫓아내고, 하나님께서 기뻐하시는 의인들의 무리와 함께 행하기 원하

는 다윗의 소원들을 피력합니다. 하나님과 이런 사랑에 빠져서 사는 삶이야말로 '사랑과 순종'이 주제가 되는 신명기적 삶이 아니겠습니까?

4. 할렐루야 찬양들(146-150편)

할렐루야로 시작하거나 끝맺는 찬양을 일반적으로 '할렐루야 시편'이라 부릅니다. 그런데 시편 146-150편은 '할렐루야'로 시작하고 또한 '할렐루야'로 끝맺는 찬양들의 묶음입니다. 그야말로 하나님을 향한 찬양이 감격적으로 터져 나오는 성도의 마음을 노래하고 있는 것입니다.

특별히 시편 150편은 찬양에 관한 모든 것을 알려주는 시편입니다. 먼저 '찬양은 어디에서 해야 하는가?'라는 의문을 풀어줍니다. 우리는 성소에서 주를 찬양해야 하며, 또한 그의 권능의 궁창에서 찬양해야 합니다. 그의 권능의 궁창이란 우리가 숨쉬는 모든 대기권을 말합니다. 이 말은 곧 우리는 어떤 한 장소에서도 주님을 찬양해야 한다는 것입니다. 들판에서, 도시에서, 초막에서, 궁궐에서, 왕위에 있을 때나, 가난한 목동으로 양 떼들의 똥이나 치는 상황에서도 우리는 찬양해야 합니다. 그것이 시편입니다.

그 다음 이 시편은 '우리가 찬양해야 할 이유'를 제공합니다.

그의 능하신 행동을 인하여 찬양해야 합니다. 우리의 삶에서 그가 행하신 놀라운 일들이 찬양의 제목이 되어야 한다는 것입니다. 그러나 더 중요한 찬양의 이유는 "그의 지극히 위대하심을 따라" 찬양하는 것입니다. 그냥 하나님의 하나님 되심을 인하여 우리는 찬양해야 합니다.

그 다음 이 시편은 '어떻게 찬양해야 하는가'를 가르쳐 줍니다.

나팔, 비파, 수금, 소고, 현악, 퉁소(플룻), 제금(심벌즈)들로 찬양해야 합니다. 이는 이 땅에 있는 모든 종류의 악기를 아우르는 것입니다. 우리가 아무 악기도 연주할 수 없다 하여도 찬양해야 합니다. 왜냐하면 "호흡이 있는 자마다" 여호와를 찬양하라고 했기 때문입니다. 숨쉬고 계십니까? 찬양해야 합니다. 할렐루야!

046

지혜와 어리석음
잠언 1-9장

잠언서는 크게 다섯 단원으로 나눌 수 있습니다.

1. 지혜와 어리석음의 비교(1-9장)

2. 솔로몬의 잠언-솔로몬 자신에 의하여 기록되고 편집됨(10-24장)

3. 솔로몬의 잠언-히스기야의 신하들이 편집함(25-29장)

4. 아굴 왕의 잠언(30장)

5. 르무엘 왕의 어머니의 잠언(31장)

이 중에서 우리는 오늘 잠언 1-9장까지 통독하겠습니다.

- 1장: 지혜가 부르짖음,
- 2장: 지혜가 주는 유익
- 3장: 젊은이에게 주는 교훈
- 4장: 지혜와 명철을 얻으라
- 5장: 사지와 스올로 가지 말라
- 6장: 실제적 교훈, 훈계와 명령
- 7장: 음녀의 길로 치우치지 말라
- 8장: 지혜와 명철을 찬양
- 9장: 지혜와 어리석음

〈주요 통독 자료〉

1. 지식, 지혜, 그리고 훈계

잠언서는 욥기, 시편, 전도서, 아가와 함께 시가서로 분류되는 책입니다. 히브리 시는 발음 혹은 리듬의 운율이 아닌 아이디어의 운율을 가지고 있다고 했습니다. 그래서 서술형 문장으로 된 듯 보이는 이 책이 히브리 문학에서는 시로 분류되는 것입니다.

시가서들 중 세 권의 책이 솔로몬의 저작입니다. 잠언서, 전도서, 그리고 아가서가 그것입니다. 잠언서는 지혜의 책이고, 전도서는 어리석음에 관한 책이며, 아가서는 사랑에 관한 책입니다.

솔로몬은 이 세 가지 주제 모두에 대하여 전문가였습니다. 열왕기상 4:32에 보면, 솔로몬은 삼천 개의 잠언을 말했고, 일천다섯 편의 노래를 지었다고 했는데, 솔로몬이 지은 1005편의 노래들 중 오직 한 편의 노래만을 우리가 가지고 있습니다. 그것이 바로 아가서입니다. 그리고 그가 지은 3000편의 잠언들 중 극히 적은 일부만을 우리는 가지고 있습니다. 솔로몬은 레바논의 백향목으로부터 담벼락에 피어나는 우슬초에 이르기까지 수목에 관하여 말했고, 짐승들에 대하여, 조류에 대하여, 기는 것들에 대하여, 그리고 물고기들에 대하여 설파했습니다. 그래서 온 세상의 모든 사람들이, 많은 왕들이 그의 지혜에 관하여 듣고자 그를 찾아왔던 것입니다(왕상 4:33-34).

잠언서에서 우리는 솔로몬의 지혜를 읽을 수 있습니다. '잠언'이란 어떤 특정한 진리를 아주 집약적인 방식으로 표현한 말입니다. 잠언은 오랜 경험으로부터 나온 아주 짧은 문장입니다. 기억하기 쉬운 문체로 쓰인 진리이며, 경험에 의하여 나온 철학이며, 행실을 위한 일종의 규례입니다. 잠언은 경구적인 문장이며, 금언이며, 속담이며, 풍자입니다. 잠언서의 열쇠가 되는 구절이 바로 1장 7절입니다.

"여호와를 경외하는 것이 지식의 근본이어늘 미련한 자는 지혜와 훈계를 멸시하느니라."

2. 잠언서의 주제 – 예수 그리스도

잠언서는 명백히 예수 그리스도를 우리에게 보여주는 책입니다. 잠언서에서 솔로몬이 칭찬하고 칭송했던 그 지혜는 바로 우리 예수님을 지칭하는 단어였기 때문입니다. 잠언서는 수많은 단편적인 잠언, 혹은 금언들을 계속해서 이어놓은 책이지만 분명한 스토리의 전개를 가진 책입니다. 그러므로 성경 속의 다른 책들과 마찬가지로 우리는 잠언서의 완전한 이해를 위하여 잠언서에서도 성경 전체의 문맥을 잘 파악하여 각각의 잠언들을 해석하고 적용해야 합니다. 하나하나의 잠언들이 매우 독립적이고 또한 단편적으로 보이지만 분명 일정한 주제를 가지고 편집되어 있기 때문에 문맥의 흐름을 파악하고 그 안에서 잠언들을 이해하는 것이 중요합니다.

우리 중에 "나는 사전을 읽는 것이 재미있다. 소설은 길어서 재미없다"라는 분이 있을까요? 성경에서 전체의 문맥을 무시하고 단편적으로 어떤 한 구절만을 뽑아서 생각하기를 좋아하는 사람들은 마치 이와 같다고 하겠습니다.

잠언서 1장 7절에는 잠언서의 열쇠가 되는 세 가지 단어들이 등장합니다. 지식과 지혜, 그리고 훈계입니다. 히브리어에서 지식은 '다아스'이며, 이 단어는 성경에서 모두 125회 사용되고 있습니다. 그러므로 성경은 지식에 대하여 매우 강조하고 있는 책입니다. 성경은 "여호와를 경외하는 것이 지식의 근본"(Beginning-시작)이라고 말합니다. 우리의 기도는 지식에 근거한 것이어야 합니다.

우리의 열심은 지식을 좇은 것이어야 합니다. 지식이 결여된 소원은 선하지 못합니다. 물론 잠언서가 말하는 이 지식은 여호와를 향한 믿음입니다. 지혜는 지식을 올바르게 사용할 수 있는 능력입니다.

잠언서에서 지혜는 37회나 쓰였습니다.

그러니까 잠언서에서 지혜는 아주 중요한 단어입니다. 이 세상에는 지식을 가진 자들이 많습니다. 똑똑하죠. 그러나 그들이 모두 그 지식을 올바르게 사용하는 것은 아닙니다. 지식을 이용하여 지능적인 범죄를 저지르기도 하고, 지식을 가지고 많은 사람을 살상할 목적으로 무기를 만들기도 합니다.

잠언서에서 말하는 모든 '지혜'라는 단어를 예수님을 대입해서 읽어도 무방할 정도로 잠언서는 예수 그리스도를 지혜로 표현하고 있는 책입니다. 고린도전서 1:30에서 바울은 "너희는 하나님으로부터 나서 그리스도 예수 안에 있고 예수는 하나님으로부터 나와서 우리에게 지혜와 의로움과 거룩함과 구원함이 되셨다"고 말합니다. 예수님은 지혜이십니다. 그래서 잠언서에서 지혜는 '의인법'으로 묘사되고 있습니다. "지혜가 거리에서 외친다." "지혜가 부르짖는다." 이런 식이죠. 잠언서의 지혜는 바로 예수 그리스도를 보여줍니다.

그 다음 훈계라는 단어는 잠언서에서 모두 26회 사용되었습니다. 때로는 같은 히브리어가 '벌주다, 징계하다'라는 단어로 번역되기도 합니다. 흥미로운 일이지요? 예를 들면 잠언 13:24은 이렇게 말합니다.

"매를 아끼는 자는 그의 자식을 미워함이라 자식을 사랑하는 자는 근실히 징계하느니라."

여기서 '매'라는 단어와 '징계'라는 단어는 둘 다 '훈계'를 뜻하는 히브리어 단어입니다. 그러니까 '훈계'는 회초리로 때려 가면서 가르친다는 의미입니다.

우리는 우리의 자녀가 본질상 죄인이라는 것을 인지해야 합니다. 훈계하지 않는 자녀는 절대로 올바로 자라지 않습니다. 성경은 우리에게 자녀가 올바로 되기를 원한다면 그를 훈계하라고 말합니다.

우리는 오늘 잠언 10-24장까지 통독하겠습니다.

● 10-24장은 위에서 요약된 것처럼, 솔로몬에 의하여 저작되고 또 솔로몬에 의하여 편집된 잠언집입니다. 어제 우리가 다루었던 1-9장은 전체가 잠언은 아니었습니다. 지혜와 어리석음의 특성들을 대조적으로 보여주는 교훈의 내용들이었고, 간간이 잠언들이 등장했습니다. 그러나 이제 10장부터는 매 절이 잠언들의 연속입니다. 마치 당알당알 포도송이들이 달린 것처럼 그렇게 잠언들이 탐스러운 열매로 가지마다 달려있는 것이 잠언서의 특성입니다.

〈주요 통독 자료〉

1. 지혜로운 아들과 미련한 아들

솔로몬은 잠언들을 들려주면서 이해를 쉽게 하기 위하여 항상 대조법을 사용하고 있습니다. 잠언서에서 우리는 끝없이 계속되는 대조법적으로 나열된 문장들을 보게 됩니다. 예를 들어 10장 1절에서 솔로몬의 첫 번째 잠언을 보십시오.

"솔로몬의 잠언이라 지혜로운 아들은 아비를 기쁘게 하거니와."

참으로 진리 아니겠습니까? 아버지들에게 있어서 자기 아들이 지혜로운 일들을 하는 것을 보는 것만큼 자랑스런 일은 없을 것입니다. 자기 아들이 지혜로운 사람이 되는 것을 보면 아버지들은 자신들의 사명이 다 완수된 것 같은 만족을 얻습니다.

지혜로운 아들은 아비를 기쁘게 합니다.

그러나 다음 구절은 선명한 대조를 보여줍니다.

"미련한 아들은 어미의 근심이니라."

왜 자랑은 아빠의 것이고 근심은 어머니가 하는지 모르겠지만, 하여튼 미련한 아들은 그 어미에게 크게 근심을 끼칩니다. 아버지라는 존재는 좀 그런게 아닌가 싶습니다.

자식들이 잘못을 하면 아버지들은 아내와 자녀들을 함께 싸잡아 나무랍니다. "당신은 집에서 도대체 뭐해? 아이가 이 꼴이 되도록 뭘 한 거야?"라고 호통을 치는 것입니다. 그러다가 결국 돌이킬 수 없는 일이 벌어졌다 싶으면 아빠는 말합니다.

"에이, 그까짓 자식 하나 없는 것으로 치지 뭐…."

이런 식의 말을 어머니가 하는 것을 들어본 적이 없습니다. 물론 모든 아버지들이 다 같은 것도 아니고 어머니들도 마찬가지이겠으나 보편적으로 그렇다는 것입니다.

누가복음 2장을 보면, 예수님이 탄생하신 후 그 모친 마리아가 결례의 날들을 모두 마친 후에 예수님을 하나님께 바치는 헌아식을 갖기 위하여 예루살렘으로 올라갔습니다.

이때 예루살렘에 시므온이라는 예언자가 있었습니다. 그는 평소에 그리스도가 나타나시는 것을 보기 전에는 죽지 않으리라는 약속의 말씀을 받고 있었습니다. 그러다가 예수님의 헌아를 위하여 마리아와 요셉이 예루살렘에 올라오는 것을 보고 성령의 충만함으로 그 아기가 그리스도이신 것을 알게 되었습니다.

이때 시므온이 예수님을 안고 하나님께 찬양을 드리면서 예수님이 받으실 고난에 대하여 이렇게 말합니다.

"이는 이스라엘 중 많은 사람을 패하거나 흥하게 하며 비방을 받는 표적이 되기 위하여 세움을 받았고 또 칼이 네 마음을 찌르듯 하리니"(눅 2:34-35).

물론 예수님의 경우는 요셉이 일찍 죽은 것으로 보입니다. 왜냐하면 예수님의 공생애 사역에서 마리아에 대한 기록이 종종 나오지만 요셉에 관한 이야기는 전혀 나타나지 않기 때문입니다. 그렇다 하더라도 예수님이 받으실 고난에 대하여 그 모친 마리아의 마음이 칼로 찌름을 받는 것 같은 고통을 받게 되리라는 시므온의 예언은 어머니의 역할에 대한 많은 사실을 우리에게 상기시켜 주는 부분이라 하겠습니다.

아무튼 솔로몬의 잠언은 대조적인 것들을 병행시켜서 잠언의 가르침을 극대화하고 있습니다. 이것이 바로 히브리 문학의 시의 특성입니다. 그래서 잠언서는 시입니다.

2. 미움과 사랑

10장 1절의 첫 번째 잠언이 그런 것처럼 10장 12절에서도 우리는 같은 패턴의 잠언을 봅니다.

"미움은 다툼을 일으켜도 사랑은 허다한 죄를 덮느니라."

미움은 다툼을 일으킵니다. 여기에서 많은 경우 '다툼'이라는 단어에 주목합니다. 하지만 더 중요한 단어가 바로 '일으킨다'는 것입니다. 영어 성경에서는 이 구절을 "Hatred stirs up strife"이라고 표현합니다.

여기에서 'stirs up'은 마구 휘젓는다는 의미를 갖고 있습니다. 휘저으면 바닥에 가라앉아 있던 것이 일어나게 마련입니다. 미움은 바닥에 가라앉아 있던 갈등의 요인들을 휘저어서 다 일어나게 만드는 것입니다. 그러면 다툼은 점점 더 커지는 것입니다. 가만히 덮어두면 편안합니다. 모든 것들이 다 가라앉고 맙니다. 여기 지저분한 물이 있다고 가정해 봅시다. 가령 진흙탕 물이 있다고 합시다. 가만히 덮어두면 더러운 것들이 다 가라앉아서 물이 아주 맑게 보입니다. 하지만 휘저어 보십시오. 이내 새빨간 진흙탕 물이 다 올라와서 온통 물들을 더럽게 합니다.

우리는 타락한 존재들입니다.

우리들 속에는 많은 약점들이 있고, 또 죄성들이 아직도 잠재되어 있습니다. 누구든지 휘저어 놓으면 속에서 온갖 복잡하고 추한 것들이 얼마든지 일어날 수 있습니다. 이것을 알고 이용하는 자가 바로 사탄인 것입니다. 사탄은 우리 인생들의 마음속에 그저 미움의 씨앗 하나만 떨어뜨려 놓으면 되는 것입니다. 그러면 그것이 온통 우리들의 마음을 휘저어 놓습니다. 그러면 그 속에서 온갖 것들이 용솟음을 치게 됩니다.

이런 미움은 급격히 전이됩니다. 덮어두고 넘어가도 좋을 일들을 사사건건 끄집어내서 휘젓게 됩니다. 결국은 다툼이 벌어지고 마는 것입니다. 그래서 잠언 17:9은 "허물을 덮어 주는 자는 사랑을 구하는 자요, 그것을 거듭 말하는 자는 친한 벗을 이간하는 자니라"라고 말하고 있습니다.

사랑은 미움과 정반대의 일을 합니다. 사랑은 파헤치기보다 따뜻하게 덮어주는 특성을 가지고 있습니다. 사랑은 허다한 죄를 덮어주는 것입니다.

어린 아기가, 혹은 귀여운 손자가 설탕 한 통을 카펫 위에 다 쏟았다고 가정해 봅시다. 뭐라고 하시겠습니까?

"아유~ 귀여워라! 설탕도 예쁘게도 쏟았네? 이것 좀 보세요. 너무 예쁘지 않아요? 아무리 봐도 이 아이는 예술가적 기질을 타고난 것 같아요. 어쩌면 설탕도 이렇게 예술적으로 쏟지요?"

우리에게 필요한 것은 바로 이런 사랑입니다. 그리고 이런 사랑을 가장 아름답고 선명하게 보여주신 분이 바로 우리 예수님이십니다. 모든 사람들이 가까이하기를 두려워하고, 모든 사람들이 혐오감을 느끼는 나병자도 예수님께는 그렇게 아름다워 보일 수가 없었습니다. 예수님은 그를 사랑스럽게 만져주셨습니다.

"내가 원하노니 깨끗함을 받으라!"

3. 소가 없으면…

소의 힘으로 얻을 수 있는 것은 많습니다. 밭을 갈 수 있지요? 짐을 싣게 할 수도 있고 짐차를 끌게 할 수도 있습니다. 농사를 짓는 사람에게 소가 없다는 것은 있을 수가 없습니다. 또한 소에게 새끼를 낳게 할 수도 있습니다. 하지만 소를 기르는 일은 쉽지 않습니다.

시간이 날 때마다 꼴을 베러 나가야 합니다. 옥수수 대궁이나, 또한 들에서 풀을 베어다가 소를 먹일 준비를 해야 합니다. 설령 사료를 가지고 소를 먹인다 하더라도 새벽마다 나와서 소를 먹이기 위하여 죽을 쑤어야 합니다. 구유는 항상 먹을 것이 준비되어 있어야 합니다.

보통 부지런함을 요구하는 일이 아닙니다. 소를 키우려면 외양간을 가져야 합니다. 그 외양간은 항상 더러운 소의 배설물들로 가득합니다. 뿐만 아니라 쇠파리 같은 더러운 것들이 우글거립니다.

그러므로 때에 따라 외양간을 수리해 주어야 하고, 또 청소해 주어야 합니다. 보통 귀찮은 일이 아니지요? 하지만 그렇다고 소를 없애버릴 수는 없습니다. 소를 없애버리면 아마 구유는 깨끗하겠지요? 꼴을 먹이기 위해서 수고를 해야 할 필요도 없겠지요? 더러운 냄새가 나는 외양간을 가지고 있을 필요도 없겠지요?

하지만 소가 없다고 그것을 좋아할 사람은 없습니다. 왜냐하면 소의 힘으로 얻을 수 있는 것이 많은데 이제 그 모든 것들을 기대할 수가 없기 때문입니다.

영어에 "No pain, no gain!"이라는 표현이 있습니다.

고통을 감수하지 않으면 아무것도 얻을 수 없다는 것입니다. 수고를 하지 않는다면 우리는 아무것도 얻을 수 없습니다.

예수님께서 기꺼이 고난을 감수하고자 하지 않으셨다면, 예수님은 너무나 편안하셨을 것입니다. 그러나 예수님께서 기꺼이 십자가의 고난을 감수하셨기 때문에 우리들에게 구원의 길이 열린 것입니다. 잠언 11:15의 말씀입니다.

"타인을 위하여 보증이 되는 자는 손해를 당하여도 보증이 되기를 싫어하는 자는 평안하니라."

골치 아픈 일을 당하기 싫거든 남의 일에 참견하지 말라는 것입니다. 만일 타인을 위하여 보증을 선다면 그는 손해를 각오해야 한다는 것입니다.

영어 성경에서 NKJV란 번역본을 보면, 여기서 '타인'은 단순히 타인이 아니라 stranger입니다. 이는 '근본도 잘 알지 못하는 외인'이라는 뜻입니다. 잘 알지 못하는 수상한 방랑자를 일컫는 말입니다. 이 구절을 다시 번역하면, "잘 알지도 못하는 외인을 위하여 보증을 서는 바보 같은 짓 따위는 하지 말라. 그런 일은 너에게 많은 불편과 어려움을 초래할 것이다. 그런 일에 관여하지 않는 것이 평화롭게 사는 방법이다"라고 해석할 수 있습니다.

이 잠언을 보편적 진리로 받아들인다면 틀림없이 맞는 말입니다. 하지만 만약 예수님께서 이 잠언을 따르셨다면 우리들은 아무도 희망이 없었을 것입니다. 왜냐하면 우리들이 바로 근본도 없는 외인, 즉 죄인으로 이 땅에 태어나 사망이 기정사실화 되어 있었던 이방인들이었기 때문입니다.

예수님께서 우리 같은 죄인들을 위한 보증이 되어주셨기 때문에 우리는 구원의 기회를 얻은 것입니다. 할렐루야! 이것이 바로 솔로몬 잠언의 기본적인 취지입니다.

우리는 오늘 잠언 25-31장까지 통독하겠습니다.

● 25-29장: 이미 말씀 드린 대로 잠언서의 세 번째 단원인 25-29장은 솔로몬의 잠언을 히스기야의 신하들이 재편집한 잠언집입니다. 오랫동안 전해지던 잠언들은 이스라엘 백성들에게 큰 교훈이 되었을 것이고, 히스기야는 자기 백성들을 더 많은 잠언으로 교육하기 원했던 것 같습니다. 그래서 그는 신하들에게 솔로몬의 잠언들 가운데 누락되었던 부분들을 발굴해서 잠언집을 편찬하도록 지시했던 것 같습니다. 물론 이 부분에는 이미 우리가 읽어온 잠언들이 많이 반복되고 있는 것을 볼 수 있습니다.

● 30장: 아굴 왕의 잠언

● 31장: 르무엘 왕의 잠언

〈주요 통독 자료〉

1. 은 쟁반의 금 사과

잠언 25:9-11입니다.

"너는 이웃과 다투거든 변론만 하고 남의 은밀한 일은 누설하지 말라. 듣는 자가 너를 꾸짖을 터이요, 또 네게 대한 악평이 네게서 떠나지 아니할까 두려우니라. 경우에 합당한 말은 아로새긴 은쟁반에 금 사과니라."

참으로 너무나 멋진 잠언입니다. 얼마나 명확한 진리인지요. 여기에 나오는 "금 사과"(Golden Apple)는 정말 금으로 만든 사과를 말하는 것이 아니고 오렌지를 뜻합니다. 솔로몬 당시에 세계에서 가장 맛있는 오렌지를 생산하던 나라는 바로 이스라엘이었습니다. 어쨌든 참 아름다운 표현입니다.

"은쟁반에 금 사과"

우리는 성경에서 종종 그렇게 아름다운 언어를 가진 사람들을 봅니다. 예컨대 나발의 아내 아비가일 같은 여자가 그런 사람이었습니다. 분노를 일순간에 잠재우고 문제가 야기될 자리에서 전혀 문제될 것이 없도록 만드는 특별한 은사를 가진 사람… 이런 사람이 얼마나 필요하고 그리운지요.

미국의 테네시 주 중부 지방의 한 시골에 작은 교회가 있는데 그 교회에 나오는 여인은 때에 맞춘 아름다운 말로 사람들을 격려하는 것으로 유명했답니다. 특별히 그 교회의 목사님이 설교를 마치고 나오면 그녀는 어김없이 적절한 칭찬을 생각했다가 목사님을 격려해 드리곤 했답니다. 그런데 그 목사님의 설교는 정말 칭찬할 만한 설교가 아니었습니다. 하지만 그녀는 너무나 적절하고 아름다운 지혜의 말로 목사님을 격려해 왔습니다.

그런데 어느 날, 그날은 목사님이 너무나 설교를 못했답니다. 모든 사람들이 생각하기를 이 설교는 정말 칭찬의 여지가 전혀 없다고 생각했습니다. 사람들은 궁금했습니다. 뭐라고 목사님께 말할까… 예배를 마치고 나오면서 그녀가 목사님을 만났습니다. 주변에 많은 사람들이 모여들었습니다. 모두 그녀의 입술을 바라봅니다. 그녀가 말했습니다.

"목사님, 오늘 설교는 정말 너무나 좋았어요."

모두들 깜짝 놀랐습니다. 그녀의 말이 이어졌습니다.

"목사님, 어쩌면 그렇게 아름다운 본문을 선택하셨어요? 정말 최고세요!"

정말 아름다운 사람 아니겠습니까? 우리들 모두에게 하나님께서 이런 은사를 부어 주시기를 구합니다.

2. 미련한 자 (잠언 26장)

잠언 26:4-5입니다.

"미련한 자의 어리석은 것을 따라 대답하지 말라 두렵건대 너도 그와 같을까 하노라 미련한 자에게는 그의 어리석음을 따라 대답하라 두렵건대 그가 스스로 지혜롭게 여길까 하노라."

흥미로운 잠언입니다. 어느 때는 바보에게 우리가 말대꾸를 했다가 같이 바보가 되는 경우가 있습니다. 그러나 어느 때는 바보에게 답변을 줌으로써 그를 좀 똑똑하게 만들어 주는 경우가 있습니다. 그러니까 우리는 어떤 대답을 하기 전에 이 사람이 좀 나아질 수 있는 바보인지, 아니면 나까지 바보로 만들 바보인지 분별할 줄 알아야 하는 것입니다.

솔로몬은 바보 같은 짓, 미련한 짓을 계속 반복하는 일을 이렇게 묘사합니다.

"개가 그 토한 것을 도로 먹는 것같이 미련한 자는 그 미련한 것을 거듭 행하느니라"(잠 26:11).

세상에 이보다 더 더러운 말이 있을까요? 생각만 해도 정말 더러운 일이지요. 베드로는 이 잠언을 이렇게 인용했습니다.

"참된 속담에 이르기를 개가 그 토하였던 것에 돌아가고 돼지가 씻었다가 더러운 구덩이에 도로 누웠다 하는 말이 그들에게 응하였도다"(벧후 2:22).

돼지를 데려다가 목욕시키고 머리 땋아주고 향수 뿌려서 꽃 돼지를 만들어 주고 방을 예쁘게 꾸며서 꽃 방석에 앉혀 놓았다고 가정해 봅시다. 이 돼지는 분명 죽던지 아니면 무슨 수를 써서라도 다시 돼지 우리로 돌아가던지 둘 중 하나를 할 것입니다. 본성이 바뀌어야 합니다. 사람도 마찬가지입니다.

이 땅에 태어날 때 가지고 왔던 죄악된 본성이 바뀌지 않는 한 그 사람이 교회 안에 앉아있다는 것만으로는 그를 바꿀 수 없습니다. 그런데 그 다음 절을 보니 미련한 자보다 더 심한 사람이 나옵니다.

"네가 스스로 지혜롭게 여기는 자를 보느냐 그보다 더 미련한 자에게 오히려 바랄 것이 있느니라"(잠 26:12).

와우~! 스스로를 지혜롭게 여기는 자는 미련한 자보다 훨씬 못합니다.

3. 내일 일을 자랑치 말라

잠언 27:1입니다.

"너는 내일 일을 자랑하지 말라 하루 동안에 무슨 일이 일어날는지 네가 알 수 없음이니라."

이 잠언은 누구나 이해할 수 있는 쉬운 잠언입니다. 그러나 이 잠언을 조금만 깊이 생각해 보면 이 잠언 속에 완전히 상반되는 두 개의 메시지가 숨어 있습니다.

●첫째로, 이 잠언은 우리들에게 하나님을 철저히 신뢰하도록 가르치는 교훈을 담고 있습니다. 왜냐하면 우리들은 내일 일을 알 수 없을 뿐 아니라, 진실로 오늘 무슨 일이 일어날지도 알지 못하기 때문입니다.

우리들의 삶에는 참으로 돌연한 일들이 수없이 벌어지고 있습니다. 어떤 사람은 "하룻밤 자고 나니까 갑자기 자신이 유명해졌더라"고 말합니다. 그런 돌연한 깨어남은 성경에도 수없이 기록되어 있습니다.

야곱이 잠에서 깨어났을 때, 그는 7년을 수일처럼 여기며 일할 수 있었던 사랑하는 여인 라헬이 아닌 레아가 자신의 곁에서 자고 있음을 발견했습니다. 돌연한 깨어남이죠?

보아스가 잠에서 깨어났을 때, 그는 자신의 옆에 자신을 메시아의 조상이 되게 만들어 줄 너무나 아름다운 여인 룻이 잠들어 있는 것을 알게 되었습니다. 돌연한 깨어남이죠.

하만에 의하여 나무에 달리기로 되어 있던 그날, 모르드개는 자신을 매달려던 나무에 하만이 매달리는 것을 보게 되었습니다. 페르시아 127개 도에 살던 유대인들 모두의 목숨을 구하신 영광스런 날을 맞은 것입니다. 돌연한 깨어남입니다.

전도서 3장에서 솔로몬은 우리의 삶이 수많은 종류의 돌발적인 사건들로 점철되어 있음을 가르쳐 줍니다. 상반되는 일들이 끊임없이 우리에게 교차되어 다가오죠? 날 때가 있고 죽을 때가 있으며, 심을 때가 있고 뽑을 때가 있으며, 죽일 때가 있고 치료할 때가 있으며, 헐 때가 있고 세울 때가 있으며, 울 때가 있고 웃을 때가 있으며, 슬퍼할 때가 있고 춤출 때가 있으며… 세상에는 우리가 아무리 애써도 안 되는 일들이 있습니다. 그러다가 때가 되면 자연히 이루어지는 일들이 많습니다. 이 수많은 돌발 변수들은 우리의 모든 것이 결국 하나님의 손에 달려 있음을 나타내 주는 것입니다.

내일 일을 미리 염려할 필요도 없고, 내일 일을 지나치게 자랑할 필요도 없습니다. 그러므로 우리는 '내일은 나의 것이 아니고, 우리 하나님의 것'이라는 점을 발견합니다.

하지만 본문이 주는 두 번째 교훈은 내일이 하나님의 것인 대신, 오늘은 하나님께서 우리에게 주신 최고의 선물이라는 점입니다. 그러니까 내일 일을 자랑하지 말고 오늘을 성실로써 채우라는 것입니다. 스페인어로 '내일'은 '마냐나'(Manana)입니다. 그런데 스페인 사람들이 가장 좋아하는 핑계 중 하나가 바로 마냐나 "내일 할게요, 내일 줄게요, 내일 봅시다"입니다. 그래서 스페인에는 속담이 있는데 "미루고 미루는 길은 곧 never의 집으로 가는 길이다"라는 말입니다. '내일, 내일' 하다가는 결국 아무것도 하지 못하고 만다는 뜻입니다. '내일은 잘할 것이다. 내일은 오늘보다 훨씬 나을 것이다'라고 '내일, 내일'을 주장하지 말고 오늘 해야 할 일은 오늘 해야 합니다.

4. 아굴 왕과 르무엘 왕의 잠언(30, 31장)

잠언서의 마지막 두 단원은 각각 30장과 31장입니다.

30장은 아굴 왕의 잠언이고, 31장은 르무엘 왕의 잠언입니다.

'아굴'이 대체 누굴까요? 아굴은 성경에 전혀 나와 있지 않은 인물이며, 역사의 기록에도 전혀 찾아볼 수 없는 인물입니다. 그래서 이 '아굴'에 대해서는 많은 가설들이 있습니다. 어떤 사람은 이 잠언이 팔레스타인 밖에서 쓰여진 잠언들이라고 생각합니다. 그러나 이런 학설을 뒷받침해 줄 수 있는 어떤 자료도 발견되지 않고 있습니다.

저는 이 아굴이 솔로몬일 것이라는 생각을 가지고 있습니다.

우선 잠언서의 서론부가 이 책이 솔로몬의 저작이라고 밝히고 있다는 것이 가장 큰 이유이고, 또 더러 영어 번역본들 중에는 아굴을 비롯한 1절에 나오는 이름들을 보통명사로 해석하고 있다는 것입니다. 아굴의 이름 뜻은 '모으는 자'로서, '잠언과 지혜로운 말들을 모으는 자'라는 의미로 쓰였습니다. 그러니까 이 이름은 솔로몬의 별명일 확률이 높은 것입니다. 그리고 그는 '야게'의 아들이라고 했는데, 이 '야게'는 'pious' 즉 '경건한 사람, 독실한 사람'이라는 의미로 해석됩니다. 솔로몬의 아버지 다윗은 '경건한 사람, 독실한 사람'이었습니다. 물론 이 가정이 100% 확실하다고는 말 못합니다. 하지만 상당히 확률이 높습니다.

그리고 31장은 르무엘 왕의 잠언입니다.

이것은 르무엘이라는 왕의 어머니가 그를 훈계한 잠언입니다. 30장의 '아굴' 왕이 솔로몬이었을 가능성에 대해서는 논쟁이 좀 있지만, 여기 나오는 르무엘이 솔로몬이라는 데 대해서는 별로 이견이 없습니다. 솔로몬에겐 별명이 많았습니다. 특별히 하나님께서 붙여주신 별명도 있습니다. 애칭이라고 할 수 있겠죠.

사무엘하 12:25을 보면, "여디디야"라는 애칭이 나옵니다. 이는 '여호와께 사랑을 입은 자'라는 의미입니다. "르무엘"이라는 이름은 '하나님께 바쳐진 사람'이라는 의미입니다. 우리는 이 이름이 솔로몬의 모친인 밧세바가 솔로몬에게 붙여 준 애칭이라고 믿고 있습니다. 31장은 '어떤 아내를 얻어야 하는가' 하는 문제를 가르쳐주는 어머니의 교훈입니다. '현숙한 여인'에 관한 잠언이지요.

전도자 솔로몬의 인생고백

전도서 1-12장

전도서는 내용상 세 단원으로 나눌 수 있습니다.

1. 문제의 제기(1:1-3)

2. 솔로몬의 실험들(1:4-12:12)

　① 과학(1:4-11) ② 지혜와 철학(1:12-18) ③ 쾌락(2:1-11) ④ 세속주의(현세를 위한 삶 2:12-26) ⑤ 숙명론(3:1-15) ⑥ 이기주의(3:16-4:16) ⑦ 종교(5:1-8) ⑧ 부(5:9-6:12) ⑨ 도덕성(7:1-12:12)

3. 실험의 결과(12:13-14)

우리는 오늘 전도서 전체를 통독하겠습니다.

〈주요 통독 자료〉

1. 전도서의 개요

　전도서의 영어 성경 제목은 'Ecclesiastes'입니다. 이 제목도 다른 성경의 제목처럼 70인역 헬라어 번역 성경의 제목을 음역한 것입니다. 이 제목은 '에클레시아'에서 왔습니다. 이 '에클레시아'는 문자적으로 세상의 바깥으로 불려냄을 받은 집단을 의미합니다. 일종의 소집된 회중입니다. 이 단어가 바로 마태복음 16장에서 예수님에 의하여 '교회'를 지칭하는 단어로 쓰였습니다.

　솔로몬은 전도서에서 자신을 전도자(Evangelist)라고 부르고 있습니다. 이 전도자는 헬라어로 '코헬레트'이며, 그 의미는 '회중을 소집하는 공식적인 의장'을 뜻합니다. 그러니까 전도서는 교회를 향해서 주시는 하나님의 메시지입니다. 솔로몬이 설교자로서 교회의 회중들을 향하여 이 설교를 하고 있는 것입니다.

　흥미로운 것은 솔로몬의 책들에 나타난 솔로몬의 다양한 모습입니다. 잠언서에서 솔로몬은 '지혜로운 선생님'이었습니다. 그리고 전도서 뒤에 나오는 아가서에서 솔로몬은 '사랑이 가득한 왕'입니다. 그러나 전도서에서 솔로몬은 '형편없는 바보'입니다. 해 아래에서 누릴 수 있는 모든 것으로부터 인생의 의미를 찾으려고 방황하는 바보입니다. 제 개인적인 생각은 잠언서와 아가서는 솔로몬이 하나님과의 사귐에 있어서 최고조에 있을 때의 상황들을 기록한 책인 것 같습니다. 하지만 전도서는 그가 너무나 오랜 젊은 세월을 하나님 밖에서 삶의 만족을 찾으려 헤맨 후, 늙은 후에야 자신이 삶을 통해서 얻은 실험 보고서를 우리에게 들려주고 있는 책이라고 생각합니다.

위의 내용 요약에서 말씀드렸습니다만, 솔로몬은 그의 인생에서 헛되고 헛될 뿐인 인생의 의미를 찾기 위해 여러 가지 실험을 했음을 고백하고 있습니다. 그는 과학적 지식을 통한 연구에서 인생의 의미를 찾아보려 했습니다. 지혜와 철학을 통해서 삶의 의미를 찾으려 했습니다. 쾌락을 통해서, 물질을 통해서, 숙명론적 사고를 통해서, 이기주의적인 생각을 통해서, 심지어는 종교 시스템을 통해서 인생의 참 의미를 찾아보려 했습니다. 부를 통해서 또는 도덕주의를 통해서… 하지만 솔로몬은 이런 모든 실험들을 통해서 삶의 진정한 의미를 찾지 못했습니다. 그래서 이 전도서에서 솔로몬의 실험 보고서의 결론은 항상 "헛되고 헛되며, 헛되고 헛되니, 모든 것이 헛되도다"였습니다. 그러나 솔로몬은 이 실험을 실패로 끝낸 것은 아니었습니다. 눈부신 젊은 날들을 다 허비한 후에야 솔로몬은 인생의 참된 의미를 발견한 것입니다. 그는 이 책의 마지막 두 절을 통해서 그가 발견한 삶의 참된 의미를 선언합니다.

"일의 결국을 다 들었으니 하나님을 경외하고 그의 명령들을 지킬지어다. 이것이 모든 사람의 본분이니라 하나님은 모든 행위와 모든 은밀한 일을 선악 간에 심판하시리라."

2. 솔로몬의 실험들

솔로몬의 실험들 중, 가장 중요한 것이 생의 쾌락을 통한 실험입니다. 자신이 누릴 수 있는 왕으로서의 모든 부와 권세, 기회들을 총동원해서 그는 쾌락을 누려 보았습니다. 그는 은금과 왕들의 보배와 여러 도의 보배를 쌓고, 또 노래하는 남녀와 인생들의 기뻐하는 처와 첩들을 많이 두었다고 고백합니다(전 2:8). 솔로몬은 원조 기쁨조를 가진 왕이었습니다. 세계에서 가장 노래를 잘하는 가수가 솔로몬을 위해 노래를 불렀고, 세계에서 가장 잘 웃기는 코미디언이 식사 시간마다 솔로몬을 위하여 스탠드업 코미디를 선사했을 것입니다. 그들을 따라 박장대소하며 소리도 치고 웃어도 보았습니다. 그러나 그 모든 즐거움과 웃음의 끝에서 그는 말할 수 없는 공허를 느낀 것입니다. 그래서 솔로몬은 이렇게 말합니다.

"내가 웃음을 논하여 미친 짓이라 하였고, 희락을 논하여 이르기를 저가 무엇을 하는가 하였노라."

솔로몬은 쾌락을 얻기 위해 술을 재료로 실험했습니다. 그는 마음의 지혜는 잃지 않으면서 술로써 육신만 즐겁게 해보겠다고 생각했습니다(2:3). 그러나 그의 기대와는 달리 처음엔 육체만 즐겁게 하려던 술이 점차 그의 영혼을 파괴시켜 지혜를 잃게 만드는 것을 보았습니다. 잠언 23장에서 솔로몬은 술에 관한 논문을 썼습니다. 잔에서 고혹적인 색깔로 빛나던 술이 뱃속에 들어가면서 독사처럼 쏘기 시작하고, 눈에는 괴이한 것들이 보이기 시작하고, 그 마음은 망령된 것들로 들어차서 헛소리를 시작합니다. 그는 바다 위에 누운 것 같은, 돛대 위에 누운 것 같은 울렁거림과 비틀거림에서 헤매었고, 결국 이유도 까닭도 알 수 없는 창상(상처들)이 온 몸에 가득합니다. 술에 취해 여기 저기 비틀거리고 넘어지면서 얻은 상처들이겠지요?

그러나 "내가 언제나 술이 깰까? 내가 다시 술을 찾겠다 하리라"고 말합니다. 솔로몬은 쾌락을 얻으려고 잔치를 열어 실험했습니다. 매일 저녁 산해진미를 차려놓고 귀족들을 초청해서 잔치를 열었습니다. 그가 하루에 사용했던 식량은 밀가루가 30석, 굵은 밀가루가 60석, 살진 소가 열 마리, 초장의 소가 스무 마리, 양이 백 마리, 수사슴과 노루와 암사슴과 살진 새들이 수 없이 사용되었습니다(왕상 4:22-23). 그는 은그릇도 쓰지 않았습니다. 모든 식기와 수저 등이 다 금이었습니다. 또한 솔로몬은 여자를 사용해서 쾌락의 실험을 했습니다. 그는 본부인이 700명, 첩들이 300명이었습니다. 무엇이 본부인과 첩의 한계인지는 모르겠습니다. 그러나 그 많은 외국에서 온 여인들이 솔로몬의 마음을 우상들에게로 끌어갔습니다.

이외에도 위의 요약에서 본 것처럼, 솔로몬은 과학적 지식과 연구, 철학적 사고, 도덕주의, 심지어는 종교 시스템을 통해서까지 인생의 진짜 의미를 찾으려 몸부림쳤지만 결국 아무것도 얻지 못한 것입니다. 심지어는 거대한 토목공사, 위대한 업적 이런 것들로도 인생의 참 의미를 찾지 못했습니다.

3. 전도서를 대표하는 세 가지 단어들

전도서의 중심 메시지가 무엇인지를 잘 보여주는 세 가지 단어가 전도서를 대표하고 있습니다. 우선 전도서에서 가장 많이 쓰인 단어는 '헛되다'인데, 이 단어는 히브리어로 '헤벨'입니다. 아담이 첫 아들 가인에게서 느낀 실망감을 그 동생 아벨의 이름 속에 반영한 것입니다. 아벨이란 이름이 바로 이 헤벨에서 온 것입니다. 이 단어가 전도서에서 모두 38회 쓰였습니다.

그 다음으로 많이 쓰인 단어가 "해 아래" 혹은 "하늘 아래"입니다. Under the Sun, Under the Heaven. 이 구절들이 전도서에서 모두 29회 등장합니다. 이 두 단어가 우리에게 보여주는 전도서의 내용은 그렇습니다. 솔로몬은 인생의 의미를 모두 "해 아래", 혹은 "하늘 아래"의 것들을 소유하고 누리는 것으로부터 얻어 보려 했던 것입니다. 그러나 모든 것이 헛될 뿐이었습니다. 아무것도 영원한 것이 없고, 아무것도 변질되지 않는 가치를 가진 것이 없었습니다.

수천 년 수령을 가진 어마어마한 나무들 앞에서 솔로몬은 왜소하기 그지없는 인생을 보았습니다. 엄청난 규모의 태풍과, 홍수, 폭설과 지진 등의 재난들 앞에서 왜소하기 이를 데 없는 인생을 본 것입니다. 솔로몬의 가슴엔 일종의 큰 구멍이 있었습니다. 그 구멍은 무엇으로도 채워지지 않았습니다. 그 구멍의 정체가 뭔지 아십니까? 바로 하나님께서 인간을 지으실 때에 인간에게 주신 선물입니다.

하나님은 인간을 하나님과의 의미 있는 교제와 사랑이 가능한 존재로 지으셨습니다. 그래서 인간의 마음속에 하나님을 찾고자 하는 갈망을 주신 것입니다. 그것이 그 구멍의 정체입니다. 그 구멍은 오직 하나님으로라야 채워질 수 있는 것입니다. 그 외의 무엇으로도 채워지지 않습니다. 그래서 솔로몬은 이 책의 맨 끝의 두 절을 사용해서 결론을 맺었습니다.

"해 위에 계신 분을 찾아라. 해 위의 나라를 사모해라. 그것이 인간의 본분이니라."

이것이 단 한 차례만 쓰인 '여호와 경외하기'라는 전도서의 결론을 보여주는 구절입니다. 혹시 아직도 스스로 솔로몬이 했던 실험들을 해봐야겠다고 생각하는 분이 계신가요? 솔로몬처럼 풍성한 실험의 재료들을 사용할 능력이 있습니까? 아예 시작도 하지 마십시오. 솔로몬만큼의 물질, 여자, 음식, 화려한 부와 영화와 권세를 가지고도 그 실험은 실패였습니다. 솔로몬이 우리를 대신해서 실험을 해주었으니 그에게 감사합시다. 그리고 우리는 지혜를 얻읍시다. 하나님으로만 삶을 채우십시오. 그분만을 경외하십시오. 그것이 생의 본분이며, 지혜이며, 생의 진정한 의미입니다.

4. 캠벨 몰간의 전도서 요약

참고로 제 신앙 체계에 큰 영향을 주신 또 한 분의 스승, 캠벨 몰간의 《《Unfolding Message of the Bible》》이라는 책에서 전도서를 이렇게 요약해 주었습니다.

"전도서의 저자는 해 아래에서 경험할 수 있는 모든 일을 다 경험하고 난 이후, 삶을 전체적으로 조망할 수 있는 시점이 되어서야 비로소 해 아래에 있는 것이 무익함을 알게 되었다. 그리고 해 위에 무엇이 있다는 사실을 알았다. 사람들은 해 위에 있는 것들을 고려할 때, 해 아래 있는 것들을 올바르게 이해할 수 있다."

그의 관점에서 전도서의 주제는 '헛되다'가 아닙니다.

'삶의 참 의미는 해 아래 있지 않다'입니다.

아가서는 내용상 세 단원으로 나눌 수 있습니다.

1. 사랑의 기대(1:1-3:5)

2. 사랑의 완성(3:6-5:1)

3. 사랑의 축제(5:2-8:14)

우리는 오늘 아가서 전체를 통독하겠습니다.

〈주요 통독 자료〉

1. 아가서의 개요

아가서 1:1은 우리에게 이 책이 솔로몬의 저작이라는 것을 분명히 밝히고 있습니다. 우리 성경에는 솔로몬의 저작으로 되어 있는 세 권의 책이 있습니다.

● 첫째는, 잠언서입니다.

잠언서에서 솔로몬은 지혜로운 선생님이었습니다.

● 둘째는, 전도서입니다.

전도서에서 솔로몬은 참으로 어리석은 인생을 살았던 인물이었습니다.

● 셋째는, 바로 이 아가서입니다.

아가서에서 솔로몬은 사랑이 가득한 왕이었습니다.

사실 열왕기에서 우리는 솔로몬이 3000편의 잠언과 1005편의 노래를 지었다(왕상 4:32)고 배웠습니다. 그러나 불행히도 우리는 그가 쓴 잠언과 노래들 중 오직 일부만을 가지고 있습니다. 저는 성경에 편집된 부분들이 특별히 성령께서 우리들에게 들려주고 싶으셨던 교훈일 것이라고 생각합니다.

본래 이 아가서는 유대인들에게 있어서 30세 미만의 사람들에게는 금지된 책이었습니다. 그것은 이 책이 여체에 대한 직접적인 묘사나 더 나아가 성적인 묘사들을 담고 있기 때문이었습니다. 그리고 이 책이 가지고 있는 어려운 의미들 때문이었습니다. 그러면서도 동시에 유대인들은 이 책을 성경에 있어서의 '지성소'라고 불렀습니다.

지성소는 아무나 들어갈 수 없는 곳이었습니다. 그곳은 택함을 받은 대제사장들만이 들어갈 수 있습니다. 왜냐하면 그곳은 하나님의 영광이 직접 임재해 계신 곳이었기 때문입니다. 유대인들은 이 아가서가 유대인들을 향하신 하나님의 사랑을 묘사하고 있는 책이라고 믿고 있었습니다. 그래서 오직 택함을 받은 유대인들만이 이 아가서에 나타난 하나님의 사랑을 누릴 특권이 있다고 믿었습니다.

그러나 이 책은 단순히 어떤 남녀의 사랑의 육체적 묘사들만을 담고 있는 책도 아니고, 또한 유대인들만을 향한 하나님의 사랑을 묘사하고 있는 책도 아닙니다. 이 책은 그리스도와 그 신부 된 모든 성도들 간의 개인적인 사랑과 구속과 축복을 소상하게 그려주고 있는 책입니다.

이 책은 두 남녀가 서로 번갈아가면서 부르는 노래로 되어 있고, 중간중간 예루살렘 여인들의 노래도 등장하고 있습니다. 그러니까 마치 한 편의 오페라를 보는 것 같은 그런 책입니다. 따라서 각 구절의 정확한 의도를 파악하기 위해서는 이 구절이 누구의 노래인가를 먼저 아는 것이 중요합니다. 이 구절이 솔로몬이 술람미 여인을 향하여 부르는 노래인지, 아니면 술람미 여인이 솔로몬을 향하여 부르는 노래인지, 이것이 분명해야 우리는 그 구절이 담고 있는 영적인 의미를 바로 이해할 수 있는 것입니다.

그런데 그것을 푸는 열쇠가 있습니다. 이 책에서 솔로몬과 술람미 여인을 지칭하는 명칭이 있는데, 솔로몬은 "나의 사랑하는 자"(my beloved)이고 술람미 여인은 "나의 사랑"(my love)입니다. 솔로몬은 술람미를 항상 "나의 사랑"이라고 불렀고, 술람미 여인은 솔로몬을 "나의 사랑하는 자"라고 불렀습니다. 그 호칭을 보면 누가 누구에게 한 말인지가 분명해지는 것입니다.

이 책은 룻기만큼이나 아름다운 예표들을 가지고 있는 책입니다. 룻기는 우리의 구속에 대해서 보여주었고, 아가서는 구속받은 신자의 주님과의 사랑의 삶을 보여주고 있습니다. 이제 함께 제1장으로 들어가 보겠습니다.

2. 사랑의 요구: "내게 입맞춰 주세요"

아가서 1:2-3 "내게 입맞추기를 원하니 네 사랑이 포도주보다 나음이로구나 네 기름이 향기로워 아름답고 네 이름이 쏟은 향기름 같으므로 처녀들이 너를 사랑하는구나."

이 부분은 솔로몬을 향한 술람미 여인의 노래입니다. 그녀는 "내게 입맞추기를 원하니"라고 노래했습니다. 이 구절의 원어는 본래 기원형의 문장으로 "그가 내게 입맞추어 주었으면"의 의미를 가지고 있습니다.

유대인의 풍속에서 입맞춤은 두 가지 의미를 갖습니다.

첫째는, 평화의 의미요, 둘째는, 친밀한 관계의 표현입니다.

우리는 모두 우리 주 예수님과의 입맞춤을 원합니다. 우리가 먼저 우리 주님께 입맞추는 것이 아니고, 우리 주님께서 우리에게 입맞추어 주시기를 원하는 것입니다. 우리들을 향하신 주님의 입맞춤이 가장 잘 표현된 것이 바로 누가복음 15:11-32에 나오는 '탕자의 비유'일 것입니다.

탕자가 돌아오자, 아버지는 아직도 상거가 먼데, 아들을 향하여 쫓아가 입을 맞추었습니다. 여기에서 '입을 맞추다'는 헬라어로 '카테필레오'인데, '입을 열렬하게 맞추다', '계속해서 입을 맞추다' 혹은 '입을 많이 맞추다'라는 강한 표현입니다.

만일 탕자의 배신감이나 혹은 그의 더러움을 보았다면 그에게 입맞추지 못했을 것입니다. 그러나 죄로 인한 탕자의 더러움보다 아버지의 사랑이 더 강하고 뜨거웠기 때문에 탕자의 죄를 용서하는 사랑의 입증으로 입맞추어 줄 수 있었던 것입니다.

우리는 더러워진 탕자들입니다. 그러나 우리 하나님은 우리와 입맞추어 주셨습니다. 바로 그 입맞춤의 장소가 십자가인 것입니다.

3. 솔로몬과 술람미 여인의 사랑

아가서 2:1-7은 솔로몬과 술람미 여인 간의 사랑이 어떻게 이루어질 수 있는지를 보여줍니다. 먼저 솔로몬은 자신을 "샤론의 수선화"와 "골짜기의 백합화"에 비유합니다. 여기서 "샤론의 수선화"는 KJV에서 "Rose of Sharon"입니다. '샤론의 장미'라는 뜻입니다. 우리나라의 무궁화도 영어로 '샤론의 장미'입니다.

하지만 여기에 나온 꽃은 무궁화가 아닙니다. 팔레스타인의 광야에 피어있는 아주 작은 들꽃입니다. 작은 꽃술을 가진 그다지 아름답지 못한 들꽃에 불과합니다. 솔로몬은 또한 자신을 "골짜기의 백합화"에 비유합니다. 백합화는 그 자체로 아름답습니다. 그 짙고 아름다운 향기는 어느 꽃과도 비교할 수 없습니다. 그러나 그 꽃이 구중궁궐이 아닌 골짜기, 저 낮고 초라한 골짜기에 피어있습니다.

솔로몬은 이것을 자기 자신의 모습이라고 말하고 있습니다. 이것은 솔로몬이 술람미 여인과의 사랑이 가능할 수 있기 위하여 자신의 모든 위치를 버리고 술람미 여인에게 접근한 것을 보여줍니다. 솔로몬이 먼저 술람미 여인에게 이렇게 접근해 주지 않았다면 두 사람의 사랑은 전혀 가능성이 없는 것입니다. 술람미라는 촌구석에서 포도원 농사로 검게 그을은 피부를 가진 촌티 줄줄 나는 그런 처녀가 어찌 이스라엘의 3대 임금으로, 역사 가운데 최고의 영화를 소유했던 솔로몬의 사랑이 될 수 있겠습니까?

그러나 솔로몬은 이 사랑이 가능하도록 자신을 철저하게 낮추어 준 것입니다. 그랬기 때문에 이 사랑이 가능해진 것입니다. 이것이 바로 우리를 향한 예수님의 사랑입니다. 하나님의 보좌에 앉으신 예수님의 영광을 모두 버리시고 그가 이 땅에 내려오사 우리와 같은 육체를 입으시고 사람으로 태어나 주셨기 때문에 예수님과 우리 죄인들이 사귐을 가질 수 있게 된 것입니다. 솔로몬은 술람미 여인을 향하여 "여자들 중에 내 사랑은 가시나무 가운데 백합화 같구나"라고 노래합니다.

예수님의 사랑, 예수님의 신부가 될 자격이 있는 사람은 어떤 사람인지 이 말씀이 보여줍니다. 부자여야 한다고 하지 않았습니다. 세상 모든 영광을 차지한 인기인이어야 한다고도 하지 않았습니다. 그것은 다름 아닌 순결입니다. 백합화는 순결의 상징입니다. 물론 우리 자신의 노력이 아닌, 그리스도의 보혈로 우리는 순결해집니다.

그리스도의 보혈로 씻김 받은 사람만이 그리스도의 신부가 될 수 있습니다. 또한 그리스도인의 삶은 향기를 토하는 삶입니다. 역사 가운데서 그리스도의 신부 된 교회와 성도들은 항상 고난과 박해와 핍박의 가시덤불 속에 피어난 백합화 같았습니다. 찔리면 찔릴수록, 찢기면 찢길수록 더욱 짙은 향기를 발하는 것, 그것이 그리스도인들의 삶입니다.

4. 나의 신부 나의 어여쁜 자야

아가서를 읽을 때마다 우리 예수님의 애달픈 사랑 이야기를 봅니다. 왕이신 그분이 자신의 영광과 체면과 권위를 내려놓으시고 우리의 연인이 되기 위하여 우리에게 오신 이야기, 사슴처럼, 노루처럼, 산을 넘어 빨리 달려와서는 창 너머에 기대어 살며시 창살 틈으로 들여다 보면서 사랑하는 여인이 자신에게 마음을 열어주기를 간절히 기다리는 솔로몬, 온 몸과 머리를 산 이슬에, 밤 이슬에 적시면서 굳게 잠긴 신부의 문을 두드리며 빗장을 풀어보려 문틈으로 손을 들이밀어 애쓰는 솔로몬, 그것은 바로 우리 주님의 사랑 이야기입니다.

우리가 그런 사랑을 받은 것입니다. 저 높고 높은 별을 넘어 이 낮고 낮은 땅 위에 모든 것을 내려놓고 내려오셔서 당신의 모든 것을 다 주시고도 우리의 마음이 열리기를 조심스레 기다리시는 우리 예수님, 십자가 위에서 처절한 고난과 아픔을 당하시면서 온 몸의 물과 피를 다 흘리시고 뼛속 깊이 스며드는 한기에 온 몸을 떨면서도 다만 우리가 마음을 열고 당신을 받아들여 주기만을 기다리시던 사랑의 주님, 그 주님께 우리가 할 수 있는 것이 무엇이겠습니까?

아무것도 없다는 것이 더 우리를 아프게 합니다.

정말 그분의 사랑이 미안하고 감사해서 감당할 수 없는 감격 가운데 고스란히 받아들이는 일 이외에 우리가 할 수 있는 일이 아무것도 없다는 것이, 솔로몬의 사랑 앞에서 술람미 여인은 점차로 상실했던 아름다움을 찾아가며 더욱 성숙해가는 신부가 됩니다. 그리고 그녀의 마음은 잠근 동산이 되어 버립니다.

비밀의 정원, 오직 신랑 이외에 그 누구에게도 열어주지 않는, 자물쇠로 굳게 잠긴 그 비밀의 정원, 그 정원을 가득 채운 기화요초들과 각양 아름다운 향기를 자랑하는 허브들, 거기에 순결한 백합화가 있습니다. 이제 술람미 여인은 오직 자신의 신랑만이 그 동산에 들어와 꽃을 꺾으며 양 떼들을 먹이기를 원하고 있습니다.

이제 그녀는 어떤 폭풍이 불어와도 걱정하지 않습니다. 어떤 환경이 다가와도 염려하지 않습니다. "동남풍아 불어라, 서북풍아 불어라." 바람이 불면 불수록, 오히려 이 동산은 아름다운 향기로만 가득하게 될 것입니다. 그것이 바로 그리스도의 신부가 된 성도의 마음입니다.

"오늘은 시가서 통독에서 다 읽지 못한 부분을 마저 읽고 하루 쉬시면서 지난 시가서의 통독에서 배웠던 것들을 복습하시기 바랍니다.

〈시가서 퀴즈〉

1. 욥기가 성경에서 가장 오래된 책이라고 생각되는 이유들을 아는대로 써 보십시오.

2. 욥기의 주제는 무엇입니까?

3. 엘리후가 욥에게 들려준 중보자 예수님에 대한 성경 구절을 인용하여 그 의미를 설명해 보십시오.

4. 시편은 모두 다섯 권으로 구성되어 있습니다. 각 권의 특성들에 대해 말해 보십시오.

5. 시편 가운데 메시아 시편으로 일컬어지는 시편들이 있습니다. 메시아 시편의 의미는 무엇입니까? 그리고 메시아 시편들을 아는 대로 기록해 보십시오.

6. 시편 22, 23, 24편은 예수 그리스도와 연관된 스토리들로 연결된 시리즈 시편입니다. 그 내용을 간략하게 기록해 보십시오.

7. 시편 110편은 예수님을 멜기세덱의 반차를 좇아 우리의 영원한 대제사장이 되셨다고 말했습니다. 그 의미를 설명해 보십시오.

8. 잠언서의 주제는 무엇입니까?

9. 전도서에서 가장 많이 쓰인 단어는 무엇입니까?

   두 번째로 많이 쓰인 단어는요?

   이 단어들을 연관지어 전도서에서 솔로몬이 이야기하는 논지를 정리해 보십시오.

10. 아가서에서 술람미 여인이 솔로몬을 부르는 호칭과 솔로몬이 술람미 여인을 부르는 호칭을 설명해 보십시오.

이사야서는 크게 세 단원으로 나눌 수 있습니다.

1. 심판의 메시지(시문학 형태: 1-35장)

2. 역사 이야기(산문체: 36-39장)

3. 구원의 이야기(시문학 형태: 40-66)

우리는 오늘 이사야서 1-12장을 통독하겠습니다.

● 1장: 하나님의 초청

● 2장: 유다와 예루살렘의 미래에 대한 조망

● 3장: 유다와 예루살렘의 현재

● 4장: 미래에 대한 다른 조망

● 5장: 포도원의 비유, 이스라엘의 미래에 다가올 화

● 6장: 이사야의 개인적 소명의 경험과 선지자의 사명

● 7-10장: 예고들(한 아기로 인한 희망의 선포)

●11-12장: 천년왕국의 예언

〈주요 통독 자료〉

1. 이사야의 개요

이사야는 흥미로운 구조로 되어 있습니다. 먼저 이사야는 전체가 66장입니다. 성경 전체의 책 권수와 같죠? 성경은 모두 66권이니까요. 그런데 1-39장까지는 주로 심판의 메시지 선포이면서 간간이 예수 그리스도의 출생과 통치에 관한 예언들이 등장합니다. 마치 구약 성경 39권의 내용처럼 말입니다. 그리고 40장부터 66장까지의 27장은 구원의 이야기들입니다. 마치 예수 그리스도의 출생과 그의 생애, 그리고 그가 주신

성령의 능력으로 이 땅에 교회가 세워지고, 열방을 향하여 구원의 메시지가 선포되는 것을 보여주는 신약 성경 27권의 내용과 같은 것입니다. 그래서 이사야는 신·구약 성경 66권의 축소판 같습니다.

오늘부터 우리는 이사야서를 시작으로 이제 대선지서들을 시작합니다. 구약 성경은 모두 다섯 개의 묶음으로 구분될 수 있습니다.

첫째는, 율법으로 창세기부터 신명기까지 처음 다섯 권입니다. 둘째는, 역사서로 여호수아부터 에스더까지 열두 권의 책들입니다. 세 번째는, 지금까지 우리가 읽은 욥기부터 시편, 잠언, 전도서, 아가서까지의 다섯 권입니다. 그리고 네 번째는, 대선지서로 이사야, 예레미야, 예레미야 애가, 에스겔, 다니엘까지 다섯 권입니다. 마지막으로, 다섯 번째 묶음이 호세아부터 말라기까지의 열두 권의 소선지서들입니다.

대선지서들과 소선지서들의 차이가 뭔지 아십니까?

왜 이사야, 예레미야, 에스겔, 다니엘 등 네 분의 선지자들을 대선지자, 그리고 호세아, 요엘, 아모스, 오바댜, 요나, 미가, 나훔, 하박국, 스바냐, 학개, 스가랴, 말라기 등의 열두 분을 소선지자들이라고 부르죠? 얼핏 생각하기에 대선지(Major Prophets), 소선지(Minor Prophets) 하면 우리는 우선 떠오르는 것이 메이저리그와 마이너리그입니다.

미국 프로야구의 시스템을 말하는 것입니다. 메이저리거들은 돈도 많이 벌고, 실력도 아주 출중하여 세계 최고 수준의 야구를 합니다. 그러나 마이너리거들은 실력도 부족하고, 미래에 좋은 메이저리거가 되기를 꿈꾸면서 바닥에서 열심을 내는 그런 유망주들입니다.

혹시라도 대선지자들이 소선지자들보다 실력이 좋고 더욱 훌륭하다는 생각을 하지 마시기 바랍니다. 예언이란 모름지기 하나님께서 입에 넣어주신 말씀을 전하는 일입니다. 그 예언들 속에는 예고적인 예언이 있고, 교훈적인 예언들이 있습니다. 예고적 예언이란 앞으로 될 일을 미리 말하는 것입니다. 그러나 교훈적 예언이란 현재 되고 있는 일들 중에서 사람들이 깨닫지 못하는 하나님의 숨겨진 의도들, 현재의 문제들의 원인이 무엇인가 하는 하나님의 메시지를 전하는 일입니다.

예컨대 엄청난 가뭄과 기근이 불어 닥쳤다 합시다. 이때 이 모든 일들이 그 백성들의 죄악에 대한 하나님의 심판이라는 사실을 하나님께서 보내신 선지자가 선포하면, 그것은 장차 될 일을 말하는 것이 아니고, 현재 있는 일의 영적인 이유와 원리들을 말해 주는 일입니다. 그것도 예언입니다.

그래서 신약 성경에서 '예언의 은사'라고 하면, 그것은 항상 앞으로 될 일을 예견하는 일만 아니라, 하나님의 말씀을 가르치는 은사를 포함하고 있습니다. 목사님들이 강단에서 말씀을 선포할 때에 예언의 은사들이 함께 활용되는 것입니다. 그렇다면 선지자들의 실력이 누가 더 있고 없고를 따질 수 없습니다. 왜냐하면 그들의 예언은 모두 하나님께서 입에 넣어주시는 것을 말하는 것뿐이니까요. 대선지자와 소선지자는 다만 그들이 쓴 책의 분량에 따라 나누어집니다. 대선지자들의 책은 두껍고, 소선지자들의 책은 얇습니다. 그게 전부입니다.

2. 이사야를 통한 하나님의 회개 촉구

이사야는 자신의 책에서 자신에 대해 별로 많은 것을 들려주지 않습니다. 거의 대 부분의 선지자들이 그렇습니다. 그러나 예레미야나 호세아 같은 선지자들은 이 점에서 예외라고 하겠습니다. 선지자들은 자기 자신에 대해서 말하는 대신 한 분에 대해서 아주 많이 말하려고 했습니다. 바로 예수 그리스도입니다.

1장 1절에서 이사야는 자기 자신이 어떤 시대의 인물인지를 들려줍니다. 그는 웃시야와 요담, 아하스, 그리고 히스기야 왕 때에 살았습니다. 이들은 모두 유다의 왕들입니다. 그리고 이사야 6장에서는 이사야 자신이 어떻게 하나님께 부르심과 소명을 받았는지 말합니다. 이사야가 예언 활동을 하던 때는 유다 내부의 사정으로 볼 때에 그렇게 어두운 시기는 아니었습니다. 웃시야나 히스기야 같은 왕들은 하나님을 진정으로 섬기고자 했던 빛나는 왕들이었습니다. 그들의 통치 아래에서 유다는 하나님의 축복과 호황을 누리고 있었습니다.

하지만 유다의 영적인 사정은 달랐습니다. 가나안에 정착한 이래 이스라엘 자손들은 갈수록 타락하고 갈수록 하나님을 멀리 떠나가고 있었습니다. 하나님은 이사야를 통하여 그들의 죄악상을 지적하고 계신 것입니다.

유다의 외부 사정을 볼 때 그것은 더욱 심각했습니다. 북쪽의 앗수르라는 강대국의 위험으로 인하여 유다 주변에 서서히 어두움이 깃들고 있었습니다. 이때 이미 북쪽 이스라엘은 앗수르에 의하여 멸망한 상태였습니다. 참고로 이사야 36-39장에서 우리는 예루살렘이 앗수르에 의하여 포위된 위기 상황에서의 이사야 선지자의 활동을 볼 수 있습니다.

하나님은 앗수르 군사들을 직접 다루어 주셨습니다. 천사 하나를 보내셔서 하룻밤 사이에 18만5000명의 앗수르 군대를 완전히 섬멸하셨습니다. 하지만 하나님은 유다를 다루시기 위하여 다른 나라를 키우고 계셨습니다. 그것은 바로 바벨론이라는 나라였습니다. 이사야 선지자를 세우셔서 하나님께서는 유다 백성들이 그들의 형제 나라인 북쪽 이스라엘의 멸망을 보고도 아직 깨닫지 못함을 지적하십니다. 그들이 온통 얻어맞은 흔적뿐이고, 그 상처의 치유를 받지 못하고 있는데, 왜 더 맞으려고 이렇게 타락하느냐고 말씀하십니다. 그러면서 "오라 우리가 서로 변론하자 너희의 죄가 주홍같이 붉을지라도 눈과 같이 희어질 것이며 진홍같이 붉을지라도 양털같이 희게 되리라"(사 1:18)고 선포하십니다. 아직은 길이 있다는 것입니다. 주님께 회개하면 아직은 살 길이 있다는 것입니다. 그러나 불행히도 유다 백성들은 경고를 받지 않았습니다.

3. 처녀가 잉태하여 아들을 낳을 것이요

이사야 7장에서 우리는 예수님의 동정녀 탄생을 예언하는 놀라운 예언을 보게 됩니다. 이 말씀은 열왕기하 16장과 역대하 28장에 그 배경을 두고 있습니다. 이때는 아하스 왕이 통치하던 시대입니다. 그는 아주 악한 왕이었습니다. 그의 악한 통치는 유다의 파멸을 초래했습니다. 그는 경건치도 않았고, 하나님께 대해서도 아주 적대적인 인물이었습니다. 성전 문을 닫게 했고, 그의 통치 기간 중에는 예배를 중지시켰습니다. 뿐만 아니라 앗수르 사람들의 우상숭배에 참여하여 바알과 몰렉을 위한 신전을 짓고 심지어 자기 아들까지 힌놈 골짜기에서 몰렉을 위한 제사에서 불 속에 던져버렸습니다. 그는 죄악된 인간이었고, 악한 왕이었고, 아주 악한 통치를 했던 인물입니다. 결국 하나님께서 주변 나라들을 강하게 하셨고, 그들을 들어 유다를 치게 하셨습니다.

그의 통치 기간 중에 북쪽의 이스라엘이 침략해 들어왔습니다. 하루 아침에 12만 명의 군사들이 죽임을 당했고, 또한 20만 명이 포로로 잡혀갔으며, 이들은 훗날 하나님의 개입으로 다시 돌아오게 됩니다. 이어서 에돔 족속들이 남쪽의 성들을 공격했고, 블레셋 족속들이 해변의 도시들을 공격해 왔습니다. 아하스 왕의 타락과 범죄로 온 나라가 계속 공격을 받았고, 엄청난 손실을 입었으며, 사면초가의 위기에 빠지게 된 것입니다.

마침내 이스라엘과 아람 나라가 동맹을 맺고 유다를 공격해 옵니다. 아하스는 바람에 흔들리는 나무처럼 떨기 시작했습니다. 이때로부터 65년 후에 북쪽의 이스라엘은 망할 것입니다. 하나님은 아직 유다를 몰락시키실 의도가 없으십니다. 아하스가 자기 아들까지 불 속에 던져 버리면서 섬겼던 우상들은 그를 위해 아무것도 해주지 못했습니다. 이렇게 사시나무 떨듯 두려워 떠는 아하스에게 하나님께서 이사야를 보내서서 말씀하신 것입니다. 하나님께서는 장차 이스라엘을 멸망하게 하실 것을 선포하셨습니다. 그러니까 두려워 말라는 것입니다. 이사야의 예언을 아하스가 즉시 믿었을 리 없습니다. 그래서 하나님께서는 이 예언이 성취될 것이라는 것을 확증할 수 있는 징조를 구하라고 하셨습니다.

그러나 아하스는 하나님께 징조를 구하지 않겠다고 했습니다. 아하스는 짐짓 경건한 체, 겸손한 체하고 있는 것입니다. 하나님께서 친히 "내 말이 진짠지 아닌지 한 번 시험해 보라"고 말씀하시는 것입니다. 징조를 구해 보라"는 것입니다. 하지만 아하스는 "내가 어찌 감히 하나님께 징조를 구하겠느냐"고 했습니다. 그러자 하나님께서 일방적으로 징조를 선포하신 것입니다.

"다윗의 집이여 원하건대 들을지어다 너희가 사람을 괴롭히고서 그것을 작은 일로 여겨 또 나의 하나님을 괴롭히려 하느냐 그러므로 주께서 친히 징조를 너희에게 주실 것이라 보라 처녀가 잉태하여 아들을 낳을 것이요 그 이름을 임마누엘이라 하리라"(사 7:13-14).

'임마누엘'이라는 히브리어는 '하나님께서 우리와 함께하신다'라는 의미입니다. 물론 이 징조는 우리 예수님께서 동정녀 마리아를 통해 나실 것을 예언한 것입니다. 그러나 아하스는 하나님의 징조를 받지 않겠다고 했습니다. 우리라면 어땠을까요? 동정녀에게서 나신 예수 그리스도를 믿음으로 받아들이시겠습니까? 그것이 중요합니다.

4. 이사야 9:6-7, 11:1-10, 소중한 예언들

이 예언들은 예수님의 생애에서뿐 아니라, 우리 예수님의 재림의 때, 그리고 그가 왕의 왕, 주의 주로서 세상을 통치하시는 왕국 시대에 완전히 성취될 예언들이므로 꼭 주의 깊게 읽기 바랍니다.

053

이방나라들에 대한 경고
이사야 13-23장

우리는 오늘 이사야서 13-23장을 통독하겠습니다.

이 단원은 이스라엘 주변의 나라들에 대한 우리 하나님의 경고들을 담고 있습니다.

- 13-14장: 바벨론에 대한 경고
- 15-16장: 모압에 대한 경고
- 17장: 다메섹에 대한 경고
- 18장: 에티오피아 강들 너머의 땅에 대한 경고
- 19-20장: 애굽에 대한 경고
- 21장: 바벨론, 에돔, 아라비아에 대한 경고
- 22장: 환상의 골짜기에 대한 경고
- 23장: 두로와 시돈에 대한 경고

〈주요 통독 자료〉

1. 바벨론의 멸망에 대한 경고

11장과 12장에서 예수님의 재림에 대한 예언과 천년왕국에 대한 예언을 선포한 이사야는, 이제 13장으로부터 오늘 통독 분량인 23장까지의 예언의 블록에서 이스라엘 주변의 나라들에 대한 심판의 경고가 담긴 열한 가지 심판을 선언합니다.

이 주변 나라들에 대한 심판의 메시지는 여기에서 끝나지 않습니다. 나중에 28-33장까지의 또 다른 단원에서 이사야는 여섯 개의 화를 선포합니다. 그리고 난 후 34장과 35장에서 다시 평화를 선포합니다. 이 두 장은 천년왕국에 대한 예언입니다.

13장은 바벨론의 멸망에 대한 예언입니다. 사실상 바벨론의 뿌리는 창세기 10장의 노아의 후손들의 계보에서부터 나타났습니다. 함의 후손인 니므롯에 의하여 시날 평원에 세워졌던 바벨론의 뿌리, 바벨탑을 쌓아 하나님께 도전하고자 했던 그들의 노력이 수포로 돌아간 후, 훗날 느부갓네살에 의하여 바벨론 제국이 세워지면서 이 땅에서 사라진 것 같았던 바벨론이 다시 세워지게 된 것입니다. 다니엘의 환상에서 보았던 머리는 금, 가슴은 은, 배는 동, 넓적 다리는 철, 그리고 발과 발가락은 철과 진흙이 섞여 있었던 신상은 바로 느부갓네살의 바벨론 제국으로부터 이 세상의 역사 속에 일어났던 모든 제국들을 순서대로 보여주는 환상이었습니다. 바벨론, 메대 파사, 헬라제국, 로마제국, 그리고 로마제국의 판도에서 일어난 서구 문명과 마지막 때에 세계를 단일 정부로 묶게 될 적그리스도의 제국까지, 바로 이 모든 것들의 머리에 바벨론이 있었음을 기억해야 합니다.

창세기 통독자료에서 말씀드렸듯, 이 세상에는 지금도 바벨론 제국의 영향력이 살아 있습니다. 하나님을 대적하는 바벨론 제국의 영향력은 '경제적, 정치적, 종교적 바벨론'의 모습으로 이 땅에 아성을 구축하며 끊임없이 하나님을 대적하고 있는 것입니다. 이 바벨론은 요한계시록 17장과 18장에 가서야 멸망하게 됩니다. 우리 예수님에 의하여 이 제국이 완전히 무너진 후에 백보좌 심판이 있게 되는 것입니다. 그러니까 여기 이사야의 바벨론 멸망에 대한 예언의 완전한 성취는 요한계시록 17, 18장에 가서야 이루어지는 것입니다.

2. 바벨론의 배후 세력은 사탄의 존재에 대한 규명

이처럼 13, 14장에서 바벨론의 멸망에 대한 예언 가운데, 이사야는 하나님에 대한 바벨론의 반역의 머리가 되는 사탄의 정체에 대해, 그리고 그가 맞이하게 될 최후의 심판에 대해 선포하셨습니다.

"너 아침의 아들 계명성(Lucifer: 루시퍼)이여 어찌 그리 하늘에서 떨어졌으며 너 열국을 엎은 자여 어찌 그리 땅에 찍혔는고 네가 네 마음에 이르기를 내가 하늘에 올라 하나님의 뭇별 위에 내 자리를 높이리라 내가 북극 집회의 산 위에 앉으리라 가장 높은 구름에 올라가 지극히 높은 이와 같아지리라 하는도다 그러나 이제 네가 스올 곧 구덩이 맨 밑에 떨어짐을 당하리로다"(사 14:12-15).

보십시오. 사탄은 열국을 엎은 자입니다. 죄로 인하여 각종 전쟁과 기근과 질병과 세상의 혼란을 통하여 사탄은 계속 이 세상의 열국을 뒤엎는 일을 하고 있습니다. 그는 본래 하나님의 영적 세계에 존재하던 자였는데, 그가 이 지구 곧 땅에 쫓겨난 것을 보여주고 있습니다. 이것은 에스겔 28장에서도 설명되고 있습니다.

"하늘에 전쟁이 있으니 미가엘과 그의 사자들이 용과 더불어 싸울새 용과 그의 사자들도 싸우나 이기지 못하여 다시 하늘에서 그들이 있을 곳을 얻지 못한지라 큰 용이 내쫓기니 옛 뱀, 곧 마귀라고도 하고 사탄이라고도 하며 온 천하를 꾀는 자라 그가 땅으로 내쫓기니 그의 사자들도 그와 함께 내쫓기니라"(계 12:7-9).

우리가 창세기에서 말한 것처럼, 오늘 우리가 살고 있는 이 세상에도 보편적인 문화로 자리잡은 많은 일들 속에 사탄이 의도한 하나님께 대한 도전이 자리잡고 있습니다. 그러므로 우리 그리스도인들은 이런 사탄의 문화에 길들여지지 않도록 항상 깨어있어야 합니다.

특별히 여기 14장 13절과 14절 두 절에서 '내가, 내가…' 라는 구절이 반복되는 것을 보십시오. 우리 성경에서는 생략된 주어부 '내가'가 영어 성경에서는 각 구절마다 붙어 있습니다. 이 두 절 사이에 다섯 차례나 'I will…'(내가 … 하리라)라는 구절이 반복됩니다.

이것이 사탄의 전매특허입니다. 오늘날도 사탄에게 쓰임 받고 있는 사람들의 삶의 특징이 바로 이것입니다. 끝없이 '나'를 내세우는 것이죠. 그러나 이 바벨론의 문화 배후에 자리잡은 사탄은 곧 음부에 던져질 것입니다. 그때 그를 추종하던 마귀들과 적그리스도와 거짓 선지자들, 그리고 사탄의 종노릇하던 모든 사람들도 다 함께 던져질 것입니다. 바벨론의 멸망에 대한 예언에 이 사탄의 타락과 그에 대한 심판의 말씀이 함께 나온다는 것은 오늘 이 세상의 배후에 무엇이 있는지, 그리고 계시록이 말하는 정치적, 경제적, 종교적 바벨론의 야합의 배후 세력이 사탄이라는 것을 명백히 보여줍니다.

3. 환상 골짜기에 대한 경고

바벨론을 필두로 해서 이스라엘 주변의 나라들, 끊임없이 역사 속에서 이스라엘을 괴롭히던 나라들에 대한 경고가 이어지던 중에 22장에서 '환상 골짜기'에 대한 경고가 나오는 것을 봅니다. 이것은 바로 예루살렘에 대한 경고입니다. 예루살렘 역시 주변의 열강들 사이에서 종교적인 타협을 하고 우상숭배에 참여하고 하나님을 거스르던 죄악으로부터 자유롭지 못합니다.

이것이 비극입니다. 오늘날도 하나님의 이름으로 일컬어지는 크리스천들이 세상 문화와 뒤섞여서 이교적인 사탄의 문화 속에서 살아가는 것은 하나님의 아픔입니다. 우리 모두는 다시 오실 예수 그리스도의 재림을 믿음으로 기다리며, 항상 깨어 있어 사명을 잘 감당하다가 주님을 맞이할 수 있기를 간절히 바랍니다.

054

왕국시대에 관한 예언과 히스기야

이사야 24-39장

우리는 오늘 이사야서 24-39장을 통독하겠습니다.

- 24-34장: 왕국, 이 땅에 보좌가 세워지는 과정
- 35장: 천년왕국의 축복들
- 36-39장: 히스기야 왕과 관련된 역사의 단편들
- 36장: 산헤립의 공격과 히스기야
- 37장: 히스기야의 기도와 앗수르 군대의 멸망
- 38장: 히스기야의 질병
- 39장: 히스기야의 어리석음

〈주요 통독 자료〉

1. 대환란과 천년왕국의 도래(사 27:1-6)

이 말씀은 26장의 마지막 두 절과 함께 읽어야 그 뜻이 분명해집니다. 26장의 마지막 두 절을 통해서 하나님께서는 7년 대환란 중에 이스라엘 백성들이 당하게 될 환난에 대하여 말씀하셨습니다.

오늘날 정통 유대인들과 이야기를 나눌 기회가 있다면, 그들이 지금도 그들의 메시아를 기다리고 있다는 것을 알게 될 것입니다. 그들에게 "메시아가 오신다면 그를 어떻게 알아볼 수 있겠습니까?"라고 물어보면 그들은 이렇게 대답할 것입니다. 그가 성전을 다시 짓도록 해줄 것이라고 할 것입니다. 적그리스도가 유대인들과 7년간의 평화조약을 맺고 단일 세계 정부의 지도자로 서게 될 때, 제일 처음 하게 될 일이 바로 예루살렘 성전을 짓게 해주는 일입니다.

그는 평화의 사도로 칭함을 받게 될 것입니다.

유대인들은 어쩌면 그가 그들의 메시아인 줄로 착각하게 될 것입니다. 예수님은 요한복음 5:39-43에서, 자신이 아버지의 이름으로 오셨는데 이스라엘이 그를 영접하지 않았으나, 다른 사람이 자기 이름으로 올 때에 그를 영접하게 될 것이라고 하셨습니다. 바로 적그리스도의 출현에 대한 예언을 하신 것입니다. 하지만 성전이 완공되고, 그들이 성전에서 제사를 드리기 시작하며, 기도와 희생을 드리기 시작할 때에 적그리스도는 성전에 들어와서 갑자기 자신이 하나님이니 자신에게 경배하라고 주장합니다. 이것이 바로 전 삼년 반이 지난 때의 일이 될 것입니다. 그리고 후 삼년 반 동안 적그리스도는 유대인들을 향하여 엄청난 박해를 시작할 것입니다.

마태복음 24:15-16에서 예수님께서 "너희가 선지자 다니엘이 말한바 멸망의 가증한 것이 거룩한 곳에 선 것을 보거든(읽는 자는 깨달을진저) 유대에 있는 자들은 산으로 도망하라"고 하셨습니다. 이 7년 대환란의 마지막 3년 반 기간은 엄청난 박해가 일어날 것이기 때문에, 이사야 26장의 마지막 두 절에서 하나님은 "네 밀실에 들어가서 문을 닫고 분노가 지나기까지 잠깐 숨으라"고 말씀하십니다. 이 장면이 바로 요한계시록 6장에서 두루마리에 봉한 일곱 인들이 하나씩 떼어지면서 일곱째 인이 떼어질 때의 일입니다.

일곱 나팔을 든 천사들이 나와 나팔을 하나씩 불 때마다 이 땅에 퍼부어지는 하나님의 심판과 재앙을 생각해 보십시오. 이 모든 심판들이 바로 이 후반부 3년 반 동안 이 땅에 쏟아질 것입니다. 온 땅이 흔들리고, 별들이 마치 설익은 과일들이 땅에 떨어지는 것처럼 쏟아져 내릴 것입니다. 이 유성들이 땅에 떨어지면서 올라오는 먼지로 온 하늘이 뒤덮이고 하늘은 핏빛으로 물들게 됩니다. 지금 일어나는 미세먼지 같은 것은 유도 아닙니다. 모든 물들은 죽음의 물이 되어 모든 물 속의 생명체들이 죽어버립니다. 엄청난 크기의 얼음덩이가 우박으로 쏟아져 내리고 모든 섬들과 땅들이 제자리를 벗어나서 이동을 합니다.

바로 이런 상황에서 27장으로 들어가는 것입니다. 하나님의 무서운 심판이 땅에 있는 생명들에게 쏟아지고, 이 땅도 죽은 사람들의 피를 흡수하지 않고 토해 놓습니다. 바로 이때, 하나님께서 그의 백성 유대인들을 보호하시기 위하여 일어나시는 것입니다. 아울러 적그리스도와 그 군대들, 곧 흑암의 권세로 이 땅을 장악하던 그들을 다루시기 위하여 하나님께서 그 보좌에서 일어서시는 것입니다.

"그날에 여호와께서 견고하고 크고 강한 칼로 날랜 뱀 리워야단, 곧 꼬불꼬불한 뱀 리워야단을 벌하시며 바다에 있는 용을 죽이시리라."

욥기와 시편에서 우리는 이 리워야단, 혹은 리비야단이라는 존재가 바로 공룡을 의미한다는 것을 배우게 됩니다. 하지만 여기에서는 오직 사탄을 상징하는 존재로 쓰이고 있을 뿐입니다. 이 기간 중에 적그리스도는 온 세계를 통치하는 통합된 권세를 가질 것이며, 또한 거짓 선지자들이 적그리스도의 수하에서 사탄의 영향으로 놀라운 일들을 행하며 적그리스도의 통치를 도울 것입니다. 사탄은 적그리스도와 거짓 선지자들의 배후에서 온 땅에 그의 영향력을 행사할 것입니다. 이때는 데살로니가 교회에 바울이 말한 것처럼, 이 땅에 악이 나타나지 못하도록 막는 세력, 즉 교회와 성령님께서 이 땅에서 완전히 떠나버리신 상황이기 때문에 우리들이 상상할 수도 없는 잔인하고 끔찍한 일들이 이 땅에 벌어지게 될 것입니다.

요한계시록 12장을 보면, 이때 하나님께서 유대인들에게 독수리 날개를 주셔서 이들이 광야 자기의 곳, 즉 하나님께서 그들을 위해서 마련하신 특별한 장소로 피신하여 한 때와 두 때 반, 즉 3년 반의 환난을 면하게 된다고 말씀하고 있습니다. 그리고 이 모든 환난이 끝날 것입니다. 하나님은 크고 강한 칼로써 이 사탄과 그를 추종하는 마귀들을 치시며, 그들을 결박하여 무저갱(the Bottomless pit: 바닥이 없는 어두운 웅덩이)에 던져버리실 것입니다. 그리고 예수님이 이 땅에 내려오셔서 사탄이 온 세상을 파멸시키기 위하여 계획했던 아마겟돈 전쟁을 중지시키시고 이 땅에 평화와 은혜의 나라, 천년왕국을 건설하시게 되는 것입니다. 그때 우리는 예수님과 함께 공중에서 어린양의 혼인을 마치고 예수님과 함께 이 땅에 내려와 예수님의 천년왕국에서 예수님과 함께 이 땅을 통치하게 될 것입니다. 멋지지 않습니까? 바로 오늘 통독 분량에서 우리는 이런 일들이 전개될 것을 예언하는 말씀들을 보게 될 것입니다.

2. 포도원의 노래(사 27:1-6)

26장의 끝과 27장의 서두에서 이처럼 사탄에 대한 심판에 관하여 말씀하신 하나님은 이제 그 백성 이스라엘을 향하여 말씀하십니다. 그것이 바로 포도원의 노래입니다. 하나님께서 친히 포도원지기가 되셔서 때때로 물을 주고 밤낮으로 간수하고 지키시며, 아무든지 상하지 못하게 할 것이고, 불순한 것들이 나면 하나님께서 다 밟고 모아 불사르시리라고 하십니다. 훗날에는 야곱의 뿌리가 박히며 이스라엘의 움이 돋고 꽃이 필 것이며 그들이 그 결실로 지면에 채울 것이라고 말씀하십니다. 사실 이사야 6장에서 우리는 이미 대단히 처량한 포도원 노래를 읽었습니다. 그때는 하나님의 포도원인 이스라엘이 하나님의 기대를 저버렸음에 대하여 말씀하셨습니다. 심히 기름진 산에 땅을 파서 돌을 제하고 극상품 포도나무를 심고, 망대를 세우고 포도주틀을 파놓고 좋은 포도 맺기를 기대했는데, 들포도를 맺었다고 한탄하는 노래를 읽었습니다.

저는 포도원에 대한 하나님의 이 사랑의 노래에서 하나님이 그 자녀들을 얼마나 사랑하시는지 느낄 수 있었습니다. 구약에서 포도원은 이스라엘이지만, 신약에서는 우리 성도들이 포도나무 가지입니다. 또한 우리 교회들은 포도원인 것입니다. 그러므로 포도원을 향한 하나님의 사랑이 담긴 노래는 환난 중의 이스라엘에 대한 노래이지만 동시에 삶의 어려움 속에 빠진 성도들을 향한 하나님의 사랑을 보여주는 노래이기도 한 것입니다. 하나님은 자신을 포도원지기라고 하십니다. 포도원에 물을 주시는 분, 밤낮으로 간수하여 아무도 해하지 못하게 하시는 분, 하나님께서는 그 자녀 된 우리들을 이렇게 사랑해 주시고 반드시 우리에게 승리를 주실 것입니다. 할렐루야!

3. 히스기야의 이야기들

사실 열왕기하 18-19장, 그리고 역대하 29-30장에서 우리는 히스기야의 이야기를 이미 읽었습니다. 그런데 그 이야기가 이 예언의 중간에 다시 나오는 이유는, 바로 히스기야의 스토리가 7년 대환란 중에 하나님께서 그 백성들을 지키시는 것을 보여주는 예언적인 그림이기 때문입니다. 잔혹하기 이를 데 없는 앗수르의 산헤립이 18만5000명의 군사를 보내 예루살렘을 포위하고 있을 때, 히스기야가 성전에 들어가 하나님께 기도하자, 하나님께서 이사야 선지자를 보내셔서 이 전쟁은 하나님께 속한 전쟁임을 선포해 주십니다. 그리고 "너희는 가만히 있어 내가 너희의 하나님 됨을 알지어다 열방과 세계 가운데에서 내가 높임을 받으리라"고 선포하십니다. 그 말씀 그대로 하나님께서는 천사 하나를 보내셔서 하룻밤 사이에 18만5000명의 앗수르 군대를 완전히 섬멸해 주십니다. 대환란 중에 이스라엘에 남겨진 자들이 엄청난 환난을 만나게 될 것이지만 하나님께서는 그들에게 피할 길을 주시는 것입니다.

죽을 병에서 히스기야가 고침을 받은 것은 바로 이스라엘의 죄를 용서해 주시는 하나님의 사랑을 보여주는 것입니다. 이사야 선지자의 놀라운 예언의 한복판에 유독 히스기야의 이야기만이 다시 쓰여지고 있는 것은 바로 이런 의미가 있는 것입니다. 이미 포도원의 노래에서 보여주신 것처럼 하나님은 이토록 이스라엘을 사랑하셨습니다.

그러나 39장은 히스기야의 어리석은 행동으로 인해 하나님의 사랑을 받은 이스라엘이 모든 비극을 초래했다는 것을 보여주는 그림입니다. 사실 이때까지 앗수르에 눌려서 바벨론은 유프라테스 강둑 위에서 방황하던 보잘것없는 나라였습니다. 그러나 이 사건을 계기로 바벨론은 이방인의 때에 대한 느부갓네살 왕의 꿈에서 정금 머리의 위치를 차지하게 된 것입니다.

참으로 많은 경우 하나님의 원수를 하나님의 자녀들이 키웁니다. 여호수아서에서 우리는 골리앗을 키운 것이 이스라엘 백성들 자신임을 배웠습니다. 세상의 배후에서 끝없이 하나님을 대적하는 바벨론 역시도 하나님의 자녀인 히스기야에 의해서 키워진 것입니다. 우리는 혹시 나도 모르는 사이에 골리앗을 키우고 있는 것은 아닌지 돌아보아야 합니다.

055

메시아 예언

이사야 40-57장

우리는 오늘 이사야서 40-57장을 통독하겠습니다.

● 40-48장: 종 되신 메시아를 통해 다가올 여호와의 위로

● 49-57장: 고난받는 종을 통해 다가올 여호와의 구원

● 49장-52:12: 전 세계의 구속주 / 누가 하나님의 종인가?

● 52:13-53장: 고난받는 종을 통해 선포된 구속 / 누가 하나님의 양인가?

● 54-57장: 구속주를 통해서 선포된 구속의 결과

〈주요 통독 자료〉

1. 두 명의 이사야 가설

이사야 통독을 처음 시작할 때, 우리는 이사야서가 우리가 가진 성경 전체와 아주 유사한 구조를 가지고 있다고 배웠습니다. 성경은 전체 66권으로 되어 있고, 이사야는 모두 66장으로 되어 있습니다. 성경은 39권의 구약 성경과 27권의 신약성경으로 되어 있는데, 구약 39권은 하나님의 율법과 인간의 죄에 대한 하나님의 심판의 선언을 주로 다루고 있으며, 신약 27권은 죄에 대한 심판을 선언하셨던 우리 하나님께서 그 아들 예수 그리스도를 보내셔서 십자가에 죽게 하심으로 말미암아 우리의 죄를 사하시고 우리에게 베풀어주신 은혜에 대해 다루고 있습니다. 그러므로 구약과 신약은 완전히 다른 분위기를 가지고 있을 수밖에 없습니다.

구약에서 하나님은 죄 지은 영혼은 반드시 죽으리라고 하십니다.

"모든 영혼이 다 내게 속한지라 아버지의 영혼이 내게 속함같이 그의 아들의 영혼도 내게 속하였나니 범죄하는 그 영혼은 죽으리라"(겔 18:4).

하지만 신약성경에서 하나님은 "죄의 삯은 사망이요 하나님의 은사는 그리스도 예수 우리 주 안에 있는 영생이니라"(롬 6:23)고 하십니다.

성경 66권 전체와 같은 구조를 가지고 있는 이사야서의 내용도 마찬가지입니다.

우리는 이사야서의 1-39장까지의 전반부를 공부하는 동안, 주로 다가올 7년 대환란에 대한 예언 등 주로 하나님의 심판의 선언에 초점이 맞추어진 이사야의 예언들을 공부했습니다. 이사야는 "화 있을진저"라는 용어를 거듭 거듭 반복해 왔습니다. 그는 이스라엘 주변에 있었던 나라들에 대하여 하나님의 화가 임할 것이라고 예언했고, 북쪽의 이스라엘과 남쪽 유다에 대한 하나님의 진노하심에 대해서 말해 왔습니다. 그러나 바로 이사야서의 후반부가 시작되는 첫 장인 이 40장에 들어오면서 이사야서의 분위기는 갑자기 반전됩니다.

이제까지는 주로 하나님의 통치의 권위와 심판의 선언들에 대해서 이야기했기 때문에, 예수님에 관한 예언들도 예수님의 초림과 지상사역에 대한 이야기들보다는, 오히려 예수님의 재림 이후에 벌어질 하나님의 심판에 대한 이야기들이 이사야의 초반부에 먼저 다루어졌던 것입니다. 하지만 후반부에 들어오면서 이사야 예언의 초점은 예수님의 초림과 그의 십자가의 죽으심에 맞추어지게 됩니다.

여기 이사야 40장을 시작하는 구절을 보십시오.

"너희 하나님이 이르시되 너희는 위로하라 내 백성을 위로하라"(사 40:1).

이 구절이 원어에서는 'Nacham', 즉 '위로하라'라는 단어가 첫 머리에 나옵니다. NKJV에서도 "Comfort, yes, comfort my people, says your God!"이라고 번역하고 있습니다.

갑자기 분위기가 반전되지 않습니까?

이제껏 하나님의 심판과 이 땅에 벌어질 7년 대환란, 그리고 예수님의 천년왕국에서의 철장 권세의 통치 등에 대해 무서운 어조로 선포하던 이사야의 어투가 갑자기 바뀌어서 '위로'와 권고와 격려의 분위기로 변하고 있지 않습니까? 주제가 완전히 바뀐 것입니다.

참고로 말씀드리면, 자유주의 성서 비평가들 중에서는 이사야서의 전반부와 후반부가 서로 다른 인물에 의하여 기록되었다고 주장하는 사람들까지 있을 정도입니다. 이들의 주장을 "the Deutero-Isaiah hypothesis"라고 합니다. 하지만 주제가 바뀌었다고 해서 반드시 작가가 바뀌어야 할 필요는 없습니다.

다윗의 경우를 보십시오.

그는 시편 2편에서 하나님의 심판에 대해서 말했습니다. 하지만 시편 22편에서는 예수 그리스도의 십자가, 즉 하나님의 구원에 대해서 말합니다. 완전히 다른 주제이지만 여전히 한 사람, 다윗에 의하여 쓰였습니다.

이사야서의 전반부는 마치 빽빽한 구름이 캄캄하게 하늘을 덮고, 무서운 천둥과 번개가 치며, 나팔소리 같은 하나님의 말씀이 율법을 선포했던 시내산의 두려움과 어두움이 잔뜩 드리워져 있었습니다. 하지만 이 후반부에서는 그런 어두움은 깨끗이 걷히고, 우리 하나님의 사랑과 은혜에 대한 달콤하고 부드러운 메시지가 선포되는 것입니다. 그래서 이사야 40장의 끝에서는 "오직 여호와를 앙망하는 자는 새 힘을 얻으리니 독수리가 날개치며 올라감 같을 것이요 달음박질하여도 곤비하지 아니하겠고 걸어가도 피곤하지 아니하리로다"(31절)라고 선포하고 있는 것입니다.

2. 야곱의 하나님, 이스라엘의 하나님(사 43:1-7)

이사야서의 전반부는 이스라엘과 유다의 동반 타락에 대한 하나님의 심판의 메시지를 거듭거듭 선포했습니다. 하지만 후반부에서는 유다의 파멸 이후의 회복에 대한 메시지에 초점을 맞추고 있습니다. 여기서 하나님께서는 "야곱아 너를 창조하신 여호와께서 지금 말씀하시느니라 이스라엘아 너를 지으신(개역: 조성하신) 이가 말씀하시느니라 너는 두려워하지 말라 내가 너를 구속하였고, 내가 너를 지명하여 불렀나니 너는 내것이라"고 선포하십니다.

여기에서 '창조하다, 조성하다'에 해당하는 히브리어 동사가 다릅니다.

'창조하다'는 '바라'입니다. 이것은 무에서 유를 창조하시는 것을 말합니다. 창조입니다. 하지만 '지으시다, 조성하시다'는 '야차르'입니다. 이것은 이미 피조된 어떤 존재에 환경과 상황을 조성하셔서 집요하신 하나님의 추적 가운데 새로운 존재로 만드시는 것을 의미합니다.

그러니까 처음 지음 받은 야곱은 이름 그대로 '남의 발꿈치를 잡는 자'였습니다. 앞서 가는 사람의 다리를 걸어서 넘어뜨리고 간교하게 앞서 나아가는 그런 스타일의 사람이었습니다. 오직 자신의 잔꾀로 뭔가를 얻으려는 욕심으로 가득했던 사람이었습니다. 그러나 그런 야곱을 지으신 데서 끝나지 않고, 그 야곱을 축복된 인물이 되게 바꾸시기 위하여 하나님께서는 끊임없이 야곱을 추적하신 것입니다. 외삼촌 라반의 집에 집어 넣으시고 혹독한 훈련 끝에 야곱을 깨뜨리시고, 얍복강 나루터에서 인간적으로 세웠던 모든 작전이 수포로 돌아가게 하시고, 마침내 그의 환도뼈의 힘줄까지 끊으셔서 그를 부서뜨리신 후에, 하나님께서는 야곱을 이스라엘이 되게 하신 것입니다.

우리 하나님은 우리를 쉽게 포기하지 않으십니다. 이사야 선지자는 역사 가운데서 이스라엘 민족을 절대 포기하지 않으시는 하나님의 사랑을 이 사건을 통해서 말씀하고 있는 것입니다. 그들이 불 가운데를 통과할 때에 주께서 그들과 함께하시고, 물 가운데를 통과할 때에 함께하심으로써 물이 그들을 침몰치 못하고, 불이 그들을 사르지도 못하겠다는 말씀을 보십시오.

실제로 바벨론에 포로로 잡혀간 사람들은 그발 강과 티그리스 강의 왕의 운하 건설 현장에서 물에 빠져 죽을 수 있는 수많은 위험을 겪었지만 하나님께서 그들과 함께하사 그들을 보호하셨습니다. 그리고 느부갓네살에 의하여 평소보다 7배나 뜨겁게 타오르던 풀무불 속에 던져진 사드락, 메삭, 아벳느고에게 인자(예수님)께서 함께해 주셔서 불이 그들을 사르지 못하게 하셨습니다. 그들을 불 속에 던진 군사들은 타죽었는데, 그들에게서는 그을음 냄새조차 나지 않았습니다.

이것이 하나님의 역사가 아니겠습니까?

우리 성도들도 하나님께서 함께하시는 줄로 믿습니다. 어떤 환경 속에서도 하나님께서는 여러분과 함께하셔서, 야곱을 이스라엘로 바꾸시는 사랑의 역사로 여러분과 함께하시는 것을 믿으시기 바랍니다. 불 가운데를 지나거나, 물 가운데를 지나는 어떤 환경이 다가와도 두려워하거나 놀라지 마십시오. 여호와 하나님이 함께하셔서 그 모든 것들이 도리어 합력하여 선을 이루게 하실 것입니다.

"두려워 말라 내가 너와 함께함이니라 놀라지 말라 나는 네 하나님이 됨이니라 내가 너를 굳세게 하리라 참으로 너를 도와주시라 참으로 나의 의로운 오른손으로 너를 붙들리라"(사

41:10).

3. 오늘 통독 분량 중에 가장 중심이 되는 곳은 바로 예수님의 십자가 고난을 예언한 50장과 53장일 것입니다.

이사야 50:4-5의 말씀은 '귀 뚫린 종, 예수님'에 대한 예언입니다.

예수님은 당신 자신을 영원히 하나님의 종이 되게 하셨습니다. 그래서 그는 거역하지도 아니하고 뒤로 물러가지도 아니하며 "나를 때리는 자들에게 내 등을 맡기며 나의 수염을 뽑는 자들에게 나의 뺨을 맡기며 모욕과 침 뱉음을 당하여도 내 얼굴을 가리지 아니하셨느니라"(사 50:6)는 예언에서 이사야는 예수님이 보자기를 뒤집어 쓰신 채 사방에서 날아오는 펀치에 그 얼굴이 너무나 부어 올라 사람의 얼굴인지 짐승의 얼굴인지도 분간키 어려운 상황에 이를 것을 예언했습니다.

"우리가 전한 것을 누가 믿었느냐 여호와의 팔이 누구에게 나타났느냐 그는 주 앞에서 자라나기를 연한 순 같고 마른 땅에서 나온 뿌리 같아서 고운 모양도 없고 풍채도 없은즉 우리가 보기에 흠모할 만한 아름다운 것이 없도다 그는 멸시를 받아 사람들에게 버림받았으며 간고를 많이 겪었으며 질고를 아는 자라 마치 사람들이 그에게서 얼굴을 가리는 것같이 멸시를 당하였고 우리도 그를 귀히 여기지 아니하였도다 그는 실로 우리의 질고를 지고 우리의 슬픔을 당하였거늘 우리는 생각하기를 그는 징벌을 받아 하나님께 맞으며 고난을 당한다 하였노라 그가 찔림은 우리의 허물 때문이요 그가 상함은 우리의 죄악 때문이라 그가 징계를 받으므로 우리는 평화를 누리고 그가 채찍에 맞으므로 우리는 나음을 받았도다 우리는 다 양 같아서 그릇 행하여 각기 제 길로 갔거늘 여호와께서는 우리 모두의 죄악을 그에게 담당시키셨도다"(사 53:1-6).

이 예언은 마치 이사야가 예수님의 십자가 광경을 그대로 보고 그린 것처럼 정확히 묘사하고 있습니다. 참으로 놀라운 예언입니다. 오늘 통독을 통해서 우리를 위해 십자가를 지신 예수님과 그의 보혈로 우리를 회복시켜 주시는 하나님의 귀한 사랑을 꼭 만나시기를 바랍니다.

056

고난받는 종을 통해 다가올 여호와의 영광

이사야 58-66장

우리는 오늘 이사야서 58-66장을 통독하겠습니다.

오늘 범위의 주제는 "고난받는 종을 통해 다가올 여호와의 영광"입니다.

- 58-59장: 죄가 하나님의 영광의 나타남을 방해함
- 60-66장: 구속주가 시온에 오심 (하나님의 역사를 방해할 것이 아무것도 없음)

〈주요 통독 자료〉

1. 죄의 문제 (58-59장)

이사야 58장과 59장은 이스라엘 백성들의 죄의 문제가 하나님의 영광을 가리고 있음을 선포하는 말씀들입니다. 아마도 인류 역사 가운데 가장 종교성을 많이 가지고 있는 민족이 이스라엘일 것입니다. 그들은 항상 제사의 행위들을 가지고 있었고, 율법을 공부하고, 가장 율법적인 민족으로 살아가는 사람들이었습니다. 그런데 문제는 외적으로는 그렇게 종교적 행위를 가지고 있었지만 그들의 내면에 진정으로 하나님의 뜻을 좇아가는 것이 없었다는 것이 문제였습니다.

그들은 외적으론 안식일을 지키고, 또 때로 금식하면서 나름 경건한 하나님의 자녀들로 살아가고 있다고 자부하고 있습니다. 그런데 하나님께서 그들의 기도에 전혀 응답하지 않으십니다.

왜 하나님께서 그들의 금식에 아무 반응을 보이지 않으시는지 58장에서 말씀하셨습니다. 그것은 그들이 금식한다 하면서 오락을 취하고, 종들에게 온갖 무거운 노동을 시키며, 서로 다투고, 악의적인 주먹질로 싸우고 있기 때문이라고 했습니다. 이런 일이 어찌 하나님께서 기뻐하시는 금식이 되겠느냐고 말씀하십니다. 머리를 갈대같이 숙이고, 굵은 베를 입고 재를 날리면서 울부짖는다 하더라도 하나님께 열납 될 수 없다고 단호하게 선언하십니다.

그래서 하나님께서는 당신이 기뻐하시는 금식이 어떤 것인지 알려주십니다. 그것은 흉악한 결박에 묶인 이웃들을 풀어주고, 압제당하는 자를 자유하게 하며, 모든 멍에를 꺾어 주는 것이라고 말씀하십니다. 또 굶주린 사람들에게 자신의 음식물을 나누어주며, 유리하는 빈민을 자기 집에 들여서 보호해 주고, 벗은 자를 입혀주며 어려움을 당한 친척이 찾아왔을 때 피하여 숨지 않는 것이라고 말씀하십니다. 그렇게 한다면 하나님께서 급속히 치료를 주시고, 하나님의 앞에 의롭다 하심을 받게 될 것이며, 하나님의 영광이 그를 호위하게 될 것이라고 말씀하십니다.

부르짖으면 응답을 주시겠고, "내가 여기 있다"고 말씀하실 것이라고 하십니다. 이것은 금식 기도에만 국한된 말씀이 아닙니다. 안식일을 지키는 일도 마찬가지입니다. 그러나 이사야 59:1-2에서 "여호와의 손이 짧아 구원하지 못하심도 아니요 귀가 둔하여 듣지 못하심도 아니라 오직 너희 죄악이 너희와 너희 하나님 사이를 갈라 놓았고 너희 죄가 그의 얼굴을 가리어서 너희에게서 듣지 않으시게 함이니라"고 하십니다. 그래서 하나님께서는 부르짖어도 듣지 아니하시고, 손을 내밀어 도와주지도 않으신다고 하십니다.

2. 일어나라 빛을 발하라(사 60:1)
이사야 선지자는 훗날 예수 그리스도께서 재림하실 때에 비로소 유대인들에게 빛이 이르게 될 것을 선포했습니다.

"일어나라 빛을 발하라 이는 네 빛이 이르렀고 여호와의 영광이 네 위에 임하였음이니라"(사 60:1).

빛이 누구십니까? 요한복음 8:12에서 예수님께서 말씀하셨습니다.

"나는 세상의 빛이니 나를 따르는 자는 어두움에 다니지 아니하고 생명의 빛을 얻으리라."

이사야 선지자의 선포는 바로 예수 그리스도께서 오실 때에 이루어질 일을 예언한 것입니다. 온 세상을 어둠이 뒤덮을 것이고, 캄캄함이 만민을 가릴 것이지만 여호와께서 성도들 위에 임하시면, 그 영광이 나타나 열방이 그 빛을 향해 나아오게 될 것이라고 말씀하고 있습니다. 그것이 바로 우리 시대의 일입니다. 우리 시대는 온 세상이 어둠에 덮이고 캄캄함이 온 땅을 뒤덮고 있습니다. 세상의 빛이 되신 예수 그리스도께서 우리에게 오셨으니, 우리는 그분의 빛을 세상에 비치는 자녀들이 되어야 합니다. 그럴 때에 열방이 우리의 비치는 그 빛을 향해 나아올 것입니다.

3. 주 여호와의 신이 임하셨으니(사 61:1-3)

이 말씀은 아주 중요한 예언입니다.

"주 여호와의 영이 내게 내리셨으니 이는 여호와께서 내게 기름을 부으사 가난한 자에게 아름다운 소식을 전하게 하려 하심이라 나를 보내사 마음이 상한 자를 고치며 포로 된 자에게 자유를, 갇힌 자에게 놓임을 선포하며 여호와의 은혜의 해와 우리 하나님의 보복의 날을 선포하여 모든 슬픈 자를 위로하되 무릇 시온에서 슬퍼하는 자에게 화관을 주어 그 재를 대신하며 기쁨의 기름으로 그 슬픔을 대신하며 찬송의 옷으로 그 근심을 대신하시고 그들이 의의 나무 곧 여호와께서 심으신 그 영광을 나타낼 자라 일컬음을 받게 하려 하심이라."

예수님께서 세례를 받으신 후, 광야에서 40일간 금식하시고 마귀에게 시험을 받으셨습니다. 그리고 난 후 누가복음 4장에 보시면 예수님께서 나사렛을 방문하시는 장면을 봅니다. 안식일이었습니다. 예수님은 회당에 들어가셔서 이사야의 책을 달라고 요구하셨습니다. 그리고는 바로 이 61장을 펼치신 것입니다.

그러나 이사야 선지자의 이 예언을 다 읽지 않으셨습니다.

"주 여호와의 영이 내게 내리셨으니 이는 여호와께서 내게 기름을 부으사 가난한 자에게 아름다운 소식을 전하게 하려 하심이라 나를 보내사 마음이 상한 자를 고치며 포로 된 자에게 자유를, 갇힌 자에게 놓임을 선포하며 여호와의 은혜의 해를 선포하게 하셨다" 까지만 읽으신 후에 성경을 덮으셨습니다. 그리고 "너희들의 눈 앞에서 이 말씀이 그대로 성취되었다"고 하신 것입니다. 이 부분까지가 예수님의 초림에 관한 말씀이었기 때문입니다. 그 뒤에 이어지는 "우리 하나님의 보복의 날을 선포하여 모든 슬픈 자를 위로하되 무릇 시온에서 슬퍼하는 자에게 화관을 주어…" 이렇게 이어지는 말씀은 예수님의 재림의 때에 일어날 일들인 것입니다.

처음 예수님께서 이 땅에 오셨을 때에는 십자가에 피 흘려 죽으심으로써 우리 마음이 상한 자를 고치시고, 포로 된 자를 자유케 하며, 갇힌 자에게 놓임을 선포하시며, 여호와 하나님의 은혜를 나타내 주시려고 오신 것이었습니다. 그러나 재림하실 때에는 더 이상 은혜 베풀기 위하여 오시는 것이 아니라 심판주로 오시는 것입니다.

여기 "여호와의 은혜의 해"가 킹제임스 영어 성경에 보시면 "to proclaim the acceptable year of the Lord"라고 되어 있습니다. 다시 말하면, "여호와의 받아들여주시는 해를 선포하기 위하여" 오셨다는 것입니다. 예수님께서 십자가에 죽으신 그때로부터 모든 죄인들을 받아들여 주시는 해가 시작된 것입니다. 예수님의 재림이 있기까지 그 십자가의 은혜로 나아오는 모든 자들을 하나님께서 영접해 주십니다.

4. 주는 토기장이(사 64:8)

이 말씀에서 이스라엘 백성들은 우리는 진흙이요, 주님은 토기장이시라고 말하고 있습니다. 이 속에는 세 가지 고백이 담겨 있습니다.

첫째는, 주님의 손에 모든 것을 맡기겠다는 것입니다. 토기장이가 진흙을 빚어서 뭔가를 만드는 동안 진흙이 할 수 있는 일은 아무것도 없습니다. 그저 주인의 손길을 인정하고 기다리는 일뿐인 것입니다. 우리가 하나님을 토기장이로 인정한다는 것은 하나님께 모든 것을 믿고 맡기는 것입니다. 또한 진흙은 토기장이에게 불평도 원망도 못합니다. 다만 주인이 자기 필요에 따라서 진흙을 빚는 것입니다. 우리들도 여호와 하나님의 손에 이렇게 우리 자신을 맡겨야 합니다. 우리의 목적을 이루는 것이 아니라, 주님의 뜻을 이루는 것입니다.

둘째로, 이들의 고백 속에는 이제껏 그들이 당한 모든 고난들도, 사실은 토기장이이신 하나님께서 그들을 하나님의 소용대로 쓰임 받을 그릇들로 만드시는 과정이었음을 믿음으로 고백하는 것입니다. 진흙을 부수고 체로 쳐서 곱고 고운 가루로 만들고 물로 섞어 치대고 방망이 같은 것으로 내리쳐서 아주 고운 반죽을 만드는 것입니다. 아주 작은 덩어리라도 있으면 모든 게 끝입니다. 아주 작은 응어리도 없어져야 합니다. 그러니까 모든 과정이 다 고난입니다. 그 흙덩이로 그릇을 만들다가 주인의 맘에 들지 않으면 부수어서 다시 반죽을 하여 다시 시작합니다. 철저히 토기장이의 의사대로 모든 것이 빚어지는 것입니다. 우리들 모두가 주님의 손에 있습니다.

셋째로, 이 고백 속에는 장차 하나님의 그릇으로 쓰임 받을 자신들을 향하신 하나님의 축복과 영광에 대한 기대감이 담겨 있습니다. 그릇은 다양한 용도를 가지고 있습니다. 아궁이에서 불을 취하여 옮기는 그릇도 있고, 물을 뜨는 그릇도 있습니다. 어떤 용도이든 하나님께서 필요한 용도대로 그의 그릇들을 사용하시는 것입니다. 따지고 보면 금 그릇이나 은 그릇 같은 것들과는 달리 질그릇은 그릇 자체로서는 그다지 값이 나갈 것이 없습니다. 왜냐하면 재질이 진흙이기 때문입니다.

질그릇이 가치를 갖게 되는 것은 오로지 그 그릇 속에 담겨 있는 무엇 때문입니다. 그런 면에서 이사야의 이 말씀이 의미가 있는 것입니다. 바울의 말을 들어보십시오.
"우리가 이 보배를 질그릇에 가졌으니 이는 심히 큰 능력은 하나님께 있고 우리에게 있지 아니함을 알게 하려 함이라"(고후 4:7).

아시겠습니까? 우리의 가치는 오직 우리 안에 무엇이 담겨 있느냐에 달린 것입니다. 우리 안에 참 보배이신 예수님이 담겨 계시다면 우리는 가장 가치 있는 그릇이 될 것입니다. 이사야 선지자가 힘을 다해 외치고 있는 것이 바로 이것입니다. 우리 안에 다만 예수님을 소유하라는 것입니다. 그럴 때에 우리 안에 담겨진 보배이신 예수님 때문에 우리도 덩달아 보배가 되는 것입니다.

057

예레미야의 소명과 유다에 대한 예언

예레미야 1-10장

예레미야는 크게 일곱 단원으로 나눌 수 있습니다.

1. 요시야 왕의 통치 때에 선지자의 소명을 받다(1장)

2. 시드기야 통치 이전의 유다와 예루살렘을 향한 예언들(2-20장)

3. 시드기야 통치 중의 예언들(21-29장)

4. 열두 지파의 미래와 곧 있을 유다의 포로생활에 대한 예언들(30-39장)

5. 예루살렘 멸망 후 남겨진 사람들에 대한 예언들(40-42장)

6. 애굽에서의 말년의 예언들(43-51장)

7. 예루살렘의 멸망에 대한 예언의 성취(52장)

우리는 오늘 예레미야 1-10장을 통독하겠습니다.

● 1장: 예레미야의 소명

● 2장-3:5: 유다에 대한 이중적인 저주

　① 여호와를 버린 것 ② 스스로의 신들을 만든 것

● 3:6-6장: 요시야 왕 때의 배역에 대한 판결

● 7-10장: 여호와의 집 문에서 선포된 경고

〈주요 통독 자료〉

1. 예레미야에 대하여

　예레미야는 아주 특별한 선지자였습니다. 대부분의 선지자들은 자기가 누군지를 그리 선명하게 나타내려 하지 않았습니다. 그들은 다만 그들의 입에 넣어주신 하나님의 말씀만을 선포했습니다. 하지만 예레미야가 하나님께 받은 예언은 거의 자서전적인 것들이었습니다. 그의 삶과 직접 연관을 가지고 있어서 그의 예언은 그가 누구인지, 어떤 삶을 살았는지, 어떤 생각을 가지고 있었는지, 어떤 삶의 과정을 겪어야 했는지를 고스란히 드러내주고 있습니다. 그래서 예레미야는 자연스럽게 그의 개인적인 역사를 많이 들려주고 있습니다.

(1) 그는 예루살렘 바로 위쪽에 위치한 아나돗의 제사장으로 태어났습니다(렘 1:1).

(2) 그는 태어나기 전부터 선지자로 부르심을 받았습니다(렘 1:5).

(3) 그는 아주 어렸을 때에 선지자로 세움을 받았습니다(렘 1:6).

(4) 그는 하나님께 예언자로서의 사역의 명령을 받았습니다(렘 1:9-10).

(5) 그는 요시야 왕 때에 사역을 시작했고, 요시야 왕의 장례를 치렀습니다(대하 35:25).

(6) 그는 어려운 시대에 살았기 때문에 주께서 그의 결혼을 금하셨습니다(렘 16:1-4).

(7) 그는 단 한 명의 회심도 이끌어 내지 못한 선지자였습니다. 백성들에게 배척을 당했고(렘 11:18-21, 12:6, 18:18), 미움을 받았고, 매를 맞았고, 웅덩이에 던져졌으며(렘 20:1-3), 감옥에 투옥되었고, 거짓 선지자로 고발되었습니다(렘 37:11-16).

(8) 그의 메시지는 그의 마음을 고통스럽게 했습니다(렘 9:1).

(9) 그는 사역을 포기하고 싶었지만 그것도 하나님께서 허락하지 않으셨습니다(렘 20:9).

(10) 그는 결국 예루살렘의 패망과 바벨론 포로 압송을 목격했습니다. 그는 바벨론 군대 장관에 의해서 예루살렘에 남도록 허락되었습니다.

유다의 남겨진 자들이 애굽으로 도망치려 할 때에 그는 그것을 반대하는 예언을 했습니다(렘 42:15-43:3). 그는 애굽으로 내려가는 유대에 남겨진 자들에 의하여 강제로 애굽으로 내려가야 했습니다(렘 43:6-7). 그리고 거기에서 죽었습니다. 구전에 의하면 그는 유대의 남겨진 자들에 의하여 애굽에서 돌에 맞아 죽었다고 전해집니다.

2. 너는 아이라 말하지 말라(렘 1:7)

위에서 말한 것처럼, 하나님께서는 예레미야를 모태에 잉태되기 전부터 아셨다고 말씀하십니다. 그리고 태어나기 전부터 구별하셨고, 열방의 선지자로 세우셨다고 하십니다. 예레미야는 자신이 그 사명을 감당할 수 없는 이유를 계속 말합니다.

"슬프지만 주님, 저는 아직 아이입니다. 말을 할 줄 모릅니다."

"하나님, 저는 못합니다. 저를 보세요. 이제 겨우 10대의 소년에 불과합니다. 제가 무슨 말을 하겠습니까? 그리고 누가 저 같은 아이의 말을 듣겠습니까?"

하나님께서 말씀하십니다.

"걱정할 것 없다. 너는 그냥 내가 네게 주는 말을 전하기만 해라."

"하나님, 저는 언변이 별로 좋지 않습니다."

"좋은 언변 필요없다. 내가 하는 대로 말하기만 해라."

"하나님, 저는 점쟁이가 아닙니다. 무슨 예언을 하겠습니까?"

"네가 점쟁이가 되어야 할 필요가 없다. 그냥 내가 하는 말을 그대로 전하기만 해라."

"하나님, 저는 너무 어린데 어떻게 어른들한테 갑니까? 너무 무섭습니다."

"무서워 말라. 내가 함께 있을 것이다. 내가 너를 구원하리라."

무슨 말을 더 하겠습니까?

자, 이제는 그만하십시오. 하나님께 핑계 대는 일 그만 하십시오. 지금까지 얼마나 하나님의 부르심을 거절해 왔습니까?

"하나님, 저는 너무 가난합니다." "저는 무지합니다." "저는 약합니다." "저는 어립니다." 하나님께서는 끊임없이 말씀하십니다.

"너는 어리다 말하지 말라! 내가 너와 함께 할 것이다. 내가 너의 경험이 되어줄 것이다."

"너는 가난하다 말하지 말라! 내가 너의 부가 되어줄 것이다." "너는 무지하다 말하지 말라! 내가 너의 지식이 되어줄 것이다." "너는 약하다 말하지 말라! 내가 너의 힘이 되어줄 것이다."

하나님은 우리에게 주지 않으신 것을 내놓으라시는 억지의 하나님이 아니십니다. 많은 사람들이 한 달란트 받은 종과 같은 태도를 취합니다.

"당신은 심지 않은 데서 거두고, 헤치지 않은 데서 모으는 분인 줄 내가 알았기에 달란트를 축낼까 두려워 땅에 묻어두었나이다."

이런 대답하면 큰일 납니다. 아시죠? 바울의 말을 들어보세요.

"나를 능하게 하신 그리스도 예수 우리 주께 내가 감사함은 나를 충성되이 여겨 내게 직분을 맡기심이니"(딤전 1:12).

보세요. 우리에게 직분을 주신 분은 하나님이십니다. 우리에게 직분을 주신 것은 우리를 충성스럽게 여겨 주셨기 때문입니다. 그리고 우리에게 그 일을 감당할 능력도 주께서 주십니다. 그래도 못합니까? 우리가 주님의 부르심에 아멘으로 답하기만 하면, 하나님께서 다 채워주실 것입니다.

3. 불러도 대답 없는 이여(7:13)

하나님께서 예레미야를 통해서 선포하십니다.

"내가 너희에게 말하되 새벽부터 부지런히 말하여도 듣지 아니하였고, 너희를 불러도 대답지 아니하였느니라."

참으로 우리 하나님은 새벽부터 저녁까지 쉬지 않고 말씀하시는 하나님입니다. 그러나 유다 백성들은 하나님의 말씀에 귀 기울이지도 않았고, 하나님께서 아무리 부르셔도 대답조차도 하지 않았습니다.

예레미야의 이 메시지가 선포되고 있는 곳이 성전이었다는 것이 더욱 놀라운 아이러니입니다. 여호와의 전 문에서 이 말씀이 외쳐졌다는 것입니다. 그러니까 이 말씀은 성전으로 들어가는 사람들, 즉 여호와께 예배하러 들어가는 사람들에게 선포된 말씀이라는 것입니다.

이 말씀의 배경을 좀 더 알고 싶다면, 역대하 34장과 35장을 함께 읽으시기 바랍니다. 요시야는 여덟 살에 왕위에 올라서 31년간 예루살렘에서 통치를 했습니다. 그의 통치 8년째에 이르렀을 때에, 즉 아직 열여섯 살밖에 되지 않았을 때에 그는 그의 조상 다윗의 하나님을 구하기 시작했다고 했습니다. 그의 통치 12년째에 이르렀을 때 그는 유다 백성들에게서 산당을 제거하기 시작했습니다. 그리고 그 이듬해부터 예레미야가 하나님의 말씀을 받아 백성들에게 선포하는 예언활동을 시작한 것입니다. 이 요시야 왕은 아주 선했고 또 하나님 앞에 의로워서 좌로도 우로도 치우치지 않고 그의 조상 다윗의 길로 행했다고 하나님께 칭찬을 받았던 왕입니다.

당시 예루살렘 성전은 거의 쓰레기장으로 전락해 있었습니다. 요시야 왕은 온 유다와 베냐민과 예루살렘 거민에게서 돈을 걷어 제사장 힐기야에게 보냈습니다. 그래서 힐기야는 성전을 청결케 하고 다시 무너진 제단을 수축하는 일을 시작했습니다. 이때 연보궤가 있었던 방에서 그때까지 잊어버렸던 모세의 율법서의 두루마리를 찾아냈습니다. 세상에, 그 시대에 하나님의 말씀이 얼마나 무시를 당했는지 알 수 있지 않겠습니까? 성전에서 성경책을 잃어버리다니요.

힐기야는 이 책을 요시야 왕에게 보냈습니다. 왕은 이 책을 가지고 온 사반에게 자기 앞에서 그 책을 읽어달라고 요청했습니다. 그 말씀을 들을 때에 왕의 마음에 큰 감동이 일어났습니다. 그리고 왕은 이 책을 온 백성들에게 읽어주라고 제사장에게 명령을 내립니다. 왕은 평신도입니다. 당시의 제사 시스템이 타락해서 말씀을 배제하고 오직 형식적인 제사 행위들만 남아있었을 때, 하나님께서는 요시야라는 평신도를 들어서 제사장들에게 다시 말씀으로 돌아가도록 명령하신 것입니다.

저는 오늘날 이 땅에 다시 일어나야 할 부흥운동이 바로 이런 것이 되어야 한다고 믿습니다. 결국 이스라엘 백성들의 종교는 끊임없이 하나님을 부르는 형식적인 종교 행위들은 가지고 있었지만, 막상 하나님께서 새벽부터 저녁까지 쉬지 않고 백성들을 부르시면 아무도 하나님의 음성에 귀 기울이는 이가 없었던 것입니다. 결국 그들의 신앙은 그들이 믿는다고 주장하는 이론과 그들의 삶이 전혀 결부가 되지 않는 그런 삶이 되고 만 것입니다. 그래서 삶에서 그들의 믿음의 증거를 전혀 찾아볼 수 없고, 이방인들과 방불한 죄악이 그들의 삶에 가득하며, 그래서 하나님을 믿지 않는 이웃들에게 항상 조롱과 박해를 받게 되는 형식과 전통에 얽매인 신앙으로 전락해 버린 것입니다. 이것이 오늘 우리 시대의 교회의 모습이 아니라고 누가 장담할 수 있겠습니까? 우리 모두는 다시 하나님의 말씀으로 돌아가야 합니다. 그래야 한국 교회가 살고, 세계 교회가 삽니다.

우리는 오늘 예레미야 11-20장을 통독하겠습니다.

- 11-12장: 광야에서 세워진 언약에 불순종한 이스라엘

- 13장: 베로 만든 띠의 비유

- 14-15장: 배역한 나라에 대한 가뭄과 기근의 심판

- 16-17:18: 예레미야가 혼인 금지를 당하다

- 17:19-27: 성문에서 왕에게 선포된 메시지

- 18-19장: 토기장이의 집에서의 표적

- 20장: 예레미야의 박해

〈주요 통독 자료〉

1. 요시야 왕 이후의 유다 역사

어제 우리가 통독했던 범위에서 우리는 요시야 왕 때에 유다에 큰 부흥운동이 일어났음을 읽었습니다. 그러나 이 부흥운동은 결코 완전한 것이 아니었습니다. 많은 사람들이 다시 성전으로 모여들기는 했지만, 그 사람들이 모두 진정으로 하나님께 돌아온 것은 아니었습니다. 그저 요시야 왕과 몇몇 지도자들의 헌신에 함께 장단을 맞추었던 것뿐이었습니다. 이 부흥운동을 주도했던 요시야 왕은 진정으로 하나님께로 돌이켰던 왕이었으며, 그를 비롯한 레위 지파의 성전 지도자들은 진실로 하나님을 기쁘시게 했던 사람들이었습니다. 그러니까 이때까지만 해도 아직 희망은 있어 보였습니다.

그런데 이제 그 요시야 왕이 죽었습니다. 유다에 유일한 희망을 선사하던 왕이 죽은 것입니다. 당시에 애굽에는 느고라는 왕이 있었습니다. 그런데 그가 유프라테스 강 유역의 갈그미스와 전쟁을 하려고 유다의 남쪽 국경지역을 지나게 되었습니다. 이때 요

시야는 느고 왕이 유다를 공격하러 오는 것이라고 생각했습니다. 그런데 흥미로운 사실은 애굽 왕으로서는 정말 드물게 느고는 하나님의 음성을 듣고 있었습니다. 그는 요시야 왕에게 "하나님께서 지금 즉시 갈그미스를 치라 하시므로 그들과 싸움을 하러 가는 것이므로 내 길을 막지 말라"고 전갈을 보내왔습니다.

그런데 요시야는 그의 말을 무시하고 변장을 하고 애굽 왕 느고와 싸우러 므깃도 골짜기로 나갔다가 애굽 병사의 활에 맞아 전사하고 맙니다. 요시야가 왜 이렇게 무모하게 행동했는지 모르겠습니다. 아마도 그는 애굽의 왕 같은 자가 무슨 하나님의 말씀을 듣겠느냐고 무시했던 것 같습니다. 자신은 하나님의 백성으로 일컬어지는 유다의 왕이고, 게다가 하나님을 기쁘시게 하는 자라는 증거를 받고 있는데 "하나님이 애굽 왕같은 자의 편에 계시겠는가?"라는 교만한 생각을 품었던 것입니다.

역대하 35:22은 요시야 왕의 죽음이 하나님의 말씀에 대한 불순종 때문이었다고 못 박고 있습니다. 우리는 여기서 귀한 교훈을 받아야 합니다. 때로 하나님은 우리가 생각지도 못했던 사람을 들어 사용하실 때가 있습니다. 우리가 보기에는 아주 무식한 것 같고, 아주 보잘것없는 것 같은데 "적어도 나 정도는 되어야지, 네 깐 것이 뭐가 잘났다고" 라고 충분히 생각할 만한데, 그럼에도 불구하고 하나님께서 그런 사람들을 쓰실 때도 있으시다는 것입니다. 우리 하나님은 미련한 자를 들어서 지혜로운 자를 부끄럽게 하시고, 또 가난한 자를 들어서 부요한 자를 부끄럽게 하시는 일을 종종 즐겁게 행하시는 분인 것입니다.

그런데 만일 우리가 교만하여, 하나님의 진의를 파악하지 못하고 사람들을 무시했다가는 큰 코를 다치는 것입니다. 요시야가 그렇게 되었습니다. 결국 요시야의 죽음이 유다에 가져온 결과는 가히 치명적이었습니다. 너무나 안타까운 일이었습니다. 하나님의 백성으로서 명맥을 아주 겨우겨우 유지하면서, 그래도 새롭게 부흥의 불꽃을 피워보려고 많은 유다 사람들이 성전에 모여들고, 대제사장 힐기야의 가르침에 귀 기울여 겸손히 영적 부흥을 가져오려고 몸부림치며 싸우던 요시야가 너무나 아깝게 졸지에 죽임을 당한 것입니다.

역대하 34:1에 보니까 요시야는 여덟 살에 왕이 되어서 31년간을 예루살렘에서 치리했다고 합니다. 그러니까 이때 요시야의 나이 겨우 서른아홉 살에 불과했던 것입니다. 아, 이 훌륭한 왕이 겨우 서른아홉 살에 눈을 감은 것입니다. 얼마나 속상한 일입니까? 우린 정말 잘해야 합니다. 우린 모두 하나님의 자녀들이고, 예수 그리스도의 제자로 양육을 받고 있는 사람들입니다. 내 개인의 욕심과 감정에만 충실해서는 안 됩니다. 미움과 분노, 혹은 다른 사람을 무시하는 교만한 태도로 가볍게 행동하다가 나 한 사람이 갑자기 어려운 일에 빠지면 즉시 다가올 하늘나라의 손실을 생각해야 합니다.

제발 무모하게 행동하지 마십시오. 그저 조용한 것이 아름답습니다. 조용히 하나님의 뜻을 구하면서 주님의 때를 기다리는 진지함이야말로 우리 신자들의 최고의 미덕인 것입니다. 요시야의 죽음이 유다에 가져온 손실은 다만 요시야 왕의 죽음 그 자체만이 아니었습니다. 그의 뒤로는 더 이상 유다에 선한 왕이 없었고, 결국 유다 나라의 영적인 마지노선이 붕괴되고 만 것입니다. 그 뒤에 일어난 유다의 왕들은 무능하기 짝이 없었고, 주변 열강들의 시녀 노릇이나 하면서 선지자를 핍박하고, 하나님을 무시하다가 결국은 유다 왕조 자체가 멸망을 당하기에 이른 것입니다.

요시야가 죽자 그의 아들 여호아하스가 통치를 시작했습니다. 그는 이때 23세였습니다. 생각해 보십시오. 요시야 왕이 39세에 죽었다면 요시야 왕은 16세에 첫 아들을 낳은 것입니다. 놀라운 일이지요. 아무튼 여호아하스는 23세에 왕이 되었는데 겨우 3개월밖에는 통치를 하지 못했습니다. 애굽 왕이 예루살렘에 올라와서 그의 왕위를 폐위시키고, 유다 나라로 하여금 은 일백 달란트와 금 한 달란트를 조공으로 바치게 했습니다. 그러니까 야곱의 후손들이 애굽에서 탈출해 나온 이래, 약 480여 년만에 유다는 다시금 애굽의 속국이 되어버린 것입니다.

여호아하스를 폐위시킨 애굽 왕 느고는 여호아하스의 형제였던 엘리야김이라는 사람을 유다와 예루살렘의 왕으로 세우고 그 이름을 여호야김으로 바꾸어 버렸습니다. 그리고는 여호아하스를 애굽으로 잡아가 버렸습니다. 그런데 이 여호야김이라는 왕이 왕위에 오르자 하나님 여호와께서 보시기에 악을 행하기 시작했습니다. 결국 이 여호야김은 그의 통치 11년 만에 바벨론의 느부갓네살 왕의 공격을 받아서 쇠사슬로 결박되어 바벨론으로 잡혀가고, 예루살렘 성전에 있던 온갖 금·은 기명들은 모두 바벨론의 신당으로 옮겨가는 치욕스런 파국을 맞이하게 되는 것입니다. 그래서 여호야김의 여덟 살짜리 아들 여호야긴이 왕이 되고 겨우 석 달 열흘을 통치한 후에 느부갓네살에 의하여 잡혀가고, 바로 그 느부갓네살 왕이 여호야긴의 작은 아버지, 즉 삼촌이었던 시드기야를 세워 유다의 왕을 삼게 됩니다. 그리고 그 시드기야가 결국 유다의 마지막 왕인 것입니다.

예레미야는 이 시드기야 왕을 어떻게든 돌려보려고 애를 썼습니다. 그러나 아무리 하나님의 말씀을 가르쳐도 시드기야는 듣지 않았습니다. 나중에는 오히려 바벨론 왕 느부갓네살이 시드기야 왕을 그 하나님께 돌아가도록 맹세를 시켰는데, 그는 끝까지 교만히 행하면서 하나님께로 돌아오지 않았습니다. 흥미로운 일입니다. 오히려 이방 왕이 유다 왕을 하나님께 돌리려고 애를 썼다는 것입니다. 신자가 신자답게 살지 못하면, 오히려 불신자들이 신자를 가르칩니다.

이제 바벨론의 느부갓네살 왕이 유다를 완전히 섬멸하려고 올라옵니다. 시드기야 왕의 통치 9년 10월에 느부갓네살은 예루살렘을 포위했는데, 예루살렘 성벽 높이만큼 사면으로 토성을 쌓았습니다. 그의 포위는 자그마치 19개월간 계속되었고, 시드기야 왕 통치 11년 사월에 이르러서 예루살렘 성 안에서 양식이 완전히 바닥나 버리고 말았습니다. 결국 시드기야는 체포되어 그 아들들은 그의 목전에서 죽임을 당하게 되고, 시드기야는 두 눈이 뽑힌 채 사슬로 결박되어 바벨론으로 끌려가게 된 것입니다. 여기 하나님의 백성으로 일컬어지던 유다 나라의 마지막 패망의 모습을 주의 깊게 보십시오. 그들은 교만과 아집 가운데에서 완전히 영육이 고갈된 채 망해버리고 만 것입니다.

2. 베띠의 비유 (예레미야 13장)

하나님께서는 예레미야에게 한 가지 흥미로운 비유를 들어주십니다. 베띠를 하나 사서 허리에 두르라는 것입니다. 그러나 세탁은 절대 하지 말라고 하십니다. 결국 이 베띠는 냄새나고 더러운 띠가 되었겠지요? 얼마 후 하나님은 이 띠를 유브라데 강가로 가서 바위틈에 묻어두라 하십니다. 또 여러 날 지난 후 가서 파 보라 하십니다. 당연히 이 베띠는 다 썩어서 냄새도 나고 전혀 쓸모가 없는 물건이 되어 있었습니다. 허리에 두르는 베띠는 봉사와 섬김의 상징입니다. 예수님도 재림의 때에 깨어 준비된 종으로서 주인을 맞으라고 권하시면서 "허리에 띠를 띠고 등불을 켜고 서 있으라"(눅 12:35)고 하십니다. 예수님도 허리에 띠를 띠셨습니다.

요한복음 13장에 보면, 유월절 만찬석에서 허리에 수건을 동이시고 제자들의 발을 씻기셨습니다. 이때 허리에 두른 수건을 헬라어로 '렌티온'이라고 불렀는데, 이것이 영어로 Linen, 즉 베 조각인 것입니다. 하나님은 예레미야의 허리에 둘렀던 베띠를 유브라데 강, 즉 바벨론 땅에 묻어서 다 썩어버리게 하라고 하심으로써, 하나님을 섬기기 위하여 택함을 받은 유다가 바벨론에 묻혀서 썩어버리게 될 것을 보여주신 것입니다. 하나님의 말씀입니다.

"여호와께서 이와 같이 말씀하시니라. 내가 유다의 교만과 예루살렘의 큰 교만을 이같이 썩게 하리라"(렘 13:9).

그러나 하나님은 다시 말씀하십니다.

"여호와의 말씀이니라 그러나 보라 날이 이르리니 다시는 이스라엘 자손을 애굽 땅에서 인도하여 내신 여호와께서 살아 계심을 두고 맹세하지 아니하고 이스라엘 자손을 북방 땅과 그 쫓겨났던 모든 나라에서 인도하여 내신 여호와께서 살아 계심을 두고 맹세하리라 내가 그들을 그들의 조상들에게 준 그들의 땅으로 인도하여 들이리라"(렘 16:14-15).

그동안은 이스라엘 백성들이 하나님의 이름을 일컬으려면 항상 "애굽에서 인도하여 내신 여호와"로 지칭했던 것입니다. 그러나 이제 다시 하나님을 "바벨론에서 인도하여 내신 여호와"로 일컫게 될 것이라는 말씀입니다. 이 와중에 하나님은 이방인들에게 구원의 문호를 열어주실 것을 말씀하십니다. 유대인들의 타락과 하나님의 징계가 이방인들에게 하나님의 구원의 기회를 열어준 것입니다.

예레미야의 예언입니다.

"여호와 나의 힘, 나의 요새, 환난날의 피난처시여 민족들이 땅끝에서 주께 이르러 말하기를 우리 조상들의 계승한 바는 허망하고 거짓되고 무익한 것뿐이라 사람이 어찌 신 아닌 것을 자기의 신으로 삼겠나이까 하리이다 여호와께서 이르시되 보라 이번에 그들에게 내 손과 내 능력을 알려서 그들로 내 이름이 여호와인 줄 알게 하리라"(렘 16:19-21).

오늘날 우리는 이 예언의 성취를 우리 자신에게서 보는 것입니다. 하나님은 유대인들이 주님을 버리고 주께로 돌아오지 않을 때에 예수 그리스도를 보내셨습니다. 그리고 그 복음으로 말미암아 우리 이방인들이 우상숭배의 자리로부터 돌아와 예수 그리스도를 구주로 영접하여 하나님의 자녀가 된 것입니다.

우리는 우리 자신의 행위나 경건으로 의롭다 하심을 받은 것이 아닙니다. 순전히 예수 그리스도를 구주로 믿었다는 그것이 우리에게 구원을 준 것입니다. 하지만 아직도 이스라엘은 이 원리를 알지 못합니다. 영적으로 눈 멀었기 때문입니다. 예레미야가 이것을 선포합니다.

"그러나 무릇 여호와를 의지하며 여호와를 의뢰하는 그 사람은 복을 받을 것이라 그는 물가에 심어진 나무가 그 뿌리를 강변에 뻗치고 더위가 올지라도 두려워하지 아니하며 그 잎이 청청하며 가무는 해에도 걱정이 없고 결실이 그치지 아니함 같으리라"(렘 17:7-8).

예레미야는 바로 다음 절에서 만물보다 심히 부패한 것이 사람의 마음이라고 말씀합니다. 그렇습니다. 사람은 아주 거짓됩니다. 우리는 우리 자신을 절대로 신뢰해서는 안 됩니다. 우리를 위해 십자가에 죽으심으로 우리를 구원하신 예수 그리스도만을 철저히 믿어야 합니다. 그것이 유일한 구원의 길입니다.

시드기야 통치 중의 예언들
예레미야 21-29장

우리는 오늘 예레미야 21-29장을 통독하겠습니다.

- 21-22장: 느부갓네살에 관해서 시드기야에게 주어진 응답
- 23장: 심히 어두운 날의 밝은 빛
- 24장: 두 바구니의 무화과의 비유
- 25장: 70년의 포로생활이 선포됨
- 26장: 여호야김의 통치 중에 성전 뜰에서 선포된 메시지
- 27-28장: 멍에의 비유
- 29장: 1차 포로의 대표들에게 보낸 희망의 메시지

〈주요 통독 자료〉

1. 여호와 우리의 의 '지드케누'

예레미야 18장과 19장은 유다의 역사에 있어서 참으로 다시 돌아올 수 없는 다리를 건넌 안타까운 역사의 분기점을 보여주었습니다. 두 차례에 걸쳐서 토기 혹은 오지병에 관한 말씀을 하시면서, 하나님께서는 예레미야에게 실물교육을 시키셨습니다. 토기장이가 빚어지는 과정에서 토기장이의 손에서 부서지면 다시 새로 빚을 수 있습니다. 그러나 구워져 버린 후에 깨어지면 다시는 아무짝에도 쓸모가 없어지는 것입니다.

18장에서 다시 빚어질 수 있는 부서진 토기의 모습을 통해 말씀하신 하나님께서 19장에서는 이미 구워진 그릇이 깨어질 때 다시 완전케 될 수 없다는 교훈을 주십니다.

"그들에게 이르기를 만군의 여호와께서 이와 같이 말씀하시되 사람이 토기장이의 그릇을 한 번 깨뜨리면 다시 완전하게 할 수 없나니 이와 같이 내가 이 백성과 이 성읍을 무너뜨리리니 도벳에 매장할 자리가 없을 만큼 매장하리라"(렘 19:11).

여기에 나온 도벳이라는 곳이 바로 "힌놈의 아들의 골짜기"라고 불리는 장소입니다. 이곳은 우상숭배의 제단이 세워졌던 곳이며, 나중엔 하나님께 저주를 받아 예루살렘의 쓰레기장이 되어버렸습니다. 이 힌놈 골짜기와 예루살렘 성읍과는 오직 "하시드 문"이라는 성문 하나를 사이에 두고 붙어 있었습니다. 성문 하나를 사이에 두고 들어오면 거룩한 성 예루살렘이고, 나가면 바로 도벳 혹은 힌놈 골짜기로 불리는 저주 받은 장소입니다. 그리고 이 예루살렘과 도벳의 곁에는 제3의 장소가 하나 있습니다.

바로 기드론 골짜기입니다. 이 골짜기를 흐르는 기드론 시내에서는 유다의 신실한 왕들에 의해 우상에 대한 심판이 행해졌던 곳입니다. 다시 말해서 신앙과 불신앙 사이에 격렬한 전투가 벌어졌던 장소가 바로 기드론 시내인 것입니다. 열왕기상 15장에서 아사 왕은 그 어머니 마아가가 아세라 상을 만들어 섬기자 어머니의 태후 직을 폐위시킨 후에 그 우상을 여기 기드론 골짜기에 내려가 찍어버렸습니다. 요시야 왕도 열왕기하 23장에서 바알과 아세라 상을 기드론 시내로 가져가 거기서 불사르고 재를 가루로 빻아서 평민들의 무덤에 뿌렸습니다.

역사를 좀 더 거슬러 올라가면 히스기야 왕이 성전을 깨끗이 청소하고 그 성전을 더럽혔던 것들을 가져다가 이 기드론 시내에서 처치해 버린 곳입니다. 이 예루살렘과 도벳 그리고 기드론 시내는 우리들의 영적 현실을 보여주는 좋은 그림입니다. 우리는 예루살렘, 즉 하나님과의 사귐과 하나님께 대한 경배와 예배의 청결을 유지하기 위하여 도벳, 즉 우상의 제사와 더럽고 부패한 이 세상의 관습들과 더불어 기드론에서 싸워야 하는 것입니다. 그러나 유다가 하나님께 완전히 버림을 받는 이 순간 더 이상은 기드론 골짜기로 나아가는 왕이 유다에서 나오지 않았다는 것이 유다 말기 역사의 비극입니다.

지금 우리는 모두 기드론으로 나아가야 합니다.

놀라운 사실은 이 시점에 이미 유다 백성들 중 일부가 포로가 되어 바벨론으로 잡혀가고 있었다는 것입니다. 하나님이 자비를 베푸시는 시간이 끝나가고 있습니다. 하나님께서 예언자들을 통해 말씀해 오신 일들이 그들의 눈 앞에서 이미 현실화되어 가고 있는데도 그들은 하나님께 돌이키지 않고 있는 것입니다. 그러나 우리 하나님은 참으로 자비의 하나님이십니다.

예레미야 23장에서 "내가 내 양 떼의 남은 것을 그 몰려갔던 모든 지방에서 모아 다시 그 우리로 돌아오게 하리니 그들의 생육이 번성할 것이며 내가 그들을 기르는 목자들을 그들 위에 세우리니 그들이 다시는 두려워하거나 놀라거나 잃어 버리지 아니하리라 여호와의 말씀이니라"(렘 23:3-4)고 선포하십니다.

그리고 25장에서 하나님은 유다 백성들의 바벨론 포로 생활이 70년으로 제한될 것임을 분명히 하십니다. 나중에 읽겠습니다만 44장과 45장에서는 '고레스'라는 왕이 일어나 유다 백성들을 예루살렘으로 돌려보낼 것이라는 것을 고레스의 어머니가 아직 태어나기도 전에 그의 이름까지 정확히 거명하시면서 말씀하십니다. 하나님은 참으로 좋으신 하나님입니다. 호세아 선지자의 말씀이 맞습니다.

"오라 우리가 여호와께로 돌아가자 여호와께서 우리를 찢으셨으나 도로 낫게 하실 것이요 우리를 치셨으나 싸매어 주실 것임이라 여호와께서 이틀 후에 우리를 살리시며 셋째 날에 우리를 일으키시리니 우리가 그의 앞에서 살리라"(호 6:1-2).

그래서 호세아는 "그러므로 우리가 여호와를 알자 힘써 여호와를 알자"고 권합니다. 그렇게 자비로우신 하나님께서 바로 이 시점에 유다 백성들에게 놀라운 약속을 선포하시는 것입니다.

"여호와의 말씀이니라 보라 때가 이르리니 내가 다윗에게 한 의로운 가지를 일으킬 것이라 그가 왕이 되어 지혜롭게 다스리며 세상에서 정의와 공의를 행할 것이며 그의 날에 유다는 구원을 받겠고 이스라엘은 평안히 살 것이며 그의 이름은 여호와 우리의 공의라 일컬음을 받으리라"(렘 23:5-6).

바로 다윗의 후손으로 오실 예수 그리스도에 대한 명백한 또 하나의 예언인 것입니다. 그의 이름은 "여호와 우리의 의(여호와 지드케누)이십니다. 이 예언은 70년 후에 바벨론 포로 생활을 마치고 유다 백성들이 귀환하는 것에 국한된 것이 아닙니다. 훗날 예수 그리스도를 믿는 모든 신자들에게 바로 죄악의 포로로부터 완전한 자유를 얻게 해주시는 축복의 성취로 나타나게 될 예언인 것입니다. 예수 그리스도는 바로 저와 여러분에게 완전한 의를 제공해 주신 우리의 의가 되십니다. 할렐루야!

2. 우리를 향하신 하나님의 생각(렘 29:10-14)

"여호와께서 이와 같이 말씀하시니라 바벨론에서 칠십 년이 차면 내가 너희를 돌보고 나의 선한 말을 너희에게 성취하여 너희를 이곳으로 돌아오게 하리라 여호와의 말씀이니라 너희를 향한 나의 생각을 내가 아나니 평안이요 재앙이 아니니라 너희에게 미래와 희망을 주는 것이니라 너희가 내게 부르짖으며 내게 와서 기도하면 내가 너희들의 기도를 들을 것이요 너희가 온 마음으로 나를 구하면 나를 찾을 것이요 나를 만나리라 이것은 여호와의 말씀이니라 나는 너희들을 만날 것이며 너희를 포로 된 중에서 다시 돌아오게 하되 내가 쫓아 보내었던 나라들과 모든 곳에서 모아 사로잡혀 떠났던 그곳으로 돌아오게 하리라 이것은 여호와의 말씀이니라"(렘 29:10-14).

이 말씀은 시드기야 왕 때에 선포된 예레미야의 메시지입니다.

시드기야 왕 앞에 있었던 여호야김과 여호야긴(여고니야) 왕의 통치 시에 이미 1, 2차 포로들이 끌려갔습니다. 이 편지는 이미 바벨론에 억류되어 있었던 포로들 중 죽지 않고 남아있는 장로들과 제사장들과 선지자들과 모든 백성에게 보낸 메시지였습니다.

이 편지는 시드기야 왕이 바벨론에 보낸 사신들, 즉 엘라사와 그마랴의 손에 위탁되어 전달되었습니다. 거짓 선지자들은 바벨론의 득세가 곧 끝날 것이며, 포로생활도 곧 끝날 것이니 걱정하지 말라고 평화의 메시지를 전했습니다. 그러나 예레미야를 통해서 하나님께서는 유다 백성들이 포로생활을 탄탄히 대비해야 할 것임을 분명히 하십니다. 왜냐하면 이 포로생활은 결코 쉽게 끝나지 않을 것이기 때문입니다. 반드시 70년이 차야만 포로생활이 끝날 것입니다. 그러니 아주 바벨론에서 한동안 자리잡고 살 생각을 하라는 것이었습니다.

예레미야 29:4-7의 말씀을 보면, 바벨론에서 집 짓고, 농토를 만들고, 그 열매를 먹으라 하십니다. 거기서 아내를 취하여 자녀를 생산하고, 자녀들로 하여금 거기에서 시집가고 장가가서 자녀를 생산케 하고 거기서 번성하며 쇠잔하지 않게 하라고 하십니다. 뿐만 아니라 너희가 사로잡혀 간 그 성읍의 평안을 위해서 기도하라고 하십니다. 그 성읍이 평안해야 그들도 평안할 테니까요. 하지만 절대로 포기하지는 말라는 것입니다. 반드시 70년이 차면 그들의 포로생활을 끝내고 예루살렘으로 돌아오게 하시겠다는 것입니다.

"여호와의 말씀이니라 너희를 향한 나의 생각을 내가 아나니 평안이요 재앙이 아니니라 너희에게 미래와 희망을 주는 것이니라"(렘 29:11).

이 구절을 KJV에서 보시면 "… to give you and expected end", 즉 "너희에게 기대할 만한 마지막을 주는 것"이라고 말씀하셨습니다.

"그래, 지금은 힘들겠지만, 기대해도 좋다. 너희가 기대해도 좋을 만한, 기대해도 조금도 실망하지 않을 만한 그런 마지막을 너희에게 주겠다. 그것이 내 생각이다"라는 말씀입니다.

멋지지 않습니까? 이것이 바로 우리를 향하신 우리 하나님의 생각입니다. 우리가 지금 어떤 상황 가운데 있든지, 주님의 약속을 믿고 기대해 봅시다. 어려운 환경을 서둘러 빨리 빠져나가려는 것이 아니라, 만약 우리가 혹독하게 받아야 할 훈련이 있다면 받아 봅시다. 깨어져야 한다면 아주 팍삭 소리가 나도록 깨어져 봅시다. 녹아져야 한다면 뼈인지 살인지 분간이 안 가도록 흐물흐물해져 버린 도가니탕처럼 그렇게 녹아져 봅시다. 하나님께서 기대해도 좋을 만한 마지막을 주신다고 하지 않습니까? 그저 빨리 도망이나 칠 생각 하지 말고, 이 시련과 아픔 가운데 집을 짓고, 어느 정도는 즐기면서 살아보자는 말입니다.

하나님은 "너희는 내게 부르짖으라 내게 기도하면 내가 들을 것이고 전심으로 나를 찾고 찾으면 나를 만나리라"고 말씀하십니다.

이 어려움과 역경 가운데서 우리는 부르짖어야 합니다. 그러면 결국은 주님을 만납니다. 자명하지 않습니까? 주님께서 그 사랑하시는 자에게 주시는 모든 것은 그 자녀로 하여금 더욱 주님께 가까이 오게 하시려는, 그래서 더 큰 축복을 받게 하시려는 하나님의 선물입니다. 할렐루야!

060

유다의 포로생활과 예루살렘에 남겨진 자들

예레미야 30-42장

우리는 오늘 예레미야 30-42장을 통독하겠습니다. 이 단원은 열두 지파의 미래와 유다의 포로생활과 연관된 예언들을 담고 있습니다.

- 30장: 다가올 큰 환난
- 31장: '내가'(I will) 장
- 32장: 예레미야의 투옥과 땅 매입
- 33장: 다윗에게 언약된 다가올 왕국
- 34장: 시드기야가 포로 될 것에 대한 예언
- 35장: 레갑 사람들이 하나님께 순종함
- 36장: 여호야김이 하나님의 말씀을 파괴함
- 37-38장: 예레미야의 투옥
- 39장: 유다가 포로됨: 예레미야가 감옥에서 놓여남
- 40-42장: 예루살렘 멸망 후에 유다에 남겨진 자들에게 주어진 예언

〈주요 통독 자료〉

1. 너는 내게 부르짖으라

"일을 행하시는 여호와, 그것을 만들며 성취하시는 여호와, 그의 이름을 여호와라 하는 이가 이와 같이 이르시도다 너는 내게 부르짖으라 내가 네게 응답하겠고 네가 알지 못하는 크고 은밀한 일을 네게 보이리라"(렘 33:2-3).

사실 예레미야 30장은 우리 하나님의 징계에 대한 무서운 경고로 시작이 됩니다.

"여호와께서 이와 같이 말씀하시니라 네 상처는 고칠 수 없고 네 부상은 중하도다"(렘 30:12).

하나님께서는 유다 백성들이 불치의 병에 걸렸고, 그 병의 상처는 아주 깊다고 말씀

하십니다. 더 무서운 것은 그 병을 고칠 약도 없다고 말씀하시는 것입니다. 죄라는 것이 그렇습니다. 고칠 약도 없어 보입니다.

"네 송사를 처리할 재판관이 없고 네 상처에는 약도 없고 처방도 없도다"(렘 30:13).

그러면서 하나님께서는 유다 백성들의 부르짖음에 아주 매정한 말씀을 하십니다.

"너는 어찌하여 네 상처때문에 부르짖느냐? 네 고통이 심하도다 네 악행이 많고 네 죄가 허다하므로 내가 이 일을 너에게 행하였느니라"(렘 30:15).

하나님께서는 유다 백성들이 받고 있는 모든 고통들이 다 하나님께서 주신 채찍임을 분명히 하십니다. 살려달라고 부르짖는 유다 백성들에게 하나님은 말씀하십니다.

"어찌하여 부르짖느냐?"

제가 어릴 적 어머님은 회초리를 들어 우리를 징계하실 때에 정말 무서웠습니다. 저는 어머님께서 회초리를 드시는 것만 봐도 경기를 했습니다.

"어머니, 잘못했어요. 다신 안 그럴게요. 용서해 주세요."

그렇게 울며 어머님께 매달립니다.

그러면 어머님께서 말씀하십니다.

"시끄러워! 뭘 잘했다고 울어? 조용히 안 해?"

하지만 어머님은 제가 그렇게 울며 매달릴 때 용서를 위한 마음의 준비를 하시는 것입니다. 제 동생은 아주 야무졌습니다. 좀처럼 실수가 없었습니다.

저는 어렸을 때부터 뭘 사 주면 그냥 줄줄 흘리고 다녔습니다. 어머님께서 항상 "네가 잃어버린 지우개를 쌓아놓으면 네 키보다 클 거야"라고 하셨습니다. 제 동생은 아주 야무져서 좀처럼 뭘 잃어버리는 법도 없고 실수가 없었습니다. 하지만 뭘 잘못해서 어머님께서 회초리를 드시면 이 녀석은 입을 꼭 다물고 어머니께서 회초리를 때리셔도 가만히 맞고만 있었습니다. 그래도 징계하시는 어머님의 마음은 제발 울며 매달리기를 바라시는 마음이셨습니다. 그래야 큰 소리를 치시더라도 용서하실 수 있는 것이죠.

유다 백성들이 울부짖으며 용서를 구할 때 하나님께서 말씀으로는 "왜 부르짖어? 뭘 잘했다고 울고 소리를 쳐? 조용히 안 해?" 하시지만, 바로 그 다음 절에 보시면, "나 여호와가 말하노라 그들이 쫓겨난 자라 하매 시온을 찾는 자가 없은즉 내가 너의 상처로부터 새살이 돋아나게 하여 너를 고쳐주리라"고 하십니다.

얼마나 놀라운 말씀입니까?

하나님은 31장에 들어가면서 "이스라엘을 흩으신 자가 다시 모으시고, 목자가 양무리에게 하는 것처럼 지키실 것이며, 구속하시고, 그 심령을 물 댄 동산 같이 축복하셔서 근심이 없게 하시겠다"고 하십니다. 예레미야는 자신이 선포해야 하는 심판의 메시지가 너무 힘들어서 자신이 그런 무서운 징계의 메시지를 선포해야 한다는 사실 때문에 자신이 이 땅에 태어난 것이 원망스럽다고 할 정도로 괴로워했습니다. 그런데 이렇게 회복의 메시지가 선포되니 얼마나 기뻤겠습니까?

물론 상황은 그리 좋아 보이지 않았습니다.

여호야김과 여호야긴 때에 이미 1, 2차 포로가 끌려갔고, 시드기야 통치 9년에 느부갓네살의 신복 느부사라단이 와서 예루살렘은 완전히 멸망했으며, 느부갓네살이 다시 올라와 3차 포로들을 끌고 갔습니다. 이때, 예레미야는 그의 부정적인 메시지 때문에 감옥에 갇혀 있었습니다. 그 와중에 하나님께서는 예루살렘의 회복이 반드시 이루어진다는 메시지를 주셨고, 그 메시지를 확증하기 위하여 예레미야에게 아나돗에 땅을 사도록 명령하셨습니다.

예레미야는 마음속에 끝없는 부르짖음을 갖고 있었습니다. 그래서 하나님께 부르짖습니다. 유다 백성들이 부르짖을 때, "왜 부르짖어? 조용히 안 해?" 하는 말씀을 하시면서도 결국 그들의 부르짖음으로 인하여 그들을 회복시켜 주실 약속을 주신 것처럼, 예레미야에게도 말씀하십니다.

"너는 내게 부르짖으라 내가 네게 응답하겠고 네가 알지 못하는 크고 은밀한 일을 네게 보이리라"(렘 33:3).

예레미야가 부르짖을 때, 하나님께서는 예레미야에게 역사의 전개에 대한 하나님의 계획을 알려 주셨습니다. 응답을 주신 것입니다. 그러나 거기에서 끝이 아닙니다. 하나님께서는 "네가 알지 못하던 크고 은밀한 일을 보이겠다"고 하시면서 한 걸음 더 나아가 장차 다가올 메시아에 관한 예언들을 주시는 것입니다. 그것이 바로 33장의 내용입니다.

상황이 어렵습니까? 부르짖으십시오. 그 기도에 응답하실 뿐만 아니라, 우리가 상상도 못했던 크고 은밀한 일을 하나님께서 여러분에게 보이실 것입니다. 예레미야에게 미래의 메시아에 관한 것들을 보이심같이, 우리의 개인적 기도에 대한 응답들만 아니라 다가올 예수님의 재림과 천국에 관한 아름다운 것들을 우리에게 보이실 것입니다. 온 세상이 땅의 것에 미쳐있는 세상에서 예레미야처럼 먼 미래와 영원한 천국의 것들을 보실 수 있는 눈과 그것들을 위해 헌신할 수 있는 은혜들을 부어주실 것입니다.

2. 순종과 불순종의 결과(37-42장)

시드기야가 왕위에 오르면서 여호야김과 여호야긴이 그랬던 것처럼 애굽과 내통하며 바벨론을 배신합니다. 결국 그의 친애굽 정책은 느부갓네살을 더욱 자극하여 유다는 파탄에 이르게 됩니다. 분노한 유대인들이 예레미야를 구덩이에 던져 죽이려 했습니다. 이때 왕국 내시였던 구스 사람 에벳멜렉이 왕에게 나와서 탄원합니다.

"저들이 하나님의 선지자에게 악하게 행합니다. 성중에 떡이 떨어졌는데, 저들이 예레미야를 구덩이에 던져 넣었으니 선지자가 거기에서 굶어 죽을 것입니다."

이 사람은 필경 유대인들에게 무시당하던 흑인이었습니다. 그러나 그는 용감하고 신앙적이었습니다. 결국 시드기야 왕은 감동을 받아 30명의 사람을 이 내시에게 붙여주어 예레미야를 그 웅덩이에서 끌어올려 줍니다.

시드기야는 예레미야에게 예언을 해달라고 요청합니다. 그러나 예레미야는 "내가 벌써 수없이 하나님의 말씀을 전했는데 듣지 않으면서 왜 예언을 해달라고 하느냐"고 합니다. 시드기야가 순종하겠다고 하니까 예레미야가 다시 말씀을 전합니다. 시드기야에게 사람을 두려워하지 말고 하나님의 말씀에 순종하면 왕이 복을 받아 생명을 보존할 것이라고 했습니다. 하지만 결국 시드기야는 순종치 않습니다.

39장에서 결국 예루살렘이 완전히 함락되고 시드기야는 두 눈이 뽑힌 채 바벨론으로 끌려가고 맙니다. 시드기야에게는 여러 차례 기회가 있었습니다. 하지만 차일피일 미루고, 이 사람, 저 사람 눈치 보다가 하나님께도 못 가고 세상으로도 못 가고 결단 없이 서성이다가 결국은 비참한 최후를 맞게 됩니다.

흥미로운 사실은 이런 와중에 바벨론의 왕 느부갓네살이 예루살렘 성을 함락시키도록 보낸 그의 시위대장 느부사라단에게 전갈을 보내어 예레미야를 존경하고 그에게 후대해 주라고 말합니다. 그래서 40장을 보면 느부사라단은 예레미야에게 자신과 함께 바벨론에 가면 후대해 주겠다고 말합니다. 하지만 예레미야는 유다에 남아서 사명을 감당하는 쪽을 택합니다. 물론 사람들 중에는 이때 예레미야가 바벨론으로 갔다면 그곳에 포로로 잡혀간 유대인들을 위하여 여러 가지 면에서 잘 섬길 수도 있었을 것이라 생각하는 이들도 있습니다. 어떻든 예레미야는 사명을 위해 유다에 남지만 거기에는 많은 고난이 따랐습니다.

40장과 41장에서 우리는 유다에 남겨진 자들을 다스리는 과도정부를 둘러싼 또 다른 정치적 살상행위와 음모들을 봅니다. 참으로 가슴 아픈 일입니다. 사람들은 참으로 둔합니다. 침몰해가는 타이타닉에서 좀더 좋은 칸을 차지했다고 과시하고 좋아해 본들 그것이 무슨 의미가 있겠습니까? 우리는 이제 곧 침몰해 버릴 이 땅에서 모든 것을 얻으려 하지 말고, 영원한 하늘 나라에 가치를 두는 삶을 살아야 합니다.

42장을 읽어보면, 유다에 남겨진 자들이 예레미야에게 기도를 부탁하며 하나님의 인도하심을 구합니다. 게다가 하나님이 좋게 말씀하시는 것뿐 아니라, 좋은 일이든 나쁜 일이든 하나님의 말씀 그대로 순종하려 한다고 했습니다. 그렇게 청종할 때에 복이 자신들에게 임할 것이라는 근사한 신앙고백까지 곁들이면서 말입니다.

그래서 예레미야가 말씀을 선포합니다.

"너희는 애굽으로 내려갈 생각 하지 말아라. 고난이 있고 아픔이 있더라도 여기 유다에서 견뎌라. 내가 너희를 회복시킬 것이다."

하지만 그들의 본색이 43장에서 드러납니다. 그들은 예레미야를 친바벨론 매국노로 몰아 강제로 애굽으로 송환해 갑니다. 그들은 이미 애굽으로 내려가기를 결정했기 때문입니다. 얼마나 무섭습니까? 많은 사람들의 마음이 이미 말씀을 듣기 전에 정해져 있습니다. 다행히 말씀이 자신의 생각과 일치하면 아멘이지만 상치되면 말씀 전하는 자를 죽일 준비가 되어 있는 것입니다. 이것이 바리새인과 사두개인들, 그리고 산헤드린의 슬픔이었고, 오늘날 수많은 신자들의 슬픔입니다. 순종해야 합니다. 불순종의 길은 패망입니다.

061

예루살렘의 멸망과 그에 대한 애가

예레미야 43-예레미야 애가 5장

우리는 오늘 예레미야 43-52장, 그리고 예레미야 애가를 통독하겠습니다. 이 단원은 애굽으로 강제 연행된 후, 예레미야의 마지막 날들에 선포된 예언들을 담고 있습니다.

● 43-44장: 애굽에 내려간 유다의 남은 자들에게

● 45장: 바룩에게

● 46장: 애굽에 대하여

● 47장: 블레셋 사람에 대하여

● 48장: 모압에 대하여

● 49장: 암몬, 에돔, 다메섹, 게달, 하솔, 엘람 족속들을 향하여

● 50-51장: 바벨론에 대하여

● 52장: 예루살렘의 파괴에 대한 예언의 성취

예레미야 애가

● 1-5장: 예레미야의 예루살렘의 파멸에 대한 애가

〈주요 통독 자료〉

1. 애굽에서의 예레미야의 예언 활동

어제 통독에서 우리는 예루살렘 멸망 이후 유다에 남겨진 자들이 예레미야를 찾아와서 자신들에게 하나님의 말씀을 들려달라고 요청했던 것을 읽었습니다. 그들은 하나님께서 자신들이 듣기에 좋은 말씀을 하시든지 아니면 듣기 싫은 말씀을 하시든지 자신들이 순종하는 것이 복이 되는 줄 이제 알게 되었다고 했습니다. 하지만 열흘 동안 예레미야가 기도한 끝에 하나님의 응답이 왔는데, 그 응답은 결국 그들이 의도했던 것과는 달리 애굽으로 가지 말라는 것이었습니다. 지금 그들은 바벨론의 느부갓네살

왕이 유다의 총독으로 세웠던 그다랴가 살해당한 것에 대해서 자신들에게 분노하여 자신들을 죽일까 봐 두려움에 가득 차 있었습니다.

하지만 하나님은 그들이 두려워해야 할 대상은 느부갓네살이 아니라, 바로 하나님 이심을 분명히 말씀하셨습니다. 만일 그들이 하나님만 두려워한다면 다른 아무것도 두려워할 것이 없다는 것입니다. 하나님이 지켜주실 테니까요.

하지만 그들은 예레미야가 받은 하나님의 응답에 대하여 전혀 상반되는 행동을 합니다. 그들은 애굽으로 가는 쪽을 택한 것입니다. 그들은 하나님께서 자신들에게 애굽으로 가라고 해주시기를 바랐던 것입니다.

그러나 하나님께서 그들이 기대했던 것과 다른 말씀을 하시자, 예레미야를 보고 "하나님이 너에게 말씀하지 않으셨다"고 합니다. 어쩜 이렇게도 똑같은 일들이 계속 반복되는 것일까요?

그들은 마음이 좋을 때는 하나님을 잘 섬긴다고 고백합니다. 하지만 하나님의 말씀이 자신들의 뜻과 다를 때는 하나님을 무시합니다. 그리고 그 하나님의 말씀을 전하는 사람을 거짓 선지자라고 몰아붙입니다. 자기가 듣기 좋아하는 말을 하면 "은혜 받았습니다. 참 좋은 하나님의 말씀이었습니다"라고 하지만, 자기가 듣기 싫어하는 말을 하면 하나님의 말씀이 아니라고 합니다.

결국 그들은 애굽으로 내려갔고, 자신들뿐만 아니라 예레미야도 강제로 자기들과 함께 애굽으로 가게 한 것입니다. 그리하여 예레미야는 자신의 나머지 날들을 애굽에서 보내게 됩니다. 이제 예레미야는 애굽에서의 그의 생의 마지막 날들에 주신 하나님의 메시지들을 전합니다. 하나님은 이 마지막 메시지들을 예레미야 주변에 있었던 사람들과 나라들에게 주십니다.

먼저 43장과 44장은 애굽으로 내려간 유다에 남겨진 자들에게 주신 메시지였습니다. 이 백성들은 느부갓네살을 피하기 위하여 애굽으로 내려갔습니다. 하지만 하나님은 애굽마저 느부갓네살에게 내어주십니다. 결국 유다 백성들이 애굽으로 내려감으로 말미암아 애굽마저 하나님의 징계를 받게 되는 것입니다. 많은 때에 하나님의 백성들의 잘못된 삶이 주변의 많은 사람들에게 악영향을 가져옵니다. 불행한 일이지요.

예를 들면, 요나의 경우를 생각해 보십시오. 요나가 니느웨로 가라는 하나님의 뜻을 거역하고 다시스로 가는 배를 탔을 때, 결국 다시스로 가던 배에 탄 모든 사람들이 고통을 받아야 했습니다. 끔찍한 뱃멀미가 있었을 것입니다. 그들의 재산을 바다에 다 던져야 하는 엄청난 물질적 손해도 따랐습니다. 결국 그들은 이런 상황이 단순한 폭풍이 아니라, 어떤 죄인을 추적하기 위한 신의 분노라는 결론을 맺게 됩니다. 그래서 그들이 제비를 뽑았을 때, 저 배 밑창에서 잠들어 있었던 요나에게 제비가 떨어집니다.

한 시대에 가장 깨어있어야 할 하나님의 사람은 깊은 잠에 빠져 있고, 그래서 난리를 만난 사람들의 아우성과 고난의 울부짖음이 처연하게 벌어진 후 그들의 자구책으로 하나님의 뜻을 묻는 사건이 벌어지고, 결국 하나님의 사람은 하나님을 알지도 못하는 사람들에게 부끄러운 책망과 핀잔을 들어야 하는 것입니다. 사람들은 요나를 바다에 던집니다. 그리고서야 풍랑이 잔잔해졌습니다.

세상에! 세상을 복되게 해야 할 사람이 세상에 풍랑을 가져오다니요. 그래서 이 세상을 평화롭게 하기 위해서 하나님의 사람이 처단을 당해야 하다니요. 그럼에도 불구하고 하나님은 이 패역한 백성들을 향하여 또다시 하나님께로 돌아오라고 유다 백성들을 향하여 부르고 계십니다. 우리 하나님의 사랑은 정말 무서운 인내를 동반한 사랑입니다.

그리고 45장은 예레미야의 친구요 또한 그의 서기관이었던 바룩에 대한 예언입니다. 바룩은 예레미야가 하나님께 받은 말씀들을 두루마리에 기록한 사람입니다. 그는 정말 충성스런 하나님의 사람이었습니다. 그 시대 모든 사람들이 하나님의 뜻을 거스르던 시대에 보기 드물게 하나님의 마음을 기쁘시게 했던 인물임에 틀림없습니다.

바룩이 기록한 하나님의 말씀 두루마리는 여호야김 왕에게 보내졌고, 여호야김 왕은 보란 듯이 그 두루마리를 갈기갈기 찢어서 불속에 태워버렸습니다. 예레미야 36장에서 읽었던 말씀이죠. 그러나 하나님이 다시 예레미야에게 말씀을 주셔서 바룩은 그 말씀들을 다시 기록했습니다.

그리고 바룩은 예레미야가 감옥에서 하나님의 말씀을 받아 아나돗의 토지를 매입했을 때, 그 모든 일들을 대행해 주었습니다. 서류를 작성하고, 거기에 서명하고, 토지를 매입하는 데 필요한 모든 절차들을 대행해준 것입니다. 그리고 바룩은 결국 예레미야와 함께 애굽으로 끌려 내려갑니다. 그리고 예레미야의 마지막 날들의 사역을 도왔습니다.

바룩은 예레미야의 서기관이었습니다. 정말 그는 충성스럽고 신실한 하나님의 종이었습니다. 이 어두움의 세대에 우리들도 바룩과 같은 일꾼들이 되었으면 좋겠습니다.

바로 45장은 이 바룩을 향한 하나님의 말씀입니다.

이 말씀은 바룩에게 주시는 격려와 축복의 말씀입니다. 당대의 모든 나라들과 모든 백성들이 하나님의 정죄와 징계와 심판의 선언 아래 있었을 때, 오직 한 줄기 빛처럼 하나님이 축복하실 수밖에 없는 삶을 살았던 바룩과 같은 삶이야말로 이 시대를 사는 우리들이 얼마나 흠모해야 할 생입니까?

그 다음 46장은 애굽을 향한 하나님의 징계의 선포입니다.

그리고 47장은 블레셋 사람들을 향한 하나님의 징계의 선포입니다.

48장은 모압의 멸망에 대한 예언이고, 49장은 암몬과 에돔, 다메섹, 게달, 하솔, 엘람 등 유다 주변의 나라들이 받을 심판에 대한 선포입니다.

그리고 50장과 51장은 바벨론이 받을 심판에 대한 예언입니다.

우리는 다니엘서에서 이 바벨론이 메대와 파사의 연합군에 의하여 멸망하게 되는 것을 볼 수 있습니다. 그리고 그 후에 일어날 파사의 고레스 왕에 의해서 유다 나라가 다시금 예루살렘으로 복귀하게 된다는 것을 우리는 이미 이사야 선지자의 예언을 통해서 읽었습니다.

2. 아침마다 새롭고 늘 새로우니 (애가 3 : 19-26)

"내 고초와 재난 곧 쑥과 담즙을 기억하소서 내 마음이 그것을 기억하고 내가 낙심이 되오나 이것을 내가 내 마음에 담아 두었더니 그것이 오히려 나의 소망이 되었사옴은 여호와의 인자와 긍휼이 무궁하시므로 우리가 진멸되지 아니함이니이다 이것들이 아침마다 새로우니 주의 성실하심이 크시도소이다 내 심령에 이르기를 여호와는 나의 기업이시니 그러므로 내가 그를 바라리라 하도다 기다리는 자들에게나 구하는 영혼들에게 여호와는 선하시도다 사람이 여호와의 구원을 바라고 잠잠히 기다림이 좋도다"(애 3:19-26).

본래 히브리인들의 성경에서 이 애가는 룻기, 에스라, 느헤미야, 에스더와 함께 다섯 권의 노래집으로 따로 분류되어 있었습니다.

이 책들은 특별히 유대인들의 절기 때에 낭독되던 책들이었습니다. 애가는 매년 유대 종교력으로 9월 4일, 그러니까 바벨론에 의하여 예루살렘이 함락되었던 날에 맞추어 낭송되던 노래집입니다. 그러나 Septuagint, 즉 70인역 헬라어 구약성경으로부터 이 책이 따로 떼어져서 예레미야서 다음에 오게 되었습니다. 왜냐하면 이 예레미야 애가는 예레미야서의 후기(Epilogue)와 같은 의미를 가지고 있었기 때문입니다. B.C. 586년 예레미야가 그토록 안타깝게 예언해 온 대로 바벨론에 의하여 예루살렘이 멸망했을 때, 그 멸망한 예루살렘을 바라보며 예레미야가 지은 애가들인 것입니다.

애가는 다섯 장이 모두 시편처럼 독립된 애가들의 시리즈로 되어 있습니다.

애가의 특징 중 하나는 이 책이 답관체 형식의 시로 되어 있다는 것입니다. 그러니까 1장, 2장, 4장, 5장이 모두 22절로 되어 있는데, 이 매 절이 순서대로 히브리어의 알파벳으로 시작이 되도록 지어졌습니다.

제가 시편을 통독할 때 이 답관체 형식의 시들에 대해서 말씀드렸는데, 대표적인 것이 성경의 가장 긴 장인 시편 119편입니다. 히브리 사람들은 종종 이런 형식의 시를 즐겨 썼습니다. 왜냐하면 이 시를 암기하기 좋게 하기 위한 것이었습니다.

캘리포니아의 New Port Beach라는 도시에 태평양 연안을 따라 샌프란시스코에서 샌디에이고까지 내려가는 PCH(Pacific Coast Highway)에 연한 길들의 이름 중에 이렇게 알파벳순으로 시작하는 과일들의 이름으로 되어 있는 길들이 있습니다. Apple st., Berry st., Cherry st… 뭐 이런 식이죠. 이렇게 3장을 제외한 예레미야 애가의 모든 장들이 순서대로 모두 스물두 개의 히브리어 알파벳을 첫 머리글자로 시작하는 형식으로 되어 있습니다. 알렙, 베스, 기멜, 다렛… 이런 식입니다.

3장의 경우는 66절로 되어 있습니다만, 이 3장 역시 Acrostic으로 되어 있습니다. 이것은 곧 매 알파벳으로 시작하여 3절씩 써 내려갔다는 것입니다.

예레미야는 예루살렘의 패망을 직접 지켜보았습니다.

그것도 자신이 예언한 말씀들을 전혀 받아들이지 않은 유대인들이 하나님께서 예견하셨던 그대로 파멸을 당한 것입니다. 그러니 이 멸망을 직접 지켜보던 예레미야는 얼마나 마음이 아팠겠습니까? 그 아픔을 노래한 것이 바로 이 애가입니다.

그런데 이 애통함의 노래 한복판에서 예레미야는 이스라엘이 그토록 하나님을 거스르고 반역하고 범죄하였음에도 불구하고, 그들을 향하신 하나님의 사랑은 끝이 없고, 그 자비하심과 인자하심이 무궁하시며, 그의 성실하심이 아침마다 새롭다는 것을 찬양합니다. 바로 이 하나님의 성실하심이 메시아이신 예수 그리스도를 이 땅에 보내신 것입니다.

그런 의미에서 예레미야 애가는 결코 절망적인 탄식의 노래가 아닙니다. 그 절망의 한복판에서 믿음의 눈을 들고 주님을 바라보면서 우리 주님께서 가장 멋진 일, 즉 구원과 새 생명의 역사를 이루어 가신다는 것을 기억하며 소망을 가지는 사람의 기쁨이 넘치는 회개와 자복함의 찬양인 것입니다.

주의 성실하심과 자비와 사랑, 예수님의 십자가를 통해서 보여주신 그 사랑이 아침마다 새롭습니다.

062

여호와의 영광 – 선지자의 사명
에스겔 1-12장

에스겔은 크게 네 단원으로 나눌 수 있습니다.

1. 여호와의 영광: 선지자의 사명(1-7장)

2. 여호와의 영광: 예루살렘과 이스라엘이 포로됨 / 여호와의 영광이 떠나심(8-24장)

3. 여호와의 영광: 나라들의 심판(25-32장)

4. 여호와의 영광과 다가올 왕국(33-48장)

우리는 오늘 에스겔 1-12장까지 통독하겠습니다.

- 1장: 영광의 나타나심

- 2장: 선지자의 소명과 감당할 능력을 주심

- 3장: 선지자의 준비 / 파수꾼의 사명

- 4장: 예루살렘의 심판

- 5장: 선지자가 머리를 미는 표적

- 6장: 예루살렘에 떨어진 칼 / 남겨진 자들의 구원

- 7장: 예루살렘의 최후 파멸에 대한 예언

- 8장: 영광의 환상 / 우상숭배로 말미암은 성전의 타락(멸망의 이유)

- 9장: 쉬카이나 글로리(임재의 영광)의 떠날 준비

- 10장: 쉬카이나 글로리(임재의 영광)가 성전을 떠나다

- 11장: 예루살렘의 통치자들에 대한 예언

- 12장: 에스겔이 예루살렘의 파멸을 선포함

〈주요 통독 자료〉

1. 예레미야, 에스겔, 다니엘의 관계, 그리고 에스겔의 소명

유다의 포로들은 모두 세 차례에 걸쳐서 바벨론으로 옮겨졌는데, 각각 다른 특성들을 가지고 있었습니다. 제1차 포로들은 주로 왕족, 귀족 계통의 엘리트 젊은이들이었습니다. 교육을 시켜서 왕의 측근에서 왕을 돕는 내시들로 사용하기 위하여 똑똑하고 유능한 젊은이들을 잡아간 것입니다. 그들은 바벨론 본성에서 왕실 재정으로 공부도 하고 무술도 연마하면서 왕의 정치적 지원자들이 되기 위한 훈련을 받았습니다.

그들이 바로 다니엘, 사드락, 메삭, 아벳느고 같은 젊은이들입니다.

반면 2차 포로들은 주로 느부갓네살의 치적 중 하나인 왕의 운하(the Royal Canal) 건설 현장에서 강제노동을 착취당하기 위하여 끌려간 사람들입니다. 이제 우리가 읽는 이 에스겔서의 에스겔 선지자가 바로 이 2차 포로들 중의 하나였습니다. 느부갓네살 왕은 현대까지도 신비로 일컬어지는 소위 세계 7대 불가사의 중의 하나인 공중궁전(the Hanging Garden)을 건설한 사람입니다.

그는 거대한 토목 공사에 많은 심혈을 기울였습니다. 그 치적들 중 하나가 바로 이 어마어마한 규모의 왕의 운하였던 것입니다. 이곳은 바벨론 본성으로부터 약 300km 이상 북쪽으로 떨어져 있었던 유프라테스 강과 그발 강이 만나는 지역이었습니다. 그러니까 다니엘이 바벨론 본성, 즉 대도시에서 예언활동을 하고 있던 시대에 에스겔 선지자는 저 시골의 포로수용소에서 예언 활동을 한 것입니다.

또한 에스겔이 선지자로 부르심을 받던 때는 시드기야 통치 제6년이었고, 이때는 예레미야가 50대 초중반의 나이로 예루살렘에서 아직 선지자로 활동하고 있었던 때입니다. 이제 이 선지자들이 한눈에 보이시죠?

하나님께서는 에스겔을 선지자로 부르시면서 '하늘이 열리는 경험'과 '하나님의 말씀이 특별히 임하는 경험', 그리고 '여호와의 권능이 그 위에 있는 경험'을 주셨습니다.

우리도 이 시대의 사명을 감당하기 위해서는 이 세 가지 경험을 필요로 합니다. 하늘이 열렸다는 것은 하나님의 보좌를 목격했다는 것입니다. 성경에는 모두 세 군데 하나님의 보좌의 광경이 묘사되고 있습니다.

에스겔이 바로 그중의 하나를 본 것입니다. 이것은 에스겔이 사명을 감당할 때에 그가 항상 하나님의 눈동자 앞에서 해야 한다는 것입니다. 언제나 하나님의 임재 가운데 모든 것을 행하는 사람, 모든 것을 하나님의 시각으로 볼 수 있는 능력을 가진 사람이 되는 것, 이것이 하나님의 일을 하는 사람이 갖추어야 할 첫 번째 능력입니다.

두 번째는, 하나님의 말씀이 특별히 임하는 축복입니다. 남을 통해 들려주시는 말씀을 공부하는 것도 큰 은혜가 되지만, 자신을 향한 하나님의 말씀을 특별히 듣는 것, 이것이 주님의 일꾼들이 경험해야 할 중요한 일입니다.

우리가 성경 통독을 하고, 개인적으로 성경을 묵상할 때에 우리의 중심에 들려주시는 하나님의 음성, 그리고 이 성경책 중에서 특별히 자신에게 적용될 하나님의 말씀의 은혜를 얻는 것이 주님의 일꾼으로 살아가는 데 기본이 되어야 하는 것입니다.

특별히 에스겔 3장에 보면 하나님께서 에스겔에게 두루마리를 먹으라고 하십니다. 다윗의 고백처럼 꿀과 송이꿀처럼 단 하나님의 말씀에 대한 직접적인 경험, 이것이 우리에게 필요한 것입니다. 에스겔에게 있어서는 이 두루마리가 입에서는 꿀처럼 달았는데, 배에 들어가서는 쓰디쓴 고통을 주었다는 것입니다. 말씀은 참으로 꿀송이처럼 달지만 그 말씀을 우리 자신에게 적용시키며 순종하며 살아가는 것은 쓰디쓴 고통을 수반하는 것입니다. 특별히 말씀을 전하는 삶은 우리들에게 많은 희생을 가져올 수도 있습니다.

그리고 하나님의 일꾼으로 살아가는 사람이 가져야 할 세 번째 경험은 바로 하나님의 권능이 그 위에 임하여 있는 것입니다. 에스겔의 이름은 히브리어로 '에헤츠켈', 즉 '여호와로 인하여 강하게 된 자'입니다. 돈이나, 권세나, 지식이나, 세상의 어떤 명성으로 강하게 된 자가 아니라 오직 여호와 하나님으로 말미암아 강하게 된 사람, 그것이 바로 하나님의 종의 조건입니다. 성경 통독에 참여하는 모두에게 하나님께서 이런 복을 주시기를 소원합니다.

2. 성전을 떠나시는 하나님의 영광(쉬카이나 글로리)

에스겔이 하나님께 선지자로 부르심을 받았을 때, 예루살렘은 멸망을 목전에 두고 있었습니다. 그런데 이 포로수용소에도 거짓 선지자들이 일어나서 바벨론은 곧 망할 것이며, 유대인들의 포로생활은 곧 끝날 것이라는 무지갯빛 환상을 주는 예언을 했습니다. 마치 예레미야가 예루살렘에서 하나님께서 주신 유다의 패망과 70년간의 포로 생활에 대한 예언을 했을 때, 거짓 선지자들이 일어나 예레미야를 감옥에 던지고 유다 백성들을 현혹했던 것과 같은 일이 그발강 가에서도 벌어지고 있었던 것입니다. 모든 역사의 순간에 항상 같은 도전이 인간으로부터 하나님께 드려지고 있습니다. 정말 사람은 변하지 않는 것 같습니다.

에스겔 4장에서 8장까지 에스겔은 예레미야가 예루살렘에서 했던 예언과 같은 내용의 예언을 선포합니다. 그런데 8장의 초반부에 보면 에스겔이 그발강 가의 포로수용소 안에 있었던 자기 집에서 유다 장로들과 함께 앉아 있다가 갑자기 들림을 받습니다. 그래서 순식간에 그는 예루살렘 성전 앞에 서 있습니다. 아마도 바울이 셋째 하늘에 올라갔을 때에도 이런 경험을 한 것이었을 겁니다.

요한이 "이리로 올라오라"는 음성을 듣고 하늘로 올라가 보좌를 보았던 것과 같은 경험이었을 것입니다. 아무튼 갑자기 예루살렘으로 옮겨진 에스겔은 예루살렘의 북쪽 성문에 서 있었습니다.

그런데 이 성벽에 하나의 구멍이 뚫려 있었습니다. 하나님께서 에스겔에게 그 구멍을 파보라고 하십니다. 그래서 그 구멍을 파헤쳐 보니 문이 하나 나옵니다. 그리고 그 문을 열어보니 그 안의 사면 벽에 온갖 부정한 곤충들과 가증한 짐승들, 그리고 이스라엘 백성들의 우상이 그려져 있었고, 70인의 장로들이 각기 손에 향로를 들고 그 우상들 앞에 향연을 피워 제사를 하고 있었습니다. 그 연기가 구름같이 오르는 것을 에스겔이 보았습니다. 바로 이 북쪽 성벽 안쪽에 예루살렘 성전이 있었던 것입니다.

그러니까 하나님을 예배하는 성전의 바로 옆에 이런 밀실이 있었고, 거기에서 추악한 우상숭배가 행해지고 있었던 것입니다. 하나님께서 에스겔을 데리고 북문으로 들어가시는데 여인들이 앉아 타무즈, 즉 바벨론의 우상을 향하여 곡을 하고 있었습니다. 하나님께서는 "놀랄 것 없다. 네가 더 큰 가증한 일을 보리라"고 하시면서 그를 데리고 성전 안뜰에 들어가시는데, 여호와의 전 문 앞 현관과 제단 사이에서 약 스물다섯 명의 사람들이 여호와의 전을 등지고 동편을 향하여 동방 태양신에게 경배하고 있었습니다.

9장에서 에스겔은 하나님의 사자들이 살육하는 기계를 손에 들고 성문에 선 것을 보았습니다. 드디어 하나님의 임재의 아름다운 영광, 곧 쉐키이나 영광이 성전을 떠나시려는 상황이었습니다. 그룹들 사이에서 떠올라 문지방에 이른 것입니다. 하나님께서 베옷을 입은 사자에게 말씀하십니다. 예루살렘에서 벌어지는 가증한 일로 인하여 애통해하는 자들의 이마에 표시를 하라는 것입니다. 하나님의 영광이 성전을 떠날 때에 엄청난 심판이 임하는 것을 에스겔은 보았습니다. 우리는 이 심판이 성전에서부터 시작되었다는 것을 눈여겨보아야 합니다. 그리고 연장자들, 지도자들부터 이 심판이 시작되고 있습니다. 다만 이마에 표식이 있는 자들은 손대지 말라고 하십니다.

히브리 말로 '쉐키나'는 '눈으로 볼 수 있는 임재의 영광'이라는 의미가 있습니다. 다시 말해서 하나님께서 여기에 임하여 계시다는 것을 눈으로 확인할 수 있도록 나타내주시는 현상이라는 개념입니다. 우리는 출애굽기에서 바로 이 임재의 영광, 즉 쉐키이나 글로리의 현상이 이스라엘 백성들이 광야를 행진하는 동안 늘 지성소 위에 임하여 있던 것을 기억합니다. 낮에는 구름 기둥으로 밤에는 불 기둥으로, 그리고 지성소에 가득 드리운 조요한 빛, 혹은 영광의 광채, 때로는 연기처럼 자욱한 형상들로 거기에 하나님이 계시다는 것을 보여주는 그런 현상을 바로 쉐키이나 영광이라고 하는 것입니다. 사실 솔로몬이 예루살렘 성전을 지어서 하나님께 봉헌할 때에 하나님의 임재의 영광이 그곳 성소에도 가득 드리워져 있었습니다. 그런데 이스라엘 백성들의 죄악과 하나님을 저버린 일들로 인하여 이제 하나님의 임재의 영광이 그들의 성소를 떠나시는 것입니다.

9장에서 11장까지의 말씀에서 지성소에서 나오신 임재의 영광이 성전 문지방에 머무르고 동문에 머물고, 동문을 나가 감람산 위에서 하늘로 올라가 버리고 만 것입니다. 결국 이제는 더 이상 예루살렘을 심판으로부터 지킬 그 무엇도 남아있지 않다는 것을 보여줍니다. 우리의 생은 하나님의 임재의 영광이 함께하실 때에 가치가 있는 것입니다.

"주 떠나가시면, 내 생명 헛되네, 즐겁고 슬플 때 늘 계시옵소서"

우리의 찬송 아닙니까? 오늘 우리는 에스겔서의 말씀 속에서 이 비통한 모습, 하나님의 임재의 영광이 그들을 떠나시는 모습을 봅니다. 여러분들에게 하나님의 임재의 영광, 쉐키이나 글로리가 언제나 함께하시기를 기도합니다.

우리는 오늘 에스겔 13-24장까지 통독하겠습니다.

- 13장: 거짓 선지자들에 대한 예언
- 14장: 장로들의 우상숭배에 대한 예언과 예루살렘 멸망의 확정
- 15장: 포도나무의 환상
- 16장: 버려졌으나 하나님께 입양된 아기 같은 예루살렘
- 17장: 독수리와 포도나무 비유와 해석
- 18장: 죄의 삯은 사망
- 19장: 이스라엘의 왕들에 대한 여호와의 애가
- 20장: 국가의 죄에 대한 재조명, 다가올 심판과 회복
- 21장: 바벨론 왕이 다윗 집안의 마지막 왕을 메시아가 오실 때까지 제거하다
- 22장: 예루살렘의 신성 모독죄를 재조명함
- 23장: 두 자매들(사마리아와 예루살렘)의 비유
- 24장: 끓는 가마의 비유

〈주요 통독 자료〉

1. 소망이 전혀 남아있지 않은 예루살렘

우리는 이미 하나님의 임재를 나타내는 영광이 예루살렘을 떠나버리신 것을 읽었습니다. 하나님께서 떠나버리신 것이 규명된 이상 예루살렘에는 어떤 소망도 남아있지 않습니다. 오늘 본문에서 우리는 예루살렘과 유다의 상황을 보다 선명하게 보여주는 몇 가지 비유를 읽게 됩니다.

15장의 포도나무의 비유, 16장의 길가에 버려진 피투성이 아기로서 하나님께 입양된 아기의 비유, 17장의 두 마리 독수리의 수수께끼, 18장과 19장의 "죄의 삯은 사망이

라"는 율법의 기본 정신의 재설명, 20장 후반부에 나오는 불타는 삼림의 비유, 23장의 두 자매의 비유, 24장의 끓는 가마의 비유…. 이 비유들은 저마다 하나님께서 역사 가운데 어느 나라보다도 이스라엘을 사랑하셨다는 것과, 그럼에도 불구하고 이스라엘이 하나님의 사랑을 저버리고 타락하고 범죄하여 하나님의 심판을 자초하게 되었다는 영적 현실들을 선명하게 보여주는 것들입니다.

15장에 나오는 포도나무의 비유를 생각해 봅시다.

하나님은 이미 이사야 5장에서 포도나무의 노래를 들려주셨습니다. 애굽에서 옮겨다가 온갖 애정을 쏟아 가나안에 조성해 주신 포도원으로 이스라엘이 비유됩니다. 좋은 포도 맺기를 기대했던 하나님께 이스라엘이 드린 것은 들포도였습니다. 하나님은 그들을 극상품 포도나무라고 부르셨습니다. 하나님은 그들에게 무한한 가능성을 주신 것입니다. 그들은 약속의 자녀들이었기 때문입니다. 그러나 이스라엘은 들포도로 전락했고, 예레미야 2:21의 예언처럼 이방 포도나무의 악한 가지가 되었고, 신명기 32:32에서 이미 예언되었던 대로 결국은 쓸개포도로 전락해 버린 것입니다.

하나님은 포도나무의 매력은 오직 하나뿐이라는 것을 분명히 하십니다. 그것은 열매를 맺는 것입니다.

포도나무에 있어서 열매를 맺는 일 이외에 어떤 용도로 쓰일 수 있습니까?

포도나무로 가구를 만들 수 있습니까?

포도나무로 무슨 장식품을 만들 수 있습니까?

포도나무로 가구를 만들었다는 이야기를 들어보셨습니까?

포도나무는 결이 형편 없습니다. 무슨 가느다란 실들을 묶어 놓은 것처럼 부서져 버리는 것이 포도나무입니다. 그걸로는 벽에 무언가를 걸 수 있는 못도 만들 수 없습니다. 열매를 맺지 않는다면 포도나무는 오직 한 가지밖에는 용도가 없습니다. 바로 불쏘시개입니다.

이사야, 예레미야를 세우셔서 다시금 좋은 포도 열매를 맺으라고 권고하셨지만, 결국 이스라엘은 좋은 포도는 고사하고 들포도도 맺지 못합니다. 결국 그들에게 다가온 것은 불에 던지우는 것밖에 없는 것입니다.

성경을 읽으면서 우리는 돌아보아야 합니다. 우리는 무슨 열매를 주님께 드리고 있는지, 열매 맺는 일 이외에는 아무짝에도 쓸 수 없는 죄인인 우리들을 하나님의 포도원에 심어 주셨으니, 말씀의 능력에 따라 좋은 열매 맺는 우리 모두가 되기를 간절히 바랍니다. 길은 하나입니다. 요한복음 15장의 포도나무 비유처럼, 생명이 넘치는 원가지 되시는 예수님께 붙어있는 길밖에 없는 것입니다. 그러면 포도나무 가지처럼 열매를 절로 맺게 될 것입니다.

2. 율법과 복음

에스겔 18:1-4은 율법의 기초가 무엇인지 아주 선명하게 보여줍니다. "범죄한 그 영혼은 반드시 죽으리라"는 원칙입니다. 하나님은 모든 사람은 자기 자신의 죄에 대한 형벌을 받는다는 것을 이 말씀을 통해 분명히 가르쳐주십니다. 아버지의 죄로 아들이 벌을 받거나, 아들의 죄로 아버지가 벌을 받는 일은 없다는 것입니다. 이 말씀에서 하나님은 죄에는 반드시 보응이 따른다고 선포하십니다. 사실 모든 나라들이 가진 법의 기초는 보복의 원칙 위에 세워졌습니다. 그래서 역사 중 최초의 성문헌법으로 일컬어지는 함무라비 법전은 "눈에는 눈, 이에는 이"라는 보복의 원칙 위에 세워진 것입니다.

하지만 그 보복의 주체가 타락했을 때 그 법은 아무런 의미도 없습니다. 법을 집행하는 왕이나 혹은 재판부가 타락했다면 그 법은 오직 가난하고 힘 없는 사람들만을 희생시키게 될 것이기 때문입니다. 그러나 율법은 그 법을 집행하시는 주체가 바로 하나님 자신이시라는 점에서 권위가 있는 것입니다.

하나님께는 뇌물이 통하지 않습니다. 하나님은 어떤 이유로든 굽은 판결을 내리지 않으십니다. 그리고 그 집행 방법은 바로 죽음입니다.

"죄 지은 그 영혼은 반드시 죽으리라!"

이처럼 율법의 기본 원칙은 "범죄한 그 영혼은 반드시 죽으리라"는 것이고, 그 법을 집행하시는 분이 하나님이시라는 점에서 우리 인생들은 희망이 없는 존재입니다. 우리는 모두 죄인으로 이 땅에 태어났고, 사람이 한 번 죽는 것은 정해진 것이며 그 후에는 우리 모두 심판대 앞에 나아가야 하는 것입니다. 법의 집행자이신 공의로우신 하나님 앞에서 우리는 한 마디 변명의 여지도 없이 영원한 사망의 형벌을 받게 되어 있습니다.

그러나 이 율법의 정죄 아래에서 영원한 형벌에 처해지게 된 우리들을 위하여 하나님께서 은혜를 베풀어 주십니다. 바로 그 아들 예수 그리스도를 이 땅에 보내주셔서 십자가에 피흘려 죽게 하심으로써 우리들을 위한 구원의 길을 주신 것입니다.

우리가 예수 그리스도를 믿기만 한다면 하나님은 우리의 죄를 다시는 끄집어 내지도 않으십니다. 이것을 다시 에스겔 선지자가 선포합니다.

"그 범죄한 것이 하나도 기억함이 되지 아니하리니 그가 행한 공의로 살리라"(겔 18:22).

이런 기막힌 말씀이 어디 있겠습니까? 우리가 언제 의로운 일을 행했습니까? 우리가 의로운 일을 행할 수나 있는 사람들이었습니까?

우리는 오직 육체에 속한 일로만 가득했던 사람들입니다. 그런데 "그 행한 공의로 살리라"고 하십니다. 우리가 이 땅에서 의로운 일을 행한다면 그것은 오직 하나 예수를 믿는 일입니다. 이것보다 의로운 일은 없습니다.

예수님의 제자들이 "우리가 어떻게 하여야 하나님의 일을 하겠습니까"라고 물었습니다. 예수님의 대답은 이렇습니다.

"하나님께서 보내신 이를 믿는 것이 하나님의 일이니라"(요 6:29).

하나님이 보내신 자, 곧 예수 그리스도를 믿는 것이 하나님의 일이며, 의로운 일입니다. 하나님은 그것으로 인하여 우리를 살리시겠다고 하십니다. 이 믿음의 일은 인종이나 어떤 지식의 유무, 혹은 빈부귀천에 상관없이 누구에게나 적용되는 복음입니다. 이것이 바로 율법과 복음의 대조입니다. 율법은 범죄한 그 영혼이 반드시 죽으리라고 하는데, 복음은 예수님께서 범죄한 영혼을 대신하여 죽으셨고, 그의 죽으심이 자신을 위한 것임을 믿는 것을 의로 여겨주셔서 그를 구해 주십니다. 율법과 정죄의 메시지 한복판에서 하나님께서는 복음의 원리를 선포해 주십니다. 이것이 하나님의 사랑입니다.

우리는 오늘 에스겔 25-36장까지 통독하겠습니다.

- 25장: 암몬, 모압, 에돔 그리고 블레셋에 대한 심판의 예언
- 26-28장: 두로에 대한 심판의 예언
- 29-32장: 애굽에 대한 심판의 예언
- 33-34장: 에스겔의 두 번째 소명
- 35-36장: 이스라엘의 회복

〈주요 통독 자료〉

1. 선지자 에스겔의 두 번째 소명

이제 하나님께서 에스겔에게 주셨던 모든 심판의 메시지들이 성취되었고, 예루살렘은 완전히 멸망했습니다. 그런데 바로 이 시점에서 하나님은 에스겔을 다시 부르십니다. 그것은 이제까지와는 전혀 다른 메시지를 선포하게 하시려는 것입니다. 이제까지 에스겔의 메시지들은 이스라엘 백성들의 죄에 대한 하나님의 진노와 심판, 그에 따른 예루살렘의 멸망에 집중되어 있었습니다. 예레미야가 그랬던 것처럼, 에스겔 역시 거짓 선지자들과 에스겔의 메시지를 마음에 들어 하지 않는 사람들에 의한 수많은 도전과 그에 따른 박해와 고난을 감수해야만 했습니다.

이런 상황을 견디며 계속적으로 말씀 사역을 한다는 것은 참으로 사람을 지치게 하고 힘겹게 합니다.

하나님께서는 그런 에스겔을 들어서 예루살렘으로 옮겨 예루살렘의 형편에 대해 눈으로 보고 확인하게 하시는 세심한 배려를 보여주셨습니다. 에스겔로 하여금 확신 가운데 그 사역을 계속하게 하시려는 것이었습니다.

"범죄한 영혼은 반드시 죽으리라."

어제 우리가 통독했던 18장의 선포가 어쩌면 에스겔의 전반기 사역의 클라이맥스였을 것입니다. 이제 하나님은 에스겔을 다시 부르십니다. 이제부터 에스겔이 전하는 메시지는 이스라엘과 유다의 회복의 메시지입니다.

하나님께서는 에스겔에게 이스라엘의 회복에 대한 메시지를 주시기 전에 먼저 주변 나라들에 대한 하나님의 심판의 메시지를 주셨습니다. 때로 하나님께서는 그 자녀들의 타락에 대해 진노하심으로 그들을 징계하시는 일에 주변의 이방인들을 사용하십니다. 하지만 하나님께서는 일부러 그들의 악을 조장하시는 것이 아닙니다. 그들의 내면에 있었던 이스라엘을 정복하고자 하는 야망을 폭발시키도록 허락하시는 것뿐입니다. 그러나 그들이 이스라엘 백성들에게 행한 일들에 대해서는 반드시 기억하시고 심판하십니다. 우리는 같은 심판의 메시지들을 이사야에게서도 발견했고, 예레미야에게서도 발견했습니다. 이와 같은 이방인들에 대한 심판의 메시지가 25장에서 32장까지 이어집니다.

이방인들에 대한 심판의 메시지가 끝나고 바로 이 시점에서 하나님께서는 에스겔의 소명을 새롭게 하시기 위하여 그가 처음 부르심을 받았을 때 그에게 주셨던 파수꾼의 사명에 관한 비유의 말씀을 다시 들려주십니다. 한 도성에 대적들이 침략해 오는데 파수꾼이 나팔을 불지 않아 백성들이 준비하지 못하고 있다가 목숨을 잃으면 그 피를 파수꾼에게서 찾게 된다는 것입니다. 그러나 나팔을 불어서 적들이 오고 있다는 경고를 했다면, 그 다음 준비를 하고 안 하고의 책임은 백성들의 몫이라는 것입니다.

이것이 바로 크리스천들의 사명입니다.

우리는 깨어 있어야 합니다. 그래서 하나님께서 이 세상을 향하여 주시는 메시지를 바로 깨닫고 선포해야 하는 것입니다. 에스겔은 지금 그 사명을 감당하고 있는 것입니다. 우리는 지치지 말아야 합니다. 듣든지 아니 듣든지, 때를 얻든지 못 얻든지, 우리는 주님의 말씀을 전해야 합니다. 그것이 우리의 책임입니다. 이 일에서 지치지 않기를 원합니다.

2. 이스라엘의 회복에 대한 약속이 담긴 예언

33장과 34장에서 에스겔을 다시 부르셔서 그에게 파수꾼의 소명에 대한 말씀을 다시 한 번 확인해 주신 후에 하나님께서는 이제부터 이스라엘의 회복에 대한 약속의 예언을 주십니다.

35장과 36장에서 하나님은 이스라엘의 회복을 선언하십니다. 이스라엘 백성들이 하나님께 범죄하고 불순종하다가 이방인들에게 포로로 잡혀가고 멸망을 당한 것은 이중적인 범죄였음을 하나님께서는 분명히 하십니다.

물론 첫째는 하나님께 대한 범죄입니다. 하나님의 말씀을 거역하고 불순종하며, 이방인들의 우상숭배를 배워서 죄악된 삶을 삶으로써 그들은 하나님께 범죄한 것입니다. 결국 그들은 이방인들에 의하여 멸망을 당하고 이렇게 포로가 되어 이방 땅에 사로잡혀 간 것입니다. 이 일은 결국 이방인들로 하여금 이스라엘의 하나님을 모욕하게 하는 결과를 가져오고 만 것입니다. 이사야가 이 부분에 대해 말했습니다.

"여호와께서 말씀하시되 내 백성이 까닭 없이 잡혀갔으니 내가 여기서 어떻게 하랴 여호와께서 말씀하시되 그들을 관할하는 자들이 떠들며 내 이름을 항상 종일토록 더럽히도다"(사 52:5).

바울은 이 말씀을 로마서에서 인용하였습니다.

"기록된바와 같이 하나님의 이름이 너희 때문에 이방인 중에서 모독을 받는도다"(롬 2:24).

오늘날 크리스천들의 잘못된 행동이 세상에 알려지면서 믿음 없는 사람들의 입에 오르내리며 하나님의 이름이 얼마나 모독을 받는 일들이 생기고 있습니까? 우리는 이 부분을 주의해야 합니다. 이렇게 이스라엘의 범죄는 이중적인 결과를 가져왔습니다만, 그럼에도 불구하고 하나님께서는 이스라엘에 회복의 축복을 주실 것을 선언하십니다. 그것은 두 가지 이유 때문입니다.

첫째는, 이스라엘의 조상인 아브라함과의 약속을 지키시기 위해서이며, 그 다음은 이스라엘이 더럽힌 하나님의 이름을 다시 영화롭게 하시기 위함입니다.

하나님은 먼저 이스라엘 백성들의 내면에 새 일을 행하시겠다고 하십니다. 우리는 축복을 위하여 우리의 삶에서 어떤 변화가 일어나야 하는지를 여기에서 배워야 합니다. 하나님께서는 먼저 맑은 물로 너희에게 뿌려서 너희로 정결케 하겠다고 하십니다. 모든 더러운 것에서와 모든 우상을 섬기는 일에서 너희를 정결케 하겠다고 하십니다.

그 다음 새 영, 즉 성령을 그들의 속에 두셔서 새 마음을 주시고 그들에게서 굳은 마음을 제거하고 부드러운 마음을 줄 것이며, 성령의 능력으로 말씀에 순종하는 삶을 살게 하시겠다고 하십니다. 이 내면의 성결과 거룩이 이루어지면 그 다음은 황폐하고 황무한 땅이 개간되고, 황폐하여 백성들이 거주하지 못하던 성읍들이 재건되어 백성들이 다시 성읍을 채우게 될 것이라는 축복의 언약이 이어집니다. 특별히 하나님께서는 그 황폐하던 땅이 에덴동산같이 되게 하겠다고 하십니다.

여기에서 우리는 하나님의 축복하심의 놀라운 원리를 발견합니다. 우리는 모두가 에덴동산에 살고 싶어 합니다. 그래서 우리의 환경이 에덴동산 같지 않다는 것에 늘 원망과 불평을 합니다.

그래서 언제나 내 주변 환경이 에덴동산이 아니라서 나는 늘 불행하다는 생각을 품고 사는 것입니다. 하지만 하나님의 계획은 다릅니다. 우리에게 에덴동산을 주시는 것이 아니라, 우리를 변화시키기 원하시는 것입니다. 그래서 변화된 우리들로 하여금 우리 주변의 모든 것들을 에덴동산으로 변화시키게 하려는 것입니다.

황폐하고 황무하던 환경들이 우리들로 인하여 에덴동산이 되게 하는 것, 그것이 바로 하나님의 뜻입니다. 그것이 실로 아브라함에게 약속하셨던 복의 근원이 되는 축복의 의미입니다. 그러니까 모든 회복과 축복은 우리의 내면의 성결에서부터 시작되어야 하는 것입니다. "물과 성령" 그것이 바로 우리의 모든 축복의 시작입니다. 기억나는 것 없습니까?

예수님께서 니고데모와 말씀하실 때, "사람이 물과 성령으로 거듭나지 않으면 하나님의 나라를 볼 수 없다"고 하셨지 않습니까? 물은 성경에서 언제나 하나님의 말씀 혹은 그리스도의 보혈의 상징입니다. 예수 그리스도의 보혈과 하나님의 말씀, 이것이 바로 우리를 변화시키는 시작점입니다. 그러니까 에스겔의 메시지의 중심도 역시 예수님이십니다.

065

여호와의 영광 – 다가올 왕국

에스겔 37-48장

우리는 오늘 에스겔 37-48장까지 통독하겠습니다.

- 37장: 이스라엘의 부활
- 38-39장: 곡과 마곡의 거부
- 40-42장: 재건성전
- 43-48장: 여호와의 영광이 돌아오심

〈주요 통독 자료〉

1. 무덤을 열고 거기서 나오라

36장에서 황폐하고 황무하던 땅에 성벽이 건축되고 백성들이 다시 거주하기 시작하며, 황무지가 변해서 에덴동산처럼 되겠다고 하셨던 하나님께서 이번엔 골짜기의 마른 뼈들이 일어나 극히 큰 군대가 되는 것을 보여줍니다. 어제도 '물과 성령' 즉 '하나님의 말씀과 성령의 능력으로' 이스라엘의 회복이 이루어질 것을 말씀하신 하나님께서, 이번에도 인자(예수 그리스도에 대한 예언적 명칭으로 쓰임)의 말씀의 대언으로 마른 뼈들이 일어나 큰 군대가 되는 이상을 보여주신 것입니다. 물론 이것은 에스겔에게 보여주신 환상입니다.

어쩌면 이렇게 마른 뼈들이 산처럼 쌓여있던 골짜기가 이스라엘의 어디에 존재하고 있었을 수도 있습니다. 바벨론으로 유대인들이 모두 옮겨온 후 느부사라단이 마지막 공격을 감행했을 때 너무 많은 사람들이 죽었고, 그들에게는 그들을 장사지내 줄 후손들도 남아있지 않았기 때문에, 매장되지 못한 시체들이 골짜기에 가득한 그런 곳이 실제로 존재했을 가능성도 전혀 배제할 수 없습니다.

아무튼 하나님은 사람을 사용하신다는 것을 늘 보여줍니다. 에스겔을 그 골짜기에 세우시고 그에게 물으셨습니다.

"이 뼈들이 다시 살겠느냐?"

에스겔의 대답은 단순했습니다.

"주께서 아십니다."

그 의미는 자명합니다.

"이런 마른 뼈들이 어찌 사람의 힘으로야 다시 살겠습니까? 하지만 하나님께서 하신다면 못하실 것이 어디 있겠습니까? 그러니 모든 것이 주님께 달려있습니다. 주께서 하고자 하시면 살 것입니다."

바로 그런 믿음의 고백인 것입니다. 그런데 하나님께서는 에스겔에게 이 뼈들을 향하여 대언하라고 하십니다. 이미 말씀드린 대로 이것은 예수 그리스도의 말씀, 즉 복음으로 말미암아 죽었던 영혼들이 다시 사는 것을 보여주신 것입니다. 하지만 동시에 이것은 우리 성도들의 사명이 무엇인지를 보여주기도 합니다.

우리는 복음 자체에 능력이 있음을 믿어야 합니다. 그래서 마른 뼈들처럼 죄악으로 사망에 처해져 희망이 없는 이들을 향하여 복음을 외쳐야 합니다. 믿음으로 선포해야 합니다. 그럴 때에 마른 뼈들처럼 사망에 처한 생명들이 다시 살아나, 여호와 하나님의 영광을 위하여 큰 군대가 될 것입니다.

2. 거대한 전쟁

35-37장에서의 이스라엘의 회복에 대한 예언은 사실상 바벨론의 포로 생활로부터의 귀환과 예루살렘 재건에 관한 약속의 의미가 전부는 아닙니다. 사실 이스라엘의 회복은 아직 완전히 이루어지지 않았습니다. 그것은 앞으로 7년 대환란이 이루어질 무렵에 다시 한 번 나타나게 될 역사의 스케줄입니다.

예수님께서 예언하셨던 것처럼, A.D. 70년 로마의 티투스가 이끄는 군대가 예루살렘에 들어와 예루살렘을 완전히 짓밟았습니다. 그리고 이스라엘이라는 국가 자체가 이 땅에서 완전히 사라져 버렸습니다.

1948년 이스라엘이 다시금 독립국가로 재탄생될 때까지 이스라엘은 이 땅에서 자취를 감추었는데, 자그마치 1900년 가까운 시간 동안 사라졌던 나라가 다시 독립국가로 재탄생된 것은 정말 놀라운 일이 아닐 수 없는 것입니다. 게다가 에스겔 37장의 후반부에 나타났던 또 하나의 징조, 즉 두 개의 막대기가 하나로 합해지는 징조가 의미했던 대로 재탄생한 이스라엘은 이스라엘과 유다, 즉 남북 왕조의 개념이 전혀 없이 하나로 통일된 이스라엘의 모습으로 재탄생했으니, 에스겔의 예언이 그대로 성취된 것입니다.

예수님의 감람산 설교는 바로 이 이스라엘의 재탄생과, 이어서 나타나게 될 이스라엘의 회복이 예수님의 재림의 징조들이 시작되는 시점임을 선포하고 있습니다. 그러니까 우리는 역사적으로 대단히 민감한 시점에 살고 있는 것입니다. 사실상 성경이 말씀하고 있는 예수님의 재림이 있기 전에 일어나리라고 하신 예언들이 거의 다 성취되어 가고 있습니다. 그러나 이 대환란이 시작되기 전에 반드시 이스라엘이 연루된 큰 전쟁이 일어날 것이 성경의 예언입니다.

이 전쟁은 요한계시록이 말하는 아마겟돈 전쟁과는 개념이 다릅니다. 아마겟돈 전쟁은 므깃도 평원에서 서방세계와 동방에서 온 군대 사이의 거대한 전쟁이 될 것입니다. 그러나 에스겔이 보았던 이 전쟁은 회교권의 나라들과 이스라엘 사이의 충돌인데, 여기에 온 세계의 화력이 강제로 동원되는 양상을 보일 것입니다.

여기에 나오는 전쟁에 동원될 국가 혹은 지역의 명칭들이 흥미롭습니다.

우선 '곡'은 어떤 국가나 지역의 이름이 아니고 통치자의 명칭입니다. "마곡 땅에 있는 곡"이라 했습니다. 그러니까 이 '곡'은 '마곡'이라는 지역의 통치자입니다. '마곡'은 역사가들에 의하면 스키타이족, 즉 흑해 북쪽에 자리 잡고 있었던 종족들로 보고 있습니다. 이들은 크림반도 북쪽 지역을 차지하고 있었던 종족들이었습니다.

에스겔이 이 글을 기록할 때 이 종족들은 별 주목한 만할 것이 없는 거의 야만적인 종족들로 흑해와 카스피해 사이에 있는 지역에 살고 있었습니다. 이 지역은 구 소련의 남부지역에 해당됩니다. 구 소련이 붕괴되면서 바로 이 지역의 독립국가들이 탄생했는데, 이 지역의 나라들 대부분이 모슬렘들로 이 국가들의 동맹이 이루어짐으로써 뉴스의 초점이 된 지역들입니다.

그리고 '로스'는 물론 러시아를 뜻하며, 메섹과 두발은 고대 모스키와 타이바레니, 즉 오늘날의 모스크바와 토볼스크를 지칭하는 도시로 보입니다. 이들은 전쟁에 나올 의

사가 없었지만 바로 모슬렘들의 동맹이 문제입니다. 그 동맹 때문에 아가미가 꿰어서 강제로 전쟁에 끌려나오게 되는 것입니다.

과거 걸프전의 양상을 생각해 보십시오. 미국을 비롯한 나토군이 사우디아라비아에 주둔했습니다. 그러자 사담 후세인의 군대가 이스라엘에 포격을 가합니다. 미국은 어찌하든 이스라엘이 전쟁에 끼어들지 않도록 잠재우는 것이 큰 일이었습니다. 미군들이 사우디아라비아에 주둔하고 있는데 왜 이스라엘을 공격합니까?

그것은 이스라엘을 전쟁에 끌어들이려 한 것입니다. 이스라엘이 화가 나서 대포 한 방이라도 쏘는 날엔 모슬렘들의 동맹 때문에 사우디아라비아는 모슬렘 연합에 힘을 합해 이스라엘과 싸워야 하는 것입니다. 그러면 미군들은 더 이상 사우디아라비아에 주둔할 수 없고, 전략적 요충지를 잃게 되는 것입니다. 이것이 중동지방의 힘의 원리입니다. 모슬렘들로 이루어진 구 소련 남부 지역의 독립국들도 마찬가지인 것입니다. 세계는 언제나 바로 이 전쟁이 일어날 수 있는 일촉즉발의 위기에 있다고 하겠습니다.

이 전쟁에 참여할 나라들을 보십시오. 먼저 5절에 페르시아가 나오죠? 바로 오늘의 이란입니다. 그리고 구스, 즉 에티오피아가 보입니다. 이 나라는 과거에 공산권에 있었습니다. 오늘날은 강력한 모슬렘권의 중심국가로 자리잡고 있습니다. '붓'은 리비아입니다. '고멜'은 터키 북방에 위치했던 지역입니다. '도갈마' 역시 터키지역을 말합니다. 이 나라들이 모두 오늘날 이스라엘과 소위 '지하드'(Jihad), 즉 그들의 용어로 성전을 선포할 가능성이 큰 나라들의 연합인 것입니다. 이 전쟁에 분명히 이스라엘의 우방인 미국이 끼어들지 않을 수 없고, 그러므로 이 전쟁은 엄청난 규모의 전쟁이 될 것입니다. 흥미로운 일이죠? 꼭 염두에 두시기 바랍니다.

3. 생수의 강

이제까지 우리가 다룬 에스겔 36-39장의 예언은 말세를 이야기하는 데 아주 중요한 열쇠가 됩니다. 이 엄청난 규모의 전쟁을 종식시킬 유일한 솔루션이 바로 적그리스도입니다. 그는 갑자기 평화의 사도로 나타나서 이 범세계적인 전쟁을 종식시키고 갑작스럽게 세계를 하나의 정부로 묶는 강력한 세력을 형성하며 이스라엘과 7년간의 평화조약을 맺게 될 것입니다. 그리고 이것이 바로 7년 대환란의 시작이 될 것입니다.

이스라엘 회복의 가장 중요한 열쇠는 바로 성전의 회복입니다. 그래서 에스겔서의 남아있는 부분은 예루살렘 성전의 회복에 관한 예언들입니다. 한때 예루살렘 성전은 적그리스도의 비호 아래에서 재건된 것입니다.

그러나 7년 대환란의 전 3년 반이 끝난 후 갑자기 적그리스도가 태도를 바꾸어 다니엘이 예언한 것처럼 미운 물건, 즉 짐승의 우상을 성전에 세우고 자기가 하나님으로 군림하려 들면서 후 3년 반의 엄청난 유대인들에 대한 박해가 시작되는 것입니다.

그러나 7년 대환란의 끝에 아마겟돈 전쟁을 종식시키면서 대환란 직전의 휴거, 즉 공중 재림에 참여했던 성도들을 데리고 예수님께서 이 땅에 내려오셔서 이 땅에 천년왕국을 세우고, 구원 얻은 성도들이 주님과 함께 왕 노릇하는 왕국시대에 접어들게 되는 것입니다.

참고로 이 부분에 대한 성경의 해석은 교단에 따라 성경관을 어떻게 가져가느냐에 따라 약간씩 다를 수 있습니다. 다만 저는 성경 전체의 일관성 있는 해석을 취합할 때 이런 결론에 다다를 수 있다고 생각합니다. 만약 관점을 달리하시는 분들은 이 부분에 대해 너무 민감하지 않기를 바랍니다. 저는 이 땅에 성경이 예언한 대환란이 있을 것이고, 그 전에 반드시 예수님의 공중 재림이 있을 것을 믿습니다.

아무튼 에스겔의 예언의 마지막은 바로 성전의 완전한 회복과 예루살렘을 떠나셨던 쉬카이나 글로리, 즉 임재의 영광이 다시 예루살렘으로 떠나셨던 그대로 다시 돌아오시는 광경으로 이어집니다. 어쩌면 이것이 바로 예수님의 지상 재림의 광경이 아닐까 생각됩니다. 그리고 성소에서 흘러나오는 생수의 강이 큰 강을 이루고, 그 강 좌우에 각종 실과 나무가 무성하게 되는 광경은 우리 주님께서 통치하실 나라의 광경일 것이라고 생각됩니다. 주님의 생수의 강물에 발목, 무릎, 허리가 잠기고, 그리고 헤엄치는 은혜, 그 은혜의 강물에서 헤엄치는 저와 여러분의 생이 되시기를 소원하며, 에스겔이 보았던 이 재림 주님의 영광과 주님이 다스리시는 나라의 영광에 우리 모두가 참여하게 되기를 소망합니다.

066

어두운 역사를 비추는 예언의 빛

다니엘 1-12장

다니엘은 크게 두 단원으로 나눌 수 있습니다.

우리는 오늘 다니엘서 전체를 통독하겠습니다.

A. 역사의 흐름에 대한 예언(1-6장) Historical prophecy -

● 1장: 예루살렘의 멸망과 다니엘의 포로생활의 시작)

● 2장: 느부갓네살의 꿈과 이방인의 때에 해당되는 네 가지 제국들에 대한 다니엘의 해석

● 3장: 우상에 절하라는 느부갓네살의 명령

● 4장: 찍혀 넘어진 큰 나무의 꿈과 광인이 되어버린 왕

● 5장: 메네 메네 데겔 우바르신, 바벨론의 멸망

● 6장: 메대 왕 다리오의 조서와 사자굴에 던져진 다니엘

B. 어두운 역사를 비추는 예언의 빛, 다니엘의 환상들(7-12장)

● 7장: 이방인의 때의 네 제국들에 대한 다니엘의 환상

● 8장: 양과 염소, 그리고 작은 뿔의 환상

● 9장: 이스라엘의 역사를 보여주는 70이레의 환상

● 10-12장: 가까운 장래와 말세의 이스라엘에 관한 다니엘의 환상

〈주요 통독 자료〉

미리 말씀드리겠습니다만, 다니엘서의 많은 예언들이 지닌 그 아름답고 선명한 의미들을 다 설명해 드리지 못하는 것이 안타깝습니다. 하지만 다니엘서를 하루에 끝내기 위하여 제가 꼭 여러분에게 설명해 드릴 것이 너무 많아서, 오늘 통독 자료의 분량은 다른 날보다 좀 많습니다. 그저 시간이 되시는 대로 자유롭게 읽으십시오. 그러나

꼭 읽으시도록 권유해 드립니다.

1. 이스라엘과 제국들

지금까지 우리는 이스라엘의 역사 속에서 변천해온 이스라엘의 국가 형태들을 보았습니다.

우선 아브라함으로부터 요셉까지를 우리는 족장시대(Patriarchic Era)라고 부릅니다. 이때 이스라엘은 아직 국가가 아니었습니다. '히브리인들'(Hebrews)이라는 그들의 민족 명칭 자체가 '강을 건너온 사람들'이라는 개념으로 그들은 일종의 순례자였고, 나그네였습니다. 갈대아 우르, 즉 메소포타미아에서 유프라테스 강을 건너 하나님의 언약을 믿고 따라온 아브라함의 후손들로서 하나의 종족이었을 뿐입니다. 그러다가 요셉의 때에 이스라엘은 애굽으로 내려갑니다. 거기서 400여 년의 시간이 지난 후 출애굽의 역사와 함께 이스라엘이 애굽에서 나올 때 우리는 비로소 한 국가로 성장한 이스라엘을 보는 것입니다. 이때의 이스라엘의 국가 형태를 우리는 '신정국가'(Theocracy)라고 부릅니다.

모세는 왕이 아니었습니다. 여호수아도 마찬가지입니다. 그들은 다만 하나님의 대리인으로서 하나님의 명령에 따라 움직이는 이스라엘의 지도자들이었습니다. 그들을 따라 이스라엘은 드디어 광야를 지나 가나안에 정착하게 됩니다. 사사들의 시대까지도 하나님께서 사사들을 세우셔서 직접 통치하시는 신정통치 형태를 유지했습니다. 그러나 우리가 사무엘의 책에서 읽은 대로 이스라엘은, 그들 국가를 탄생시키시고 온갖 기적과 역사로 그들을 이끌어 가나안에 정착하게 해주신 하나님을 버리고 그들 주변의 이방 나라들처럼 왕을 가진 국가가 되기를 원했습니다. 마지막 사사였던 사무엘을 끝으로 이스라엘은 '왕정국가'(Monarchy)의 형태를 띤 나라가 됩니다.

첫 번째 왕 사울을 통해 왕을 세운 것이 얼마나 큰 실수였는지를 배운 이스라엘에게 하나님께서는, 그들의 희망이요 인류의 희망이 되실 메시아를 이 땅에 보내시기 위한 혈통을 세우시려 다윗을 선택하여 세워주십니다. 그러나 다윗의 아들 솔로몬은 다윗 왕가에 대한 불신과 불만을 고조시켰고, 마침내 그 아들 르호보암 때에 이스라엘은 북왕조 이스라엘과 남왕조 유다로 나뉘게 됩니다. 북왕조 이스라엘은 모반이 일어날 때마다 혁명 정부가 세워지고 계속해서 왕가가 바뀐 반면, 남왕조 유다는 설령 반역이 일어나 왕이 죽임을 당한다 하더라도 항상 다윗의 혈통에서 왕을 세웠다는 것입니다.

그러나 결국 북왕조 이스라엘은 앗수르에 멸망하고, 남왕조 유다는 바벨론에 멸망하고 맙니다. 이때부터 이스라엘은 이방인들에게 짓밟히는 역사가 시작된 것입니다. 이것을 성경은 '이방인의 때'(the Year of Gentiles)라고 부르는 것입니다.

다니엘서에서 우리는 여러 가지 꿈들과 환상을 통해 다양하게 묘사된 이방인의 때를 지배해 갈 네 가지 제국들의 모습을 보게 됩니다. 이 꿈과 환상들은 모두 예언적인 의미가 있었고, 지금 이 시대를 사는 우리들은 이미 그 예언들이 거의 이루어진 것을 보는 세대에 살고 있는 것입니다.

우선 다니엘서 2장에 나온 느부갓네살이 꿈에 본 신상을 보십시오. 정금으로 된 머리는 바로 느부갓네살에 의하여 세워진 바벨론 제국입니다. 느부갓네살의 손자였던 벨사살 임금이 하나님 앞에 신성모독의 범죄를 저지르고 결국 공중 궁전의 위용으로 난공불락으로 믿어졌던 바벨론 제국은 그 성벽 아래를 흐르는 유프라테스 강을 통해 침투해 들어온 메대와 파사(페르시아) 연합군대에 의하여 멸망당했습니다. 느부갓네살의 꿈에 본 신상의 은으로 된 가슴이 바로 이 메대와 파사 연합의 모습을 보여준 것입니다. 처음엔 메대의 다리오가 주도권을 가졌지만, 후에 일어난 페르시아의 고레스에 의하여 세력이 장악됩니다. 이 페르시아 때에 포로 되었던 유다 백성들이 다시 예루살렘으로 돌아오게 된 것입니다.

그리고 구약 성경은 성전의 재건과 예루살렘의 재건에 관한 이야기들로 채워졌습니다. 그런데 포로시대 이후의 책들, 학개, 스가랴, 말라기 같은 책들을 보면 그렇게 재건된 예루살렘에 벌써 다시 죄악이 들어차기 시작한 것을 볼 수 있습니다. 그래서 말라기 선지자를 끝으로 하나님께서 400년간 침묵하시는 시기에 들어가게 됩니다. 이것을 우리는 신·구약 중간기라고 부릅니다. 이 기간 중에 느부갓네살이 보았던 신상의 놋으로 된 배에 해당되는 헬라제국이 일어나게 되는 것입니다. 헬라제국의 출현은 세계 역사에 엄청난 파장을 몰고 옵니다.

겨우 30세의 젊은 나이에 세계를 제패한 알렉산더 대제에 의하여 세계는 헬라어라

septagint
Bible translated
in Hellenism.

는 단일 언어로 모두 소통이 가능한 문화적 통일을 맞게 됩니다. 바벨탑 사건이 언어를 흩어버린 이래 완전하진 않지만 만국 공용어인 헬라어로 온 세계가 서로 소통이 가능하게 된 이 사건은 결국 신약 시대와 그리스도의 복음을 온 땅에 전파하기 위한 하나님의 준비기였던 것입니다. 바로 이 기간 중에 히브리인들의 구약성경이 헬라어로 번역되어 70인역, 즉 셉튜아진트라는 헬라어 번역본이 만들어지게 되면서 신약 시대를 열 준비가 된 것입니다.

드디어 헬라어로 기록될 신약 성경이 모든 종족들에게 읽힐 수 있는 문화적인 배경이 만들어진 것입니다. 그리고 너무 이른 나이였던 알렉산더의 갑작스런 죽음과 함께 헬라는 나뉘어지고, 그 네 개의 분립된 터전 위에 로마제국이 세워지게 된 것입니다. 이것이 바로 느부갓네살이 보았던 꿈속의 우상의 철로 된 종아리에 해당되는 제국인 것입니다.

이 로마시대에 400년의 침묵을 깨뜨리시고 하나님께서 다시 입을 여신 사건은, 놀랍게도 말라기 마지막 두 구절을 세례 요한의 아버지 사가랴에게 가브리엘 천사를 보내셔서 선포하게 하신 사건이었습니다.

그렇게 구약과 신약이 서로 연결되는 것입니다. 사실 느부갓네살의 꿈속의 우상 이야기는 여기에서 끝나지 않습니다. 이 철로 된 종아리에서 내려온 발의 모양이 보입니다. 철과 진흙이 섞인 이 발과 열 발가락은 아직도 정확히 그 정체를 드러내지 않고 있기 때문에 확언키 어렵지만 대부분 이 열 발가락이 옛 로마제국의 판도, 즉 유럽 위에 세워지고 있는 유럽 경제 공동체일 것이라는 생각을 가지고 있습니다. 어쩌면 지금 그 일이 거의 끝자락에 와 있을 수도 있는 것입니다.

바로 이때 느부갓네살은 사람의 손으로 하지 않은 뜨인 돌 하나를 보았습니다. 그 돌이 날아와서 이 우상을 치자 이 우상이 완전히 무너져 버렸습니다. 이것은 어제 우리가 에스겔서의 마지막에 다루었던 역사의 마지막 스케줄과 맞물립니다. 바로 이 돌은 예수 그리스도의 재림과 이 땅에 우리 주님의 왕국이 세워질 것을 보여주는 것입니다.

2. 다니엘의 기도와 70이레의 환상(다니엘 9장)

다니엘은 10대의 소년으로 바벨론에 잡혀왔습니다. 다니엘은 자기 시대에 쓰여진

Daniel 리더 성경은 열심히 공부하면
하나님이 나에게 vision 준다.

예레미야의 글을 읽었습니다. 그도 우리처럼 성경을 열심히 공부한 것입니다. 그러다가 예레미야가 약속했던 70년의 포로생활의 기한이 다 차 가고 있음을 알게 되었습니다. 그러니까 이때 다니엘의 나이는 거의 90세에 가까운 노인이 되어 있었던 것입니다. 다니엘은 하나님의 계획의 성취가 어떻게 이루어질지 알고 싶어서 금식기도를 시작했습니다. 사실은 하나님께서 그의 금식기도 첫날에 응답을 주셨습니다. 그러나 메시지를 가지고 오던 가브리엘 천사가 페르시아 군대의 배후에 있는 사탄에게 억류되었습니다. 다니엘은 계속 금식하며 기도했습니다.

"주의 얼굴을 주의 성소로 향하여 비추어 주시옵소서 주 자신의 영광을 위하여 그리하옵소서."

michael, Angel fighting

21일 만에 하나님께서 군장, 즉 싸우는 천사인 미가엘을 보내셔서 가브리엘을 풀어 주심으로 21일 만에 다니엘에게 응답이 온 것입니다. 우리는 기도의 용사들입니다. 우리는 이 영적인 세계의 보이지 않는 싸움을 이해해야 합니다. 우리가 기도를 시작하면 천사들의 세계에선 벌써 비상이 걸리는 것입니다. 어쩌면 우리가 기도를 하려는 제스처만 취해도 벌써 하나님의 응답은 시작될 것입니다. 하지만 그 응답이 우리에게 올 때 사탄의 방해가 시작되는 것입니다. 그 방해를 뚫고 마침내 응답을 얻기 위하여 우리는 끈질긴 기도의 싸움을 해야 하는 것입니다.

하나님이 나에게 응답을 시작된다

even 하나님 응답이 시작 새벽기도 나갈때

아무튼 이와 같은 다니엘의 금식기도에 대한 하나님의 응답은 다니엘에게 주시는 놀라운 하나님의 선물이 포함되어 있었습니다. 그것은 바로 이스라엘 사람들에게 주어진 70이레의 비밀입니다. 다니엘 9:24을 보십시오.

"네 백성과 네 거룩한 성을 위하여 일흔 이레로 기한으로 정하였나니 허물이 그치며 죄가 끝나며 죄악이 용서되며 영원한 의가 드러나며 환상과 예언이 응하며 또 지극히 거룩한 이가 기름 부음을 받으리라."

70 이레 = 70 weeks
70 이레 = 70 weeks
week

우선 여기에서 70이레는 70개의 이레(7일)들 즉 70주간을 뜻합니다. 히브리어에서 7은 '샤브아'라고 하는데, 이는 "a unit of measure", 어떤 측량의 단위를 뜻하는 것입니다. 이는 영어 단어의 '더즌'(열 두개의 단위)과 같은 개념인 것입니다. 그러므로 이 '일흔 이레'는 70개의 단위의 묶음들로 해석이 되는데, 하나님은 이스라엘 백성들이 490년간 7년마다 지키게 되어 있는 안식년을 전혀 지키지 않은 것에 대해서 이스라엘을 바벨론으로 옮겨놓으시고 70년간 강제로 안식년을 지키게 하신다고 예레미야를 통해서 말씀하셨습니다. 그러므로 우리는 여기 70개의 이레를 바로 70개의 7년의 블록들로 계산하는 것입니다.

다니엘은 70년 만에 포로생활이 끝난 후 이스라엘이 어떻게 되는지가 몹시 궁금했을 것입니다. 왜냐하면 다니엘은 느부갓네살의 신상의 해석과 7-8장에서 다니엘 자신이 본 환상 속에 나타난 네 짐승들을 통해서 이미 두 번째 짐승의 한복판에 자신이 서 있다는 것을 알고 있었기 때문입니다. 그래서 하나님께서는 다니엘에게 이 비밀을 보너스로 알려주신 것입니다.

우리의 기도에는 언제나 우리가 구하지 않은 것까지 포함된 응답들이 옵니다. 하나님께서는 이 70개의 이레가 마쳐졌을 때 여섯 가지 사실이 성취될 것을 말씀하십니다. 첫째는, 허물이 마쳐집니다. 이스라엘의 죄가 완전히 용서받는 것을 말합니다. 둘째는, "죄가 끝난다"고 했습니다. 위에 나온 허물은 고의적 범죄이고, 여기 두 번째 죄는 실수로 지은 죄입니다. 그리고 세 번째는, "죄악이 용서된다"고 했습니다. 예수 그리스도의 십자가 죽으심을 통해서 이방인과 이스라엘의 모든 죄가 용서될 것을 의미하는 것입니다. 네 번째는, 영원한 의가 드러납니다. 이것은 바로 예수 그리스도의 재림을 의미하는 것입니다. 예수님은 영원한 의이십니다. 다섯째로, "환상과 예언이 응한다"고 했습니다. 이 기간 중에 성경의 모든 예언들이 이루어진다는 것입니다. 마지막으로 여섯째는, "지극히 거룩한 자가 기름부음을 받는다"고 했습니다. 이것은 바로 에스겔 41장으로부터 46장까지에서 우리가 읽은 대로 예수 그리스도께서 지성소에 다시 들어오시는 것을 의미합니다.

자, 이제 70이레가 어떻게 구획되는지 보십시오.

이 70이레가 시작되는 시점은 바로 예루살렘을 중건하라는 명령이 내려진 때입니다. 예루살렘 중건의 명령은 세 가지가 있었습니다. 에스라 1:1-4의 고레스의 영이 있었고, 에스라 6:1-12의 다리오의 명령이 있었습니다. 에스라 7:11-26에 아닥사스다 통치 7년에 내렸던 영도 있습니다. 그래서 이 시작점에 대한 의견이 분분합니다. 하지만 이것을 예루살렘 성전이나 혹은 예배의 회복이 아닌, 실제 예루살렘 성의 중건으로 본다면 그것은 느헤미야 2:1-8에 나오는 아닥사스다 왕의 명령이 되는 것입니다. 이 명령은 아닥사스다 왕 통치 20년 니산월에 내려졌습니다. 이것은 B.C. 445년의 유대력으로 니산월 혹은 아빕월이라 불리는 정월입니다.

이 70이레는 먼저 일곱 이레가 분리되어 나옵니다. 일곱 이레는 49년입니다. 그렇다면 B.C. 445년으로부터 49년 뒤인 B.C. 397년을 의미합니다. 이때는 말라기 선지자의 기록을 끝으로 구약의 역사가 끝난 시점입니다. 그리고 다니엘이 말한 "곤란한 동안", 즉 유대인들에게는 이때가 말할 수 없는 환난의 때였던 것입니다. 그리고 다시 62이레가 나옵니다. 그 62이레 후에 기름부음을 받은 자, 곧 왕이 일어난다고 했습니다.

로버트 앤더슨 경(Sir Robert Anderson)은 《오실 왕》(The Coming Prince)라는 책에서 아닥사스다 왕이 예루살렘을 중건하라는 명령을 내린 B.C. 445년의 니산월 1일로부터 A.D. 32년의 니산월 10일까지의 날짜를 계산해서 17만3880이라는 숫자를 얻어냈습니다. 그리고 유대력의 1년은 360일이기 때문에, 이 숫자를 360으로 나누어 보니까 정확히 482년, 즉 69이레와 맞아 떨어진 것입니다.

출애굽기 12장에서 유월절 어린 양의 규례에 보면, 아빕월 혹은 니산월 10일에 어린 양을 취하여 4일 동안 간직하다가 14일 저녁에 그 양을 잡도록 되어 있었던 것입니다. 그래서 로버트 앤더슨 경은 바로 이날이 유월절의 어린 양을 취하는 날이고, 바로 이날에 예수님께서 나귀를 타시고 예루살렘에 입성하신 날이라는 것입니다. 기름부음을 받으신 왕이 일어나신, 그래서 공식적으로 당신이 메시아이심을 선포하신 날이 바로 그날인 것입니다.

자, 이렇게 처음 한 이레와 그 다음 62이레를 합친 69이레가 지난 후, 반드시 일정 시간의 공간이 있을 것을 가브리엘이 다니엘에게 말해주었습니다. 그리고 그 후에 반드시 마지막 한 이레가 오겠다고 했는데, 이 69이레와 마지막 한 이레 사이에 있을 시간 속에서 두 가지 중요한 사실이 이루어질 것이라고 했습니다. 첫째는, 메시아가 반드시 끊쳐질 것이라고 했습니다. 예수님의 십자가 사건을 말하는 것입니다. 그는 예루살렘에 들어오신 후 곧 죽임을 당하셨습니다. 그 다음은 예루살렘의 파괴입니다. 이것은 바로 A.D. 70년 로마의 티투스(Titus)에 의해서 이루어졌습니다.

그리고 에스겔서에서 말한 것처럼 아직도 이스라엘은 완전한 회복을 보지 못한 것입니다. 그리고 일정 시간이 지난 후 다가올 마지막 한 이레는 바로 7년 대환란을 말하는 것입니다.

우리는 이미 69이레가 다 지난 것을 알고 있습니다. 그리고 우리는 마지막 한 이레, 즉 7년 대환란이 시작되기 전의 그 어간에 살고 있는 것입니다. 이 기간이 얼마나 남았는지는 아무도 모릅니다. 그러나 하나님은 이 기름부음을 받으신 왕이 끊쳐진 후, 다른 왕이 하나 나와서 마지막 남아있는 한 이레 동안의 약속을 많은 백성들, 즉 이스라엘과 굳게 정할 것이라고 하십니다. 이것이 바로 에스겔서에서 말씀드린 마지막 적그리스도와 이스라엘의 7년 평화조약을 말하는 것입니다. 그러나 이 적그리스도는 3년 반 만에 그 약속을 깨뜨리고 성전에 미운 물건, 즉 짐승의 우상을 세우고 엄청난 박해를 이스라엘 백성들에게 퍼붓기 시작하는 것입니다. 이것이 마지막 때의 시나리오입니다.

물론 로버트 앤더슨 경의 계산이 정확한 예언의 해석인지는 장담할 수 없습니다. 그러나 성경의 다른 예언들과 비교해 볼 때, 이 시나리오는 상당히 설득력이 있는 것입니다. 다만 그 마지막 한 이레가 언제 시작될지는 아무도 모릅니다. 저는 하나님께서 예수님의 재림의 때를 아무에게도 가르쳐 주지 않으신 것이, 세상을 사는 모든 사람들이 자기의 때에 예수님의 재림이 이루어질 수 있다는 경각심을 갖게 하심이라고 생각합니다.

우리는 우리 시대에 예수님의 재림이 이루어질 것이라는 믿음을 가져야 합니다. 예수님의 제자들은 자기들의 시대에 예수님의 재림이 이루어질 것을 믿었습니다. 바울도 또한 초대 교회의 모든 신자들도 언제나 '마라나타'를 외치면서 예수님의 재림이 자기들의 시대에 이루어질 것을 믿었던 것입니다.

다니엘서는 12장에서 아주 놀랍고 축복된 약속으로 끝이 납니다. "많은 사람을 옳은 데로 돌아오게 하는 사람은 하늘의 별과 같이 빛날 것이라"는 약속입니다. 우리 모두 예수님의 재림의 날을 바라보면서, 그날이 오기까지 할 수만 있으면 더 많은 사람들을 우리 주님께로 돌아오게 하려 힘쓰는 삶을 사십시다. 그것이 우리가 해야 할 최고의 일인 것입니다. 이것이 다니엘서를 통해서 하나님이 우리에게 보여주신 약속들입니다. 할렐루야! 우리 모두 외쳐봅시다. "마라나타, 아멘 주 예수여 어서 오시옵소서!"

067

힘써 여호와를 알자

호세아 1-14장

호세아는 크게 두 단원으로 나눌 수 있습니다.

우리는 오늘 호세아서 전체를 통독하겠습니다.

A. 개인사-선지자와 그 아내 고멜(1-3장)

● 1장: 기생 고멜과의 결혼

● 2장: 신실치 못한 고멜, 신실치 못한 이스라엘, 신실하신 하나님

● 3장: 고멜을 다시 데려오라는 명령

B. 예언-여호와 하나님과 믿음 없는 나라 이스라엘(4-14장)

● 4-5장: 기생 노릇하는 이스라엘

● 6장: 이스라엘(에브라임)이 마지막 날에 돌아옴-현재의 죄악으로 당시엔 심판을 받음

● 7-12장: 하나님께로 돌이키심으로 마지막 심판을 면하는 이스라엘(에브라임)

● 13-14장: 마지막 날에 우상숭배로부터 하나님께로 돌아올 이스라엘

〈주요 통독 자료〉

1. 호세아서의 내용 전개

이제 대선지서를 모두 끝내고 소선지서로 나아갑니다. 다시 말씀드리지만 대선지와 소선지의 차이는 그들이 쓴 책의 분량에 따른 분리일 뿐입니다. 본래 히브리어 성경에서 소선지서들은 한 권으로 묶여서 《《열두 권》》(*the Twelve*)이라는 제목으로 불렸습니다.

호세아라는 선지자의 이름은 '구원'이라는 의미입니다. 나라가 심히 부패하고 악했던 때 북왕조 이스라엘에서 활동했던 선지자였습니다. 당시는 여로보암 2세가 통치하고 있었고, 이스라엘은 자못 풍요와 안전을 구가하고 있던 때였습니다. 하지만 상대적

으로 내적인 부패와 우상숭배, 이방나라들과의 연대에서 들어온 온갖 악한 행위들이 팽배해 있었습니다. 결국 이스라엘은 호세아가 살아있는 동안 앗수르에 의하여 완전히 패망했습니다.

열왕기하 15-17장이 당시의 역사적 배경을 담고 있습니다. 호세아의 메시지는 북쪽 이스라엘의 죄를 드러내고 다가올 심판을 선포하는 것이었지만 그 속에는 이스라엘의 미래의 소망도 담겨 있었습니다. 호세아는 자신이 선포할 메시지의 내용을 그의 개인적인 삶 안에서 미리 경험했습니다. 그의 죄악된 아내의 삶을 통해서 그는 고통을 받았습니다. 하지만 이 개인적인 아픔은 이스라엘 나라 전체를 위한 일종의 교재였습니다.

1-3장은 호세아의 아내 고멜을 통해 이스라엘 나라의 불성실함이 그려지고 있습니다. 고멜은 참으로 호세아의 마음을 찢어놓는 여인이었습니다. 고멜은 호세아에게 세 자녀를 낳았습니다. 그리고 그를 떠났습니다. 이 자녀들의 이름은 '이스르엘'(여호와께서 흩으신다), '로-루하마'(아버지의 불쌍히 여김을 받지 못했다), 그리고 '로-암미'(내 백성이 아니다)라는 의미였습니다. 이렇게 세 아이를 낳아놓고 고멜은 호세아를 떠났습니다.

하나님은 호세아에게 가서 그녀를 찾아 데려오라 하십니다. 결국 노예 시장에 팔려버린 그녀를 호세아가 다시 찾아옵니다. 보십시오. 호세아는 본래 자기 아내였던 여자를 돈 주고 다시 사와야 했던 것입니다. 그리고 그녀에게 용서와 사랑을 확신시켜 주었습니다. 물론 우리는 호세아서의 전개에서 고멜의 회개와 변화된 삶의 증거들을 찾을 수 있습니다. 고멜은 1차적으로 이스라엘을 보여줍니다. 이스라엘은 하나님과 결혼한 나라였습니다(출 34:14-16; 렘 3:14). 하지만 이스라엘은 고멜처럼 범죄했고, 이방의 우상들을 숭배함으로써 영적인 간음에 빠진 것입니다. 그들은 하나님을 버렸고, 우상들 앞에 절하기 시작했습니다.

우상숭배는 그들에게 일시적인 쾌락을 주었지만 결국 이스라엘은 노예시장에 팔린 고멜처럼 이방 나라에 팔려가게 된 것입니다. 하나님의 이야기는 여기에서 끝나지 않았습니다. 그녀를 다시 찾아내고, 다시 그녀를 값을 지불하고 데려온 호세아처럼 구원의 하나님은 구속의 대가를 지불하시고 이스라엘을 다시 회복시키실 것입니다.

이 스토리는 바로 예수 그리스도의 구속의 핏값을 지불하시고 본래 그의 소유된 백성이었던 우리들을 죄에서 구속하신 하나님의 사랑을 그대로 보여주는 그림이기도 합니다.

4-7장에서 고멜로 인하여 호세아를 손가락질하는 이웃 사람들, 즉 이스라엘 백성들을 향하여 하나님은 여러 가지 비유들을 들어 정죄하십니다.

"쉬 없어지는 아침 구름, 반쪽만 구운 전병처럼 한쪽으로는 매우 종교적인 것 같지만 다른 쪽은 전혀 구워지지 않아 먹을 수 없는 그런 백성들, 영적 능력을 상실한 채 백발이 얼룩얼룩 능력을 상실해 가는 백성들, 애굽 같은 나라들과 정치적인 야합을 하기 위하여 철새처럼 날아가 버리는 철없는 비둘기들, 하나님께로 돌아오는 것처럼 하지만 실제로는 다른 곳으로 휘어져 나가는 화살 같은 그들…."

이처럼 오늘 현대 사회의 흉포한 죄악들과 방불한 죄악을 안고 살면서 거짓되고 얄팍한 종교적 행위들로 그것을 덮어 버리려는 더 나쁜 죄악의 모습에 대한 호세아의 신랄한 지적이 이어집니다.

그리고 8-10장에서 호세아는 다가올 이스라엘에 대한 하나님의 심판을 선언합니다. 호세아는 비유에 능한 선지자였습니다. 그는 앗수르에 의한 이스라엘의 멸망을 미리 볼 수 있었고 이것을 다양한 묘사들로 표현합니다. 앗수르는 이스라엘을 덮쳐 오는 독수리 같았고, 분노의 광풍 같았고, 삼키는 불이었습니다. 결국 이스라엘은 열방으로 흩어집니다. 심은 것(죄악)보다 훨씬 더 많은 것(형벌)을 거두고 말았습니다.

12장과 13장에서 이스라엘은 여로보암 2세의 통치 아래에서 그들의 부와 성공을 자랑하고 있지만, 그것은 오직 광풍을 키우는 행위일 뿐이라고 하나님께서 말씀하십니다. 결국 그들의 자랑은 아침 안개처럼 광풍에 사라져 버릴 것입니다. 그리고 마지막 14장은 하나님의 아내 된 이스라엘 백성들을 향한 하나님의 끊임없는 사랑의 표현이 나옵니다. 하나님의 사랑은 정말 놀랍습니다. 끝없는 이스라엘의 배신에도 끝까지 포기하지 않고 사랑하시고 사랑하시는 하나님을 우리 모두 배우기 원하며, 그 사랑 앞에서 우리 모두 녹아지기를 간절히 기도합니다.

2. 호세아서의 주제, 그리고 예수님

호세아서의 주제는 '나누인 마음, 혹은 갈리어진 마음'(Divided Heart)입니다. 한 사람의 마음이 두 갈래 혹은 그 이상으로 나누어져 버린 찢겨진 마음의 문제입니다. 이스라엘이 남북 왕조로 나뉠 때부터 북쪽 이스라엘의 끊임없는 문제는 여호와 하나님을 섬기는 일과 우상숭배를 겸하여 하는 일이었습니다. 이스라엘 열 지파를 이끌고 북왕조 이스라엘을 세운 여로보암이 볼 때, 나라가 남북으로 나뉘었는데도 백성들이 남왕국 유다에 속한 예루살렘 성전으로 가서 하나님께 제사를 드리는 일은 용납할 수가 없었습니다. 그래서 여로보암은 북쪽의 단과 북왕국의 수도와 같았던 벧엘 두 곳에 제단을 세우고, 광야에서 금송아지를 만들어 숭배했던 것처럼 우상을 세워 그곳을 여호와의 제단이라고 부르면서 백성들을 예루살렘으로 가지 말고 그 제단에 와서 제사하라고 명령했습니다.

이때로부터 이스라엘은 표면적으로는 하나님을 섬기지만 사실은 우상숭배의 행위들을 공식적으로 병행하는 이중적인 신앙의 나라가 되고 만 것입니다. 여로보암 2세의 치적으로 이스라엘은 많은 정치적, 물질적 권세와 풍요를 누렸습니다. 그러나 문제는 그들의 삶의 축복에 대해, 하나님께 대한 인식이 전혀 없었다는 것입니다. 하나님께서 그들을 축복하시면 하실수록, 풍요해지면 풍요해질수록 그들은 우상을 더욱 많아지게 했고, 그들의 하나님을 버렸습니다.

이 영적 상태를 하나님께서는 호세아를 세우셔서 보여주고자 하신 것입니다. 그래서 하나님은 호세아에게 창녀 고멜과 결혼을 하라고 명하셨고, 그녀의 일을 통해서 이스라엘의 미래를 예언하게 하신 것입니다. 안식일이면 회당에 가서 토라를 읽고 약간의 기도를 드렸겠지요. 하지만 나머지 한 주간은 자신의 정욕에 충실하며 살았던 것이 당시의 이스라엘이었습니다. 안식일엔 하나님을 섬기는 일 이외에 아무것도 하지 못하게 하셨지만, 그들의 마음은 이미 갈라져버렸기 때문에 안식일에 맘몬을 숭배하려 했고, 돈을 찾아 마침내 성전을 떠나버리고 말았습니다.

사실은 오늘을 사는 신자들에게도 항상 같은 문제가 도전해 옵니다. 우리는 성경에서 항상 나뉘지 않은 일편단심의 마음을 가졌던 사람들을 배워야 합니다. 여호수아는

"오직 나와 내 집은 여호와만 섬기겠다"(수 24:15)고 선언했습니다.

이스라엘 백성들 앞에서 엘리야는 이렇게 외쳤습니다.

"너희가 어느 때까지 둘 사이에서 머뭇머뭇 하려느냐 여호와가 만일 하나님이면 그를 따르고 바알이 만일 하나님이면 그를 따를지니라"(왕상 18:21).

그 백성들은 "여호와도 경외하고 또한 어디서부터 옮겨왔든지 그 민족의 풍속대로 자기의 신들도 섬겼다"(왕하 17:33)고 했습니다.

이것이 오늘날 많은 교회들의 문제입니다. 모두가 하나님을 경외한다고 자처합니다. 하지만 그들의 삶 속에, 혹은 예배 속에 어디서 옮겨온 것인지도 알지 못하는 국적 불명의 형식들과 풍속들이 가득 차 있는 것입니다. 그런 삶 속에서 얼마나 많은 타협들이 이루어지고 있습니까? 사탄은 예수님께 "뭐 그렇게 고지식하게 할 필요 있느냐? 왜 굳이 십자가의 길을 가려고 하느냐?"고 도전했습니다.

"그러지 말고 나한테 한 번만 절해라. 나와 타협하자. 그러면 천한 만국과 그 영광을 다 주겠다"고 했습니다. 그러나 예수님은 단언하셨습니다.

"사탄아 물러가라! 기록되었으되 주 너희 하나님께 경배하고 다만 그를 섬기라 하였느니라."

예수님 역시도 나뉘지 않은 마음을 선언하신 것입니다. 바울은 말합니다.

"너희 자신을 종에게 내주어 누구에게 순종하든지 그 순종함을 받는 자의 종이 되는 줄을 너희가 알지 못하느냐"(롬 6:16).

우리의 신앙의 모습은 어떻습니까?

우리도 다윗처럼 정직해야 합니다.

"나는 내 자신을 신뢰할 수 없습니다. 그러니 하나님께서 도와주십시오."

이것이 다윗의 마음이었습니다. 그래서 그는 "하나님, 나를 살피사 내 마음을 아시고, 나를 시험하사 내 뜻을 아옵소서. 내 속에 악한 길이 있는가 보옵시고 나를 영원한 길로 인도하소서"라고 기도합니다.

우리도 다윗처럼 이렇게 기도해야 합니다.

"Give me a totally undivided heart that I may fear Your name."

제가 너무나 좋아하는 찬양의 한 구절입니다.

"절대로 나뉘지 않은 마음을 주셔서 여호와의 이름을 경외하게 하옵소서."

그런 뜻입니다. 하나님은 약속하십니다.

"내가 이스라엘에게 이슬과 같으리니 저가 백합화같이 피겠고, 레바논 백향목같이 뿌리가 박힐 것이라 그의 가지는 퍼지며 그의 아름다움은 감람나무와 같고 그의 향기는 레바논 백향목 같으리니 그 그늘 아래에 거주하는 자가 돌아올지라"(호 14:5-7).

바로 이것이 예수 그리스도에 관한 예언입니다. 예수님의 그늘에 거하는 자들마다 회복될 것입니다. 그래서 호세아는 선언합니다.

"오라 우리가 여호와께로 돌아가자 여호와께서 우리를 찢으셨으나 도로 낫게 하실 것이요 우리를 치셨으나 싸매어 주실 것임이라 여호와께서 이틀 후에 우리를 살리시며 셋째 날에 우리를 일으키시리니 우리가 그의 앞에서 살리라 그러므로 우리가 여호와를 알자 힘써 여호와를 알자"(호 6:1-3).

우리를 위해 죽으시고 사흘 만에 부활하신 예수 그리스도를 더욱 힘써 아는 길만이 우리가 사는 길입니다.

068

네 하나님 만나기를 예비하라

요엘 1-3장, 아모스 1-9장

요엘은 세 단원으로 나눌 수 있습니다.

A. 메뚜기의 재앙(1:1-14)

B. 여호와의 날의 징조들(1:15-2:32)

C. 여호와의 날(3장)

● 3:1-15: 대환란

● 3:16-21: 천년왕국

아모스는 크게 세 단원으로 나눌 수 있습니다.

A. 주변 나라들에 대한 심판(1:1-2:3)

B. 유다와 이스라엘에 대한 심판(2:4-6:14)

● 2:4-5: 율법을 범한 죄에 대한 유다의 심판

● 2:6-16: 부도덕과 신성 모독죄에 대한 이스라엘의 심판

● 3장: 이스라엘의 모든 집안(열두 지파)에 대한 하나님의 고발

● 4장: 과거의 허물로 이스라엘이 벌을 받음

● 5장: 미래의 허물로 이스라엘이 벌을 받게 될 것임

● 6장: 현재 허물로부터 떠나라는 이스라엘을 위한 권고

C. 미래에 대한 환상(7-9장)

● 7:1-3: 메뚜기의 환상

● 7:4-6: 불의 환상

● 7:7-9: 다림줄의 환상

● 7:10-17: 역사적인 간주-선지자의 개인적인 경험

● 8장: 여름 과일의 환상

● 9:1-10: 세계적인 범죄에 대한 환상

●9:11-15: 이스라엘의 회복

우리는 오늘 요엘과 아모스 전체를 통독하겠습니다.

〈주요 통독 자료〉

1. 주 여호와의 날이 이르리니

어제 통독했던 호세아와는 달리 요엘은 자신의 개인적인 신상에 대한 어떤 이야기도 우리에게 들려주지 않습니다. 다만 요엘이 예루살렘과 남쪽 유다에 대한 많은 애착을 가지고 있음을 그의 책에서 발견합니다. 이것은 요엘이 남쪽 유다에서 사역했었다는 것을 입증해 줍니다. 또한 유다의 우상숭배 행위에 대한 지적이 전혀 없는 것을 볼 때, 분명 요엘 시대는 아직 남쪽 유다에서 우상숭배의 현상들이 두드러지기 이전의, 그러니까 남북 왕조가 갈린 때로부터 그리 멀지 않은 때였다는 것을 알려줍니다.

아모스 선지자가 요엘 선지자의 글을 그대로 인용한 부분이 있습니다. 이것은 요엘 선지자가 아모스보다 앞에 있었다는 것을 알려 줍니다. 아모스는 B.C. 790년경에 사역했던 인물입니다. 많은 성경학자들은 요엘이 엘리야, 엘리사와 동시대의 인물이었다는 데 의견을 같이합니다. B.C. 880년에서 870년 사이에 사역했던 인물이라는 것입니다. 그렇다면 우리는 요엘이 선지자들 가운데 자기의 예언을 책으로 기록한 최초의 인물이었다는 것을 알게 됩니다. 물론 엘리야나 엘리사도 예언을 했지만 그들이 예언서를 쓰지는 않았으니까요. 이런 것들이 요엘서의 특징입니다.

요엘은 이 책의 서론에서 자기 시대에 있었던 메뚜기의 재앙을 언급합니다. 그는 당시 사람들에게 묻습니다.

"노인들이여, 생애 가운데 이런 재앙을 본 적이 있습니까? 당신들만 아니라 당신들의 조상들의 날에도 이런 일은 없었습니다."

그야말로 전무후무한 재앙이 메뚜기 떼로 말미암아 그들에게 다가온 것입니다. 고대 근동에서 우리는 역사적인 기록들을 통해 심각한 메뚜기 떼의 공격으로 한 나라 전체가 황폐화된 일들을 종종 찾아볼 수 있습니다. 메뚜기 떼는 급격히 숫자적인 증가를 보였고, 마치 메뚜기 떼가 구름처럼 하늘을 덮어 태양을 완전히 가릴 정도였다고 하니 얼마나 두려운 일이었겠습니까? 이런 메뚜기 떼들의 공격은 한 나라에서 푸른색 풀들을 하나도 남기지 않고 쓸어버렸다고 합니다. 문자 그대로 황폐함이 그들에게 덮쳐 온 것입니다. 요엘은 이 메뚜기의 재앙 속에 하나님의 메시지가 있다고 말합니다.

여기에 나오는 네 가지 종류의 곤충의 이름은 서로 다른 종류의 곤충들이 아니라 메뚜기 떼들에 대한 다른 이름들입니다.

척 스미스 목사님은 여기에 나오는 네 가지 이름이 메뚜기가 성장해 가는 단계들에 따라 붙여진 이름들이라고 해석하셨습니다. 메기 박사는 이 이름들이 메뚜기의 특성에 대한 서로 다른 묘사라고 해석합니다. 그는 여기에 나오는 네 가지 이름들의 히브리어 단어들을 보통명사로 해석했습니다.

먼저 '팟종이'는 히브리어로 '가잠'인데, 이는 'gnaw off', 즉 '쓸어놓다. 씹어서 구멍을 내다'의 의미를 가지고 있다는 것입니다. 이는 메뚜기 떼들이 날아와서 많은 곡식과 풀들을 쓸어놓아 엄청난 피해를 입히는 모습을 묘사한 것이라는 말입니다. '메뚜기'는 히브리어에서 '아르베'인데, 이는 'swarm', 즉 '떼로 몰려다니다'라는 뜻입니다. 메뚜기가 떼로 몰려다니는 모습을 묘사한 것이란 말입니다. '늣'은 히브리어로 '예케크'입니다. 이는 'lick off', 즉 '핥아낸다'는 뜻입니다. 그리고 마지막으로 '황충'은 '샤킬'인데, 이는 'to devour, to consume' 즉 '찢어발기다, 불사르다'라는 의미입니다. 그러니까 메뚜기 떼들이 움직이는 모습들, 그들이 가져오는 피해의 모습들을 묘사한 명칭들이라는 것입니다. 흥미로운 해석입니다.

이제 요엘은 이 메뚜기 떼들의 공격처럼 한 이족의 공격으로 인하여 이스라엘이 황폐하게 될 것을 예언합니다. 우리는 이미 대선지서들을 통하여 바벨론의 공격으로 유다가 얼마나 황폐화되었는지를 보았습니다. 요엘은 아주 일찍부터 이 예언을 한 것입니다. 요엘의 논조는 이런 이족들의 공격이 오기 전에 교회의 지도자들은 백성을 모아놓고 성회를 선포하여 하나님 앞에 돌아와야 한다는 것입니다. 여기서 요엘은 한 단계 건너뛰어서 바벨론의 공격이 아닌 전능자에게로부터 쏟아질 진노와 심판의 날(요엘은 이것을 '주의 날'이라고 부르고 있습니다)에 관한 이야기를 들려줍니다. 요엘의 이야기들은 요한계시록이 말하는 7년 대환란의 이야기와 조합되는 예언입니다.

그런데 그 재앙의 날이 오기 전에 여호와께서 만민에게 주의 성령을 부어주시는 날이 먼저 온다는 것입니다. 사도행전에서 베드로는 오순절 성령 강림의 현상들을 의아해 하던 사람들에게 그것이 바로 요엘 선지자의 예언의 성취라고 설명했습니다. 지금 우리가 살고 있는 이때야말로 주께서 남종과 여종들에게 성령을 물 붓듯 하시는 날들입니다. 요엘은 "누구든지 여호와의 이름을 부르는 자는 구원을 얻으리니"(욜 2:32)라고 선포합니다. 이 말씀은 어느 때, 어느 곳에 살고 있는 어떤 사람에게도 공통의 구원의 조건입니다.

2. 네 하나님 만나기를 예비하라

북쪽 이스라엘의 멸망을 25년 앞둔 상황에서 여로보암 2세 때에 하나님은 한 목동을 예언자로 세우셨습니다. 그가 아모스였습니다. 우리는 호세아 선지자도 같은 여로보암 2세 때 쓰임 받았다는 것을 나누었습니다. 이때는 물질적으로 정치적으로 매우 안정되어 있었고, 유례없는 호황을 누리고 있었던 때입니다. 하지만 그들을 축복하신 하나님은 기억하지 않고 교만과 게으름에 빠져 있었고, 이스라엘은 온통 우상숭배와 부패한 이방 문화에 물들어 가고 있었던 것입니다. 생각해 보십시오.

여로보암 2세는 벧엘에 그의 신전을 가지고 있었습니다. 아마시야가 그의 제사장이었습니다. 지금 막 호화롭고 풍성한 제사가 시작되려 하는 판이었습니다. 아마도 많은 사람들이 그 제사를 구경하러 왔겠지요. 바로 이때 "시온에 평안히 거하는 자들에게 화 있을진저!"라고 갑자기 성전 밖에서 소리가 들려옵니다.

"하나님이 너희 사악한 나라를 향하여 심판을 내리시리라."

신전 안에 있던 사람들이 밖으로 쏟아져 나옵니다. 거기에는 남루한 옷을 입은 드고아에서 온 아모스라는 목동이 서 있었습니다. 사실 그는 선지자가 될 수 있는 어떤 외적 자격 요건도 갖추지 못했습니다. 그의 아버지가 선지자였던 것도 아니고, 그가 선지 학교를 다닌 것도 아니었습니다. 아모스 7장에 나오는 그의 배경을 봅시다.

"나는 선지자가 아니며 선지자의 아들도 아니라 나는 목자요 뽕나무를 재배하는 자로서

양 떼를 따를 때에 여호와께서 나를 데려다가 여호와께서 내게 이르시기를 가서 내 백성 이스라엘에게 예언하라 하셨나니"(암 7:14-15).

이때 아모스는 여호와께서 장차 보이실 한 징조를 선포합니다. 정말 놀라운 예언입니다.

"주 여호와의 말씀이니라 그날에 내가 해를 대낮에 지게 하여 백주에 땅을 캄캄하게 하며 너희 절기를 애통으로, 너희 모든 노래를 애곡으로 변하게 하며 모든 사람으로 굵은 베로 허리를 동이게 하며 모든 머리를 대머리가 되게 하며 독자의 죽음으로 말미암아 애통하듯 하게 하며 결국은 곤고한 날과 같게 하리라"(암 8:9-10).

이 말씀을 읽으면 당장 이 예언이 무엇을 가리키는 것인지 아시지 않겠습니까? 바로 예수 그리스도의 십자가의 날을 예언하고 있는 것입니다. 그는, 범죄한 이스라엘의 유일한 희망은 바로 예수 그리스도의 십자가뿐이라는 것을 선포하기 위하여 선지자로 세움받은 것입니다. 그것은 우리도 마찬가지입니다. 십자가밖에는 죄악 가운데 빠진 영혼에 달리 희망이 있을 수 없는 것입니다. 완전히 의로우시고 화육하신 하나님이신 예수님이 우리의 죄를 대속하기 위하여 우리가 받을 형벌의 자리를 대신하시는 것만이 우리들에게 유일한 희망이었던 것입니다.

그래서 사탄은 우리 예수님의 탄생을 저지하기 위하여 온갖 도전을 해왔던 것입니다. 아브라함의 태를 막아 아브라함의 후손의 탄생 자체를 막으려 했고, 바로의 마음을 완악하게 해서 히브리 남아들을 모조리 죽임으로써 유다의 후손들을 멸절하려 했고, 수산궁에 하만이라는 자를 두어 페르시아의 히브리인들을 학살하려 했습니다. 예수님의 탄생 때에는 헤롯의 마음을 충동질하여 베들레헴에서 탄생한 2세 미만의 남아들을 모조리 죽임으로써 예수님을 제거하려 했습니다. 예수님의 공생애 사역의 시작점에는 광야에서 예수님을 만나 십자가 없는 영광을 가지고 예수님을 미혹하려 했습니다. 십자가에 달리시던 날은 빌라도의 아내의 꿈을 이용하여 예수님의 십자가 사건을 무산시키려 했습니다. 하지만 주께서 이기셨습니다.

십자가는 예수님께서 패배하셔서 지신 것이 아닙니다. 오히려 십자가는 예수님께서 주도하셨고, 사탄의 수많은 방해에도 불구하고 승리하신 현장이었던 것입니다. 할렐루야!

　누가와 마태는 예수께서 십자가에 달리실 때에 정오부터 세시까지 어둠이 온 땅을 뒤덮었음을 보고했습니다. 특별히 누가는 해가 빛을 잃었다고 첨언했습니다. 어떤 사람은 이것을 우연한 개기일식이었다고 주장합니다. 하지만 이것이 개기일식이었을 확률은 전혀 없습니다. 왜냐하면 유월절은 보름달이 환하게 뜨는 바로 그날이기 때문입니다. 보름달이 뜬다는 것은 달이 태양으로부터 가장 먼 곳에 위치하게 된다는 것을 의미합니다. 따라서 유월절에는 개기일식이 일어날 가능성이 전혀 없는 것입니다. 다만 이 어둠은 하나님께서 이 세상의 진실한 빛이신 예수님께서 죽임을 당하시는 것을 나타내시기 위하여 행하신 특별한 현상이었던 것입니다. 하지만 사망이 어찌 영원한 빛을 가둘 수 있겠습니까? 무덤이 어찌 영원히 사시는 분을 가둘 수 있었겠습니까? 예수님은 부활하셔서 우리들 모두를 그 칠흑 같은 죄악의 어둠으로부터 부활시키셨습니다. 할렐루야! 그것이 바로 아모스 선지자의 선포인 것입니다.

069

은혜의 하나님

오바댜, 요나 1-4장, 미가 1-7장

오바댜는 두 단원으로 나눌 수 있습니다.

A. 에돔-파괴(1-16절)

● 1-9절: 에돔에 대한 고발

● 10-14절: 에돔의 범죄

● 15-16절: 에돔의 참화(보복의 법칙)

B. 이스라엘-회복(17-21절)

● 17절: 이스라엘의 상황

● 18절: 에서 집안의 대화재

● 19-21절: 여호와께 속할 나라

요나서에서는 요나의 행선지를 추적하면서 그 내용을 분석해 봅시다.

● 1장: 이스라엘에서 물고기 뱃속으로

● 2장: 물고기 뱃속에서의 기도, 육지에 토하여짐

● 3장: 니느웨 성읍을 다니며 말씀을 외침

● 4장: 성읍의 동쪽 언덕에서

미가는 네 단원으로 나눌 수 있습니다.

A. 과거 죄로 인한 미래의 심판의 선언(1-3장)

● 1장: 사마리아를 향한 선지자의 첫 번째 메시지

● 2장: 특정한 범죄에 대한 선지자의 두 번째 메시지

● 3장: 지도자들의 범죄에 대한 공개적 비난을 담은 선지자의 세 번째 메시지

B. 과거 언약들로 인한 미래의 영광의 예언(4-5장)

● 4장: 말세에 대한 예언들

●5장: 재림과 왕국이 있기 전, 예수님의 초림에 대한 예언

C. 과거 구속에 근거한 현재의 회개의 촉구(6장)

D. 하나님의 하나님 되심과 그의 행하심으로 인한 모든 허물의 용서(7장)

우리는 오늘 오바댜, 요나, 미가서 전체를 통독하겠습니다.

〈주요 통독 자료〉

1. 에서의 패망과 야곱의 승리(오바댜)

선지자들 중에는 자신의 신상에 대해 전혀 공개하지 않는 분들이 있는데, 오바댜도 그중의 한 분입니다. 오바댜라는 이름의 뜻은 '여호와의 종'입니다. 하박국, 학개, 말라기 등의 선지자들도 자신의 신상에 대해 전혀 밝히지 않고 있습니다. 이 책은 바벨론의 군사들이 예루살렘 성을 공격하여 성벽을 무너뜨리고 도시를 불태우고 많은 포로들을 잡아가고 많은 백성들을 유린하던 때에 쓰였습니다. 바로 이때, 바벨론 군사들 곁에서 계속 그들을 부추기며 유다 백성들의 마음에 상처를 입힌 사람들이 있었는데 그들이 바로 에돔 족속들입니다. 이 에돔 족속들은 바로 에서의 후손들로서 산지에 자리를 잡고 이두메족이라는 민족을 일으켰습니다. 우리는 그 이두메족의 마지막 역사적 인물인 헤롯 일가에 대하여 잘 알고 있습니다.

하지만 헤롯 일가를 끝으로 이두메 사람들이 역사 속에서 어떤 위대한 인물로 등장한 일은 없습니다. 어떻든 이 에돔 족속들이 바벨론 군사들 곁에서 그들을 부추기며 예루살렘의 멸망을 기뻐하고 있는 모습에 대하여 분노하면서 오바댜 선지자는 이 예언서를 썼습니다. 이 예언서의 골자는 하나님께서 에돔 족속에게 복수하신다는 것과, 야곱의 후손들에게 복을 주시되 시온, 즉 예수 그리스도의 십자가를 통해서 복을 주실 것을 말씀하십니다.

"오직 시온산에서 피할 자가 있으리니 그 산이 거룩할 것이요 야곱 족속은 자기 기업을 누릴 것이며 야곱 족속은 불이 될 것이며 요셉 족속은 불꽃이 될 것이요 에서 족속은 지푸라기(개역-초개)가 될 것이라"(17-18절).

바로 오바댜가 예언한 이 싸움의 절정은 십자가 위에서 나타날 야곱의 후손이신 예

수 그리스도와 그의 교회가 에돔의 후손인 헤롯 왕가와의 싸움입니다. 예수 그리스도와 그의 교회는 반드시 승리할 것입니다. 할렐루야!

2. 은혜의 하나님(요나서)

요나서 공부의 첫 걸음은 먼저 요나가 실존했던 인물이냐는 것입니다. 열왕기하 14:25은 요나에 대하여 말합니다.

"이스라엘의 하나님 여호와께서 그의 종 가드헤벨 아밋대의 아들 선지자 요나를 통하여 하신 말씀과 같이 여로보암이 이스라엘 영토를 회복하되 하맛 어귀에서부터 아라바 바다까지 하였으니."

이 역사서의 구절은 우리에게 분명히 요나가 역사적인 인물이었음을 보여줍니다. 여로보암 2세가 통치를 시작한 때가 B.C. 800년경이고, 여로보암 왕이 이스라엘 지경을 하맛 어귀에서부터 아라바 바다까지 회복한 때는 B.C. 826년경입니다. 따라서 요나의 사역 연대는 B.C. 826년에서 800년까지로 볼 수 있는데, 문제는 하나님을 믿지 못하는 사람들입니다. 그들은 "어떻게 사람이 물고기 뱃속에서 사흘을 살아있을 수 있느냐?"고 반문합니다. 저는 하나님께서는 못 하실 일이 없다고 믿기 때문에 전혀 문제가 되지 않다고 생각합니다. 신약에서 예수님도 요나서의 모든 기록들을 사실로 받아들이고 계십니다. 그래서 저는 누가 뭐래도 요나서의 기록을 사실로 믿습니다.

요나서를 공부하면서 제가 제일 흥미롭게 생각하는 부분은 오히려 엉뚱한 부분입니다. 그것은 요나의 메시지입니다. 생각해 보십시오. 요나는 성난 메신저였습니다. 그는 그의 메시지를 듣는 사람들의 귀를 즐겁게 해주기 위한 어떤 노력도 하지 않았습니다. 그는 직선적이었습니다. 오히려 요나는 사람들이 자기의 메시지를 받아들이지 않기를 바랐을 것입니다. 틀림없이 그랬을 것입니다. 요나 3:4을 보십시오. 요나는 니느웨 도성으로 들어가 하룻길을 걸으면서 외쳤습니다.

"사십 일이 지나면 니느웨가 무너지리라!"

세상에, 이런 설교가 어디 있겠습니까? 어떤 목사님이 강단에 올라가 "사십 일이 지나면 이 도시가 멸망할 것입니다"라고 이야기하고 내려가 버렸다면 사람들은 어떤 반응을 보일까요? 요나의 설교는 그런 식이었습니다. 게다가 당시 니느웨는 광역도시로서 이 끝에서 저 끝까지 종으로 행하는 데 사흘이 걸리는 규모였습니다. 그런데 하룻길을 걸었으니 그 도시의 삼분의 일밖에는 돌지 않은 것입니다. 그런데도 불구하고 그의 메시지는 놀라운 효과가 있었습니다. 저는 그것이 하나님의 말씀 자체가 지닌 능력이며, 또한 사람의 마음의 문제라고 생각합니다. 니느웨 사람들은 요나의 직선적인 메시지를 받아들였습니다. 그것이 그들의 복입니다. 오늘날 어떤 목회자도 자신의 메시지를 사람들이 듣지 않기를 바라며 전하는 사람은 없습니다.

하지만 그 말씀을 들어도 은혜가 안 되는 것은 히브리서 기자가 말한 것처럼, 그 말씀에 믿음으로 반응하지 않기 때문입니다. 오늘날은 오히려 설교를 듣는 많은 사람들이 자신들이 설교를 평가하는 위치에 있다고 착각을 하고 있는 것 같습니다. 이것은 지혜롭지 못한 태도입니다. 예수님께서도 심판의 날에 예수님의 전도를 받았으나 믿지 못한 사람들을, 요나의 메시지에 변화를 보였던 니느웨 사람들이 심판하게 될 것이라고 하셨습니다. 또한 예수님께서는 신약 성경에서 요나의 표적이 바로 예수님께서 보이실 표적이라고 하셨습니다.

"요나가 밤낮 사흘 동안 물고기 뱃속에 있었던 것같이 인자도 밤낮 사흘 동안 땅속에 있으리라"(마 12:40)고 말씀하셨습니다. 그러니까 요나는 무덤에서 사흘 만에 부활하신 예수 그리스도의 그림자였던 것입니다.

3. 태초부터 계신 왕(미가)

미가는 자기의 책 첫 절을 통해서 그가 이사야 선지자와 동시대의 인물이었음을 밝혀주고 있습니다.

"유다의 왕들 요담과 아하스와 히스기야 시대에 모레셋 사람 미가에게 임한 여호와의 말씀 곧 사마리아와 예루살렘에 관한 묵시라"(미 1:1).

미가는 그의 책에서 세 편의 설교를 들려줍니다.

첫 번째 설교는 1-2장으로 "심판이 다가오고 있다"는 메시지입니다. 불행히도 미가의 설교를 들은 사람들의 반응은 "그런 예언은 하지 말라. 이것은 예언할 말이 아니다. 우리를 욕하지 말라"는 것이었습니다. 요나의 성의 없는 설교에도 회개의 반응을 보였던 니느웨 사람들과 얼마나 극명한 대조입니까? 미가는 그들에게 "여호와의 영이 성급하시다 하겠느냐?"고 말합니다. 이 말을 KJV에서 보면 이렇습니다. "Is the Spirit of the Lord straitened?" 즉 "여호와의 영이 제한을 받으시겠느냐"는 뜻입니다. 그러니까 "너희가 내 입을 막는다고 하나님을 막을 수 있다고 생각하느냐"는 질문입니다.

미가의 두 번째 설교는 3-5장으로, 첫 번째 설교와는 판이하게 다른 각도의 메시지입니다. 첫 번째 설교가 이스라엘 백성들의 죄에 대한 심판의 선언에 초점을 맞추었다면, 두 번째 설교는 그들에게 구원자 곧 메시아를 보내실 하나님의 계획에 대한 메시지입니다. 3장에서 미가는 유다 백성들을 잘못 이끌고 있는 거짓된 종교 지도자들에 대해 경고했습니다. 이들은 하나님께서 보내신 이사야나 미가 같은 선지자들을 박해하면서 "평안하다 안전하다"고 백성들을 거짓말로 다독이려 했습니다.

3장을 읽어보면, 당시의 종교 지도자들이 백성들을 자기들의 냄비와 솥 가운데 담을 고기처럼 여겼다고 했습니다. 얼마나 무서운 표현입니까? 당시의 종교 지도자들은 멸망을 목전에 둔 백성들에게 진리의 말씀으로 그들을 깨워주기보다, 다만 그들이 가져오는 물질과 먹을 것들에 대한 탐욕에만 들어차서 백성들을 착취하면서 올바른 진리는 가르치지 않았던 것입니다. 그들의 비위를 상하게 할까 봐 그들은 백성들에게 진리를 옳게 가르칠 수 없었습니다.

하지만 4-5장에 이어지는 메시지는 그들의 구원이 이 타락한 종교 시스템이 아닌, 전혀 기대하지 않았던 다른 곳으로부터 온다고 말씀합니다. 4장에서 미가는 우리 예수님의 지상 재림의 때에 벌어질 이스라엘의 완전한 회복과 왕들이 예루살렘에 모여 예수님을 뵙고 경배할 일을 예언했습니다. 그리고 이 예수님의 평화의 나라가 오기 전에 이스라엘은 열방으로 흩어질 것이며, 그 와중에 이스라엘의 재판장이신 우리 예수님이 오셔서 고난을 받으실 것을 예언하고 있습니다. 그리고 5장에 와서 우리는 예수님의 베들레헴 탄생에 관한 예언을 봅니다.

"베들레헴 에브라다야 너는 유다 족속 중에 작을지라도 이스라엘을 다스릴 자가 네게서 내게로 나올 것이라 그의 근본은 상고에, 영원에 있느니라"(미 5:2).

예수님이 탄생하신 후 동방 박사들이 예루살렘에 왔을 때, 서기관들은 이 말씀을 인용하여 메시아가 베들레헴에서 탄생하실 것이라고 말했습니다. 불행한 일은 그들은 지식은 있었으나 믿음이 없었다는 것입니다.

그리고 미가의 세 번째 메시지는 6-7장으로 이렇게 메시아를 보내시는 구원의 하나님께로 돌아오라는 초청의 메시지입니다. 여기에서 미가는 이 초청에 대한 올바른 반응이 무엇인지 가르쳐줍니다.

"내가 무엇을 가지고 여호와 앞에 나아가며 높으신 하나님께 경배할까 내가 번제물로 일 년 된 송아지를 가지고 그 앞에 나아갈까 여호와께서 천천의 숫양이나 만만의 강물 같은 기름을 기뻐하실까 내 허물을 위하여 내 맏아들을, 내 영혼의 죄로 말미암아 내 몸의 열매를 드릴까 사람아 주께서 선한 것이 무엇임을 네게 보이셨나니 여호와께서 네게 구하시는 것은 오직 정의를 행하며 인자를 사랑하며 겸손하게 네 하나님과 함께 행하는 것이 아니냐?"(미 6:6-8).

이것이 주님께 나아가는 진정한 예배자로서의 우리의 태도가 되어야 할 것입니다. 할렐루야!

나훔은 세 단원으로 나눌 수 있습니다.

A. 하나님의 의와 선하심(1:1-8)

B. 니느웨의 멸망과 복음 주심을 통해 드러난 하나님의 의와 선하심(1:9-15)

C. 니느웨의 멸망을 실행하심을 통해 나타난 하나님의 의와 선하심(2-3장)

하박국은 세 단원으로 나눌 수 있습니다.

Hobokuk as wrestler,

A. 갈등하는 하박국(1장)

Hobokuk as a embrocer~

B. 하박국의 예배와 기다림(2장)

C. 하박국의 기쁨(3장) *Hobokuk as a praiser~*

스바냐는 세 단원으로 나눌 수 있습니다.

A. 유다와 예루살렘의 심판(1장)

B. 땅과 모든 나라들에 대한 심판(2:1-3:8)

C. 모든 심판이 제거되고 왕국이 세워지다(3:9-20)

학개는 두 장짜리 책이지만 다섯 단원으로 나눌 수 있습니다.

A. 백성들에 대한 도전(1:1-11)

B. 도전에 대한 백성들의 반응(1:12-15)

C. 백성들의 실망과 하나님의 격려(2:1-9)

D. 원칙의 설명(2:10-19)

E. 하나님의 프로그램의 계시, 미래에 대한 기대(2:20-23)

우리는 오늘 나훔, 하박국, 스바냐, 학개 전체를 통독하겠습니다.

〈주요 통독 자료〉

1. 여호와를 의뢰하라(나훔)

나훔은 그의 책 첫 절에서 그의 예언의 내용을 한마디로 이렇게 들려줍니다.

"니느웨에 대한 경고 곧 엘고스 사람 나훔의 묵시의 글이라"(나 1:1).

그의 예언은 니느웨에 대한 하나님의 심판의 중한 경고를 담고 있습니다. 니느웨는 앗수르의 수도였습니다. 앗수르는 B.C. 800-700년대에 세계를 정복했던 강대국이었습니다. 그리고 B.C. 600년에 메대와 바벨론 군대에 의하여 멸망했습니다. 앗수르의 수도였던 니느웨는 티그리스 강을 끼고 있었고, 바벨론에서 북쪽으로 약 480여km 정도에 위치해 있었습니다. 이 도시는 폭이 1.6km, 길이가 4.8km에 달하는 큰 성곽이었습니다. 이 토성들은 넓이가 약 30미터에 달하는, 그래서 당시 네 필의 말이 이끄는 전차 네 대가 나란히 질주할 수 있을 만큼 큰 도로를 성벽 위에 가지고 있을 정도로 강한 철옹성들이었습니다.

뿐만 아니라 이 도시 안에 티그리스 강으로부터 끌어들인 운하들이 이 도시를 아주 부요하고 기름진 도시가 되게 했습니다. 요나서에 보면 이 도시의 길이는 사흘길이라고 했습니다. 현대 도시가 아니고 성벽으로 둘러싸인 고대 도시가 이 끝에서 저 끝까지 사흘을 걸어가야 할 정도라는 건 대단히 거대한 도성입니다. 우리는 요나서에서 하나님께서 이 니느웨를 사랑하셔서 니느웨 백성들에게 심판의 경고를 주시고 그들이 회개함으로써 그들을 구원하셨던 것을 배웠습니다. 하지만 이제 그로부터 약 150여 년이 지났고, 이 백성들은 더욱 악하고 포악스러워졌습니다. 게다가 세계 최강대국으로 자리잡으면서 그들은 끝없는 교만으로 들어차기 시작했습니다. 이제 하나님의 인내와 긍휼의 시간도 모두 끝났습니다. 그래서 하나님은 나훔을 세우셔서 그들을 향한 심판의 경고를 주고 계신 것입니다.

나훔이 요나처럼 니느웨로 직접 들어갔다는 증거는 없습니다. 오히려 나훔은 니느웨를 향한 하나님의 이 경고를 유다 백성들을 향해서 선포하고 있습니다. 왜냐하면 하나님은 방금 북쪽 이스라엘을 함락시킨 이 앗수르가 그 여세를 몰아 남쪽 유다마저 공격하려는 그 공포로부터 유다 백성들에게 소망과 위로의 메시지를 주고자 하셨기 때문입니다. 따라서 나훔의 메시지는 앗수르에게는 심판의 경고이지만, 유다 백성들에게는 하나님의 위로와 격려의 메시지인 것입니다. 나훔의 이름이 바로 '위로자' 혹은 '격려자'(Comforter)라는 의미를 가지고 있는 것입니다.

나훔의 예언은 놀라웠습니다. 그는 1장 8절에서 "그가 범람하는 물로 그곳을 진멸하시고 자기 대적들을 흑암으로 쫓아내시리라"고 했습니다. 사실 앗수르의 멸망은 메대의 군사들이나 혹은 바벨론의 나보폴라살의 군대가 강해서가 아니었습니다. 사실 그들의 군대는 거의 지쳐가고 있었습니다. 그런데 갑자기 홍수가 나서 티그리스 강이 범람하고 그들의 강력한 토성이 모두 물에 떠내려가면서 갑작스럽게 앗수르는 멸망해 버리고 만 것입니다.

1장 9절에서 "너희는 여호와께 대하여 무엇을 꾀하느냐 그가 온전히 멸하시리니 재난이 다시 일어나지 아니하리라"고 예언했습니다. 실로 니느웨는 완전히 멸망했습니다. 얼마나 참혹하게 멸망했느냐 하면 오랫동안 니느웨라는 도시가 이 땅에 있었다는 사실 자체를 신화라고 생각했을 정도였습니다.

고고학자들에 의하여 니느웨의 도서관과 왕궁터 등이 발견되고 난 후에야 니느웨가 정말 존재했던 도시라는 것이 학자들에게 믿어졌을 정도였습니다.

"볼지어다 아름다운 소식을 알리고 화평을 전하는 자의 발이 산 위에 있도다 유다야 네 절기를 지키고 네 서원을 갚을지어다 악인이 진멸되었으니 그가 다시는 네 가운데로 통행하지 아니하리로다 하시니라"(나 1:15).

이 말씀이 바로 예수 그리스도에 대한 예언입니다. 예수님은 복음을 가지고 저 높고 높은 별을 넘어 이 낮고 낮은 땅 위에 오셨습니다. 그리고 그는 유월절 절기의 언약을 지키셔서 십자가 위에서 악인을 진멸하셨습니다. 우리는 바로 이 이름을 의뢰해야 합니다. 이것이 나훔의 메시지입니다.

2. 오직 의인은 믿음으로 말미암아 살리라 (하박국)

1장에서 하박국은 갈등합니다.

"왜 하나님은 타락한 이스라엘을 벌하지 않으시고 내버려 두시는가?"

그러다가 하나님께서 "바벨론을 들어서 이스라엘을 치실 것"을 말씀하시자, 이번에는 "아니, 그래도 그렇지 어떻게 이방인을 들어서 언약 백성인 이스라엘을 치실 수 있단 말인가?"라고 갈등합니다.

2장에서 하박국은 예배합니다. 예배 가운데서 하박국은 하나님의 뜻을 발견합니다. 우리도 예배하고 말씀을 묵상할 때 하나님의 뜻을 발견하게 되는 것입니다. 하나님은 비록 더딜지라도 하나님의 뜻은 반드시 성취된다고 선포하십니다. 교만한 자들은 끝내 하나님의 심판을 면치 못하겠지만 "오직 의인은 믿음으로 말미암아 살리라"(합 2:4)고 선포하십니다. 바로 이 말씀에서 신약 성경의 너무나 중요한 세 권의 책이 나옵니다. 로마서 1:17, 갈라디아서 3:11, 히브리서 10:38을 참조해 보십시오.

그리고 3장에서 하박국은 하나님을 찬양합니다. 불평과 원망으로 가득하던 그의 입술이 찬양으로 채워지기 시작한 것입니다. 이것이 바로 하나님을 향한 진정한 예배자의 삶입니다.

3. 하나님의 사랑의 두 가지 측면(스바냐)

스바냐는 히스기야의 현손, 즉 손자의 손자였습니다. 그는 유다 왕 요시야 때에 선지자로 쓰임을 받았습니다. 요시야는 히스기야의 증손자였습니다. 그러니까 히스기야의 증손자가 왕위에 있을 때 또 그의 현손이 선지자로 쓰임을 받고 있었던 것입니다. 여하튼 히스기야는 한 세대에 대단한 영향을 가지고 있었던 인물이었습니다. 요시야는 8세에 왕위에 올랐고, 16세에 하나님께 헌신했으며, 20세가 되었을 때 예루살렘 성전을 중수하고 성전 제사가 회복되게 했습니다. 그리고 그의 통치 18년인 26세에 많은 소와 양들을 기부해서 실로 오랜만에 성대한 유월절 잔치가 국가적으로 열리게 했던 인물이었습니다. 유다 역사의 마지막 선한 왕이었습니다. 이 요시야 시대에 아주 젊은 예레미야가 선지자로서 사역을 하고 있었습니다.

이때 예레미야는 아직 10대의 소년이었을 것입니다. 요시야로 말미암아 성전 제사가 회복되고 많은 사람들이 성전으로 몰려들었지만 이때의 부흥은 아주 얕은 수준에서 벌어지고 있었습니다. 그래서 하나님은 "너희가 돌아오려거든 내게로 돌아오라"고 선포하셨습니다. 요시야의 통치 말엽에 앗수르가 멸망했습니다. 그러니까 스바냐 선지자의 사역은 요시야 왕의 통치 중 아직 앗수르가 멸망하기 전의 어느 시점이었을 것입니다.

스바냐가 전한 메시지는 하나님의 심판과 멸망에 관한 메시지였습니다. 1장에서 먼저 유다와 예루살렘에 대한 경고가 있었고, 2장에서는 주변 나라들에 대한 심판의 경고가 있습니다. 먼저 블레셋, 모압과 암몬, 그리고 구스와 니느웨, 즉 에티오피아와 앗수르의 멸망입니다. 그리고 3장에서 메시아의 오심과 하나님의 백성들의 회복에 관한 메시지가 선포됩니다. 여기에서 하나님은 선포하십니다.

"너의 하나님 여호와가 너의 가운데에 계시니 그는 구원을 베푸실 전능자이시라 그가 너로 말미암아 기쁨을 이기지 못하시며 너를 잠잠히 사랑하시며 너로 말미암아 즐거이 부르며 기뻐하시리라"(습 3:17).

우리는 여기에서 하나님의 사랑의 양면성을 봅니다. 사랑하는 이스라엘 백성들을 잠잠히 사랑하시며 그들 가운데 거하시며 그들로 인하여 기쁨을 이기지 못하시는 그런 하나님께서 그들의 잘못된 부분들을 도려내시기 위하여 기꺼이 심판을 행하시는 그런 하나님, 그것이 하나님의 사랑의 양면성입니다.

4. 만국의 보배가 이르리니(학개)

학개는 바벨론 포로생활에서 돌아온 1차 귀환대가 성전 건축에 실패하고 성전 건축을 중단한 채 자신들의 도성을 먼저 세우고, 농토를 개간하고, 농사를 짓고, 무역하여 돈을 모으고 실력을 갖춘 후에 성전 재건을 하겠다고 했을 때, 중단된 성전 재건의 현장으로 돌아오도록 백성들을 촉구하기 위하여 하나님께서 세우신 선지자였습니다. 우리는 학개 선지자를 내일 통독하게 될 스가랴 선지자와 연관하여 다음 장에서 다루도록 하겠습니다.

학개는 2장에서 성전 재건의 현장으로 돌아오는 스룹바벨과 여호수아를 격려하면서 "굳세게 일하고 두려워하지 말라"고 선포합니다. "은도 내 것이요, 금도 내 것이니라"고 선포하면서 하나님께서 하고자 하시면 모든 것을 공급해 주실 것을 약속합니다. 그러면서 "이 성전의 나중 영광이 이전 영광보다 크리라"고 합니다. 이때 학개는 "조금 있으면 내가 하늘과 땅과 바다와 육지를 진동시킬 것이요 또한 모든 나라를 진동시킬 것이며 모든 나라의 보배가 이르리니 내가 이 성전에 영광이 충만하게 하리라"(학 2:6-7)고 선포합니다.

바로 이 만국의 보배가 예수 그리스도를 의미합니다. 히브리서 기자는 12장에서 이 말씀을 인용하여 예수님이 오셔서 이루실 천년왕국에서 이루어질 성전의 모습을 소개했습니다. 그렇습니다. 예수님은 '만국의 보배'이십니다. 그는 이 땅에 태어난 모든 사람들에게 보배이십니다. 왜냐하면 그분 안에는 영생의 소망이 있기 때문입니다. 할렐루야!

선지자

스가랴 1-14장, 말라기 1-4장

스가랴는 세 단원으로 나눌 수 있습니다.

A. 계시적인 환상들 (1-6장)

- 1:1-6: 서론과 경고의 메시지

- 1:7-17: 첫 번째 환상-말 탄 자들과 화석류나무

- 1:18-19: 두 번째 환상-네 뿔들

- 1:20-21: 세 번째 환상-네 명의 대장장이들

- 2장: 네 번째 환상-측량줄을 가진 사람

- 3:1-7: 다섯 번째 환상-여호수아와 사탄

- 3:8-10: 여섯 번째 환상-주의 종, 싹(가지-Branch)

- 4장: 일곱 번째 환상-순금 등대와 두 감람나무

- 5:1-4: 여덟 번째 환상-날으는 두루마리

- 5:5-11: 아홉 번째 환상-에바 속의 여인

- 6장: 열 번째 환상-네 병거

B. 역사적인 간주(7-8장)

C. 예언적인 경고들(9-14장)

- 9-11장: 첫 번째 경고-그리스도의 초림과 연관된 예언적인 양상들

- 12-14장: 두 번째 경고-그리스도의 재림과 연관된 예언적인 양상들

말라기는 여섯 단원으로 나눌 수 있습니다.

A. 이스라엘을 위한 하나님의 사랑(1:1-5)

B. 제사장과 백성들의 죄(1:6-2:9)

C. 거짓을 행하는 유다(2:10-17)

D. 두 사자들에 대한 예언(3:1-6)

E. 종교적인 죄들에 대한 책망(3:7-18)

F. 공의로운 해에 대한 예언과 의의 해를 소개할 선지자에 대한 예언(4장)

오늘은 스가랴와 말라기 전체를 통독하겠습니다.

〈주요 통독 자료〉

1. 오직 나의 신으로 되느니라(스가랴)

스가랴는 학개 선지자와 동시대 선지자로, 즉 약 5만여 명의 유대인들이 70년간의 포로생활 끝에 그들의 도시와 성전 제사를 새롭게 하기 위해서 귀환할 때에 쓰임 받았던 인물입니다. 이 귀환대는 B.C. 536년에 돌아왔고, 그 이듬해인 즉 535년에 성전 주초를 놓았으며, 외부의 방해와 내부의 어려움으로 인하여 성전 공사가 중단된 채 B.C. 525년까지 방치되어왔습니다. 하나님은 학개 선지자를 세우셔서 그들의 지도자들과 백성들의 마음을 휘저어 놓으셨습니다. 그리고 성전 건축 공사장에 돌아온 백성들을 다시 격려하시기 위하여 스가랴 선지자를 세우셔서 그들을 격려하셨고, 결국 B.C. 520년에 이르러서 성전 재건 공사는 완성되었습니다.

느헤미야 12장에 나오는 제사장들의 계보에 보면, 스가랴는 제사장이며 동시에 선지자였습니다(느 12:4, 16). 스가랴 2:4에서 스가랴를 그 소년이라 부른 것을 볼 때, 우리는 스가랴가 젊은 사람이었음을 발견합니다. 그의 이름의 뜻은 '여호와께서 기억하신다'라는 의미를 가지고 있습니다. 그의 아버지의 이름은 '여호와께서 축복하신다'라는 의미입니다. 그리고 그의 할아버지의 이름은 'His time' 즉 '여호와의 시간'이라는 의미입니다. 이 세 사람의 이름의 의미들을 합하면 아주 흥미로운 메시지가 됩니다.
"여호와는 그의 때에 축복하시기 위하여 기억하신다."

학개 선지자의 말씀에 감동을 받아 성전 공사 현장에 돌아온 사람들 앞에 펼쳐진 광경은 10년 전 성전 공사가 중단될 때와 전혀 다를 바 없이, 하나의 거대한 돌산이 그들 앞에 버티고 서 있었습니다. 인력도, 물질도, 장비도 모든 것이 모자랐습니다. 이때 백성들을 격려하시기 위하여 하나님께서는 스가랴를 세우신 것입니다.

"이는 힘으로도 되지 아니하고, 능으로도 되지 아니하고, 오직 나의 신(영)으로 되느니라."

이것이 스가랴의 중심 메시지였습니다. 그러나 스가랴는 소선지서들 중 예수 그리스도에 대한 예언을 가장 많이 담고 있습니다. 이제 그 예언들과 신약에서의 성취를 소개해 드립니다. 예수님은 왕이십니다. 그러나 겸손하셔서 나귀를 타셨습니다(슥 9:9; 마 21:4-5). 예수님은 모퉁이 돌이십니다(슥 3:9, 10:4; 롬 9:31-33). 그는 종으로 오시며, 은 30에 팔리실 것입니다(슥 11:12; 마 27:3-10). 그는 매를 맞으신 목자이십니다(슥 13:7; 마 26:31). 그는 하나님의 싹(순, 혹은 가지)이십니다(슥 2:8, 6:12; 사 4:2, 11:1; 렘 23:5, 33:15). 이제 이 땅에 다시 오실 때에 예수님은 만국을 통치하시는 왕으로 오실 것입니다(슥 14:1-4, 9, 16-17).

2. 하나님의 보화(말라기)

말라기는 구약의 선지자들 가운데 마지막에서 두 번째 선지자입니다. 깜짝 놀라셨나요? 그럼 마지막 선지자는 누구냐고요? 바로 세례 요한입니다. 세례 요한은 비록 신약 성경에 나오지만 그는 구약의 선지자입니다. 물론 구약과 신약의 경계가 되시는 분은 예수님이십니다. 우리는 이 말라기 선지자로부터 400년이 지난 후에야 비로소 세례 요한이 등장하는 것을 보게 될 것입니다. 이사야 선지자가 이미 세례 요한에 대한 예언을 했고, 말라기 선지자 역시 자신의 뒤를 이어 약 400년 후에 출현하게 될 세례 요한에 대하여 예언했습니다. 그리고 신약 성경에서 그 예언들이 어떻게 성취되었는지를 우리에게 가르쳐주고 있습니다.

우리는 이 말라기라는 선지자에 대해서 별로 아는 것이 없습니다. 다만 그의 이름은 히브리어로 '나의 Messenger'라는 의미를 갖고 있습니다. Septuagint, 즉 70인역 번역 성경에서는 말라기의 이름을 헬라어로 '앙겔로스'라고 번역했습니다. 이 앙겔로스는 영어의 Angel, 즉 천사라는 뜻인데, 이 단어가 바로 Messenger라는 의미를 내포하고 있는 것입니다. 헬라어로 앙겔로스는 천사이고, 앙겔리온은 소식이란 의미이며, 유앙겔리온이라고 하면 Good News 즉 복음을 의미하는 것입니다. 그러므로 천사라는 단어와 소식 즉 복음이란 단어는 깊은 연관을 가지고 있습니다.

말라기의 이름은 바로 '소식을 전하는 자'라는 의미를 갖고 있습니다. 그런데 말라기 안에서 말라기 선지자는 실제로 이 '메시지를 전하는 자'의 세 가지 의미를 규정지어주고 있습니다. 이것이 말라기를 공부하면서 가장 흥미로운 부분입니다. 우선 말라기는 레위 지파의 제사장들을 '여호와의 사자'(메신저)라고 규정합니다(말 2:7). 그리고 두 번째로 말라기는 세례 요한에게 이 사자, 혹은 메신저라는 단어를 적용시킵니다(말 3:1). 말라기는 세례 요한이 엘리야의 심정을 가지고 주 앞에 앞서 가며 회개의 복음을 선포하고, 아비의 마음을 자식에게 자식의 마음을 아비에게 돌릴 사자라고 소개합니다. 그리고 이 구절이 바로 400년간의 침묵을 깨뜨리시고 신약 성경에서 하나님께서 처음으로 입을 여신 사건, 즉 세례요한의 아버지 사가랴가 성전에서 제사할 때에 천사를 보내서서 세례 요한의 탄생을 알리실 때 인용한 그 말씀인 것입니다(눅 1:17).

물론 말라기가 마지막으로 세 번째 이 사자라는 단어를 적용시킨 곳은 바로 예수님에 대한 예언입니다(말 3:1). 이 말씀에서 말라기는 세례 요한이 먼저 올 것에 대해서 선포한 후, "또 너희가 구하는 바 주가 갑자기 그의 성전에 임하시리니 곧 너희가 사모하는 바 언약의 사자가 임하실 것이라"는 말씀으로 예수님에 대한 예언을 한 것입니다. 우리는 학개 선지자가 예수 그리스도를 만국의 보배라고 불렀던 것을 기억합니다. 예수님은 하나님께서 인간에게 주신 최고의 선물이십니다.

그런데 그 예수 그리스도를 통해 하나님께서 우리를 그토록 구원하시려는 사랑의 이유를 아십니까? 그것을 바로 이 말라기가 전해주는 것입니다. 말라기는 놀라운 예언을 했습니다.

"그때에 여호와를 경외하는 자들이 피차에 말하매 여호와께서 그것을 분명히 들으시고 여호와를 경외하는 자와 그 이름을 존중히 여기는 자를 위하여 여호와 앞에 있는 기념책에 기록하셨느니라 만군의 여호와가 이르노라 나는 내가 정한 날에 그들을 나의 특별한 소유로 삼을 것이요, 또 사람이 자기를 섬기는 아들을 아낌같이 내가 그들을 아끼리니 그때에 너희가 돌아와서 의인과 악인을 분별하고 하나님을 섬기는 자와 섬기지 아니하는 자를 분별하리라"(말 3:16-18).

하나님께서 주신 최고의 선물인 예수 그리스도라는 선물에 대한 인간의 가장 합당한 반응은 바로 '여호와를 경외함'입니다. 이것이 구원 얻은 신자들의 전형적인 특징입니다. 참된 신자들은 당연히 여호와를 경외합니다. 두려워하며, 떨며, 그분을 섬기는 자들입니다. 그런데 이 사람들이 피차에게 말하는 것을 여호와께서 분명히 들으시고 그들의 이름을 생명책에 기록하신다고 말씀하십니다.

예수 그리스도를 구주로 영접하는 일은 사람들 앞에서 공적인 고백이 있어야 합니다. 그래서 영접 기도와 결신의 고백이 중요한 것입니다. 그렇게 드려지는 구원의 고백을 하나님께서 그의 기념책에 기록해 주시는 것입니다. 그리고 그들은 하나님의 특별한 소유로 삼을 것이라 하십니다. 우리 성경에서 "나의 특별한 소유"라는 말이 영어 성경 킹제임스 버전에서는 "When I make up My jewels"라고 되어 있습니다. 무슨 뜻입니까? 바로 '나의 보석들'이란 뜻입니다. 맞습니다. 하나님께서는 여러분을 보석, 보화로 여기십니다. 그래서 우리를 얻으시려고 그 아들 예수 그리스도까지 아낌없이 내어 주셨습니다. 바로 이것이 예수님의 밭에 감추인 보화의 비유 의미인 것입니다. 오해하지 마십시오. 밭에 감추인 보화를 찾아낸 농부, 그래서 자기 소유를 다 팔아 밭을 산 사람은 절대로 우리를 말하는 것이 아닙니다.

그러나 주일학교 아이들 찬송 중에 차 팔고 집 팔고 냉장고 팔아 천국을 사야 한다는 노래가 있습니다. 경상도 말로 택도 아인 소리 하지 마십시오. 우리가 억만금을 가져도 천국은 돈으로 살 수 있는 것이 아닙니다. 그 보화는 바로 우리들입니다. 죄로 인하여 땅속에 숨겨져 버린 그 보화를 아시는 예수 그리스도께서 그 보화인 저와 우리를 얻으시려고 당신의 모든 것을 내어 주셨습니다. 그리고 저와 우리를 구속하신 것입니다. 우리는 바로 하나님의 눈동자 앞에서 빛나는 보석들입니다. 우리는 그런 존재들입니다. 이것이 말라기에 나타난 하나님의 사랑입니다.

많은 분들이 말라기 하면 '십일조' 밖에 기억을 못하십니다.

많은 경우 말라기에서 배운 것이 그것밖에 없기 때문입니다. 하지만 십일조 이야기는 과정일 뿐입니다. 그것이 말라기의 주제가 아닙니다. 십일조 이야기를 왜 하셨는지 아십니까? 하나님은 우리들을 보화로 여기셔서 우리를 구원하시려고 그 아들 예수 그리스도를 아낌 없이 보내주실 계획을 가지고 계신데, 이스라엘 백성은 타락할 대로 타락해서 완전히 거짓되고 형식적인 종교인들로 전락해 버렸습니다.

　1장을 자세히 읽어 보십시오. 그들은 완전 "눈 가리고 아웅"이었습니다. 자기들이 가진 것 중 건강치 못한 것들로 하나님께 제물을 드리면서 생색을 냈고, 뿐만 아니라 제단에 올라오는 길에 남의 것을 훔쳐다가 제사를 드리기까지 했습니다. 하나님을 향한 진정한 사랑없이 신앙생활을 하던 그들에게 하나님께서는 "너희가 온전한 십일조를 드려 보라. 내가 하늘 문을 열고 너희에게 이 땅에 쌓을 곳이 없도록 붓지 아니하겠느냐"고 안타까이 외치고 계신 것입니다. 하나님의 눈동자 앞에서 여러분은 보석입니다. 우리 보석답게 삽시다. 보석답게 믿으십시다. 보석답게 신앙생활들을 하십시오. 할렐루야!

To God be All Glory & honor

우리는 이제 구약 성경을 모두 마쳤습니다.

"오늘은 예언서 통독에서 다 읽지 못한 부분을 마저 읽고 하루 쉬시면서 지난 예언서의 통독에서 배웠던 것들을 복습하시기 바랍니다.

〈예언서 퀴즈〉

1. 예언서는 대예언서와 소예언서로 나누입니다. 대예언서와 소예언서는 어떤 책들이 있는지 순서대로 외워 보십시오. 그리고 대예언서와 소예언서는 어떻게 분류되는지 이야기해 보십시오.

2. 이사야서는 모두 66장으로 되어 있습니다. 공교롭게도 이 책의 구조는 성경 전체 66권의 구조와 조화를 이루고 있습니다. 1-39장에 나타난 메시아에 대한 예언과 40-66장에 나타난 메시아에 대한 예언은 서로 상반되는 개념을 갖고 있어서 심지어 이사야서는 두 명의 서로 다른 저자에 의하여 기록되었다고 믿는(the Deutero Isaiah Hypothesis) 사람들이 있을 정도입니다. 1-39장과 40-66장에 나타난 각각의 메시아관에 대하여 설명해 보십시오.

3. 이사야 선지자의 예언 중, 예수님의 동정녀 탄생에 관한 예언을 기록해 보십시오.

4. 이사야 9:6에 나타난 예수님의 다섯 가지 예언적 명칭들을 기록해 보십시오.

5. 이사야 선지자의 예언 중 예수님 십자가에서 받으신 고난의 종류들을 묘사한 예언을 기록해 보세요.

6. 예레미야 선지자는 그의 선지서 2장에서 유다가 행한 두 가지 죄에 대한 하나님의 경고를 전했습니다. 그것을 여러분의 말로 설명해 보십시오.

7. 예레미야 애가는 예루살렘의 멸망을 바라보는 예레미야의 애곡을 담고 있습니다. 이 책은 다섯 장으로 된 답관체 형식의 시로 쓰여 있습니다. 22글자의 히브리어 알파벳을 머리 글자로 하여 각각 22절로 된 1, 2, 4, 5장과, 각 알파벳으로 시작되는 세 구절씩으로 구성된 모두 66절의 3장으로 되어 있습니다. 애가 3장에서 주님의 인자와 자비의 무궁하심과 그의 성실하심이 아침마다 새로움에 대한 찬양이 있습니다. 그 구절을 써 보십시오.

8. 에스겔 선지자의 소명을 기록한 에스겔 1:1-3에서 하나님께서 하늘을 열어주시므로 에스겔에게 주어진 세 가지 축복의 현상들을 써 보십시오.

9. 에스겔 선지자가 보았던 하나님의 임재의 영광(Shekinah Glory)이 성소를 떠나시는 광경과, 떠나셨던 영광이 다시 지성소로 돌아오는 과정에 대하여 기록한 장들에 대하여 설명해 보세요.

10. 다니엘과 에스겔, 그리고 예레미야는 동시대에 하나님께 쓰임 받은 예언자들이었습니다. 이들의 형편과 예언활동의 특징들에 대하여 아는 대로 써 보십시오.

11. 다니엘서에서 다니엘이 섬겼던 네 왕들의 이름을 써 보세요.

12. 소선지자들 중에 기생 고멜과의 결혼을 통해서 하나님께 신실치 못했던 이스라엘을 품어주시는 하나님의 사랑을 증거하도록 부름받은 선지자는 누구입니까?

13. "누구든지 여호와의 이름을 부르는 자는 구원을 얻으리라"고 선포한 선지자는 누구입니까?

14. 예수 그리스도의 죽으심으로 대낮에 해가 가려져 백주에 땅을 캄캄케 할 사건을 예언한 선지자는 누구입니까? 그 구절을 인용해 보십시오.

15. 예수님의 베들레헴 탄생을 예언한 선지자는 누구입니까? 그 구절을 인용해 보십시오.

16. '위로자' 혹은 '격려자'라는 의미의 이름을 가진 선지자는 누구입니까?

17. "오직 의인은 믿음으로 말미암아 살리라"는 저 유명한 메시지를 전한 선지자는 누구입니까? 그리고 그 메시지가 주된 메시지였던 신약의 세 권의 책을 쓰십시오.

18. 제1차 포로 귀환대가 성전 건축을 중단했을 때 그들을 격려해 주시도록 보내신 선지자는 누구였습니까? 그는 메시아를 어떤 호칭으로 예언했습니까?

19. 스가랴가 보았던 열 가지 환상에 대해서 아는 대로 써 보세요.

20. 말라기는 세 명의 선지자에 대한 이야기를 담고 있습니다. 설명해 보십시오.

우리는 오늘 마태복음 1-15장까지 통독하겠습니다.

각 장의 내용은 다음과 같습니다.

- 1장: 왕의 계보와 동정녀 탄생
- 2장: 왕께 경배하러 온 동방박사들, 애굽으로… 나사렛으로의 귀환
- 3장: 세례 요한의 왕국의 선포, 예수님께 세례를 베풀다
- 4장: 광야에서의 왕의 시험
- 5-7장: 산상수훈-왕국의 규례들
- 8장: 산상수훈의 윤리를 집행하기 위한 왕의 권세를 보이신 여섯 가지 기적들
- 9장: 여섯 개의 기적을 더 보이심, 마태를 부르심, 바리새인들과의 논쟁
- 10장: 왕국의 복음을 이스라엘 나라에 전하기 위한 열두 제자의 소명
- 11장: 요한의 제자들의 질문-회개치 않는 성읍들을 버리심-개인들을 향한 새 초청
- 12장: 예수님과 종교 지도자들의 싸움, 그리고 마지막 휴식
- 13장: 천국에 대한 비유들
- 14장: 요한의 목베임, 오병이어, 제자들의 폭풍 속으로의 항해, 물 위를 걸어오심
- 15장: 바리새인과 서기관들에 대한 공개적 비난, 수로보니게 여인, 많은 사람들을 고치심

〈주요 통독 자료〉

1. 왕의 복음

우선 왜 복음서들이 네 권인가에 대해서 말씀드리겠습니다.

차츰 나누겠지만, 마태는 정통 유대인으로서 유대인들을 염두에 두고 복음서를 기록했습니다. 마가는 로마의 노예 계급인 1세기 크리스천들을 염두에 두고 복음서를 썼습니다. 누가는 헬라 세계의 모든 사람들을 염두에 두고 그의 복음서들을 기록했습니

다. 그러나 요한은 어떤 특정 독자를 염두에 두고 그의 복음서를 쓴 것이 아니라, 그의 주제 "예수 그리스도가 하나님의 아들이심을 증거하기 위하여, 그리고 그를 믿음으로 영생을 얻게 하기 위하여"라는 두 가지 주제를 염두에 두고 복음서를 기록했습니다. 그래서 마태, 마가, 누가복음과 요한복음의 기록 패턴 자체에 큰 차이가 있습니다.

마태, 마가, 누가복음서들은 일종의 전기 형태의 패턴으로 기록이 되어 있습니다. 탄생으로부터 예수님의 생애, 그리고 십자가의 죽으심, 부활 승천까지의 일들을 일의 순서대로 기록하는 전기 형태의 기록입니다. 반면 요한복음은 사건의 순서가 중요한 것이 아니라, 요한의 주제를 뒷받침해 주는 사건들을 순서와 상관없이 편집하고 있는 것입니다. 그래서 마태, 마가, 누가복음을 같은 관점의 기록들이라고 해서 '공관복음'이라 부르고, 요한복음은 이에서 제외된 것입니다.

각각의 복음서들의 특징들은 각 책을 통독할 때 개별적으로 다루기로 하고, 오늘은 마태복음의 특징들을 먼저 다루어 보겠습니다.

전술한 바와 같이 마태는 정통 유대인이었고, 그래서 유대인 독자들을 염두에 두고 예수님의 생애를 기록했습니다. 마태는 예수님을 '유대인의 왕'으로 소개합니다. 그래서 마태복음은 다윗의 왕통을 따른 요셉의 계보로 시작이 됩니다. 그의 계보는 아브라함으로부터 시작이 됩니다. 왜냐하면 아브라함이 바로 히브리인들의 머리이기 때문입니다. 그 이전의 인물들은 마태에게 있어서 중요하지 않습니다. 아담으로부터 아브라함 이전까지는 히브리인의 역사가 아닙니다. 아브라함을 갈대아우르에서 불러내신 것은 바로 히브리인의 역사를 시작하시기 위한 하나님의 계획 때문이었던 것입니다. 아브라함으로부터 다윗까지는 누가복음 3장의 계보와 같습니다. 그러나 다윗부터는 갈라집니다.

마태의 계보는 다윗의 아들 솔로몬으로 이어지는 유다 왕들의 계보입니다. 반면 누가의 계보는 나단을 통해서 예수님의 모친 마리아 쪽으로 내려오는 계보입니다. 확연히 다르죠? 흥미로운 사실은 요셉도 마리아도 다윗의 후손이라는 것입니다. 마태는 굳이 요셉의 계보를 기록하면서 요셉을 "마리아의 남편"이라고 부릅니다. 왜냐하면 사실상 요셉은 예수님과 아무 상관이 없기 때문입니다. 어쨌든 요셉의 계보는 다윗의 후손들 중 왕들의 계보로 이어집니다. 그리고 동방박사 사건은 오직 마태만이 기록하고 있습니다. 왜냐하면 동박박사들이 "유대인의 왕으로 나신 이가 어디 계시뇨? 우리가 그에게 경배하러 왔노라"라고 이야기했기 때문입니다.

동방박사들은 예수님을 "유대인의 왕"이라고 불렀기 때문에 마태의 복음서 기록의 의도와 정확히 맞아 떨어지는 것입니다. 그래서 마태만이 이들의 이야기를 그의 복음서에 포함시킨 것입니다. 또한 마태가 특징적으로 사용한 구절이 있습니다.

예수님의 어떤 행적이나 혹은 말씀을 소개할 때, "예수께서 이 일을 행하심은", 혹은 "예수께서 이렇게 하신 것은", "OO선지자의 말씀을 응하게 하려 함이라"는 구절들입니다. 마태는 예수님의 말씀과 행적들이 모두 구약의 선지자들의 예언의 성취였음을 밝히려 했습니다. 왜냐하면 그는 구약의 선지자들의 예언을 성취시키신 유대인의 왕이라는 것이 마태가 소개하려는 예수님의 모습이기 때문입니다. 그래서 마태는 복음서 기자들 중 구약의 말씀을 가장 많이 인용했습니다. 일단 직접적으로 구약의 구절들을 인용한 것이 모두 53회이며, 구약의 사건이나 장면들을 포괄적으로 인용한 것이 76회입니다. 그러니까 마태는 총 129회나 구약에 대한 언급을 하고 있습니다.

마태복음이 28장이니까, 마태는 매 장마다 4.6회씩 구약 성경에 대해 언급한 것입니다. 예수님은 마태복음 안에서 '천국'(the Heavenly Kingdom - 하늘의 왕국)이라는 용어를 즐겨 사용하십니다. 그는 왕이시기 때문입니다. 그의 비유에서 예수님은 항상 왕 혹은 왕자이십니다. 이와 같은 이유들 때문에 우리는 마태복음을 '왕의 복음'이라고 부릅니다. 기억해 두십시오. 마태복음에서 예수님은 '유대인의 왕'이십니다. 이런 사실들을 염두에 두고 마태복음을 읽으시면, 여러분은 마태가 하고자 했던 이야기의 진의가 무엇인지 더욱 분명히 알게 되실 것입니다.

2. 예수님의 이름

예수라는 이름은 히브리어의 '여호수아'의 헬라어 버전입니다.

히브리어의 여호수아는 '여호와 슈아'의 축소형입니다. 이는 '구원이 되시는 여호와'라는 의미입니다. 그러니까 이미 예수라는 이름 속에는 그가 우리에게 구원을 베푸시는 '여호와'시라는 의미가 담겨 있는 것입니다. 요셉에게 나타나서 예수님의 탄생을 고지했던 천사는 "네 아내 마리아 데려오기를 두려워 말라 그녀가 아들을 낳으리니 이름을 예수라 하라 이는 그가 자기 백성을 죄에서 구원할 자이심이라"고 했습니다. 예수님은 자기 백성을 죄에서 구속하실 여호와 하나님이시며, 왕으로 오신 것입니다. 그가 과연 우리를 어떻게 우리의 죄에서 구원하실까요? 바로 우리의 죗값을 지시고 십자가, 곧 우리가 죽었어야만 할 바로 그 자리에서 대신 죽으셨기 때문입니다.

바울은 이렇게 설명합니다.

"너희 안에 이 마음을 품으라 곧 그리스도 예수의 마음이니 그는 근본 하나님의 본체시나 하나님과 동등됨을 취할 것으로 여기지 아니하시고 오히려 자기를 비워 종의 형체를 가지사 사람들과 같이 되셨고 사람의 모양으로 나타나사 자기를 낮추시고 죽기까지 복종하셨으니 곧 십자가에 죽으심이라 이러므로 하나님이 그를 지극히 높여 모든 이름 위에 뛰어난 이름을 주사 하늘에 있는 자들과 땅에 있는 자들과 땅 아래에 있는 자들로 모든 무릎을 예수의 이름에 꿇게 하시고 모든 입으로 예수 그리스도를 주라 시인하여 하나님 아버지께 영광을 돌리게 하셨느니라"(빌 2:5-11)".

그렇습니다. 그때가 바로 지금입니다. 지금이 우리의 입으로 예수 그리스도를 주라 시인하여 하나님 아버지께 영광을 돌리셔야 할 시간입니다.

3. 바리새인들의 가르침과 예수님의 가르침의 대조

모든 복음서들이 그렇지만, 특별히 마태복음은 계속해서 제사장들과 바리새인들, 그리고 예수님 사이에 갈등의 폭이 점점 더 깊어지는 것을 보여줍니다. 예수님의 가르침이 늘어갈수록 지도자들은 점점 더 큰 돌을 예수님을 향해 던지려고 집어 들게 됩니다. 왜냐하면 예수님의 말씀이 지닌 부정할 수 없는 명백한 진리들과, 그가 가난하고 소외되고 힘겨운 백성들을 향하여 보여주시는 긍휼과 베풀어 주시는 깊고 큰 사랑은, 당시의 종교 지도자들이 얼마나 왜곡되게 그들의 종교를 가르치며 백성들을 억압하고 착취하고 있는지를 명명백백하게 드러내고 있었기 때문입니다.

당시의 지도자들은 하나님을 평범한 이스라엘 사람들은 언감생심 가까이 접근조차 할 수 없는 무시무시한 율법의 왕으로 부각시켰습니다. 자기들처럼 엄한 규례들을 지키며, 일주일에 이틀씩 금식하고, 온갖 종교적 위선들을 행하는 자들만이 소유한 점유물처럼 하나님을 소개한 것입니다. 그래서 당시의 백성들은 항상 허리가 휘청이도록 하나님을 위해서 뭔가를 하느라고 허덕이며 살았지만 그래도 죄책감을 면할 수가 없었습니다.

그러나 예수님은 당시의 종교 지도자들이 한 번도 사용하지 않은 하나님에 대한 호칭을 사용하십니다. 그것은 산상수훈에서 반복되고 있는 "하늘에 계신 너희 천부"라는 호칭입니다. 이 말은 "하늘에 계신 너희 아버지"라는 말입니다. '아버지' 얼마나 따뜻한 단어입니까? 종교 지도자들에게 엄청난 두려운 존재로, 언제나 화를 내시고 매를 때리실 준비가 되어 있는 그런 하나님으로 부각되시던 그분을 예수님은 따뜻한 아버지로 부르고 계십니다. 들의 백합화, 혹은 하늘을 나는 작은 참새들은 하나님을 아버지로 부르지 못합니다. 그들은 하나님의 자녀들이 아닙니다. 다만 창조주와 피조물의 관계일 뿐입니다. 그럼에도 불구하고 하나님께서 그들을 입히시고 먹이십니다. 그렇다면 "너희를 자녀로 부르시는 하늘에 계신 너희 아버지께서 자녀 된 너희를 더욱 먹이시고 입히시지 않겠느냐"는 것입니다.

4. 예수님의 설교들

예수님의 공생애 사역 중에 네 가지 대설교들이 있었습니다. 이것을 우리는 예수님의 4대 설교(Four Major Discourses of Jesus)라고 부릅니다. 이 4대 설교 중 3편이 마태복음에 기록되어 있습니다. 마태복음에서 그는 왕이시기 때문입니다.

●첫째가, '산상설교'(5-7장)입니다. 종교지도자들이 가르치는 율법을 완전히 다른 각도에서 설명하신 설교입니다.

●둘째가, '천국비유설교'(13장)입니다. 천국을 아주 가깝고 쉽게 설명하고 있는 비유들입니다.

●셋째가, 바로 '감람산 설교'(24-25장)입니다. 이 설교는 예수님의 재림의 때의 징조들과 그때 벌어질 광경들을 가르쳐 주신 설교입니다. 이 설교는 누가복음 19-20장에서도 소개됩니다. 예수님의 4대 설교 중 다른 한 가지는 요한이 전해준 '다락방 설교'(요 13-17장)로서 예수님의 죽으심이 약속된 성령을 이 땅에 보내시는 결과를 초래하게 될 것과, 성령께서 오시면 성도를 일깨워 진리 가운데로 인도하며 각양 은사들을 통해 예수 그리스도를 드러내게 될 것을 가르치는 설교입니다.

왕이신 예수님(2)

마태복음 16-28장

우리는 오늘 마태복음 16-28장까지 통독하겠습니다.

각 장의 내용은 다음과 같습니다.

- 16장: 바리새인들과 사두개인들, 베드로의 신앙고백
- 17장: 변화산, 마귀들린 아이, 성전세에 대해서
- 18장: 어린아이, 잃은 양, 죄를 범한 형제에 대해, 용서의 교훈
- 19장: 결혼과 이혼에 대한 하나님의 기준, 어린아이들의 축복, 젊은 부자 관원,
  왕국에서의 사도들의 위치
- 20장: 포도원 농부의 비유, 다가올 죽으심에 대한 4, 5차 선언, 야고보와 요한의 모친의 청
  탁, 두 맹인을 고치심
- 21장: 예루살렘 입성, 성전 청소, 무화과 나무의 저주, 아버지와 두 아들의 비유로 종교 지
  도자들을 저주하심
- 22장: 왕의 아들의 혼인잔치 비유, 헤롯당, 사두개인, 바리새인들의 계략에 대한 예수님의
  대답(가이사에게 세금을 바치는 일), 부활에 대한 논쟁, 다윗의 자손인 그리스도
- 23장: 서기관들과 바리새인들에게 화 있을진저… 예루살렘을 바라보시며 눈물지으심
- 24-25장: 감람산 설교
- 26장: 예수를 죽이려는 의논, 베다니의 마리아, 유다에게 팔리심, 마지막 만찬,
  겟세마네의 기도, 종교 지도자들에 의한 체포, 베드로의 부인
- 27장: 왕의 재판, 죽으심, 그리고 장사 지낸 바 되심
- 28장: 왕의 부활, 대사역의 명령

〈주요 통독 자료〉

1. 가이사랴 빌립보에서 예루살렘까지

오늘의 통독 범위는 마태복음 후반부입니다. 가이사랴 빌립보 지방에서 제자들에게 "사람들이 나를 누구라 하느냐"고 질문하시고, "세례 요한, 엘리야, 예레미야 혹은 다른 선지자"라는 대답을 들으시고 다시 제자들에게 물으십니다.

"너희는 나를 누구라 하느냐?"

베드로가 제자들의 대변인으로서 답변합니다.

"주는 그리스도시요, 살아 계신 하나님의 아들이시니이다."

예수님은 처음으로 당신께서 메시아이심을 공개적으로 선포하신 것입니다. 이제부터 변화산을 지나 요단강 건너편으로, 그리고 베다니를 지나 예루살렘으로 들어가시기까지, 예수님은 복음서 전체를 종합해 볼 때 최소한 열 차례 이상 당신께서 이번 예루살렘행에서 이방인의 손에 넘겨지셔서 십자가에 죽으실 것을 직접적으로 말씀하십니다. 그러니까 예수님은 십자가에 못 박혀 죽으시기 위한 여행을 하시는 것입니다. 변화산에서는 모세와 엘리야가 내려와서 예수님과 함께 이번 예루살렘에 올라가셔서 죽으실 것에 대하여 의논하는 것을 베드로가 들을 수 있었습니다.

이제부터 예수님은 종교 지도자들과의 갈등을 노골화하십니다. 그리고 예루살렘에 들어가십니다. 무화과나무의 저주를 통해서 예수님을 배척하고 배역한 이스라엘의 저주를 보여주셨습니다. 성전을 강도의 굴혈로 만들었던 종교 지도자들의 행위를 공개적으로 비난하시며 그들의 상을 둘러 엎으셨습니다. 그리고 성전 안에서 예수님은 병자들을 치료하셨습니다. 교만으로 무장된 종교 지도자들에겐 날 선 비난과 노골적인 적대감을 표출하신 반면, 당신의 도우심을 필요로 하는 모든 불쌍한 영혼들에게는 따뜻한 사랑의 주님으로 다가서셨습니다.

종교 지도자들 사이에 예수님을 죽이려는 계략이 점차 표면화됩니다. 감람산 설교에서 예수님은 재림하실 때에 일어날 일들을 말씀하시며, 그날이 오기까지 이방인들에게 짓밟힐 예루살렘을 내려다보시며 우셨습니다. 결국 예수님은 십자가에 죽으셨습니다.

우리가 분명히 알아야 할 것은 예수님의 십자가는 절대 가련한 패배자의 눈물겨운 희생의 장소가 아니라는 것입니다. 종교 지도자들이나 혹은 로마 병정들을 이길 수 없는 한 의로운 청년의 희생이 아니라는 것입니다.

예수님은 이것을 위해서 오셨습니다. 바로 그 십자가에서 죽으시기 위하여 오셨습니다. 이미 창세기의 첫 페이지에서부터 여자의 후손으로 오실 메시아의 죽으심과 신체의 손상은 약속되어 있었습니다. 이사야 선지자는 예수님의 십자가에서 입으실 상처를 마치 그 현장을 보고 그린 것처럼 정확히 그렸습니다.

시편 22편에서 다윗은 십자가 주변에서 벌어질 일들을 너무나 정확하게 그려냈습니다. 아모스 선지자는 이 일이 명절, 곧 유월절에 벌어질 것을 예언했고, 정오에 태양이 빛을 잃고 캄캄함이 온 땅을 뒤덮을 것을 예언했습니다. 예수님의 십자가에 대한 이 예언들이 구약에 모두 300가지나 됩니다.

피터 스토너 박사의 《과학이 말한다》(the Science Speaks)라는 책에서, 그는 여덟 가지의 완전히 다른 화학 원소들이 어떤 충돌 없이 완전히 결합될 수 있는 확률에 대한 공식을 가지고 여덟 가지 다른 시대, 다른 사람들에 의하여 이루어진 예언들이 한 분에게서 완전히 완벽하게 성취될 확률을 계산했습니다. 그런데 그 확률은 1달러짜리 은전으로 텍사스 주 전체를 2인치 높이로 쌓은 그 많은 동전 속에서 우연히 딱 한 개를 집어 들었는데, 그것이 자기가 찾는 동전일 확률과 같다는 흥미로운 계산을 했습니다.

그런데 여기에 여덟 가지를 더해서 열여섯 가지의 예언이 그렇게 성취될 확률은 자그마치 같은 동전들로 지구 전체를 1피트 높이로 뒤덮은 동전 속에서 찾고자 하는 동전 하나를 한번에 찾아낼 확률과 같다는 것입니다. 물론 이 계산이 예언의 성취에 적용될 수 있는 공식에 따른 것인지는 알 수 없겠지만, 그것은 분명 완전히 다른 인물들로부터 각각 다른 환경과 다른 시대에 된 그 예언들이 한 분 예수님에게서 성취될 확률이 얼마나 어려운 것인지를 가늠하게 해주지 않습니까?

예수님은 열여섯 가지의 예언이 아니라 300여 가지의 예언을 성취시키신 분입니다. 우리가 지금까지 통독해온 구약 성경의 얼마나 많은 예언들이 예수님에게서 이루어졌습니까? 이제 아셔야 합니다. 십자가는 대성공작입니다. 처음부터 그것을 위해서 오신 예수님께서 예수님의 십자가를 존재하지 않게 하려는 사탄의 다양한 유혹과 공격에도 불구하고 결국 십자가를 지신 것입니다. 40일 금식 후 광야의 시험에서 사탄은 십자가 없는 성공을 제안했습니다.

가룟 유다의 마음에 예수님을 미워하는 마음과 예수님을 팔 마음을 집어넣어 주었으나 이내 빌라도의 아내의 꿈을 통해서 빌라도가 예수님을 놓아주려 시도하게 했습니다. 이런 모든 일들이 사탄의 계략이었지만 결국 예수님은 십자가에 죽으신 것입니다. 승리하신 것입니다. 가이사랴 빌립보 지방에서 예루살렘까지 예수님은 주저함없이 줄곧 앞장서 가졌습니다. 결국 정해진 시간에, 정해진 장소에서, 정해진 방법으로 예수님은 죽으셨고, 우리 모두를 위한 구속의 대가를 지불하셨으며 사흘 만에 부활하심으로써 그의 완전한 승리를 증명하신 것입니다.

2. 대사역의 명령(the Great Commission)

예수님은 제자들을 떠나 하늘로 오르시기 전에 제자들에게 말씀하셨습니다.

"하늘과 땅의 모든 권세를 내게 주셨으니 그러므로 너희는 가서 모든 민족을 제자로 삼아 아버지와 아들과 성령의 이름으로 세례를 베풀고 내가 너희에게 분부한 모든 것을 가르쳐 지키게 하라 볼지어다 내가 세상 끝날까지 너희와 항상 함께 있으리라"(마 28:18-20).

위클리프의 선교 동원가인 정민영 선교사는 예수님께서 제자들에게 이 명령을 내리셨을 때, 이것은 희대의 코미디였다고 말합니다. 당시는 헬라 철학과 학문이 온 세계를 지배하던 때였습니다. 소크라테스나 플라톤 같은 자들을 불러서 온 세계인들을 제자로 삼으라고 했다면 그것은 가능성이 있는 일이었다는 것입니다. 그런데 갈릴리 출신의 전혀 교육받지 못한 젊은이들, 그들을 떠나시려는 예수님 앞에 슬리퍼를 끌고 초라하게 서 있는 이 청년들에게 온 세계의 모든 민족을 제자 삼으라는 명령은 일종의 코미디였다는 것입니다. 그것은 마치 조그만 쪽박 하나를 주고 태평양 바다를 퍼서 다른 곳으로 옮기라는 명령만큼이나 말이 안 되는 일이었다는 것입니다.

하지만 그는 말합니다. 지금 온 세계의 모든 종족들의 언어로 성경이 다 번역되고, 복음이 전해지고 있으며, 이제 남아있는 종족들은 거의 손에 꼽을 만큼 적은 수라는 것입니다. 그야말로 태평양 바다를 다 퍼나르고 이제 몇 개의 웅덩이들만 여기저기에 남아있는 형국이라는 것입니다.

이제 그 남은 분량을 이 시대의 크리스천인 우리들이 감당해야 합니다. 그래서 예수님은 당신에게 주어진 "하늘과 땅의 모든 권세", 즉 성령의 권능을 부어 주시는 것입니다. 약속대로 예수님은 오순절에 성령을 보내주셨습니다. 그리고 그 성령의 권능은 실로 예루살렘과 온 유대와 사마리아, 그리고 땅 끝까지 복음이 전파되게 했습니다. 이제 우리들 모두에게도 이 권능이 임하기를 바랍니다. 그의 뜻이 하늘에서 이룬 것같이 이 땅에서 이루어질 때까지….

우리는 오늘 마가복음 1-16장까지 통독하겠습니다.

각 장의 내용은 다음과 같습니다.

- 1장: 세례 요한 - 예수님의 세례 - 광야의 시험 - 갈릴리의 복음전파 - 전도여행
- 2장: 가버나움에서(중풍병자의 치료) - 레위를 부르심 - 금식에 대한 논쟁 - 안식일 논쟁의 시작
- 3장: 안식일에 회당에서 손 마른 사람을 고치심 - 많은 무리가 나아옴 - 열두 제자를 부르심 - 예수와 바알세불 - 예수님의 모친과 형제들의 방문
- 4장: 네 가지 밭에 떨어진 씨의 비유 - 비유로 가르치심 - 바람과 바다를 잠잠케 함
- 5장: 거라사의 광인을 치료 - 야이로의 딸과 열두 해 혈루증 여인
- 6장: 고향에서 배척받으심 - 열두 제자를 불러 둘씩 보내심 - 세례 요한의 죽음 - 오천 명을 먹이심-바다 위로 걸으심 - 게네사렛의 병자를 치료
- 7장: 장로들의 전통 - 수로보니게 여자의 믿음 - 귀 먹고 말 더듬는 사람의 치유
- 8장: 사천 명을 먹이심 - 표적을 구하는 세대에게 - 바리새인과 헤롯의 누룩 - 벳새다의 맹인의 치료 - 베드로의 고백
- 9장: 변화산 - 귀신 들린 아이를 고치심 - 죽으심과 부활을 두 번째 말씀하심 - 누가 크냐 - 여러 가지 변호들
- 10장: 이혼에 대한 가르침 - 어린아이들을 축복하심-재물이 많은 사람 - 죽음과 부활에 대한 세 번째 선언 - 야고보와 요한이 구하는 것 - 맹인 바디매오
- 11장: 예루살렘으로 - 성전 청결 - 무화과나무의 저주 - 권위에 대한 논쟁
- 12장: 포도원 농부의 비유 - 가이사에게 세금 바치는 일 - 부활의 논쟁-가장 큰 계명 - 그리스도와 다윗의 자손 - 서기관들을 삼가라-가난한 과부의 헌금
- 13장: 성전의 무너뜨려질 것을 예언 - 재난의 징조-가장 큰 환난 - 인자가 오는 것을 보리라 - 무화과나무 비유에서 배울 것
- 14장: 예수를 죽일 방도를 찾다 - 베다니 시몬의 집에서-유다의 배반-제자들과 함께 유월

절을 준비하다 - 마지막 만찬 - 베드로의 부인을 예언하심 - 겟세마네의 기도 - 체포-벗은 몸으로 도망치는 청년 - 공회 앞에 서심 - 베드로의 부인

- 15장: 빌라도의 심문 - 십자가에 못 박히도록 넘겨지심 - 군인들의 희롱 - 십자가에 못 박히시다 - 숨지심
- 16장: 부활-막달라 마리아에게 보이심-두 제자에게 나타나심-대사역의 명령-승천

〈주요 통독 자료〉

1. 마가복음의 중요한 열쇠들

마태는 예수님을 유대인의 왕으로 소개했습니다. 마가복음에서 마가는 예수님을 종으로 묘사합니다. 마가는 사실 예수님의 제자들 중 하나는 아니었습니다. 하지만 마가는 언제나 예수님의 제자들 일행과 함께 움직였습니다. 그의 어머니가 특별히 예수님 일행에 대한 헌신과 섬김에 있어서 아주 유명했던 것 같습니다.

요한복음 13장에 나오는 다락방도, 사도행전 1장에 나오던 예수님의 승천 이후에 제자들이 모였던 다락방도 역시 그의 모친의 집 다락이었던 것으로 알려지고 있습니다. 예수님이 체포되시던 밤에 예수님과 제자들이 찬미하며 감람산으로 떠난 후, 가룟 유다의 인도로 예수님을 체포하려는 사람들이 다락방으로 들이닥치자, 마가는 자다 말고 일어나 벗은 몸에 홑이불(유대인들은 통으로 짠 겉옷을 잘 때 이불로 사용했음)만 두르고 예수님께 이 사실을 알리려 겟세마네로 달려갔습니다. 그러나 아직 어려서인지 그가 도착했을 때는 이미 사람들이 예수님을 체포하고 있는 중이었습니다. 그래서 이 어린 마가는 홑이불을 벗어버리고 벗은 몸으로 도망을 쳤습니다.

훗날 마가는 바나바와의 인척 관계로 바울과 제1차 전도 여행에 따라나서기도 했습니다. 그러나 어떤 연유에선지 그는 선교사로서의 길을 버리고 돌아가 버렸습니다. 2차 전도 여행을 떠날 때 마가의 문제를 놓고 바나바와 바울이 심히 다투다가, 결국 바울은 실라를 데리고 바울의 고향이었던 길리기아 다소를 지나서 1차 전도여행의 행선지였던 갈라디아 지역의 교회들을 방문한 후 그 뒤에 성령님의 인도를 따라 유럽으로 갔고, 바나바는 마가를 데리고 그의 고향이었던 구브로 섬으로 떠났습니다.

바나바는 격려의 은사가 대단했던 인물입니다. 어떻든 마가는 이런 과정을 걸치면서 대단히 훌륭한 하나님의 종이 되었던 것 같습니다. 나중에 바울도 디모데에게 마가를 데려오라고 하면서 그가 바울의 사역에 아주 훌륭한 동역자라고 했습니다. 훗날 마가는 베드로의 영향 아래에서 로마의 성도들을 섬겼습니다. 그리고 베드로를 통해 수집된 정보를 바탕으로 복음서들 중 가장 먼저 기록된 것으로 알려진 이 마가복음을 썼으며, 마가는 로마의 크리스천들을 섬겼으므로, 로마의 1세기 크리스천들을 염두에 두고 이 복음서를 쓴 것입니다.

1세기 로마의 크리스천들은 대부분이 노예들이었습니다.

그러므로 마가는 자신의 복음서의 독자들에게 예수님도 종으로 오신 분이라는 것을 들려주고 싶었던 것입니다. 그래서 마가는 예수님을 종으로 묘사합니다. 마가복음에서는 끊임없이 예수님의 섬김과 사역이 강조되고 있습니다. 그래서 마가의 복음서 기록에는 몇 가지 특징이 따릅니다. 우선 마가는 예수님의 탄생이나 혹은 어린 시절에 대한 언급을 전혀 갖고 있지 않다는 것입니다. 마태는 예수님의 유대인의 왕으로서의 탄생과 동방박사들의 방문, 그리고 예수님의 탄생을 둘러싼 선지자들의 예언의 성취에 대한 언급을 많이 했습니다. 당연히 마태는 아브라함으로부터 다윗을 지나 예수님의 부친인 요셉에게로 이어지는 계보를 기록했습니다.

누가도 예수님의 탄생에 관하여, 그리고 어린 시절의 모습에 관하여 기록했고, 마리아로부터 아담까지 거슬러 올라가는 예수님의 계보를 기록했습니다. 누가의 목적은 예수님이 참된 사람으로 오셨다는 것을 말하는 데 있었습니다. 따라서 누가는 예수님을 아담의 후손, 즉 인간 가족의 일원으로 오셨다는 것을 나타내려고 아담까지 거슬러 올라가는 마리아쪽의 계보를 기록한 것입니다.

요한은 예수님의 탄생에 대한 기록은 하지 않았지만, 그의 복음서 기록 목적이 예수님이 하나님이심을 나타내고자 하는 것이었기에, 예수님의 출현에 대하여 태초부터 계셨던 말씀의 화육으로서의 해석이 담긴 서론을 가지고 있다는 것입니다. 그러나 마가는 서론 부분이 전혀 없이 바로 본론에 들어가는 특징을 가지고 있습니다. open하자마자 세례 요한의 세례와 예수님의 출현에 대한 이야기로 바로 들어가 버립니다. 또한 마가의 다른 특징은 예수님의 설교나 가르침의 내용에 대하여 그리 많은 기록을 갖고 있지 않다는 것입니다. 그러니까 예수님의 말씀보다는 예수님의 사역에 더 많은 부분을 할애하고 있다는 것입니다. 예컨대 산상수훈이라든지, 혹은 다락방에서의 예수님의 설교 등 마태와 요한이 다루었던 예수님의 4대 설교 중 하나도 마가복음에선 언급되지 않았습니다.

종은 말보다 행동을 많이 합니다. 그러다 보니 자연스럽게 마가의 기록은 아주 빠른 스피드로 예수님의 생애를 설명하고 있습니다. 그래서 마가가 습관적으로 사용한 단어가 '즉시' 혹은 '곧'으로 번역된 'Immediately'라는 단어입니다. 모두 16장으로 된 마가복음에서 이 단어가 36회가 쓰였으니 상당히 많이 쓰인 것입니다.

'즉시' 혹은 '곧', Immediately… 이런 식으로 예수님의 사역은 아주 빠른 스피드로 전개되고 있습니다.

예수님의 사역만이 빠른 스피드로 전개되는 것이 아니고, 예수님을 향한 종교 지도자들의 적개심, 예수님을 죽이려는 음모도 복음서의 초기부터 신속히 등장하고 있는 것이 또한 마가복음의 특성이기도 합니다.

2. 빌라도 앞에서

마가복음 15장에 나오는 빌라도 앞에서의 심문을 살펴봅시다.

본래 빌라도의 근무처는 가이사랴에 있었습니다. 그러나 당시는 유월절 기간이기 때문에 예루살렘에서 비상 근무를 하고 있었습니다. 빌라도는 타고난 싸구려 정치인입니다. 그는 예수님에게서 죄를 발견하지 못했습니다. 그래서 예수님을 풀어주고 싶어합니다. 하지만 동시에 그는 당시의 종교 지도자들의 비위도 맞추려고 애썼습니다. 이것이 바로 싸구려 정치인들의 전형적인 삶의 스타일입니다. 이런 스타일의 사람들은 언제나 양쪽을 저울질하면서 양쪽 모두를 만족시키고자 합니다. 하지만 이런 사람들은 양쪽 모두다 만족시키지 못합니다. 대제사장들은 쉬지 않고 예수님을 고소했습니다. 하지만 예수님은 자기 자신을 보호하려는 어떤 노력도 하지 않으셨습니다. 예수님은 계속 침묵하셨습니다. 빌라도는 의아했을 것입니다. 하지만 예수님의 침묵은 선지자의 예언의 성취였습니다.

"그가 곤욕을 당하여 괴로울 때에도 그의 입을 열지 아니하였음이여 마치 도수장으로 끌려가는 어린 양과 털 깎는 자 앞에서 잠잠한 양같이 그의 입을 열지 아니하였도다"(사 53:7).

우리가 요한복음을 공부해 보면 빌라도와 종교 지도자들 간의 눈에 보이지 않는 실랑이를 볼 수 있습니다. 빌라도는 예수님을 놓아주고 싶어했습니다. 그래서 빌라도는 예수님을 자신의 집무실 안으로 데리고 들어갔습니다. 그곳은 이방인의 경내이므로 유대인들은 이방인의 땅을 밟지 않으려 했기 때문에 빌라도의 집무실까지 들어가지 않았습니다. 심문을 끝낸 후 빌라도는 발코니에 서서 예수님을 가리키며 나는 이 사람에게 아무 죄도 찾지 못했다고 했습니다. 종교 지도자들은 예수님의 어떤 죄도 입증하지 못했습니다. 그러나 죽이라고 소리쳤습니다. 빌라도는 예수님을 다시 데리고 들어와서 예수님께 뭔가를 들으려 합니다. 하지만 예수님은 자신을 변호하기 위한 아무 말도 하지 않았습니다.

"내가 너를 죽일 권세도 있고, 살릴 권세도 있는 것을 알지 못하느냐?"

빌라도는 안타까운 심정으로 예수님을 놓아줄 구실을 찾으려 했습니다. 그러자니 예수님이 뭔가 자신의 결백을 주장하는 말씀을 해주셔야 합니다. 그러나 예수님은 빌라도를 도와주지 않으셨습니다. 결국 빌라도는 군중들에게 "그리스도라 하는 이 예수를 내가 어떻게 하라"라고 물었습니다. 결국 예수 그리스도에 대한 자신의 믿음은 스스로 결단하는 것밖에 달리 어떤 도움을 받을 수 없다는 진리를 우리에게 상기시켜주는 대목입니다.

군중들은 십자가에 못 박으라고 소리쳤고, 빌라도는 이제 살인강도 바라바와 예수를 놓고 선택하라고 군중들에게 말했습니다. 정상적인 사고를 가진 사람이라면 누구라도 바라바를 선택하지는 않을 것이라는 것이 빌라도의 생각이었겠지만 그의 기대는 여지없이 무너졌습니다. 왜냐하면 이미 그들은 정상적인 사고를 가질 수 없을 만큼 미움으로 가득 차 있었기 때문입니다. 우리는 이 이야기들을 통해서 십자가는 예수님께서 기꺼이 자초하여 지신 것이고, 사탄의 방해에도 불구하고 예수님께서 승리하신 사건이었다는 것을 다시 한 번 확인합니다.

누가복음은 전체를 8개의 단원으로 묶을 수 있습니다.

우리는 오늘 누가복음 1장에서 12장 통독하겠습니다.

A. 인자의 탄생과 그의 가족들(1-3장)

- 1장: 요한과 예수님의 탄생 고지, 세례 요한의 탄생
- 2장: 예수님의 탄생, 할례, 12세 때 예루살렘 여행
- 3장: 세례 요한의 사역, 예수님의 세례, 마리아의 계보

B. 인자의 시험, 고향에서 배척당하심(4장)

- 4장: 광야의 시험, 나사렛에서 배척당하심, 사역 본부를 가버나움으로 옮기심

C. 갈릴리 지역에서의 인자의 사역(5-9장)

- 5장: 제자들을 두 번째로 부르심, 문둥병자들을 고치심, 중풍병자의 치료, 마태를

부르심, 새 천과 새 가죽부대의 비유

- 6장: 안식일에 밀이삭을 자른 제자들을 변호하심, 안식일에 손 마른 사람을 고치심, 열 두 제자를 사도로 부르심, 광야에서의 설교
- 7장: 백부장의 종의 치료, 나인성 과부의 아들을 살리심, 세례 요한을 칭찬하심, 바리새인의 집에 초대받으심(향유를 예수님께 부은 여인), 두 명의 빚진 자들의 비유
- 8장 비유들 - 씨 뿌리는 자, 등불은 등경 위에, 예수님의 모친과 동생들, 풍랑을 잠재우심, 가다라 지방의 귀신 들린 자, 야이로의 딸과 혈루증 여인의 치료,
- 9장: 열두 제자를 파송하심, 오천 명을 먹이심, 베드로의 고백과 십자가와 부활의 예고, 변화산, 귀신들린 아이의 치료, 예루살렘으로 향하심, 제자들의 변론(누가 크냐)

D. 예루살렘으로 가는 길에서의 인자의 사역(10-18장)

- 10장: 70인의 파송, 고라신과 벳새다, 그리고 가버나움에 대한 심판의 선포, 선한 사마리아인, 마리아와 마르다의 집에 들어가심

- 11장: 기도를 가르치심, 예수님과 바알세불, 악한 세대가 표적을 구함, 바리새인과 율법 교사
- 12장: 바리새인의 외식에 대한 경고, 어리석은 부자의 비유, 목숨과 몸을 위하여 염려하지 말라, 깨어 준비하고 있으라, 불을 던지러 오심, 시대를 분별하고 화해하기를 힘쓰라

〈주요 통독 자료〉

1. 누가복음의 중요한 열쇠들

누가는 헬라인으로서 의사였습니다. 당시 의사는 지금과는 달리 노예 중에서 똑똑한 사람을 골라 의술을 배우게 해서 주인의 가족들의 주치의로서 가족들의 건강을 돌보게 했던 종들 중 하나였습니다. 누가는 누가복음과 사도행전을 썼는데, 두 권 다 데오빌로에게 보내는 서신의 형태로 기록을 했습니다.

데오빌로가 실존 인물이었는지에 대해서는 논쟁이 있습니다. 데오빌로의 이름은 '하나님'을 뜻하는 '데오스'와 '사랑'을 뜻하는 〈필레오〉의 합성어로 '하나님의 사랑을 받은 자'라는 의미의 아름다운 이름입니다. 그래서 간혹 데오빌로를 보통명사로 해석하는 사람들도 있습니다. 하지만 여러가지 정황을 볼 때, 데오빌로가 실존 인물이었을 가능성이 매우 높습니다. 누가가 데오빌로에게 '각하'라는 호칭을 붙이고 있는 것을 볼 때 그렇습니다. 누가는 데오빌로라는 부자이며 로마의 영향력 있는 군인 혹은 관리였을 것입니다. 그리고 누가는 이미 말씀드린 대로 그의 종으로서 의학을 공부하고 가족들의 건강을 책임지는 주치의였을 것입니다. 그러다가 데오빌로는 바울 사도의 영향 아래에서 예수님을 영접하게 되고, 바울이 건강에 문제를 가지고 있다는 점에 착안해서 그의 종이었던 누가를 바울에게 보내어 그의 건강을 돌보게 했던 것입니다.

누가는 바울 사도의 전도팀 일원이었습니다. 나중에 사도행전에서 우리는 2차 전도여행에서부터 소위 "We Section"이라고 불리는 단원들을 만나게 됩니다. 주어가 갑자기 저자를 포함한 일인칭 복수로 바뀌는 부분을 말합니다. 그것은 바로 누가가 바울 전도팀과 함께하고 있었던 부분인 것입니다. 바로 이 누가가 바울을 통해서 들은 복음과 그의 선교의 영향력에 대하여 그의 주인이었던 데오빌로에게 상세하게 써 보낸 것이 바

로 누가복음과 사도행전입니다.

누가는 헬라인이었기 때문에 다분히 헬라적 사고를 가지고 예수 그리스도를 보았을 것입니다. 헬라 철학의 뿌리는 인본주의입니다. 휴머니즘, 즉 헬라철학의 중심에는 사람이 있었던 것입니다. 그래서 누가는 헬라적 사고를 가진 그의 주인 데오빌로를 독자로서 염두에 두고 복음서를 썼기 때문에 예수님을 '인자'(사람의 아들-the Son of Man)로 묘사하고 있는 것입니다.

그래서 누가복음만이 지닌 몇 가지 특성들이 있습니다.

누가는 예수님도 우리와 같은 사람으로 오셨다는 것을 강조하기 위하여 예수님의 출생에 얽힌 이야기 중에서 세례 요한과의 인척 관계를 기록했습니다. 흥미로운 사실은 구약의 마지막 책인 말라기의 마지막 말씀들이 바로 이 세례 요한에 대한 예언이었습니다. 이 예언을 끝으로 400년간의 하나님의 침묵기가 있었습니다. 그리고 400년 만에 하나님께서 침묵을 깨뜨리시고 입을 여신 것이 바로 말라기의 예언의 성취로서, 예수님 앞에 엘리야의 심정을 가지고 앞서 가며 예수님의 길을 평탄케 하기 위해 보냄을 받은 세례 요한에 관한 말씀이었습니다. 세례 요한의 아버지 사가랴가 반차를 따라 제비를 뽑아 제사장의 직무를 수행하기 위하여 성소에 있을 때에 하나님께서 400년간의 침묵을 깨뜨리시고 세례 요한의 탄생에 관한 약속의 말씀을 주신 것입니다.

또한 사복음서 기자들 중 유일하게 예수님께서 마리아에게 잉태되신 후, 세례 요한의 모친이 마리아를 방문했을 때 세례 요한이 모태에서 뛰었다는 말씀을 기록함으로써 의사로서의 누가의 소견을 덧붙인 것도 흥미로운 부분 중 하나입니다. 그는 마치 소아과 의사와 같은 소견을 예수님의 어린 시절에 덧붙였습니다.

"키가 자라며 지혜가 자라고 하나님과 사람 앞에 사랑스러워 가시더라."

이것이 복음서 기자들 중 유일하게 예수님의 어린 시절에 대하여 기록한 글입니다. 그리고 마태가 1장에서 예수님의 계보를 기록한 것처럼 누가도 3장에서 예수님의 계보를 기록했습니다. 그런데 마태가 유대인의 왕으로서 예수님을 강조하기 위하여 아브라함으로부터 시작해서 다윗을 지나 왕의 계보로 이어지는 요셉의 계보를 기록한 반면, 누가는 다윗의 아들 중 나단을 통해서 내려오는 마리아 쪽의 계보를 기록한 것입니다. 누가는 마리아로부터 위로 거슬러 올라갔는데, 마태와는 달리 아브라함을 지나

아담에게까지 거슬러 올라갑니다. 그러니까 누가는 예수님께서 인류 가족의 일원으로 오셨다는 것을 강조하고 있는 것입니다.

2. 예수 그리스도의 직접적인 목격자와 일꾼 된 자들

누가는 먼저 예수 그리스도의 복음에 대한 많은 자료들을 자신이 가지고 있었음을 밝히고 있습니다. 1장 1절에서 그는 "우리 중에 이루어진 사실에 대하여 처음부터 목격자와 말씀의 일꾼 된 자들이 전하여 준 그대로 내력을 저술하려고 붓을 든 사람이 많았다"고 했습니다. 여기서 '목격자'라는 단어에 주의해 보십시오. 복음은 목격자들에 의하여 전해졌습니다. 여기서 누가가 사용한 목격자라는 단어는 '아우톱타이'입니다. '아우토'는 'that which is of itself'입니다. '그것 자체'라는 뜻입니다. 그리고 '옵소마이'는 '보다'라는 뜻입니다. 그래서 이 단어의 의미는 '자신이 직접 보다'라는 뜻입니다. 이 단어는 일종의 의학 용어로서 어떤 환자를 '직접 살펴본다'라는 개념을 갖고 있습니다. 다시 말해서 직접 진찰해 본다는 개념입니다. 누가는 '우리는 직접적인 목격자로서 우리가 살핀 바를 전하고 있다'고 말하고 있는 것입니다.

또한 같은 구절에서 "일꾼 된 자들"이라는 단어가 아주 중요합니다. 이들은 복음을 직접 목격했기 때문에 그것을 위하여 "일꾼 된 자들"이 되었습니다. 여기서 일꾼 된 자들이 바로 'Ministers'이며, 이 단어는 헬라어로 '휘페레테스'로서 배 밑창에서 노를 저어 배를 나아가게 하는 사람들을 지칭하는 용어였습니다. 가장 낮은 자리에서 섬김으로써 주님의 뜻이 이루어져가게 하는 사람들이라는 의미를 갖고 있습니다.

우리는 지금 성경 통독을 하고 있습니다. 우리는 성경 통독을 통해 말씀의 목격자가 되어가고 있는 것입니다. 우리는 이 책을 통해서 예수님을 만나야 합니다. 예수님을 직접 체험한 사람들이 되어야 합니다. 우리가 예수님을 만난다면, 우리는 모두 그분의 복음의 일꾼으로 살게 될 것입니다. 그것이 복음을 가진 사람들의 전형적인 특징입니다. 진정으로 주님을 만난 사람들은 누구나 복음의 헌신자가 될 수밖에 없습니다. 바로 이 "일꾼 된 자들"이라는 단어가 문자적으로 "배 밑창에서 배가 앞으로 나아가기 위하여 노를 젓는 자들"을 지칭하는 용어라는 것이 흥미롭지 않습니까? 우리는 누구도 자기 자신의 영광과 유익을 위해서 살지 말아야 합니다 우리는 오직 우리 예수님의 뜻이 이루어지기 위해서 숨겨진 배 밑창에서 노를 젓는 사람들이기 때문입니다.

저 로마에서 지금 소렌토로, 혹은 저 나폴리로 항해를 하는 어떤 사람이 있었다고 가정해 보십시오. 그는 갑판 위에 서서 노래합니다. "내 배는 살같이 바다를 지난다. 산타루치아~~ 산타루치아~" 그는 자유인입니다. 그는 선가(배삯)를 내고 배를 타고 항해를 즐기고 있는 것입니다. 그가 자유롭게 자신의 행선지를 따라 여행을 하는 동안 배 밑창에서는 노예들이 목숨을 걸고 노를 젓습니다.

"전속력으로!"

선장의 명령이 떨어지면 그들은 몸이 부서지라고 노를 젓습니다. "오른쪽으로!" 혹은 "왼쪽으로!" 역시 선장의 명령에 따라서 노예들을 조종하는 사람들이 북을 칩니다 그들은 그 북소리에 따라 노를 젓는 것입니다. 그것이 바로 복음의 일꾼들이 하는 일입니다.

우리는 다만 예수님의 뜻이 이루어지기를 원합니다. 그가 배 위에서 이 복음의 확산을 즐기면서 기쁨의 노래를 부르며 이 항해를 즐기실 수 있도록 우리는 숨겨진 곳에서 목숨을 다하여 배를 저어가는 것입니다. 오른쪽으로 갈지, 왼쪽으로 갈지, 전속력으로 갈지, 혹은 좀 더 느린 속도로 갈지 우리에게는 결정권이 전혀 없습니다. 우리 주님께서 원하시는 대로 우리는 다만 섬길 뿐인 것입니다.

마태는 유대인들에게 복음을 전했고, 마가는 로마의 크리스천들에게 복음을 전했으며, 누가는 헬라인들을 염두에 두고 이 복음서를 썼습니다. 오늘 우리들은 누구에게 가도록 부르심을 받은 것일까요?

거기에 우리의 모든 것, 우리의 재능과 시간과 물질을 아낌없이 쏟아부어 다만 그분의 뜻이 이루어지도록 이 복음을 위하여 섬겼으면 좋겠습니다.

누가복음은 전체를 8개의 단원으로 묶을 수 있습니다.

우리는 오늘 누가복음 13장에서 24장까지 통독하겠습니다.

E. 예루살렘으로 가는 길에서의 인자의 사역(10-18장)

- 13장: 회개의 촉구, 열매 맺지 못하는 무화과나무의 비유, 안식일에 꼬부라진 여인을 치료하심, 겨자씨와 누룩의 비유, 좁은 문으로 들어가기를 힘쓰라, 예루살렘에 대한 애가

- 14장: 수종병 든 사람을 고치심, 끝자리에 앉으라, 큰 잔치 비유, 제자가 되는 길

- 15장: 잃은 양을 찾은 목자의 비유, 잃은 드라크마의 비유, 잃은 아들을 되찾은 아버지의 비유

- 16장: 불의한 청지기의 비유, 율법과 복음, 부자와 거지

- 17장: 용서와 믿음 그리고 종이 할 일에 대한 말씀, 열 문둥병자의 치유, 하나님의 나라

- 18장: 과부와 재판장의 비유, 바리새인과 세리의 비유, 어린아이를 금하지 말라, 부자 관리, 죽음과 부활을 다시 가르치심, 맹인을 고치심

F. 여리고와 예루살렘에서의 인자의 사역(19-21장)

- 19장: 삭개오, 열 므나의 비유, 예루살렘을 향하여 가시다, 성전에 들어가신 예수님

- 20장: 권위에 대한 도전, 포도원의 비유, 가이사에게 세를 바치는 일에 대한 질문, 부활에 대한 논쟁으로 사두개인들을 잠잠케 하심, 그리스도와 다윗의 자손, 서기관들을 삼가라

- 21장: 가난한 과부의 헌금, 성전이 무너뜨려질 것을 예언, 환난의 징조, 예루살렘의 환난과 인자의 오심, 무화과나무의 교훈, 항상 기도하며 깨어있으라

G. 배반, 재판, 그리고 인자의 죽으심(22-23장)

- 22장: 유다의 배반, 유월절 준비, 마지막 만찬, 베드로의 부인을 예언하심, 전대와 배낭과 검, 감람산에서의 기도, 체포, 베드로의 부인, 희롱과 채찍질, 공회 앞에 서심

- 23장: 빌라도의 심문, 헤롯 앞에, 십자가에 못 박도록 넘겨지심, 십자가, 장사되심

H. 인자의 부활(24:1-48)

I. 인자의 승천(24:49-53)

〈주요 통독 자료〉

1. 인자의 온 것은

어제 우리는 예수님의 참 사람 되심을 알려주는 것이 누가복음의 기록 목적이라고 나누었습니다. 그래서 예수님의 계보의 특성과 복음서 기자들 중 오직 누가만이 예수님의 어린 시절의 성장 과정에 대한 말씀을 포함하고 있다는 것을 나누었습니다. 게다가 누가는 의사였기 때문에 그의 기록을 보면 항상 의사로서의 전문적 소견을 많이 포함하고 있습니다. 예수님의 어린 시절의 성장과정을 말할 땐 마치 소아과 의사가 아기의 신체검사에 대한 소견을 말하는 듯했습니다. 열두 해를 혈루증으로 앓던 여인, 그리고 회당장 야이로의 딸을 고치시는 장면 등에도 환자의 나이, 증세, 치료의 과정들이 비교적 소상히 정리되어 있는 것을 봅니다.

그리고 복음서 기자들 중 오직 누가만이 다루고 있는 일들이 또 있습니다. 예를 들면 나인성 과부의 아들의 생명을 다시 살리신 사건, 선한 사마리아인의 이야기, 그리고 부자와 걸인 나사로의 죽음 이야기 등이 오직 누가만이 다루고 있는 일들입니다. 이런 일련의 사건들이 바로 누가의 특징입니다. 이 사건들은 하나같이 인간의 깊은 아픔과 애환들 생로병사에 관한 문제들 속으로 아주 깊숙히 들어와 주시기 위하여 우리들과 같이 되신 인자(사람의 아들)이신 예수님의 모습을 가장 선명하게 보여주는 사건들입니다. 그의 눈물, 아픈 마음, 뜨거운 사랑 등 인간을 위하여 죽으시기 위해 인간으로 오신 예수님의 마음을 아주 잘 표현한 것입니다.

아마도 누가만이 다룬 사건 중 클라이맥스는 바로 삭개오 사건일 것입니다(눅 19:1-10). 우리는 예수님께서 삭개오를 방문해 주신 것이 그가 십자가를 지실 목적으로 예루살렘을 향하던 길이었다는 점에 더욱 집중해야 합니다.

예수님은 이번 예루살렘 여행에서 어떤 일을 당하실 것인지 너무나도 명백하게 알고 계셨습니다. 그가 받으실 배신이 얼마나 아픈 일일지, 그가 받으실 십자가의 고통이 얼마나 잔인하고 끔찍한 것일지 잘 알고 계신 예수님께서, 그 길을 가시는 중에 이 모든 일들을 행하셨다는 것은 우리 인간을 향한 주님의 연민과 사랑이 얼마나 깊은 것인지를 측량케 하는 것입니다.

삭개오는 당시의 유대인들에게 미움을 받을 수밖에 없는 사람이었습니다. 그는 로마 정부로부터 세금을 걷는 권세를 얻어서 유대인들에게 로마 정부가 부과한 것보다 훨씬 과한 세금을 부과하여 자기 주머니를 채우는 아주 매국적인 범죄자였습니다. 그런 그가 예수님께서 여리고로 들어오신다는 이야기를 듣고 예수님에 대한 호기심으로 나무 위에 올라가 예수님을 기다리고 있었습니다. 나무 아래 오신 예수님은 바로 그의 이름을 부르셨습니다.

"삭개오야 속히 내려오라 내가 오늘 네 집에 유하여야 하겠다."

예수님은 이미 그의 이름뿐만 아니라 그가 어떤 죄악된 삶을 살고 있는 사람인지 소상히 알고 계셨습니다. 그러나 다른 사람들처럼 그를 정죄받아 마땅한 죄인으로 보시는 것이 아니라, 그를 '잃어버린 바 된 불쌍한 죄인'으로 보신 것입니다.

예수님께서 삭개오를 부르시자 삭개오는 즉시 나무에서 내려왔습니다. 그리고는 예수님을 자기 집으로 모셨습니다. 흥미로운 사실은 삭개오와 예수님이 집안으로 들어가시고 문이 닫혔습니다. 이어지는 사람들의 불평은 이렇습니다.

"저가 죄인의 집에 들어갔도다."

이 말은 그들은 문 밖에 있고, 예수님과 삭개오는 문 안에 있었음을 보여줍니다.

사람들은 집안에서 흘러나오는 웃음소리를 들을 수 있었을 것입니다. 하지만 정확히 안에서 무슨 일이 벌어지고 있는지, 예수님께서 삭개오에게 무슨 말씀을 하셨는지, 문 밖에 있는 사람들은 전혀 알지 못합니다. 그런데 그 다음 절을 보면 드디어 모든 사람들이 들을 수 있는 삭개오와 예수님의 대화가 이어집니다. 그것은 곧 일정한 시간이 지난 후 예수님과 삭개오가 밖으로 나오셔서 모든 사람들이 듣는 가운데 이 대화가 이어졌다는 것을 보여줍니다. 닫힌 문 안에서 예수님과 삭개오가 어떤 시간을 보냈는지 모르지만 그 개인적인 만남의 시간이 지난 후, 이제 삭개오의 발표가 이어집니다.

"내 소유의 절반을 가난한 사람들에게 주겠사오며, 만일 뉘 것을 토색한 일이 있으면 사배나 갚겠나이다."

어찌 보면 이것은 삭개오가 자신의 전부를 내어놓겠다는 결단을 보이고 있는 것입니다. 그리고 예수님의 발표가 이어집니다.

"오늘 구원이 이 집에 이르렀으니 이 사람도 아브라함의 자손임이로다."

그 시대의 어느 누구도 삭개오를 아브라함의 자손으로 인정하지 않았습니다. 그러나 예수님은 그를 용서하시고 그가 아브라함의 자손으로서의 지위를 회복하게 하셨습니다. 그리고 예수님은 말씀하십니다.

"인자의 온 것은 잃어버린 자를 찾아 구원하려 함이니라."

이것이 누가복음의 핵심인 것입니다. 인자(사람의 아들)로 오신 예수님, 그는 잃어버린 바 된 죄인을 찾아 구원하러 오셨습니다. 그 주님께서 오늘 성경 통독에 참여하시는 여러분 모두의 마음과 삶을 바꾸시는 역사가 있기를 축복합니다.

2. 율법과 선지자의 글과 시편에 기록된 것들

부활하신 예수님은 다양한 장소에서 다양한 방법으로 많은 이들을 만나셨습니다. 예수님은 엠마오로 내려가던 두 사람의 제자들에게 나타나셨습니다. 그들은 예수님을 알아보지 못했습니다. 예수님께서 그들에게 서로 주고받는 이야기가 무슨 일이냐고 물으시자, 제자 글로바가 오히려 예수님을 책망하는 듯 말했습니다.

"당신이 예루살렘에 체류하면서도 요즘 거기서 된 일을 혼자만 알지 못하느냐?"

그들은 예수님께서 이스라엘을 속량할 자라고 바랐는데 실패로 돌아가버렸다는 듯한 말을 합니다. 그리고 사흘이 지난 지금 여기저기서 예수님을 뵈었다고 하는 사람들의 이야기가 들려오고 있다고 말합니다. 예수님은 그 제자들을 책망하셨습니다. 그리고 이어집니다.

"이르시되 미련하고 선지자들이 말한 모든 것을 마음에 더디 믿는 자들이여 그리스도가 이런 고난을 받고 자기의 영광에 들어가야 할 것이 아니냐 하시고 이에 모세와 모든 선지자의 글로 시작하여 모든 성경에 쓴 바 자기에 관한 것을 자세히 설명하시니라"(눅 24:25-27).

그리고 한 촌에 들어가셔서 제자들에게 떡을 주실 때에 그들의 눈이 밝아져서 예수님을 알아보았습니다. 제자들이 예루살렘으로 달려가 보니 예수님의 부활 소식을 접한 제자들이 다 모여 있었습니다.

이때 예수님께서 그들 가운데 나타나셨습니다. 그리고는 두려워 말라고 하시면서 자신을 만져 보라고 하십니다. 그리고 누가가 이렇게 전합니다.

"또 이르시되 내가 너희와 함께 있을 때에 너희에게 말한바 곧 모세의 율법과 선지자의 글과 시편에 나를 가리켜 기록된 모든 것이 이루어져야 하리라 한 말이 이것이라 하시고 이에 그들의 마음을 열어 성경을 깨닫게 하시고 또 이르시되 이같이 그리스도가 고난을 받고 제 삼일에 죽은 자 가운데서 살아날 것과 또 그의 이름으로 죄 사함을 받게 하는 회개가 예루살렘에서 시작하여 모든 족속에게 전파될 것이 기록되었으니 너희는 이 모든 일의 증인이라 볼지어다 내가 내 아버지께서 약속하신 것을 너희에게 보내리니 너희는 위로부터 능력으로 입혀질 때까지 이 성에 머물라 하시니라"(눅 24:44-49).

이 사건 후에 누가는 예수님의 승천 장면을 덧붙였고, 이것이 누가복음의 끝입니다. 그리고 그의 또 다른 저작인 사도행전은 바로 이 시점에서부터 다시 시작됩니다.

우리는 이 누가복음의 마지막 장에서 우리의 성경 통독의 가장 중요한 주제를 만나게 되는 것입니다.

'성경의 모든 페이지에서 예수님 만나기.'

예수님은 직접 모세의 율법과, 선지자의 예언들과 시편의 글들이 모두 예수님에 관하여 말씀한 것이라고 말씀하신 것입니다.

오늘도 우리의 눈을 열어, 우리로 하여금 성경의 모든 페이지에 담긴 예수님을 뵐 수 있게 해주시기를 주님께 기도합니다. 할렐루야!

요한복음은 전체를 6개의 단원으로 묶을 수 있습니다.

우리는 오늘 요한복음 1장에서 12장까지 통독하겠습니다.

A. 도입부(1:1-18)

● 1:1-3: 말씀이 하나님이셨다

● 1:14: 말씀이 육신이 되시다

● 1:18: 말씀이 하나님을 드러내다

B. 서론(1:19-51)

● 1:19-36: 세례 요한의 증거

● 1:37-42: 안드레의 증거

● 1:43-46: 빌립의 증거

● 1:47-51: 나다나엘의 증거

C. 사역과 말씀의 증거(2-12장)

● 2:1-12: 가나의 혼인잔치에서의 예수님 – 첫 번째 사역

● 2:13-22: 예루살렘에서 유월절에 성전을 청결케 하심 – 첫 번째 말씀

● 2:23-3:36: 예루살렘에서 니고데모와 예수님의 인터뷰 – 두 번째 말씀

● 4:1-45: 수가성 우물가에서의 여인과 예수님의 인터뷰 – 세 번째 말씀

● 4:46-54: 가버나움에서 예수께서 왕의 신하의 아들을 고치시다 – 두 번째 사역

● 5장: 베데스다 연못가에서 예수께서 38년 된 병자를 고치시다 – 세 번째 사역

● 6장: 벳새다에서 예수께서 5000명을 먹이시다 – 네 번째 사역, 네 번째 말씀

● 7장: 장막절에 성전에서 가르치시다 – 다섯 번째 말씀

● 8장: 예수께서 성전에서 간음하다 잡힌 여인을 용서하시다 – 여섯 번째 말씀

● 9장: 예수께서 예루살렘에서 맹인으로 태어난 자의 눈을 여시다 – 다섯 번째 사역

- 10장: 예수님은 선한 목자이시다 - 일곱 번째 말씀
- 11장: 예수께서 베다니에서 죽은 나사로를 일으키시다 - 여섯 번째 사역
- 12장: 예수님에 대한 유대인과 이방인의 목격 - 일곱 번째 사역

D. 그의 목격자들에 대한 예수님의 증거, 다락방 설교(13-17장)

E. 세상에 대한 증거 - 십자가(18-20장)

F. 영화로우신 예수님 - 베드로의 사명(21장)

〈주요 통독 자료〉

1. 로고스

요한복음 1장에서 요한은 태초부터 계셨던 하나님이신 말씀에 대해 이야기합니다. 여기에서 요한은 바로 헬라어의 '로고스'라는 단어를 사용하여 예수님을 소개합니다. 헬라적 사고에 있어서 이 '로고스'라는 단어는 상당히 흥미로운 배경을 가지고 있는 단어입니다. B.C. 약 560년경에 헬라의 유명한 철학자가 있었는데, 그의 이름은 '헤라클리토스'(Heraclitos)였습니다. 그는 세상은 끊임없이 유동적으로 변해간다고 주장했습니다. 이것이 '유동설', 혹은 '유출설'입니다. 만약 여러분이 강물 속에 발을 담그고 있다가 발을 꺼냈다고 가정합시다. 그리고 여러분이 다시 강물 속에 발을 담근다면 그 강물은 이미 좀 전에 여러분의 발을 담그고 있던 그 강물이 아니라는 것입니다. 이미 그 강물은 흘러가 버리고 여러분은 새로운 강물에 발을 담그고 있다는 것입니다. 이와 같이 모든 것이 지속적으로 흘러간다면 언젠간 다 흘러가 버리고 아무것도 남지 않게 될 것이 아니냐는 것입니다.

바로 이 질문에 대한 '헤라클리터스'의 해답이 '로고스'였습니다. 이 단어는 'word'(말씀)라고 번역될 수도 있고, 또는 'reason'(원인자, 근거, 혹은 이유)이라고도 번역될 수 있는 단어입니다. 헤라클리토스는 우리들의 생에도 끊임없이 흐르는 일종의 패턴이 있다고 주장합니다. 원인자가 없이 우연히 발생하는 일은 없다는 것입니다. 어떤 원인자가 있고 그것에 의해서 순서를 따라 모든 일들이 발생하는 패턴이 있다는 것입니다. 그는 이 패턴을 '로고스'라고 불렀습니다. 일례를 들면, 사람들은 누구나 선과 악을 분별할 수

있는 감각을 가지고 있는데, 그 선과 악을 분별할 능력을 사람에게 발생하게 하는 것이 바로 '로고스'라는 것입니다.

훗날 스토아 철학자들은 우주 가운데 놀라운 질서가 있다는 것을 발견했습니다. 모든 별들은 서로 충돌하지 않도록 각자의 궤도를 따라 움직이며, 그에 따라 조수와 간만이 있고, 사계의 변화가 질서 있게 다가온다는 사실을 발견했습니다. 그리고 그 우주의 질서를 바로 '로고스'라고 불렀습니다.

마태가 유대인들을 염두에 두고, 마가가 로마의 그리스도인들을 염두에 두고, 누가가 헬라의 그리스도인들을 염두에 두고 복음서를 기록했다면, 사실 요한은 범 세계적인 그리스도인들에게 이 복음서를 썼다고 할 수 있을 것입니다. 하지만 요한이 이 복음서를 기록할 때 세계란 헬라적 영향 아래 있었기 때문에 당연히 그의 복음서는 헬라적 사고를 가진 사람들을 염두에 두고 기록되었습니다.

그래서 요한복음은 헬라적 사고를 내포하고 있고, 신학교에서 헬라어를 공부할 때 가장 먼저 배우는 것이 바로 요한복음인 것입니다. 특별히 요한은 이 복음서를 쓸 때 에베소에 있었고, 바로 그 도시가 저 유명한 철학자 헤라클리토스가 요한보다 약 600여 년 먼저 그 도시에 살고 있었던 것입니다.

요한이 헬라 세계의 사람들에게 이 글을 썼다는 증거는, 그가 히브리어를 사용할 때마다 항상 그 단어를 번역해주고 있다는 것입니다. 예를 들면, 38절에서 "랍비는 번역하면 선생님이라" 혹은 41절에서 "메시아는 번역하면 그리스도라"는 표현이 그 예입니다.

우주의 배후에 있는 힘과 질서의 뿌리, 삶에 의미를 부여하는 힘, 혹은 선과 악을 분별할 수 있는 능력을 주는 원인자가 바로 '로고스'라고 믿고 있었던 헬라 세계의 사람들에게 요한은 바로 그 '로고스'가 예수님이었다는 사실을 자연스럽게 설명하고 있는 것입니다. "태초에 '로고스'가 계셨고, 그 '로고스'는 하나님과 함께 있었으며, 그 '로고스'가 바로 하나님이셨는데, 그 '로고스'가 육체를 입고 이 땅에 오셨으니 그분이 바로 예수님이시다"라는 설명입니다.

요한의 설명에 의하면, 예수님은 태초부터 계셨던 말씀 '로고스'이셨으며, 이 말씀은 천지를 창조한 말씀이셨고, 그 말씀 안에 생명의 빛이 있었습니다. 이 빛이 어둠에 비춰졌는데 어둠이 깨닫지 못했다고 했으며, 영접하는 자 곧 그 이름을 믿는 자들에게는 하나님의 자녀가 되는 권세를 주셨다는 것입니다. 그것이 요한의 서론입니다.

2. 나는 OOO이다(I AM OOO). 예수님은 하나님이시다.

요한복음에서 요한은 자신이 요한복음을 기록하는 목적을 직접 서술했습니다. 요한은 자신이 이 책에 기록한 것 이외에도 예수님의 수많은 표적과 말씀들이 있었지만 오직 이것들만을 편집해서 기록한 것은, 독자들로 하여금 예수께서 하나님의 아들 그리스도이심을 믿게 하려 함이며, 또한 믿고 그 이름을 힘입어 생명을 얻게 하려 함이라(요 20:30-31)고 했습니다.

마태는 예수님을 '유대인의 왕'으로 소개했고, 마가는 예수님을 '종'으로 소개했습니다. 누가는 예수님을 '사람의 아들'로 소개했습니다. 그리고 요한은 예수님이 '하나님'이심을 증거하고자 합니다. 그래서 요한은 그의 복음서의 주제를 '하나님의 아들이시며 또한 그리스도, 즉 하나님이신 예수님'으로 정한 것입니다.

요한은 그의 복음서 기록상의 중요한 특징들을 몇 가지 보입니다. 우선 다른 복음서 기자들이 예수님의 탄생으로부터 공생애의 사역들, 그리고 십자가의 죽으심, 부활, 승천 등 사건들을 순서대로 추적해 간 방식을 취한 것과는 달리, 요한은 순서와 상관없이 자신의 주제를 선명하게 보여주는 사건들만을 선택해서 집중적으로 조명해 줍니다.

요한은 예수님께서 행하신 일들을 '기적'(Miracle)이라고 부르지 않습니다. 대신 '표적'(Sign)이라고 부릅니다. 이는 헬라어의 '세메이온'에서 온 말로 문자 그대로 다른 메시지를 담고 있는 상징적인 표식을 의미합니다. 예를 들면, 교통표지판이 바로 표적(Sign)입니다. 교통 표지판의 그림 속에는 교통부가 그 권위로 보증해 주는 의미가 담겨 있는 것입니다. 속도 제한, 그 차선에서 반드시 가야 하는 방향표시, 어느 쪽에서 오는 차량이 우선권을 가지는지, 양보를 해야 하는지… 이런 것들을 표지판들이 담고 있는 것입니다.

예수께서 행하신 일들은 요한에게 있어서 그런 표식이었습니다. 예수님께서 하나님이시라는 것을 나타내는 그런 의미의 표식이었던 것입니다.

그래서 요한은 그의 복음서에서 예수님을 다른 복음서 기자들이 전혀 사용하지 않은 독특한 방식으로 소개합니다. "나는…이다" 바로 이 패턴입니다. 이것을 영어로 이야기하면 'I AM'입니다. 이것이 뭔지 아십니까? 바로 '여호와'라는 하나님의 이름의 의미 입니다. 모세가 출애굽기 3장에서 하나님께 "하나님의 이름을 가르쳐 달라"고 요청했 을 때, 하나님께서 말씀하셨습니다.

"나는 스스로 있는 자니라"(I am WHO I AM).

다시 말하면 '나는 I AM이라고 하는 자'라는 뜻입니다. 이것이 여호와라는 하나님의 이름의 의미입니다. 'I AM'은 영어 문법에서 미완성된 문장입니다. 이 구절 뒤에는 반 드시 보어가 와야 합니다.

'나는…이다' 여기에 무슨 보어가 들어가야 문장이 완성되듯이 말입니다. 그래서 구 약에서 여호와라는 이름은 종종 어떤 보어를 달고 나옵니다.

'여호와 이레'는 '나는 예비하는 하나님이다'(I AM the Provider)라는 의미이며, '여호와 라파'는 '나는 치료하는 하나님이다'(I AM the Healer), '여호와 닛시'는 '나는 승리의 깃발 이다'(I AM the Banner of victory), '여호와 샬롬'은 '나는 평화의 하나님'(I AM the Peace), '여호 와 로이'는 '나는 목자이다'(I AM the Shepherd), '여호와 지드케누'는 '나는 너희의 의이다'(I AM the Righteousness), 그리고 '여호와 삼마'는 '나는 너희와 함께하는 하나님이다'(I AM with you)라는 의미를 가지고 있는 것입니다.

요한도 마찬가지로 이 패턴을 사용하여 하나님이신 예수님을 소개한 것입니다. 요 한복음을 풀어가는 중요한 열쇠가 바로 이것입니다. 요한복음에 나타난 이 패턴의 예 수님에 관한 소개를 정리해 봅시다.

요한은 6장에서 "나는 생명의 떡이다"(I AM the Bread of Life), 8장에서 "나는 세상의 빛 이다"(I AM the Light of the World), 10장에서 "나는 양의 문이다"(I AM the Door of the Sheep), "나는 선한 목자다"(I AM the Good Shepherd), 11장에서 "나는 부활이요 생명이다"(I AM the Resurrection and the Life), 14장에서 "나는 길이요 진리요 생명이다"(I AM the Way, the Truth, and the Life), 15장에서 "나는 참 포도나무다"(I AM the True Vine)라고 예수님을 소개해 줍니다.

보십시오. 오직 요한만이 예수님을 이런 방식으로 소개합니다. 바로 요한의 소개 속 에서 예수님은 자연스럽게 "여호와"(I AM)로 소개되고 있는 것입니다. 요한복음은 바로 이것을 담고 있는 책입니다.

요한복음은 전체를 6개의 단원으로 묶을 수 있습니다.

우리는 오늘 요한복음 13장에서 21장까지 통독하겠습니다.

A. 도입부(1:1-18)

- 1:1-3: 말씀이 하나님이셨다

- 1:14: 말씀이 육신이 되시다

- 1:18: 말씀이 하나님을 드러내다

B. 서론(1:19-51)

- 1:19-36: 세례 요한의 증거

- 1:37-42: 안드레의 증거

- 1:43-46: 빌립의 증거

- 1:47-51: 나다나엘의 증거

C. 사역과 말씀의 증거(2-12장)

D. 그의 목격자들에 대한 예수님의 증거, 다락방 설교(13-17장)

- 13장: 예수께서 제자들의 발을 씻기심

- 14장: 예수께서 제자들을 위로하심

- 15장: 예수님은 참 포도나무, 우리는 그의 가지

- 16장: 예수께서 성령을 보내주실 것임

- 17장: 대제사장으로서의 예수님의 기도

- 17:1-5: 예수님 자신을 위한 기도

- 17:6-19: 제자들을 위한 기도

- 17:20-26: 그의 교회를 위한 기도

E. 세상에 대한 증거 – 십자가(18-20장)

● 18장: 예수님의 체포와 재판

● 19장: 골고다에서의 예수님의 죽으심

● 20장: 예수님의 부활, 마리아와 제자들과 도마에게 나타나심

F. 영화로우신 예수님 – 베드로의 사명(21장)

* 부활하신 예수님은 여전히 하나님이시다.

* 주님은 우리의 의지 – 우리의 섬김과 사역의 방향이 되심(6절)

* 주님은 우리의 중심 – 우리의 사역과 섬김의 동기가 되심(15-17절)

* 주님은 우리의 마음 – 우리의 사역과 섬김의 결단이 되심(22절)

〈주요 통독 자료〉

1. 다락방 설교

예수님의 사역 가운데 4대 설교(4 Major Discourses) 중 세 편의 설교들을 우리는 마태복음에서 다루었습니다. 산상수훈(마 5-7장), 비유 설교(마 13장), 감람산 설교(마 24-25장), 그리고 오늘 우리가 통독하게 된 다락방 설교(요 13-16장)입니다. 예수님의 다락방 설교는 충격적인 예수님의 행동으로 시작이 됩니다. 유월절 만찬을 드시던 중, 예수님께서는 갑자기 자리에서 일어나셔서 허리에 수건을 동이시고 제자들의 발을 하나씩 씻어주시는 것이었습니다. 그리고는 제자들에게 "내가 주와 선생이 되어 너희의 발을 씻겼으니 너희도 서로에게 이같이 하는 것이 마땅하다"고 하십니다.

제자들의 발을 씻기신 예수님의 섬김에는 잠시 후에 예수님을 팔아 넘길 가룟 유다도 포함이 되어 있었습니다. 예수님께서는 바로 이런 섬김의 사역이 제자들이 해야 할 일임을 분명히 하셨습니다.

어떻게 이런 섬김의 삶을 살 수 있을까요? 그것이 바로 이어지는 다락방 설교의 중요한 주제였습니다. 14장에 들어가면서 예수님은 근심에 빠진 제자들에게 "너희는 마음에 근심하지 말라"고 하십니다. 사실 제자들의 마음속엔 근심이 가득했습니다.

우리가 복음서들을 통독하면서 읽은 것처럼, 예수님께서는 가이사랴 빌립보 지방에서 베드로의 신앙고백이 있은 후부터 줄곧 예루살렘으로 향하시면서 여러 차례(사복음

서를 종합해 보면 최소한 열두 차례 이상), 이번 예루살렘 여행에서 예수님은 이방인들에게 넘겨지셔서 십자가에 죽으시고 사흘 만에 살아나실 것임을 분명히 하셨습니다. 계속되는 예수님의 이 말씀에 제자들은 근심할 수 밖에 없었습니다. 하지만 예수님은 근심하지 말라고 하십니다. 왜냐하면 예수님께서 이제까지 하셨던 일을 이제는 제자들이 해야 한다고 하십니다. 아니 그보다 더 큰 일도 해야 한다고 하셨습니다.

그리고 어떻게 그런 일이 일어날 수 있는지 예수님은 말씀하십니다. 예수님은 먼저 제자들에게 기도에 대해 "이제까지는 너희가 내 이름으로 아무것도 구하지 아니하였으나 이제부터는 구하라 그리하면 내가 시행하리니 이는 아들로 하여금 아버지께 영광을 돌리게 하려는 것이라"고 말씀하십니다. 예수님께서 아버지께로 가실 것이기 때문에 제자들이 기도함으로써 예수님께서 행하셨던 그 놀라운 일들을 이제 제자들을 통해서 이루신다는 것입니다. 그리고 이어서 15장에서 예수님은 제자들에게 '포도나무의 비유'를 말씀해 주십니다.

예수님께서 행하신 일들을 제자들이 하려면 제자들이 힘써야 하는 것은 열매를 맺는 것이 아니라 주님께 붙어 있는 것임을 역설하신 것입니다. 사람들은 누구나 뭔가 열매를 맺고 싶어 합니다. 눈으로 보일 수 있는 어떤 열매들을 원합니다. 그러나 예수님께서는 우리가 열매를 맺기 위하여 애를 쓴다고 열매가 맺어지는 것이 아님을 분명히 하십니다. 왜냐하면 열매는 우리의 포도나무이신 예수님께로부터 오는 것이기 때문입니다. 그러므로 그분께 붙어 있는 것이 관건입니다. 이것이 바로 기도입니다. 붙어 있으면 열매는 절로 맺는 것입니다.

그리고 16장에 들어가면서 예수님은 말씀하십니다. 기도로 예수님께 붙어 있는 사람들에게는 성령을 부어주신다는 것입니다. 결국 이 성령의 능력이 제자들로 하여금 예수님의 열매를 맺게 해주는 것입니다. 예수님은 예수께서 떠나신 후에 제자들에게 박해가 다가올 것을 분명히 하셨습니다. 그러나 그 박해 가운데에서도 제자들의 삶은 열매 맺는 삶이 될 것임을 분명히 하십니다. 왜냐하면 제자들 속에는 성령께서 거하실 것이기 때문입니다.

성령님이 그들이 관원들 앞에서 무슨 말을 해야 할지 그들의 입 속에 말씀을 넣어주실 것이며, 진리를 생각나게 하실 것이라고 말씀하십니다. 바로 이 성령의 능력이 제자들로 하여금 사명을 감당케 할 것입니다. 우리는 예수님의 이 약속이 성취된 것을 사도행전을 읽으면서 우리 눈으로 확인하게 될 것입니다. 그리고 예수님의 다락방 설교는 이렇게 끝납니다.

"이것을 너희에게 이르는 것은 너희로 내 안에서 평안을 누리게 하려 함이라 세상에서는 너희가 환난을 당하나 담대하라 내가 세상을 이기었노라"(요 16:33).

그리고 예수님은 기도하십니다. 마치 오늘날 목회자들이 설교 후에 기도를 하는 것처럼 말입니다.

요한복음 17장의 예수님의 기도는 우리의 영원한 대제사장으로서 아버지께 드리는 기도였습니다. 예수님은 먼저 자신을 위해 기도하셨고, 다음은 제자들을 위하여 그리고 제자들에 의하여 이 땅에 세워질 교회를 위하여 기도하셨습니다. 그러니까 예수님의 기도에는 이미 우리들도 포함되어 있는 것입니다.

2. 네가 나를 사랑하느냐?

요한복음의 마지막 21장은 일종의 후기(Epilogue)와 같은 개념입니다. 요한이 증거했던 예수 그리스도는 하나님이셨다는 것과, 그를 믿을 때에 영생을 얻게 된다는 것에 대한 증거는 모두 끝났습니다. 18장에서 예수님의 체포가 있었고, 19장에서 재판 과정과 십자가에 못 박히신 사건이 있은 후 20장에서 예수님의 부활이 있었습니다. 그런데 요한은 21장을 덧붙입니다.

여기에는 부활 이후에 예수님께서 디베랴 바다에 고기를 잡으러 돌아갔던 제자들을 찾아오신 이야기가 담겨 있습니다. 여기에서 요한은 두 가지 의도를 가지고 이 이야기를 그의 복음서에 덧붙인 것입니다. 첫째는, 자기 자신을 둘러싼 초대 교회에 회자되던 루머를 해소하기 위함이었고, 뒤에 나올 사도행전으로 들어가는 연결 고리를 만들어주기 위함이었습니다.

예수님은 베드로에게 세 번 "네가 나를 사랑하느냐"고 물으셨습니다.

처음엔 베드로가 장담했던 '아가페의 사랑으로 나를 사랑하느냐'고 물으셨습니다.

하지만 베드로는 '필레오'(친구의 사랑)로 예수님을 사랑한다고 대답합니다. 왜냐하면 예수님께서 베드로에게 "네가 나를 부인하리라"고 하실 때 베드로가 예수님을 아가페의 사랑으로 사랑한다고 항변했기 때문입니다. 그래서 예수님은 또 네가 나를 아가페의 사랑으로 사랑하느냐고 물으셨습니다. 베드로는 이번에도 필레오(친구의 사랑)의 사랑으로 사랑한다고 대답했습니다. 그러자 예수님께서 세 번째는 "네가 나를 필레오의 사랑으로 사랑하느냐"고 물으십니다.

베드로는 근심이 되었습니다. 그래서 약간 우회적인 답변을 드립니다.

"내가 주님을 사랑하는 줄 주께서 아시나이다."

예수님은 매번 베드로가 주님께 사랑을 고백할 때마다 "내 어린 양을 먹이라", "내 양을 치라", 그리고 "내 양을 먹이라"고 말씀하십니다.

이것은 점층법입니다. "어린 양을 먹인다"는 것은 문자 그대로 어린 양(헬라어의 아르니아)을 양육하는 일입니다. 그러나 "내 양을 치라"고 하셨을 때는 양 떼(헬라어 프로바타-성숙한 많은 양 떼)를 치라(헬라어의 포이마이네-다스리고 훈련시킴)고 하십니다. 그리고 세 번째는 "내 양을 먹이라"고 하십니다. 이때는 아주 큰 무리의 양 떼들을 양육하라는 것입니다. 이제부터 제자들에게 주어질 교회를 세우고 섬길 사명에 대하여 예수님은 분명히 말씀하신 것입니다.

이어서 예수님은 베드로가 어떻게 죽을 것을 암시하시는 말씀을 하십니다.

"네가 젊어서는 스스로 띠 띠고 원하는 곳으로 다녔거니와 늙어서는 네 팔을 벌리리니 사람들이 너를 원치 않는 곳으로 데려가리라."

이때 베드로는 요한이 예수님의 뒤를 따르는 것을 보고 "저 사람은 어떻게 되겠나이까?"라고 여쭈었습니다. 그때 예수님께서는 "내가 이 사람을 내가 다시 올 때까지 살려둔다 할지라도 그것이 너와 무슨 상관이 있느냐"고 하시면서 "다만 너는 나를 따르라"고 하십니다.

다시 말씀드리면, 남이 어떻게 될 것은 상관 말고 너는 나를 열심히 따르라는 말씀인 것입니다. 그런데 이 말씀이 초대 교회에 잘못 흘러나가서 예수님의 재림이 있기 전엔 요한이 절대 죽지 않을 것이라는 루머가 돌고 있었던 것입니다. 요한은 그것이 헛소문임을 분명히 밝히기 위하여 이 이야기를 자기의 복음서에 덧붙인 것입니다.

이제 우리는 사도행전으로 들어갈 것입니다. 사실 복음서들의 마지막에 베드로는 정말 면목이 없는 변절자로 끝났습니다. 그러나 사도행전에 들어가 보면 베드로는 초대 교회의 아주 강력하고 능력 있는 지도자로 세워집니다. 바로 복음서와 사도행전 사이에 요한이 이 요한복음 에필로그를 넣지 않았다면 우리는 이 연결 고리를 찾지 못했을 것입니다.

제자들의 사명은 물질이 많고 적음이나, 사람이 많고 적음에 있지 않습니다. 예수님을 향한 사랑이 모든 사역의 동기가 되어야 합니다. 그리고 예수님께서 기름을 부어 세우신 사람이 일을 해야 합니다. 그가 비록 연약한 실패자라 하더라도 하나님은 그를 쓰실 것입니다. 할렐루야! 우리들 모두가 그런 섬김의 종들이 되기를 소원합니다.

사도행전은 전체를 3개의 단원으로 묶을 수 있습니다.

우리는 오늘 사도행전 1장에서 12장까지 통독하겠습니다.

A. 예루살렘에서 사도들을 통해 성령으로 이루어진 예수 그리스도의 역사(1-7장)

● 1장: 성령 강림을 위한 준비들

● 2장: 오순절 – 성령의 강림(1-13절), 베드로에 의한 교회 시대의 첫 번째 설교(14-47절)

● 3장: 교회의 첫 번째 기적과 베드로의 두 번째 설교

● 4장: 교회의 첫 번째 박해와 성령의 능력으로 세워져 가는 교회

● 5장: 아나니아와 삽비라의 죽음과 교회의 두 번째 박해

● 6장: 집사 임명, 스데반 집사의 체포

● 7장: 스데반의 설교와 순교

B. 온 유대와 사마리아에서 사도들을 통해 성령으로 이루어진 예수 그리스도의 역사

　(8-12장)

● 8장: 에티오피아 내시(함의 후손)의 회심

● 9장: 다소 사람 사울(셈의 후손)의 회심

● 10장: 로마의 백부장 고넬료(야벳의 후손)의 회심

C. 땅 끝까지 사도들을 통해 성령으로 이루어진 예수 그리스도의 역사(13-28장)

〈주요 통독 자료〉

1. 누가의 사도행전

누가는 사도행전의 시작을 전에 자신이 쓴 글의 끝부분과 연결시키고 있습니다.

"데오빌로여 내가 먼저 쓴 글에는 무릇 예수께서 행하시며 가르치시기를 시작하심부터 그

가 택하신 사도들에게 성령으로 명하시고 승천하신 날까지의 일을 기록하였노라"(행 1:1-2).

바울 서신에서 우리는 누가가 의사였고 바울과 전도 여행의 일부에 동참했었던 것을 봅니다. 그리고 그는 로마의 감옥에 투옥되어 있는 동안 바울과 함께 했었습니다. 누가는 아주 주의깊은 저자였습니다. 우리는 누가복음에서 그가 굉장히 주의깊게 모든 것을 연구하고 또 주인공들과의 인터뷰를 통해서 굉장히 깊은 내면의 문제들까지 다루고 있는 모습을 봅니다(예컨대 마리아와 천사의 만남). 확실히 그는 의사로서의 통찰력을 지닌 인물입니다.

누가는 데오빌로에게 이 편지를 썼는데, 데오빌로는 초대 교회의 구전에 의하면 안디옥 출신의 부요하고 영향력 있는 로마의 관원이었다는 이야기가 있습니다. 그는 가톨릭 성전을 교회를 위하여 사용했고, 누가를 종의 자리에서 자유케 해 준 장본인으로 알려지고 있습니다.

누가복음 통독에서 이미 말씀드렸습니다만, 본래 그 당시 의사는 종이었습니다. 데오빌로는 바울을 특별히 사랑했고, 그의 육체의 연약함을 인하여 의사 누가로 하여금 바울과 함께 소아시아와 헬라, 그리고 로마 등지로 다니며 바울의 건강을 보살피도록 했다는 것입니다. 하지만 다른 이론도 있습니다. 그것은 데오빌로가 실존 인물이 아니었다는 것입니다. 이 이름의 의미는 '데오스'(하나님)와 '필레오'(사랑)가 합해서 된 말로 '하나님의 사랑을 입은 자'라는 의미입니다. 어느 쪽이 정확한지는 모르겠습니다. 그러나 어느 쪽이든 아름다운 해석입니다.

만약 우리가 '하나님의 사랑을 입은 자'라고 느낀다면 이 편지는 분명 우리를 향한 것입니다.

누가복음의 마지막 구절은 예수께서 "위로부터 능력을 입히움 받을 때까지 예루살렘에 머무르라"는 말씀을 주셨습니다. 그리고 사도행전에서도 예수님은 제자들에게 같은 분부를 주십니다. 그러므로 복음서에서 일하시던 예수님은 이제 사도행전에서도 사도들에게 성령을 부으셔서 제자들 안에서 일하십니다.

또한 사실상 사도행전은 끝 마무리가 없는 책입니다. 오늘도 예수님은 성령님을 통해서 우리 안에 일하시기 때문입니다. 그러므로 우리는 계속되는 사도행전의 주인공들입니다. 누가는 예수께서 승천하시기 전에 40일 동안 제자들에게 나타나시면서 여러 차례 자신의 사심을 확실히 전해 주셨다고 했습니다. 이 세상의 재판 시스템에서도 두세 사람의 증인이 있으면 증거가 성립됩니다. 우리는 예수님의 부활이 사실이라는 것을 입증하고도 남을 만한 수많은 증인들을 확보하고 있습니다.

주님께 논쟁을 제기하지 마십시오. 여기에서 누가도 많은 증인들을 다루고 있고, 고린도전서 15장에서 바울도 자신을 둘러싼 허다한 증인들, 한 번은 예수님께서 500여 형제에게 한꺼번에 보이신 일도 있다고 썼습니다.

이렇게 다시 사신 예수님은 그가 약속하셨던 성령의 능력으로 사도들 안에서, 그리고 오늘도 그를 믿는 신앙인들 안에서, 일하고 계시다는 것을 보여주는 것이 바로 사도행전입니다.

2. 사도행전의 시작(베드로가 주도한 교회의 탄생과 성장)

사도행전 1-12장까지 오늘 통독 분량은 사도행전을 전반부와 후반부로 양분했을 때, 전반부에 해당되는 부분입니다. 이 부분은 베드로가 주도했던 부분입니다. 오순절 성령 강림과 함께 교회가 탄생하고, 베드로는 그 초대 교회의 지도자로 주님께 세움을 받았습니다. 우리가 어제 다루었던 요한복음의 마지막 장이 어떻게 베드로가 초대 교회의 지도자로 세움받았는지를 보여주었습니다.

사실 예수님께서는 베드로에게 "천국 열쇠"를 주신다고 말씀하셨습니다. 베드로는 그 열쇠를 가지고 무엇을 연 것일까요? 사도행전 1:8에서 예수님은 제자들에게 "오직 성령이 너희에게 임하시면 너희가 권능을 받고 예루살렘과 온 유대와 사마리아와 땅 끝까지 이르러 내 증인이 되리라"고 말씀하셨습니다.

사도행전은 예수님의 이 약속이 어떻게 성취되었는지를 보여주는 책입니다. 처음 예루살렘에 성령이 강림하셔서 교회가 탄생했습니다. 삽시간에 온 예루살렘이 성령 강림의 놀라운 현장이 되었습니다. 예루살렘 교회 안에 핍박이 시작되었습니다. 그러면서 스데반 집사가 순교했고, 예루살렘 교회에 무서운 핍박의 바람이 불어왔습니다. 결국 초대 교회는 사도들만 남기고 온 사방으로 흩어지기 시작합니다. 이 흩어진 무리들이 사방으로 다니며 복음의 불꽃을 피우기 시작했습니다. 그러면서 교회의 영향력은 온 유대와 사마리아로 흘러가기 시작했고, 마침내 사마리아에 내려간 빌립에 의하여 사마리아에 큰 부흥이 일어났고, 많은 사람들이 예수님을 영접하고 주님께로 돌아왔습니다.

예루살렘 교회가 이 소식을 접했을 때, 베드로와 요한을 사마리아에 보내어 그들에게 말씀을 가르치고 그들에게 안수할 때에 그들에게 성령이 임하셨습니다. 그리고 12장까지 초대 교회는 베드로의 지도 아래 부흥하고 세워져 갑니다.

13장에서부터 마지막 장까지는 안디옥 교회로부터 파송을 받은 사도 바울의 선교 사역이 이어집니다. 그러니까 후반부는 바울에 의하여 주도되는 것입니다. 바울에게 주신 사역은 이방 사역이었습니다. 그러나 따지고 보면 이방인을 향한 복음의 문을 첫 번째로 연 것 역시 베드로였습니다. 왜냐하면 바울이 본격적으로 이방 지역의 사역을 시작하기 전에, 이미 사도행전 10장에서 이방인 고넬료의 집에 성령이 임하시고 그들의 집에 구원의 확증이 임했기 때문입니다. 그러니까 예루살렘 교회에 첫 번째 성령 강림의 현장, 그리고 예루살렘에서 일어난 놀라운 현상을 보고 몰려온 수많은 유대 사람들에게 부흥의 불길이 확대되어 나가는 것, 그리고 사마리아에 처음으로 성령이 부어진 일, 더 나아가 이방인 고넬료의 집에 성령이 임하신 일 등 이 모든 일들이 다 베드로에 의하여 주도된 것을 볼 수 있습니다.

예수님께서 베드로에게 주셨던 천국 열쇠는 결국 예수님께서 소원하셨던 바, 성령이 임하시고 사도들에게 권능이 주어짐으로써 예루살렘과 온 유대와 사마리아와 땅 끝까지 예수님의 복음이 증거되는 이 단계들의 첫 번째 포문을 열게 하는 데 사용된 것입니다.

3. 모든 민족들에게 임한 구원의 역사

바벨탑으로 인하여 인류에게 언어의 혼란이 오고, 그 이후로 인종별로 온 인류가 나뉘어진 이후 오랜 역사가 지난 후, 오순절 성령 강림으로 다시금 인류가 예수 그리스도 안에서 하나가 되는 길이 열렸다는 것이 또한 사도행전의 중요한 내용인 것입니다.

우선 방언이 임함으로써 온 인류의 흩어졌던 언어권별 나누임이 결국 하나의 영적인 언어로 주님을 높이게 되었습니다. 그리고 이어서 사도행전의 전반부에서 우리는 노아의 세 아들의 후손들이 각각 회심하는 광경을 보게 됩니다.

우선 8장에서 우리는 함의 후손인 에티오피아 내시의 회심을 봅니다. 그리고 9장에서 우리는 사도 바울의 회심을 통해 셈의 후손의 회심을 봅니다. 그리고 10장에서 유럽인인 로마의 백부장 고넬료의 회심을 통해서 야벳의 후손의 회심을 보는 것입니다. 그러니까 언어권별로, 인종별로 흩어졌던 인류가 예수 그리스도를 통하여 이 땅에 오신 성령님의 능력으로 다시 하나가 되고 소통이 이루어지며, 다시금 한 하나님을 함께 찬양하며 영광 돌리고, 또한 하나님을 증거할 수 있는 가능성을 사도행전은 우리에게 증거해 주고 있는 것입니다.

081

땅끝을 향하여

사도행전 13-28장

사도행전은 전체를 3개의 단원으로 묶을 수 있습니다.

우리는 오늘 13장에서 28장까지 통독하겠습니다.

A. 예루살렘에서 사도들을 통해 성령으로 이루어진 예수 그리스도의 역사(1-7장)

B. 온 유대와 사마리아에서 사도들을 통해 성령으로 이루어진 예수 그리스도의 역사
   (8-12장)

C. 땅끝까지 사도들을 통해 성령으로 이루어진 예수 그리스도의 역사(13-28장)

- 13-14장: 바울의 제1차 전도 여행

- 15장: 예루살렘 공회

- 15:36-16장: 바울의 제2차 전도 여행

- 17장: 2차 전도 여행 계속, 데살로니가, 베뢰아, 아덴에서의 바울

- 18장: 2차 전도 여행 결론, 고린도에서의 바울, 에베소의 아볼로

- 18:23-21:14: 3차 전도 여행, 에베소의 바울

- 19장: 3차 전도 여행의 계속(20장)

- 21장: 바울의 예루살렘행, 바울의 체포

- 22장: 예루살렘 폭도들 앞에서의 바울의 변증

- 23장: 산헤드린 앞에서의 바울의 변증

- 24장: 벨릭스 앞에서의 바울

- 25장: 베스도 앞에서의 바울

- 26장: 아그립바 왕 앞에서의 바울

- 27장: 바울의 로마 호송, 유라굴로 폭풍 속에서… 난파

- 28장: 바울의 로마 도착

〈주요 통독 자료〉

1. 베드로에서 바울로

우리는 10장에서 고넬료의 집에 베드로가 들어가 설교할 때에 말씀을 듣는 중에 고넬료의 집에 성령이 임하시는 것을 보았습니다. 그리고 장면은 잠시 다메섹으로 가는 길에서 회심하고 다메섹에서 밤중에 도망을 쳐서 예루살렘으로 돌아왔다가 초대 교회로부터 환영받지 못한 바울이 그의 고향인 다소 지방에 돌아가 은둔하고 있었던 상황으로 이어졌습니다. 이때 수리아의 안디옥에 내려가 이방인들을 위한 교회를 세운 바나바가 아무래도 율법에 능통하면서 동시에 헬라어에 익숙한 바울이야말로 이 이방인들로 구성된 안디옥에서 말씀을 가르치는 데 최적의 인물이라는 것을 인식하여, 다소 지방으로 가서 바울을 만나 함께 안디옥에 와서 말씀을 가르치면서 최초의 이방인 교회를 세워나가고 있었음을 보여주었습니다. 그것이 11장의 내용이며, 이 교회에서 비로소 처음으로 '그리스도인'이라는 별명을 제자들이 듣게 된 것을 성경은 우리에게 들려주었습니다.

'그리스도인'이란 헬라어로 '크리스티아노스'로서 '그리스도의 소유된 자들' 혹은 '그리스도를 꼭 닮은 자들'이라는 의미를 갖고 있습니다. 참으로 영광스런 이름이지요? 여기까지의 장면은 오늘 우리가 통독할 13장 이후의 이방인 선교의 시작이 어떻게 태동되었는지 일종의 복선을 깔아주는 내용이었습니다.

그리고 다시 12장으로 들어가면서 야고보의 순교와 함께 베드로가 체포되고, 하나님께서 개입하셔서 천사의 도움으로 베드로가 출옥하는 장면이 나오고 베드로를 위하여 기도하던 성도들과의 재회의 인상 깊은 장면이 있었습니다.

여기까지가 베드로를 중심으로 성령께서 일하셨던 사도행전의 전반부입니다. 이제 베드로의 사역에 관한 이야기는 성경의 직접적인 기록에서 사라졌습니다. 물론 후에 바울의 서신들을 통해 그 이후에도 베드로의 사역이 예루살렘 교회의 기둥 같은 존재로 계속되었고, 초대 교회의 구전에 의하면 훗날 로마에 들어가 로마의 크리스천들에게 큰 영향을 미치고 결국 로마 교회의 수장이 되었다는 것이 전해지고 있습니다. 하지만 사도행전은 이제 본격적으로 바울을 중심으로 이야기를 전개해 나갑니다.

누가는 2차 전도 여행에서부터 직접 바울 일행과 함께하면서 목격한 이야기를 중심으로 사도행전의 후반부를 전개해 갑니다. 어쩌면 이 부분을 이야기하기 위하여 누가는 오순절 성령 강림으로 예루살렘 교회가 태동된 이야기와 예루살렘 교회의 부흥, 그리고 사울의 핍박으로 사방으로 흩어져 간 사람들의 활동, 그 와중에 예수님께서 예견하셨던 대로 예루살렘에서 온 유대로, 그리고 사마리아로, 더 나아가 이방인 지역으로의 복음 전파의 포문이 어떻게 열렸는지를 이야기해 왔을 것입니다.

우리는 이 과정에서 바나바의 역할과 안디옥 교회의 아름다움에 대하여 이야기하지 않을 수가 없습니다.

우선 우리는 오늘날의 교회 속에 바나바와 같은 은사를 가진 아름다운 섬김의 사람들이 많아지기를 갈망합니다. 바나바의 본명은 요셉이었지만, 그의 섬김의 아름다움 때문에 제자들이 그에게 '바나바'라는 별명을 붙여주었습니다.

바나바는 '격려의 아들'(Son of Encouragement)이라는 의미입니다. 아람어에서 '바'(Bar)는 '~의 아들'이라는 의미입니다. 예를 들면 '바디메오'는 '디메오의 아들'이라는 뜻입니다. 그리고 '나바스'(Nabas)는 '용기, 혹은 격려'를 뜻합니다. 그러니까 제자들이 볼 때 바나바는 주위의 사람들에게 참으로 격려가 되고 용기를 주는 사람이었던 것입니다.

이것은 그의 사역을 통해 아주 분명하게 증명되었습니다. 바울이 회심한 후 예루살렘 교회가 그를 기꺼이 받아들이지 않았을 때, 바나바가 바울을 데리고 예루살렘 교회의 지도자들을 찾아다니며, 그가 예수님을 만난 일과 다메섹에서 그가 당한 일들을 증언해 주면서 그를 받아들이도록 권면해 주었습니다. 그리고 11장에서 우리가 이미 이야기한 대로 안디옥 교회를 세운 것은 바나바이지만, 그는 그 교회가 바울에게 적격이라는 것을 알고 바울을 데려다가 그를 안디옥 교회의 교사로 세워주었습니다.

그리고 13장에서 성령께서 하나님의 필요를 위하여 바나바와 사울을 따로 주님께 드리도록 안디옥 교회의 지도자들에게 요청하셨을 때, 그는 기꺼이 사울과 함께 제1차 전도 여행을 떠났습니다. 자신이 주도권을 주장할 수 있었던 안디옥 교회를 그는 미련 없이 떠난 것입니다. 주님의 필요를 위해서….

그리고 우리는 1차 전도 여행이 계속되는 동안 그들 일행을 부를 때 누가가 항상 "바나바와 사울"이라고 불렸다는 것을 주목해 볼 필요가 있습니다. 이것은 1차 전도 여행 때만 해도 바나바가 주도적 역할을 했었다는 것을 알 수 있습니다. 그들이 루스드라에 들어갔을 때에 사람들이 바나바를 '쓰스'(제우스)라고 부르고 사울을 '허메'(헤르메스)라고 불렸습니다. 이는 그 일행에서 주로 바나바가 능력을 행했고, 바울은 말씀을 전하는 역할을 했다는 것을 암시하고 있습니다. 왜냐하면 제우스가 헬라의 주신이었고, 허메는 제우스의 일종의 대변인이었기 때문입니다.

1차 전도 여행이 끝난 후 바나바와 바울이 안디옥 교회에 돌아왔을 때에, 그들은 예루살렘에서 내려온 몇몇 유대인들이 율법주의적인 논쟁으로 안디옥의 이방인 신자들을 시험에 들게 한 것을 발견하고 분노하면서 예루살렘으로 올라가 공회를 소집합니다. 그리고 그 공회에서 이방인 신자들에게 유대인들도 지지 못했던 율법의 무거운 짐을 지우는 것이 합당치 않다는 결론을 내리고, 이방인들을 율법이 정하는 유대인들과 하나님 사이의 특별한 약속들, 즉 할례나 안식일을 지키는 규례 등으로부터 자유케 하자는 결의를 가졌던 것입니다.

바나바는 바울에게 1차 전도 여행에서 세워진 이방인 교회들을 순회하면서 그들에게 이 기쁜 결정사항을 전해주고 그들을 견고히 세워주자는 제안을 합니다. 둘은 이 일에 의견 일치를 보였지만 마가의 문제로 결국 갈라서고 맙니다. 바나바는 당연히 바울과 함께하고 싶었을 것입니다. 그러나 그는 자신의 조카였던 어린 마가를 그렇게 버릴 수가 없었습니다. 결국 바나바는 마가를 데리고 자신의 고향이었던 구브로 섬으로 갔습니다. 그리고 바울은 실라를 데리고 자신의 고향이었던 길리기아 지방의 다소를 지나 1차 전도여행의 기착지들이었던 더베, 루스드라, 이고니온 등지를 지나 소아시아를 향해 갔던 것입니다.

물론 성령께서 아직은 소아시아로 들어가는 것을 허락하지 않으셨고, 결국 성령님의 인도로 그들은 유럽으로 건너가게 된 것입니다. 이렇게 바울의 사역은 유럽으로 그 영향력을 펼쳐가기 시작했고, 훗날 아놀드 토인비는 그의 《역사의 연구》에서 "바울이 드로아에서 배타고 마게도니아 지방으로 건너갈 때에, 오늘의 발달된 유럽의 문명이 그의 배에 실려 있었다"라고 술회할 정도로 바울의 전도는 세계 역사의 판도를 뒤집는 결정적 역할을 하게 된 것입니다.

사실 바울이 유럽에 복음을 전하러 갈 때까지만 해도 유럽은 문명에 있어서 소아시아 혹은 그 이전에 있었던, 적도 부근의 포근한 날씨와 큰 강을 끼고 일어난 비옥한 곡창지대에서 생산되는 엄청난 양의 곡물들로 부를 소유했던 문명들과 견주어 볼 때 상당히 어려운 상황이었습니다. 일기도 좋지 않고, 땅은 철분과 석회질 등으로 농사에 전혀 적절치 못한 상황이었습니다. 그래서 유럽은 세계 문화를 주도할 지역으로 여겨지지 못했습니다.

그러나 바울의 선교를 통해 그리스도를 받아들인 유럽 사람들의 영혼이 깨어나기 시작했습니다. 기독교 신앙은 그렇게 창의적이고 개척적인 성향을 가지고 있습니다. 결국 유럽 사람들은 그 각박하게만 보였던 유럽의 토지 속에 감추인 보화인 지하자원들을 캐내어 산업혁명의 눈부신 발전을 이끌어 낸 것입니다. 그리고 세계 역사의 판도는 완전히 바뀐 것입니다. 작은 섬나라에 불과했던 영국이 세계를 지배하게 되고, 거기에서 신앙의 자유를 찾아 대서양을 건너간 사람들에 의하여 근현대 역사의 엄청난 영향력으로 떠오른 미국을 탄생시켰던 것입니다. 토인비가 말한 것처럼 바울은 역사를 뒤바꾼 사람이 되었습니다.

2. 아름다운 안디옥 교회

사도행전 13장의 초반부에 나오는 안디옥 교회의 모습은 우리에게 충격적인 사실들을 보여줍니다. 우선 거기에 리스트된 안디옥 교회의 지도자들의 명단을 보십시오. 여기에서 누가는 안디옥 교회의 다섯 명의 지도자들을 소개합니다.

● 첫 번째 인물이 바나바입니다. 우리는 이 사람에 대해 충분히 이야기했습니다.

● 두 번째 인물이 시므온입니다. 그의 별명은 '니게르'였는데, 이는 '흑인'을 일컫는 말입니다. 그는 아프리카 사람이었을 것이라는 추측이 가능해집니다. 어떤 사람은 이 사람이 구레네 시몬, 즉 예수님의 십자가를 대신 지고 갈보리 언덕에 올랐던 사람이었다고 믿고 있습니다. 물론 정확히는 알 수 없습니다.

● 세 번째 인물은 루기오입니다. 그는 구레네 사람이었고, 따라서 이 사람도 아프리

카 사람이었습니다. 그리고 사도행전 11:20을 통해서 우리는 이 사람이 안디옥 교회의 설립에 참여했던 사람 중 하나였음을 추측할 수 있습니다.

●네 번째 인물은 마나엔인데, 이 사람에 대해서는 어떤 번역본에서는 "헤롯의 절친" 이라고 되어 있고, 또 어떤 번역본에서는 "헤롯의 집안에 입양된 헤롯의 양형제"라고 소개하기도 합니다. 이 헤롯은 바로 세례 요한을 목을 베어 죽인 헤롯 안티파스를 말합니다. 그러니까 이 사람은 헤롯 왕가에서 자라난 사람입니다.

●다섯 번째가 바울입니다. 놀랍지 않습니까? 이 다섯 명의 안디옥 교회의 지도자들의 다양함을 보십시오. 어떤 사람은 왕실에서 자라난 사람입니다. 바나바는 구브로에서 온 레위 지파의 정통 유대인이었습니다. 바울은 다소에서 태어나 예루살렘에 유학해서 율법에 능통했던 인물이었습니다. 어떤 사람은 아프리카에서 왔습니다. 이 사람들이 함께 금식하며 주님을 섬기고(예배하고) 있었다는 것이 흥미롭습니다.

그때 성령님의 음성이 들려왔습니다.

"날 위해서 바나바와 사울을 따로 세워라."

그것은 결국 그들을 하나님께 바치라는 뜻입니다. 그들은 의심할 여지없이 안디옥 교회의 기둥이며 반석이었습니다. 그러나 안디옥 교회는 기꺼이 그들을 하나님께 드렸습니다. 여기에서 세계 선교의 아름다운 시작이 이루어진 것입니다. 성경을 통독해 가는 우리들에게도 하나님께서 무엇이든 말씀하실 수 있기를 바라며, 우리들 모두가 안디옥 교회의 지도자들처럼 쓰임받을 수 있기를 소원해 봅니다.

082

오직 믿음으로

로마서 1-8장

로마서는 전체를 3개의 단원으로 묶을 수 있습니다.

우리는 오늘 로마서 1장에서 8장까지 통독하겠습니다.

A. 교리편 (믿음)

#1 – 죄인의 칭의(1:1-5:11)

- 1:1-1:17: 서론 – 바울의 개인적인 인사, 바울 서신의 기록 목적 등
- 1:18-3:20: 인간의 죄를 드러냄 – 인간의 죄에 대한 하나님의 진노(1:18-32), 선한 백성의 죄를 드러냄, 율법 아래에서의 이스라엘의 죄를 드러냄, 죄의 보편성이 드러남
- 3:21-5:11: 하나님의 의를 드러냄 – 믿음으로 말미암은 칭의의 설명, 믿음으로 말미암은 의의 묘사, 믿음으로 말미암은 칭의의 여덟 가지 혜택들(하나님과의 화평, 은혜에 들어감을 얻음, 하나님의 영광을 바람, 인내(환난의 열매), 사랑, 성령, 진노하심으로부터의 구원, 기쁨)

#2 – 성도의 성화(5:12-8장)

- 5:12-21: 잠재적 성화
- 6:1-10: 위치적 성화
- 6:11-23: 실질적 성화
- 7:1-25: 능력이 없는 성화
- 8장: 성화를 위한 하나님의 새로운 제공

B. 이스라엘에 대한 특혜(소망: 9-11장)

C. 실천편(사랑: 12-16장)

〈주요 통독 자료〉

오직 믿음으로

로마서 1장에서 바울은 로마서의 서론으로 자신을 소개하고 자신의 로마 방문 계획에 대해 이야기했습니다. 그리고 그 마음에 하나님 두기를 싫어한 인생들을 하나님께서 또한 그 상실한 마음대로 버려두신 결과 인간의 본질이 짐승의 수준까지 전락해 버린 참담한 현실에 대해 말합니다.

바울은 2장에서 이와 같은 죄인들을 향한 하나님의 심판이 기다리고 있음을 선포합니다.

"율법 없는 이방인들이 이렇게 범죄하였다면 유대인은 좀 나은가?" 하는 질문을 던진 바울은 스스로 답합니다. 유대인들도 나을 것이 없다는 것입니다. 율법을 자랑하고, 할례를 자랑하는 유대인들도 역시 율법의 요구를 성취하지 못한 내면의 죄로 말미암아 표면적 유대인의 자리에 머물러 있다는 것입니다.

하지만 3장에서 바울은 유대인이 그래도 이방인들보다 우월한 부분은 있다고 말합니다. 그것은 바로 하나님의 말씀을 맡은 사람들로서의 사명을 감당했다는 것입니다. 실로 우리는 지금까지 하나님의 말씀이 보존되고 보전된 것에 대하여 유대인들에게 감사해야 합니다. 그들의 열성과 종교성이 아니었다면 하나님의 생명의 말씀을 우리는 오늘처럼 완전하게 가질 수 없었을 것입니다. 하지만 말씀을 받고 지켜온 자들이기에 그 말씀에 불순종한 유대인들 역시 정죄 아래 있기는 마찬가지라는 것입니다. 그래서 바울은 "의인은 없나니 하나도 없다"는 시편 14편의 말씀을 인용하며, 율법의 행위로는 하나님 앞에서 의롭다 함을 받을 육체가 전혀 없음을 선포합니다. 이어서 "모든 사람이 죄를 범하였으매 하나님의 영광에 이르지 못하더니, 그리스도 예수 안에 있는 속량으로 말미암아 하나님의 은혜로 값 없이 의롭다 하심을 얻은 자 되었다"고 예수 그리스도를 믿는 믿음으로 의롭다 하심을 받는 것을 처음으로 선포합니다.

로마서 4장에서 바울은 아브라함의 믿음을 우리에게 소개합니다. 그는 "없는 것을 있는 것같이 부르시는 하나님", 즉 창조의 하나님과, "죽은 자를 다시 살리시는 하나님",

즉 부활의 하나님을 믿었습니다. 바울은 "아브라함이 하나님을 믿으매 그것이 그에게 의로 여겨진 바 되었다"(창 15:6 참조)라고 선포합니다. 아브라함이 오직 믿음으로 말미암아 의롭다 하심을 받은 것은 그가 할례를 받기 이전의 일이라는 것입니다. 어떤 율법적 노력도 없이 그는 의롭다 하심을 받은 것입니다. 다만 믿음으로….

그리고 5장에서 바울은 우리가 믿음으로 말미암아 의롭다 하심을 받았기 때문에 하나님과 화평을 누리게 되었다는 것을 선언합니다. 그런 우리들에게 환난이 온다 하더라도 우리는 걱정이 없습니다. 왜냐하면 환난은 우리에게 인내를 가져오기 때문입니다.

이 인내는 단순히 참기만 하는 것을 의미하지 않습니다. 이것은 지키심의 의미가 있습니다. 환난 때문에 우리는 더욱 주님께로 가까이 나아가 기도하게 되기 때문에 환난은 더욱 우리를 하나님 안에 거하게 하는 것입니다.

그럴 때에 우리에게는 연단이 다가옵니다. 이 연단은 바로 Character입니다. 바로 성품인 것입니다. 주님 안에 계속 지키심을 받으며, 기도와 찬양과 예배를 통해 우리에게는 그리스도를 닮은 성품이 형성되는 것입니다. 그렇게 되면 우리의 인격 속에는 우리 주님께서 원하시는 소망이 심겨지는 것입니다.

그 소망은 성령으로 말미암아 사랑으로 우리 마음에 부은바 된 것이기 때문에 우리 예수님의 소망입니다. 예수님의 인격을 가졌고, 예수님의 성품을 가졌기 때문에 우리가 품는 소망은 더 이상 우리를 부끄럽게 하는 육신적이고 정욕적이고 세상적인 소망이 아니라 우리 주님의 소망이기에, 이 소망은 절대로 우리를 부끄럽게 하지 않을 것입니다. 얼마나 멋진 전개입니까?

그래서 바울은 한 사람 아담으로 말미암아 죄가 세상에 들어왔듯이, 한 분 예수 그리스도를 통해서 우리에게 영생이 오게 되었다고 선언합니다.

그리고 6장에 들어가면서 바울은 믿음으로 말미암아 의롭다 하심을 받은 우리에게 죄가 다시 있을 수 없다고 말합니다. 왜냐하면 죄에 대하여 우리가 못 박혀 버렸기 때문이라는 것입니다.

그러나 7장에 들어오면서 현실적인 갈등을 고백합니다. 의롭다 하심을 받았고 믿음으로 사는데, 아직도 자신의 속에 자신을 죄의 법 아래로 끌어가는 죄성이 도사리고 있음을 고백합니다.

그러나 다시 8장에서 바울은 우리에게 위대한 승리의 법이 있음을 선포합니다. 그것은 바로 그리스도 예수 안에 있는 생명의 성령의 법입니다. 이 법이 죄와 사망의 법에서 우리를 해방했다는 것입니다.

우리가 타고 다니는 비행기가 얼마나 육중합니까? 거기에 300~400명의 승객이 타고 그들이 가져가는 화물들을 싣고 있습니다 상상할 수 없는 무게를 가진 비행기가 육중한 무게를 늘어뜨리고 활주로에 서 있는 모습을 보십시오. 이 비행기는 만유인력의 법칙이라는 부정할 수 없는 자연 법칙의 지배를 받고 있습니다. 하지만 이 비행기의 엔진에 시동이 걸리고 이 육중한 비행기가 활주로를 미끄러져 갑니다.

그리고 이륙 결정선을 넘어서는 순간 파일럿이 조종간을 조종할 때 이 비행기는 땅을 박차고 그 육중한 몸이 하늘로 날아오릅니다. 그리고 이 비행기는 이내 만유인력의 법칙보다 더 우월한 Aero-dynamic이라는 새로운 법칙의 지배를 받게 되는 것입니다. 이 법칙의 힘이 더 크기 때문에 이 비행기는 만유인력의 법칙을 뿌리치고 하늘 높이 날아오르는 것입니다.

우리도 마찬가지입니다. 우리가 죄 아래 있을 때에 우리는 만유인력의 법칙처럼 우리를 지배하던 죄와 사망의 법의 지배를 받았습니다. 그러나 이제 우리는 예수 그리스도 안에 있는 생명의 성령의 법이라는 새로운 죄와 사망의 법보다 훨씬 우월한 법의 지배를 받게 되므로, 우리는 자유를 찾은 기쁜 새처럼 날아오르게 된 것입니다. 성령께서 우리를 자유하게 해주신 것입니다. 할렐루야!

이것이 로마서에서 바울이 전개하는 "오직 의인은 믿음으로 말미암아 살리라"는 이신득의의 교리입니다.

우리는 그리스도 예수 안에 있는 생명의 성령의 법의 지배를 받고 있기 때문에, 이제 우리에게 무슨 일이 다가온다 하더라도 그것은 오직 우리를 의롭다 하고(칭의), 거룩하게 하고(성화), 또한 영화롭게 하는 데 도움을 줄 뿐입니다.

무엇이 우리를 그리스도 예수 안에 있는 하나님의 사랑에서 끊을 수 있겠습니까?

누가 우리를 정죄할 수 있겠습니까?

이제 우리에게 다가오는 모든 것이 합력하여 선을 이루게 될 것입니다.

"사망이나 생명이나 천사들이나 권세자들이나 현재 일이나 장래 일이나 능력이나 높음이나 깊음이나 다른 어떤 피조물이라도 우리를 우리 주 그리스도 예수 안에 있는 하나님의 사랑에서 끊을 수 없으리라"(롬 8:38-39).

그래서 우리는 선포합니다.

"이 모든 일에 우리를 사랑하시는 이(예수님)로 말미암아 우리가 넉넉히 이기느니라."

이 구절을 영어 성경에서는 We are more than conqueror, 즉 우리는 어떤 정복자보다 더 강한 승리자들이라고 선포합니다.

We are the Champions!

이것이 바로 그리스도 안에 있는 하나님의 자녀들의 선포인 것입니다.

로마서는 전체를 3개의 단원으로 묶을 수 있습니다.

우리는 오늘 로마서 9장에서 16장까지 통독하겠습니다.

A. 교리편 (믿음)

#1 – 죄인의 칭의(1:1-5:11)

#2 – 성도의 성화(5:12-8장)

B. 이스라엘에 대한 특혜(소망: 9-11장)

- 9장: 과거의 이스라엘을 다루신 하나님
- 10장: 현재의 이스라엘에 대한 하나님의 목적
- 11장: 미래의 이스라엘에 대한 하나님의 목적

C. 실천편(사랑: 12-16장)

- 12-13장: 크리스천의 섬김

  (1) 하나님과의 관계(12:1-2)

  (2) 성령의 은사와의 관계(12:3-8)

  (3) 다른 신자들과의 관계(12:9-16)

  (4) 불신자들과의 관계(12:17-21)

  (5) 정부와의 관계(13:1-7)

  (6) 이웃들과의 관계(13:8-14)

- 14-16장: 크리스천들의 구별됨

  (1) 연약한 신자들과의 관계(14:1-15:3)

  (2) 신자들로서의 유대인들과 이방인들의 관계(15:4-13)

  (3) 바울의 로마인들과 일반적 이방인들과의 관계(15:14-33)

  (4) 크리스천들 상호간에 드러난 관계(16장)

〈주요 통독 자료〉

1. 아! 이스라엘

바울은 로마서 1-8장에서 '이신득의', 즉 믿음으로 말미암아 구원을 받는 진리를 선포했습니다. 그리고 9장에서 11장까지 잠시 그의 동족인 이스라엘 백성들을 향한 자신의 마음을 전합니다. 12-16장에서는 앞에 설명한 "오직 믿음으로 말미암아 구원을 얻는다"는 교리에 기초해서 크리스천들이 어떻게 살아야 하는가 하는 교리의 적용편, 즉 실천편을 제공해 줍니다.

바울의 서신서 기록의 패턴은 언제나 일정했습니다. 사실 바울의 서신서들은 대부분 교리적 서신들이었습니다. 그래서 바울은 전반부에서 항상 교리를 이야기하고, 후반부에 들어가면서 일반적으로 '그러므로'라는 접속사로 연결되는 실천편, 혹은 적용편을 제공하는 것입니다. 로마서에서 바울은 교리편과 적용편 사이에 일종의 삽화를 집어넣었습니다. 그것이 바로 그의 조국 이스라엘에 대한 바울의 안타까움입니다. 물론 이 세 장(9-11장)도 교리편에 집어넣을 수도 있습니다.

바울은 자신의 마음에 그의 동족들에 대한 그치지 않는 고통이 있다고 말합니다. 심지어 자신의 골육 친척, 즉 이스라엘을 위하여 자신이 저주를 받아 그리스도에게서 끊어질지라도 원하는 바라고까지 말합니다. 그들은 아브라함의 후손들로서 특별한 혜택을 입은 백성들이었습니다. 하지만 안타깝게도 그들은 율법의 의에 도달하지 못했고, 오히려 버려진 듯 보였던 이방인들은 오직 예수 그리스도를 믿는 순수한 믿음으로 의롭다 하심을 얻었다는 것입니다.

율법을 받은 하나님의 백성이라는 이스라엘 백성들의 자존심은 여지없이 짓밟혔습니다. 하지만 문제는 그들 자신에게 있었습니다. 그들은 자신들이 하나님의 친 백성이라고 주장하면서 도리어 그들을 위해 보내 주신 메시아를 그들이 배척한 것입니다. 자신들의 율법주의와 교만 때문에, 결국 메시아 예수 그리스도는 그들에게 거치고 부딪치는 돌이 된 것입니다. 소위 걸림돌이 된 것입니다. 예수 그리스도는 그를 믿지 않기로 작정한 사람들에게는 걸림돌이 됩니다. 그러나 그를 믿기로 작정한 사람들에게는 하나님께로 인도해 주시는 디딤돌이 되어 주십니다.

10장에 들어가면서 바울은 이스라엘 백성들의 문제가 열심은 있으되 그것이 지식을 좇는 열심이 아니라는 것입니다. 나름대로는 자신의 의를 세우느라고 종교적인 온갖 열심을 다 내고 있지만, 사실상 그런 육신적인 노력으로는 하나님의 의에 결코 도달하지 못한다는 것입니다. 대신 이방인들은 예수 그리스도의 약속을 그대로 믿은 것입니다. 자신들의 죄를 고백하고, 순수하게 예수 그리스도를 영접하고, 주님을 위한 변화된 삶을 살아나갔습니다. 바울은 "말씀이 네게 가까워 네 입에 있으며 네 마음에 있다 하였으니 곧 우리가 전파하는 믿음의 말씀이라"고 했습니다. 구원은 아주 가까운 곳에 있습니다. 복음을 듣고 입으로 고백하기만 하면 되는 것입니다. 그래서 바울은 구원이 우리의 입에 있고, 우리의 마음에 있다고 말하는 것입니다. 이것은 유대인이나 헬라인이나 차별이 없습니다. 그러나 유대인들의 우월감이 이 단순한 복음을 받아들이지 못하게 했습니다. "믿음은 들음에서 나고 들음은 그리스도의 말씀으로 말미암았다"는 것이 바울의 설명입니다.

하지만 11장에 들어가면서 바울은 그래도 하나님께서 이스라엘을 포기하신 것은 아니라는 것을 분명히 합니다. 그러면서 바울은 흥미로운 설명을 합니다. 참감람나무에 돌감람나무가 접붙임을 받을 때에 참감람나무가 된다는 것입니다. 그러나 돌감람나무 가지가 접붙임을 받기 위해서는 참감람나무의 가지가 잘려 나가야 한다는 것입니다. 참감람나무 가지가 잘려 나간 자리에 돌감람나무가 접붙임을 받게 되는 것입니다. 이것이 바로 이스라엘이 잠깐 이방인의 구원의 때가 찰 때까지 하나님을 거역하도록 하나님께서 허락하신 이유라는 것입니다.

타락한 이스라엘 백성의 일원이었던 엘리멜렉 일가가 불신앙으로 모압으로 내려갔습니다. 그러나 그들의 타락한 행동이 결국 구원의 가능성이 전혀 없는 모압 여인으로 태어난 룻을 구원에 이르게 한 계기가 된 것입니다. 같은 맥락이라 할 수 있습니다. 하지만 이방인의 때가 끝나는 날이 옵니다. 그러면 하나님께서는 이스라엘을 본격적으로 다루게 되실 것입니다. 그것이 바로 7년 대환란의 마지막 3년 반에 벌어질 유대인들의 끔찍한 고난의 시간들의 개념입니다. 그러나 그 환난이 끝나고 하나님께서는 이스라엘에 다시금 구원을 선포하실 것입니다. 결국 지상에 재림하실 예수님은 예루살렘에 보좌를 높이시고 천 년 동안 온 세계를 통치하시는 왕국시대를 펼치신 것입니다. 소위 '천년왕국'을 말합니다. 그러므로 하나님은 이스라엘을 절대 포기하지 않으셨습니다. 그리고 다행히 이스라엘이 타락한 그 기간 중에 하나님께서는 우리 이방인들에게 구원의 문호를 개방해 주신 것입니다. 오직 예수 그리스도를 믿는 순수한 믿음으로 말입니다.

2. 거룩한 산 제사의 삶

바울은 12장부터 16장까지 전반부의 이신득의의 교리에 기초해서, 그러면 크리스천들이 어떻게 살아야 할 것인가를 규정해 줍니다. 신자는 예수 그리스도의 핏값으로 사신바 된 하나님의 백성들이므로 그 몸을 거룩한 산 제사로 드리는 삶을 살아야 합니다.

12장에서 바울은 하나님께 거룩한 산 제사를 드리는 삶을 살기 위하여 성령의 은사를 받아야 함을 가르칩니다. 고린도전서 12장에서 우리는 성령의 은사들을 봅니다. 그 은사들은 주로 개인적 유익을 위한 은사들로, 개인의 영성을 높여 주고 하나님과의 교제의 깊이를 더해 주었습니다. 물론 그 은사들도 결국은 교회, 즉 그리스도의 몸을 세우는 일을 위해 주어진 것이긴 합니다. 하지만 로마서 12장에 나오는 성령의 은사들은 진실로 다른 이들을 섬기는 일에 필요한 은사들입니다. 다스리는 은사, 섬기는 은사, 격려해 주는 은사, 가르치는 은사, 드리고 나누어 주는 은사, 위로하는 은사…. 이런 은사들의 도움으로 우리는 거짓이 없는 사랑을 해야 하며, 게으르지 말고 부지런히 열심을 품고 주님을 섬겨야 합니다. 그리고 이 은사들은 자신을 박해하고 고통을 주는 원수들까지 사랑하게 만드는 놀라운 능력을 제공해 줍니다.

13장에서 바울은 이 세상에 대하여 그리스도인들이 감당해야 할 사명을 이야기합니다. 국가 지도자들은 주께서 세우신 자들이므로 복종해야 합니다. 그래야 국가가 설 수 있습니다. 그리고 다른 신자들과의 관계에 있어서 피차 사랑의 빛 이외에는 어떤 빛도

지지 말아야 합니다. 상처나 손해를 입히는 일은 안 됩니다.

14장에서 바울은 우리가 다른 형제를 비판할 자격이 없음을 가르쳐 줍니다. 다른 형제들 모두가 그리스도께 속했으니, 그리스도의 소유된 자들입니다. 그러므로 우리가 남을 판단한다는 것은 그리스도의 고유의 권리를 침해하는 일인 것입니다. 또한 15장에서 바울은 연약한 지체들을 대하는 방법을 가르쳐줍니다. 우리는 절대로 남의 약점을 꼬집어서 유익을 취하려는 사람들이 되어서는 안 됩니다. 그리스도께서도 자신을 기쁘시게 하지 않으시고, 타인을 구원하시려고 그 연약함을 십자가에서 담당해 주셨다는 것을 기억해야 합니다. 그러면서 15장의 후반부에서 바울은 자신의 복음의 사도로서의 제사장직에 대해 변호합니다. 그리고 자신의 로마 방문 계획에 대해 다시 한 번 밝혀줍니다. 그리고 16장은 로마의 신자들에게 전하는 인사의 글들입니다.

우리는 앞으로 바울 서신들을 읽어 나갈 텐데, 그 서신서들의 말미에 등장하는 수많은 크리스천들의 이름을 주목해 볼 필요가 있습니다. 바울은 위대한 사도였으나 성도 개개인과 아주 깊은 교제와 사귐을 나누고 있었습니다. 그들을 위해 늘 기도했고, 문안 인사에 꼭 포함되어야 할 사람들을 빠짐없이 포함시켰습니다. 여기에서 우리는 바울의 사랑을 봅니다. 그는 참으로 사람을 사랑한 사람이었습니다. 그것이 주의 종들의 가장 큰 미덕입니다.

3. 로마서에서의 예수님은

로마서에서 예수님은 첫 아담의 범죄로 멸망이 기정사실이 된 인간들을 구원하기 위하여, 인류의 대표로 십자가에 못 박혀 죽으심으로써 구원을 이루어 주신 마지막 아담이십니다. 오직 그를 믿는 믿음 안에만 구원이 있습니다. 우리의 유일한 구원의 길이 되어주신 예수님을 찬양합시다.

084

고린도 교회의 문제들
고린도전서 1-7장

고린도전서는 전체를 3개의 단원으로 묶을 수 있습니다.

우리는 오늘 고린도전서 1장에서 7장까지 통독하겠습니다.

A. 문안과 감사(1:1-9)

B. 고린도 교회의 상황에 관하여(1:10-16:9)

● 1-4장: 나눔과 분리의 문제

● 5-6장: 고린도 교회의 좋지 않은 소문에 관하여

〈부정함-5장〉, 〈교인들 간의 고소건-6장〉

● 7장: 결혼에 관하여

● 8:1-11:1: 크리스천의 자유에 관하여

● 11:2-16: 여성의 의복에 관하여

● 11:17-34: 주님의 성찬에 관하여

● 12-14장: 성령의 은사들에 관하여

● 15장: 복음에 관하여

● 16:1-9: 헌금에 관하여

C. 결론과 권고, 그리고 축도(16:10-24)

〈주요 통독 자료〉

1. 고린도전서의 배경

사도행전 18장에서 우리는 바울에 의하여 고린도에 교회가 세워지는 것을 보았습니다. 거기에서 우리는 회당장이었던 그리스보와 그의 가족이 믿음을 갖게 되었다는 것을 읽었습니다. 또한 고린도의 또 다른 회당 지도자였던 소스데네가 바울을 법정에 고발했다는 것과 로마의 재판장이었던 갈릴레오가 그것을 기각했다는 것을 읽었습니다.

갈릴레오는 "만약 그것이 로마의 법에 관한 것이었다면 너의 말을 들었겠지만 이것은 오직 종교와 언어에 관련된 것으로서 나는 여기에 관여할 것이 없다"고 했습니다. 따라서 고소를 했던 회당의 지도자 소스데네는 군중들에 의하여 구타를 당했습니다. 이 로마의 재판관 갈릴레오는 그런 부류의 일들에 대해서는 전혀 관여하지 않았습니다. 그는 오직 로마의 정의에 대해서만 관심을 갖고 있었습니다. 고린도 교회는 이렇게 시작되었습니다. 바울은 주께서 이상 중에 나타나셔서 "이 성에 내 백성이 많다"고 하셨으므로 일정 기간 동안 고린도에 더 남아서 거기에 교회를 세웠던 것입니다.

후에 바울은 고린도에서 떠나 에베소로 갔습니다. 그곳에서 바울은 어떤 형제들을 만났습니다. 그는 성령의 권능으로 그들과 더불어 예수 그리스도의 복음을 더욱 깊이 나누었습니다. 바울은 에베소에 3년간 머물렀으며, 그 기간 중에 에베소 교회를 세웠던 것입니다. 에베소에서의 3년이 거의 끝나갈 무렵 바울은 자신이 떠난 후 고린도 교회에 약간의 문제가 발생했다는 이야기를 전해 듣게 되었고, 그래서 고린도에 편지를 썼습니다. 당시 고린도 교회는 내분을 겪고 있었습니다. 바울은 이렇듯 그리스도의 몸을 나누는, 그들 안에 있었던 분열의 문제에 관하여 이 편지를 쓴 것입니다.

또한 고린도에는 도덕성의 문제가 있었습니다. 성찬 예식에 관련된 문제도 있었습니다. 공적인 예배 안에서 성령의 은사들의 활용에 있어서도 문제를 가지고 있었습니다. 또한 죽은 자의 부활에 관한 신학적인 문제도 가지고 있었습니다. 이에 바울은 기본적으로 자신이 주목하고 있던 고린도 교회의 문제들을 바로잡아 주기 위한 일종의 교정 목적으로 고린도인들에게 보내는 이 편지를 쓴 것입니다.

2. 고린도 교회의 일반적인 문제점들

고린도 교회는 참으로 신기한 위치에 있었습니다.

그 교회 안에는 참으로 다양한 종류의 신령한 은사들을 가지고 있는 자들이 많았습니다. 그런데 성령의 은사를 받는 것과 영적인 성숙의 문제는 직접적 연관이 없다는 것을 고린도 교회가 잘 보여줍니다. 왜냐하면 각양의 놀라운 은사들이 충만하긴 했지만 고린도 교회 안에는 미성숙의 증거가 되는 여러 가지 일들이 동시에 일어나고 있었습니다.

먼저 바울은 고린도 교회의 분열에 관한 문제를 다루어야 했습니다. 고린도 교인들 안에는 "나는 바울에게 속했다", "나는 아볼로에게 속했다", "나는 게바에게 속했다"라는 논쟁들이 있었습니다. 각자 자신에게 은혜를 끼친 하나님의 종들에게 자신들이 속했다고 믿고 있었던 것입니다. 하지만 바울은 자신들은 모두 그리스도를 위하여 부르심을 입은 종들에 불과하다고 말합니다.

역할은 다 달랐습니다. 바울은 심고, 아볼로는 물을 주고, 그러나 정작 자라게 한 분은 그리스도이셨습니다. 오늘 우리 교회 안에도 이런 종류의 분열의 가능성들이 많습니다. 그러나 오직 내가 그리스도께 속했다는 점에서 일치를 볼 수 있다면 많은 종류의 분열은 해결될 것입니다. 더욱 우리를 놀라게 하는 것은, 은사가 충만하다는 사람들이 사회적으로 아주 부도덕한 일들을 하고 있었다는 것입니다. 그리스도 안에서의 형제를 세상 법정에 고소하는 사건이 벌어지기도 했고, 성적인 부도덕의 문제도 있었습니다. 그것도 극단적인 범죄들, 예컨대 아들이 어머니와 더불어 간음을 하는 사건까지 벌어지고 있었다는 것입니다.

심지어는 교회에서 갖는 주의 만찬, 즉 성찬의 제도에도 문제가 있었습니다. 그리스도의 십자가와 하나됨을 기념하기 위하여 제정된 성찬을 육신적 배를 불리는 일로 삼으려던 사람들이 있었고, 완전한 교제의 연합을 이루지 못하고 성찬을 나누는 일에서까지 파벌을 조장하는 사람들이 있었습니다.

더욱 놀라운 일은, 성령의 은사 활용에 있어서 큰 분열이 있었다는 것입니다. 방언을 하는 사람은 예언하는 자들을 무시하고, 예언하는 자들은 방언하는 자들을 무시하고, 제각기 자기가 받은 은사만을 최고라고 생각했습니다.

이렇듯 예배 안에서 아무런 질서도 없이 모두가 자기 자랑의 퍼레이드를 벌이고 있었던 것입니다. 그래서 바울은 성령의 은사의 종류들과 그 활용의 방법에 대하여 가르쳐야 했습니다. 그리고 죽은 자의 부활에 관한 신학적인 문제들도 있었습니다. 그래서 바울은 자신의 복음을 재정립해서 고린도 교인들을 가르쳤습니다. 성령의 은사는 자신이 탁월해서 받은 것이 아닙니다.

주님께서 그 사람을 어느 방면에서 사용하고자 하는 의지를 갖고 계셔서, 그 분야의 섬김을 위한 은사들을 선물로 주신 것뿐입니다. 여기서 바울은 성령의 은사들을 주신 이유는 오직 그리스도의 몸을 세우기 위한 것임을 분명히 합니다.

은사는 그 은사를 받은 사람을 자랑하게 하기 위해 주어진 것이 아닙니다. 오직 그리스도의 몸, 즉 교회를 세우기 위하여 주어진 것입니다. 그러니 자신에게 있는 은사를 자랑하거나, 교만하게 우월감을 가지고 남을 판단하는 것은 어리석은 일이고 죄악입니다. 소위 성령의 은사를 받았다는 사람이 교만하게 자신을 내세우려 한다면 그것은 은사가 아닙니다.

예수님은 사도행전 1:8에서 "오직 성령이 너희에게 임하시면 너희가 권능을 받고 예루살렘과 온 유대와 사마리아와 땅 끝까지 이르러 내 증인이 되리라"고 하셨습니다. 성령의 은사가 주어지면 예수님만 증거하고, 예수님만 자랑하는 것이 맞습니다. 그것이 진짜 성령님께로부터 주어진 은사들입니다.

고린도 교회는 다양한 은사들의 경험이 있었지만 그것을 올바로 활용하는 것에 대한 지식이 결핍되어 있었고, 영적인 미성숙의 전형적인 모습들을 가지고 있었습니다. 고린도전서를 통독하면서 우리 자신에게 주어진 은사들이 무엇인지가 발견되고 개발되는 은혜가 있기를 바라며, 우리 모두가 그리스도만 자랑하고 그리스도의 몸 된 교회를 세우는 성도들이 되기를 간절히 바랍니다.

085

구원의 반석, 그리스도

고린도전서 8-16장

고린도전서는 전체를 3개의 단원으로 묶을 수 있습니다.

우리는 오늘 고린도전서 8장에서 16장까지 통독하겠습니다.

A. 문안과 감사(1:1-9)

B. 고린도 교회의 상황에 관하여(1:10-16:9)

● 1-4장: 나눔과 분리의 문제

● 5-6장: 고린도 교회의 좋지 않은 소문에 관하여

　〈부정함-5장〉, 〈교인들간의 고소건-6장〉

● 7장: 결혼에 관하여

● 8:1-11:1: 크리스천의 자유에 관하여

● 11:2-16: 여성의 의복에 관하여

● 11:17-34: 주님의 성찬에 관하여

● 12-14장: 성령의 은사들에 관하여

● 15장: 복음에 관하여

● 16:1-9: 헌금에 관하여

C. 결론과 권고, 그리고 축도(16:10-24)

〈주요 통독 자료〉

1. 자유에 관하여

바울이 고린도 교회에 크리스천들의 자유함에 관하여 이야기하는 데는 그 도시의 상황에 대한 이해가 필요합니다. 고린도는 우상숭배의 메카였습니다. 자연히 많은 우상숭배로 인해 신전에 매일 바쳐지는 송아지는 엄청난 양이었으므로 신전에 식당이 함께 운영되는 경우가 많았습니다. 그 신전 식당에는 당연히 우상에게 제사로 바쳐졌던 소고기들이 팔리고 있었습니다. 뿐만 아니라 고린도의 소위 아고라, 즉 시장에서 판매되는 고기들은 대부분이 신전에서 나오는 고기들이었습니다. 고린도의 믿음이 연약한 신자들은 이 신전에서 나오는 우상숭배에 사용된 고기를 먹는 일이 우상숭배에 참여하는 행위와 같다고 생각하고 있었습니다. 그러나 바울은 자신에게 자유함이 있다고 말합니다. 왜냐하면 몸으로 들어가는 것이 사람을 더럽게 하는 것이 아니고, 몸에서 나오는 것이 사람을 더럽게 한다는 예수님의 말씀에 대한 이해가 바울에게 있었기 때문입니다.

또한 시장의 어떤 고깃집에서 불고기를 먹고 있다고 가정할 때, 그 고기가 우상에게 바쳐졌던 고기인지 아니면 순수한 도살로 나온 고기인지 어떻게 알겠습니까? 그러니까 바울은 자신의 양심의 자유를 위하여 그 고기가 어떤 고기인지 묻지 말고 먹으라는 것입니다. 바울은 이 일에 자유함이 있었습니다. 그러나 바울의 논조는 자신에게는 그 자유함이 있지만, 만약 믿음이 연약한 사람이 바울이 고깃집에서 고기를 먹는 것을 보면서 그가 우상에게 바쳐진 고기를 먹는다는 것 때문에 시험에 들 수 있다는 것입니다. 그래서 바울은 자신에게 자유함이 있지만 믿음이 연약한 지체를 위하여 자신은 평생 고기를 먹지 않는 쪽을 택해도 상관없다는 것입니다.

세상 사람들이 생각하는 자유는 자기가 하고 싶은 것을 마음껏 하는 것입니다. 그러나 크리스천의 진정한 자유는 자기가 하고 싶고 또한 할 능력도 있는 일이라도 주님을 기쁘시게 하기 위하여 참아낼 수 있는 자유입니다. 그것이 진정한 자유라는 것입니다. 바울은 그 자유를 가졌다는 것입니다. 이것을 또한 바울은 자신의 몸을 쳐 복종케 하는 것으로 설명했습니다.

10장에서의 세례와 성찬에 관한 가르침을 잠시 뛰어넘어 11장에서 자유에 대한 바울의 설명을 좀더 보겠습니다. 바울은 유대인들의 고정관념 속에 남자가 긴 머리를 가지는 것은 수치스런 일이라고 했습니다. 그게 왜 수치가 되는지는 모르겠습니다. 다만 유대인들에게는 그런 사고방식이 있었던 모양입니다. 여성들이 긴 머리를 가지는 것은 자기 위에 자기를 다스리는 남편이 있다는 것을 의미하기 때문에 영광입니다. 그러나 당시 고린도 여성들은 머리를 빡빡 미는 것이 유행이었습니다. 바울은 그런 것을 본받지 말라고 말한 것입니다. 대신 남성들이 긴 머리를 갖는 것은 자기 위에 자기를 다스리는 누군가가 있다는 의미이기 때문에 그것을 수치로 여긴다는 것입니다. 그렇다면 나실인의 규례에서 나실인은 머리를 깎지 말아야 한다는 것의 의미가 무엇인지 분명해집니다. 그것은 나실인은 그 머리 위에 그를 다스리는 하나님이 항상 계시다는 것을 나타내는 것이며, 주님을 위하여 기꺼이 수치를 겪을 준비가 되어 있다는 의미가 되는 것입니다.

2. 광야 교회의 세례와 성찬

10장에 들어가면서 바울은 이스라엘의 광야 생활의 두 가지 경험에 대하여 흥미로운 설명을 덧붙입니다. 우선 바울은 이스라엘이 홍해를 건넌 사건을 세례에 비유합니다. 그들은 갈라진 홍해를 건넜으므로 그들의 양옆은 다 물로 된 벽이었습니다. 그리고 그들의 위에는 구름기둥이 있었습니다. 구름은 다 물 아닙니까? 그들의 위에도 물이고 양옆에도 물입니다. 그러니 물로 된 터널을 지나간 것과 같은 것입니다. 그것을 바울은 세례 예식의 상징으로 본 것입니다. 홍해를 건넌 뒤에는 하늘에서 내린 만나를 먹었습니다. 그리고 반석에서 솟아난 생수를 마셨습니다.

요한복음 6장에서 예수님은, 이 하늘에서 내린 만나가 바로 예수 그리스도의 육체를 의미한다고 말씀하셨습니다. 그리고 반석에서 솟아난 생수는 바로 예수 그리스도의 보혈을 상징하는 것입니다. 그렇다면 이스라엘 백성들은 광야에서 예수 그리스도의 몸과 피에 참예한 것입니다. 이것을 바울은 성찬의 상징으로 본 것입니다. 홍해에서 세례를 받고, 광야에서 성찬을 나눈 것입니다. 세례와 성찬, 이 두 가지는 예수 그리스도께서 그의 교회로 하여금 지키도록 제정하신 성례입니다.

여기에서 바울은 중요한 것 한 가지를 말합니다. 이스라엘 백성들이 광야에서 생수를 마신 그 반석은 바로 예수 그리스도이셨다는 것입니다. 요한복음 7:37-39에서 예수님은 "누구든지 목마르거든 내게로 와서 마시라 나를 믿는 자는 성경에 이름과 같이 그 배에서 생수의 강이 흘러나리라"고 말씀하셨습니다. 그리고 요한은 예수님의 이 말씀이 "그를 믿는 자들이 받을 성령을 가리켜 말씀하신 것"이라고 주석을 달아주었습니다. 세례나 성찬의 형식적인 행사들이 우리를 구원하지 못합니다. 그것들이 의미하는 예수 그리스도를 믿는 것이 바로 구원의 길인 것입니다. 세례를 받음으로써 구원받는 것이 아닙니다. 오히려 구원은 예수 그리스도를 믿는 것으로만 받는 것입니다.

구원을 받았기 때문에, 예수님의 말씀에 순종하여 세례에 참여함으로써 자신이 거듭난 그리스도인이 되었다는 것을 고백하는 것입니다. 장막절 명절에 매일 어거지로 생수를 퍼다 반석에 붓던 유대인들로서는 진정한 생명의 물을 마시지 못했던 것입니다. 그래서 예수님은 "너희가 목마르거든 이런 종교적 예식이 아니라, 내게로 곧바로 오라"고 하시는 것입니다. 그래야 생수의 강물을 마음껏 마실 수 있고, 우리의 전 인격으로부터 흘러 넘쳐서 많은 영혼들을 향하여 흘려보낼 수 있는 것입니다. 다시 요한복음 6장에서 예수님은 "너희 조상들은 광야에서 하늘에서 내린 신령한 떡을 먹고도 죽었거니와 나를 먹는 자는 영원히 살리니…내 살은 참된 양식이요 내 피는 참된 음료로다"라고 말씀하셨습니다. 우리는 예수 그리스도를 믿고 그분에 참예한바 된 자녀들이 되어야 하는 것입니다. 바울은 바로 이 사고에 입각해서 교회의 성찬 예식의 규례를 제공해 줍니다.

3. 성령의 은사들

고린도 교회는 성령의 다양한 은사들이 나타났던 교회였습니다. 그러나 그 은사들이 덕스럽게 사용되지 못하여 교회에 혼돈을 초래하고 있었습니다. 은사는 문자 그대로 '선물'(Gift)입니다. 선물은 받는 사람의 인격의 변화와 아무 상관이 없습니다. 선물은 오히려 주는 분의 성품과 능력을 고스란히 반영합니다. 성령의 은사 역시 주시는 분, 곧 성령님의 능력과 성품을 그대로 반영하고 있는 것입니다. 은사를 받은 사람이 우월감을 가질 이유가 전혀 없다는 것입니다.

그리고 그 은사들을 활용하는 가장 중요한 원칙은 그리스도의 몸 된 교회를 세우는 일입니다. 성령의 은사를 활용해서 자신의 유익을 채운다든지, 혹은 자신의 인기나 명성을 높이려 한다든지 하는 것은 다 가짜입니다. 왜냐하면 성령께로부터 온 은사들은 오직 예수님만 높이게 하고, 사람을 더욱 겸손하고 예수님의 성품을 닮아가게 하는 것이어야 하기 때문입니다. 그런 의미에서 12장의 지체에 대한 바울의 비유는 정말 절묘합니다. 첫째 누구도 남은 다 필요 없고 자신만 최고라고 해서는 안 되고, 둘째, 누구도

나는 보잘것없으니 당신들이 다 하라고 해서도 안 됩니다. 또한 몸의 연약한 지체일수록 더욱 귀한 것을 입혀주며, 연약한 지체의 연약함을 다른 지체가 함께 감당해야 한다는 것입니다.

그래서 무슨 탁월한 은사가 있다 하더라도 그 은사로 사람을 세우고 하나님의 뜻을 이루는 사랑 안에서 사용되지 않으면 아무 소용이 없다는 것이 13장의 가르침입니다. 14장에서 바울은 특별히 방언과 예언, 두 가지 은사들에 대해 집중적으로 다룹니다. 그것이 고린도 교회의 논쟁의 쟁점이었기 때문입니다. 방언은 하는 자신도 무슨 뜻인지 모릅니다. 그러니 공적인 장소에서 군중들을 상대로 방언을 하는 것은 합당치 않다고 말합니다. 방언은 통역의 은사가 있는 사람을 세워서 통역을 하게 하는 경우를 제외하면 은밀한 공간에서 혼자 하라고 말합니다. 그러나 예언은 모든 사람들이 알아들을 수 있는 언어로 하는 것이므로, 예언은 많은 사람들을 상대로 활용할 수 있는 것입니다. 이 모든 은사 활용의 원칙 위에 사랑이 더해져야 하며, 모든 은사는 순서대로 질서 있게 활용되어야 합니다.

4. 사망아 너의 쏘는 것이 어디 있느냐

15장에서 바울은 예수님의 십자가와 부활의 권능에 대해서 변호합니다. 부활하신 예수님께서 직접 만나주신 사람들의 리스트가 이어지고, 그리스도의 부활은 그를 믿는 모든 이들의 부활을 확신케 했다는 선언이 이어집니다. 우리는 썩을 것으로 심고 썩지 않을 것으로 다시 살며, 욕된 것으로 심고 영광스러운 것으로 다시 살며, 약한 것으로 심고 강한 것으로 다시 살며, 육의 몸으로 심고 신령한 몸으로 다시 살아나는 것을 믿어야 합니다. 우리는 부활의 주님으로 인하여 사망을 이겼습니다. 할렐루야!

고린도후서는 전체를 3개의 단원으로 묶을 수 있습니다.

우리는 오늘 고린도후서 전체(1장에서 13장까지)를 통독하겠습니다.

A. 하나님의 위로 (1-7장)

- 1:1-2: 서론
- 1:3-24: 삶의 계획들에 대한 하나님의 위로
- 2장: 죄 가운데 있는 성도의 회복에 대한 하나님의 위로
- 3장: 영광스런 그리스도의 사역 안에서의 하나님의 위로
- 4장: 그리스도를 위한 고난의 사역 안에서의 하나님의 위로
- 5장: 그리스도를 위한 순교의 사역 안에서의 하나님의 위로
- 6장: 그리스도를 위한 사역의 모든 상황 속에서의 하나님의 위로
- 7장: 바울의 마음속에서의 하나님의 위로

B. 예루살렘의 가난한 성도들을 위한 헌금(8-9장)

- 8:1-6: 크리스천의 헌금의 모범
- 8:7-15: 크리스천의 헌금에 대한 권고
- 8:16-9:5: 크리스천의 헌금에 대한 설명
- 9:6-15: 크리스천의 헌금에 대한 격려

C. 바울 사도의 소명(10-13장)

- 10장: 바울의 사도직의 검증
- 11장: 바울의 사도직의 변명
- 12장: 바울의 사도직의 계시
- 13:1-10: 바울의 사도직의 집행
- 13:11-14: 바울의 사도직의 결론

〈주요 통독 자료〉

1. 고린도후서의 집필 동기

고린도전서 마지막 장에서 바울은 자신이 고린도에 갈 것이라고 했습니다. "내가 마게도냐를 지날 터이니 마게도냐를 지난 후에 너희에게 가서"(고전 16:5).

그리고 바울은 만일 주께서 허락하시면 그곳에서 겨울을 날지도 모르겠다고 했습니다.

우리는 여기에서 바울이 주님께 유연성에 대한 많은 훈련을 받았다는 것을 볼 수 있습니다. 우리가 사도행전을 통해서 이미 배웠듯이, 그의 사역의 많은 스케줄들이 하나님의 의도로 변경되는 일들이 자주 있었습니다. 하지만 이 시점에 바울은 오순절까지는 에베소에 머물겠다고 했습니다. 그것이 바울의 계획이었습니다. 바울은 에베소에서 자신이 그렇게 큰 소동에 휘말리게 될 줄은 몰랐습니다. 바울은 거기서 자신이 사형 언도를 받은 것이라고 생각할 정도였습니다. 결국 바울의 계획은 바뀌게 된 것입니다.

에베소에는 바울과 그의 가르침에 대해서 별로 영향을 받지 않은 사람들이 있었습니다. 그들은 바울의 가르침을 별로 좋아하지 않았습니다. 그들은 바울을 평가절하하기 시작했습니다. 그의 사도직에 대하여 도전하면서, 바울의 영향 아래 있었던 고린도의 성도들에게 바울을 깎아 내리기 시작했습니다. 고린도 교회는 바울에 의해서 세워졌습니다. 그러므로 고린도 교회는 바울의 자녀라고 해도 과언이 아니었습니다. 바울은 남이 닦아 둔 터 위에 집을 짓는 일은 하지 않겠다는 것이 그의 철학이었습니다.

그래서 그는 갖은 고난과 박해를 견뎌가면서 아직 주님을 알지 못하는 지역에 교회를 세웠던 것입니다. 그렇게 피 흘려 세운 교회에 거짓 교사들이 거짓말로 사람들을 현혹하여 성도들의 마음이 바울에게서 돌아서는 것을 볼 때 바울은 심히 아팠을 것입니다. 우리가 사역을 하다 보면 그런 경험들을 할 때가 많이 있습니다. 그것은 정말 아픈 일입니다. 그래서 바울은 이 고린도후서를 쓰면서 그런 아픈 마음으로 쓰고 있는 것입니다. 그렇게 사랑을 주면서 길러낸 성도들이 거짓 교사들의 거짓말에 확인도 해 보지 않고 속아서 바울에게서 등을 돌릴 때, 그것은 정말 큰 아픔일 수밖에 없는 것입니다. 다른 사람에 대해서 이렇게 참소하는 일이 그렇게 1세기교회 안에서부터 있었다는 것이 참으로 가슴 아픈 일입니다.

사람들이 바울에 대해 도전하고 있었던 것은 그의 사도직에 관한 것입니다. 그들은 예루살렘 교회가 바울에게 안수한 적도 없었고, 그는 자기 스스로 사도가 되었다고 주장했습니다. 그래서 그는 자신이 하나님의 뜻을 따라 그리스도 예수의 사도가 된 자라고 자신을 소개하고 있는 것입니다. 바울은 에베소의 폭동으로 인하여 갑자기 에베소를 떠나야 했습니다. 그래서 그는 드로아에 가서 디도가 고린도의 소식을 가지고 오기를 기다려야 했습니다.

바울은 에베소에서 고린도에 편지를 보냈는데, 첫 번째 편지는 상당히 딱딱한 편지였습니다. 고린도 교회가 가지고 있었던 문제를 수정해 주기 위한 목적으로 편지를 썼기 때문입니다. 때로 바울은 그들을 꾸짖기도 했습니다.

이때 바울의 마음속에는 굉장한 궁금증이 있었을 것입니다.

'그들이 내 편지를 어떻게 받았을까? 그들은 내 중심을 이해해 주었을까? 아니면 혹시 화가 난 것은 아닐까?'

이런 생각들로 고린도의 소식을 가지고 디도가 오기를 기다리고 있었던 것입니다.

바울은 드로아를 떠나서 빌립보로 갔습니다.

바로 이 빌립보에서 비로소 디도가 바울을 따라잡은 것입니다. 디도는 바울의 첫 번째 편지에 대한 고린도 교회의 반응을 바울에게 전했습니다. 특별히 고린도 교회 안에 바울의 사도직에 대한 불신이 일어나고 있다는 소식을 접했기 때문에 바울은 먼저 자신의 사도직에 대한 변론으로 이 편지를 시작한 것입니다. 그리고 이 편지 전반에 걸쳐서 바울은 그 부분에 대한 변론을 합니다.

2. 바울의 섬김과 사역에 나타난 그의 사도직의 변호

바울은 위에서 말한 대로 자신의 사도직에 대한 변호를 하려고 이 책을 썼습니다. 먼저 그는 자신의 사역 가운데서 당한 고난과 역경들에 대해 술회합니다. 그가 만약 사도가 아니라면 그렇게 끔찍한 고난과 역경을 굳이 겪으면서 자신의 사도직을 지키려 하지 않았을 것이라는 의미입니다.

바울은 먼저 1장에서 "그리스도의 고난이 넘친 것처럼 위로 또한 그리스도로 말미암아 넘친다"(고후 1:5)고 말합니다. 그 위로는 자신에게만 아니라, 자신이 받은 고난으로 인하여 은혜를 받은 고린도 교인들에게도 향하고 있다고 그는 말합니다. 그러면서 자신의 고린도행이 늦어진 이유를 설명합니다. 2장에서 바울은 조심스럽게 자신을 모함한 사람들에 대한 자신의 느낌을 말합니다. 그리고 모든 그리스도인들은 "그리스도의 향기"라고 말합니다. 우리는 그리스도의 냄새로 모든 사람들 앞에 나타나야 합니다. 사람들로 인하여 쉽게 흔들리고, 또 정죄하고 싸움하는 그런 추한 냄새를 풍기는 사람들이 아니라, 모든 것에 대해서 성숙하게 대처하는 향기로운 사람들이 되어야 한다고 말합니다.

3장에서 바울은 자신의 사도로서의 직분이 예수 그리스도로부터 직접 주어진 것을 변호합니다. 율법의 조문처럼 사람에 의하여 만들어진 규칙에 의한 것이 아니라, 마치 모세가 시내산에서 하나님과 직접 대면하고 그의 얼굴에 빛나는 광채를 가졌던 것처럼 자신도 예수 그리스도를 직접 뵙고 그에게 사도직을 받았음을 증거합니다.

모세가 그 얼굴에 나는 광채를 베일로 가린 이유는 그 광채가 곧 없어질 것이기 때문에, 사람들이 잠시 있을 그 광채를 지나치게 우상화할까 봐 그랬다는 것입니다. 그러나 바울은 말합니다. 우리는 우리의 마음속에 성령을 지녔기 때문에 이 광채가 없어질 광채가 아니요, 갈수록 더욱 영광스럽게 된다는 것입니다. 그리스도를 닮은 모습으로 화하여 영광에서 영광으로 나아가는 것, 그것이 바로 성도의 영광입니다.

그리고 4장에서 바울은 우리 그리스도인들이 질그릇으로서 그 안에 보배를 담고 있다고 표현합니다. 그래서 우리의 겉사람은 날로 후패하지만 우리의 속은 날로 새로워진다는 것입니다. 영광스런 일이죠?

5장에서 바울은 이제 우리의 육체의 장막, 곧 육체는 무너지겠지만 그 순간 우리는 주께서 우리를 위하여 예비하신 새 장막, 곧 부활의 몸을 입고 주님 앞에 서게 된다고 말합니다. 6장에서 바울은 지금이야말로 우리가 구원을 얻을 때요, 또한 은혜의 날이라고 했습니다. 이 기회를 우리는 허비하지 않기를 바랍니다. 예수 그리스도로 말미암아 주님의 성전이 된 우리는 절대 벨리알과 또한 어둠과 합할 수 없고, 속이는 자 같으나 참되고, 무명한 자 같으나 유명한 자요, 죽은 자 같으나 살아 있고, 징계를 받는 자

같으나 죽임을 당하지 아니하고, 근심하는 자 같으나 항상 기뻐하고, 가난한 자 같으나 많은 사람을 부요하게 하고, 아무것도 없는 자 같으나 모든 것을 가진 자들이라고 말합니다.

7장에서 바울은 자신이 쓴 고린도전서가 다소 강한 어조로 책망과 꾸짖음을 담고 있었음에 대하여 매우 조심스런 마음을 가지고 있었던 것을 고백합니다. 목회자의 마음은 누구나 같은 모양입니다. 그들의 잘못을 지적해 주면서도 바울은 내심 그들이 자신의 의도를 잘 받아들여 줄 것인지, 아니면 시험에 빠져서 좋지 않은 반응을 가져올 것인지에 대하여 고민하고 있는 것입니다. 흥미로운 부분입니다. 목회자인 저로서는 '아! 바울 같은 위대한 사도도 나 같은 마음이었구나…' 생각합니다.

그리고 8-9장에서 바울은 예루살렘의 가난한 성도들을 위한 헌금을 요청하면서 헌금의 올바른 자세가 어떤 것인지에 대해 가르칩니다. 또한 10-13에서 바울은 자신의 사도직에 대한 본격적인 변호를 합니다. 그는 주님의 복음을 전하는 일을 위하여 정말 많은 고난을 받았습니다. 수고를 넘치게 하고, 옥에 갇히기도 많이 하고, 수없이 맞고, 죽을 뻔하기도 했고, 사십에 하나 감한 매를 다섯 차례나 맞았고, 세 번 태장으로 맞았고, 돌로 맞기도 했고, 파선을 세 번이나 당했고, 일 주야를 깊은 바다에서 지내기도 했고, 강의 위험과 강도의 위험과 동족의 위험과 이방인의 위험과 시내의 위험과 광야의 위험과 바다의 위험과 거짓 형제들의 위험을 당했고, 수고하고 애쓰고, 잠도 못자고, 주리고 목마르고 여러 번 굶고 춥고 헐벗기까지 했다고 말합니다. 그러면서도 그의 마음속에는 더 많은 이들에게 복음을 전하고자 하는 열정으로 항상 눌림이 있었다고 말합니다.

그리고 그때로부터 14년 전에 천국에 올라갔던 경험을 말하면서, 자신이 받은 은혜가 너무 커서 교만하지 못하도록 주께서 선물로 주신 육체의 가시를 항상 안고 산다고 고백합니다. 바울에게는 그리스도의 사도로 부르심을 받았다는 증거가 가득합니다. 우리는 바울에게서 주님의 종으로, 하나님의 자녀로, 크리스천으로 사는 법을 배웁니다.

〈복음서와 사도행전의 퀴즈〉

지난 주 사도행전이 끝난 후에 했어야 할 복음서와 사도행전 총정리가 빠져서 여기에 붙여 넣습니다. 오늘 하루는 성경 통독을 쉬시면서 그동안 다 읽지 못했던 부분을 따라잡기도 하시고, 또한 퀴즈를 풀면서 복음서와 사도행전을 정리해 보겠습니다.

I. 복음서 퀴즈

1. 각 복음서 저자가 염두에 두고 있었던 독자에 대해 설명해 보십시오.
2. 마태복음에만 나온 기사를 설명해 보세요.
3. 누가복음에만 나온 기사를 설명해 보세요.
4. 요한복음은 공관복음에서 제외되었습니다. 그 이유는 무엇입니까?
5. 요한복음에서 요한은 예수님이 하나님이심을 증거하기 위하여 '여호와'(I AM)라는 패턴에 맞추어 예수님을 소개하고 있습니다. 요한복음에 나타난 '나는 …이라'(I AM)고 설명된 예수님에 대하여 설명해 보세요.
6. 사도행전 1:8을 암송해 보세요.
7. 사도행전 8, 9, 10장에서 우리는 노아의 세 아들로부터 비롯된 각 족속의 회심을 봅니다. 설명해 보십시오.
8. 사도행전은 전반부를 베드로가 주도하고, 후반부를 사도 바울이 주도한 역사를 보여줍니다. 이에 대하여 설명해 보십시오.
9. 사도행전 13장의 안디옥 교회 지도자들의 명단에 대하여 설명해 보십시오.
10. 바울 사도의 1, 2, 3차 전도여행의 행선지에 대하여 설명해 보세요.

갈라디아서는 전체를 5개의 단원으로, 에베소서는 2개의 단원으로 묶을 수 있습니다.
우리는 오늘 갈라디아서와 에베소서 전체를 통독하겠습니다.

갈라디아서

A. 서론(1:1-10)

B. 개인적인 내용-사도의 권위와 복음의 영광(1:11-2:14)

C. 교리적인 내용-믿음으로 말미암은 의(2:15-4:31)

● 2:15-21: 교리적인 정립

● 3:1-5: 갈라디아 교인들의 경험

● 3:6-4:18: 아브라함의 예

● 4:19-31: 하갈과 사라의 알레고리

D. 실천적인 내용-성령으로 말미암은 성화(5:1-6:10)

E. 친필 서명과 결론(6:11-18)

에베소서

A. 교리편

● 1장: 교회는 몸

● 2장: 교회는 성전

● 3장: 교회는 신비

B. 실천편

● 4장: 교회는 새 사람

● 5장: 교회는 신부가 될 것이다

● 6장: 교회는 군사

1. 갈라디아 교회들에게

갈라디아는 에베소나 골로새처럼 한 도시를 말하는 것이 아니고 한 지역(Province)을 말합니다. 그러므로 '갈라디아의 교회들에게 편지한다'는 것은 '경상도 지역의 교회들에게 편지한다'는 것과 같은 개념입니다. 갈라디아는 흑해의 남쪽에 위치하고 있었던 지역이며, 이 지역은 헬라 사람들이 아닌 가울(Gaul) 족속들이 살고 있었기 때문에 그 지역이 갈라디아(Galatia)로 불리게 된 것입니다..

고린도후서를 끝낼 때 바울이 고린도 교회에 "내가 세 번째 너희에게 나아가기를 원한다"고 했던 것을 기억할 것입니다. 바울이 세 번째로 고린도를 방문했던 그때가 바울이 갈라디아서를 쓴 때라고 보편적으로 받아들이고 있습니다. 불행히도 고린도 교회처럼 갈라디아에도 거짓 교사들이 들어왔고, 그들 역시 바울의 사도직에 대하여 도전함으로써 갈라디아 사람들의 마음에서 바울을 향한 사랑이 식게 만들었습니다. 또한 모세의 율법에 순종하여 할례 등 율법을 지켜야만 구원을 얻을 수 있다는 율법주의를 가져온 것입니다.

그들은 구원이 사람의 행위에 달려 있는 것처럼 가르쳤습니다. 그래서 바울은 이 갈라디아서에서 참으로 영광스러운 은혜의 복음에 대하여 가르치고자 한 것입니다. 하나님께서 우리를 받아들여 주시는 것은 우리들의 행위로 인한 것이 아니고, 그분의 사랑과 은혜를 따른 것이라는 내용입니다.

갈라디아서 전체를 흐르는 주제가 이렇게 선포됩니다.

"그리스도의 은혜로 너희를 부르신 이를 이같이 속히 떠나 다른 복음 따르는 것을 내가 이상하게 여기노라 다른 복음은 없나니 다만 어떤 사람들이 너희를 교란하여 그리스도의 복음을 변하려 함이라"(갈라디아서1:6-7).

복음은 Good News입니다. 그것은 곧 예수 그리스도께서 우리의 구원을 성취시켜 주셨다는 것이고, 우리가 그리스도 안에서 하나님께 받아들여지게 되었다는 것입니다. 그러나 이 거짓 교사들이 가져온 것은 우리가 육체의 노력으로 구원을 성취시키기 위하여 하나님의 마음에 드는 사람이 되어야 한다는 것입니다.

그것은 절대로 Good News가 아닙니다. 오늘 우리가 하나님 앞에 서는 것은 우리의 노력이 아닌 그리스도의 은혜 때문입니다.

사도행전 15장의 첫 번째 예루살렘 공회가 모였던 것이 바로 이 이슈를 다루기 위한 것이었습니다. 다시 말해서 이방인 신자들과 율법의 관계를 규정하기 위한 것이었습니다.

그 첫 번째 공회는 "우리와 우리 조상들도 메지 못했던 율법의 무거운 짐을 이방인에게 지우는 것이 합당치 않다"고 결론지었습니다. 하지만 예루살렘 공회의 이 결정을 좋아하지 않는 무리들이 있었던 것입니다. 그들은 항상 바울 사도의 뒤를 쫓아다니면서 바울이 세워 놓은 교회들마다 이 율법주의의 이슈들을 들고 와서 흔들어 놓았던 것입니다.

바울은 여기에서 갈라디아 교인들이 어떻게 그렇게 쉽게 이런 자들의 유혹에 넘어가서 그들에게 주어진 자유의 복음을 저버릴 수 있는지 이상히 여긴다(marveled)고 했습니다.

이것이 초대 교회에서만 벌어진 사건이 아니라는 것을 알고 있을 것입니다. 그들은 항상 구원은 그렇게 쉽게 얻을 수 있는 것이 아니고, 특별히 이것을 받아들여야 한다고 주장합니다. 그들의 육체의 행동이 그들의 교리에 상당히 중요한 역할을 하는 그룹들이 있습니다.

여호와의 증인들은 하늘나라의 한 위치를 차지하기 위해서 그렇게 가가호호 찾아다니며 열심을 냅니다. 왜냐하면 그들의 구원은 거기에 달려 있기 때문입니다. 몰몬교의 사람들은 그들이 전도한 숫자만큼의 별을 차지할 것이라고 믿고 있습니다. 그리고 그 별들을 통치하는 신이 될 것이라고 믿고 있는 것입니다.

문제는 우리 기독교인들이 왜 이런 교리들에 속느냐 하는 것입니다.

저는 그 이유가 명백히 있다고 봅니다.

● 첫째는, 성경에 무지하기 때문입니다.

오늘날 교회들 가운데 정말 성경을 가르치는 교회가 얼마나 됩니까? 모두 성경을 들먹이며 이야기합니다. 하지만 정말 창세기부터 요한계시록까지 성경이 무엇을 말하고 있는지 체계적으로 가르치는 교회는 많지 않습니다. 성도들이 성경에 무지하기 때문에 속는 것입니다. 내가 믿는 것이 무엇인지를 확실히 알지 못하기 때문에 누가 와서 일단 성경을 펼치고 무슨 이야기를 하면 벌써부터 자신이 없어지는 것입니다. 그러니 그들이 무슨 이야기를 하면 그게 정말인가 하는 것입니다.

●둘째는, 믿는 신자로서 자신의 삶에 자신이 없는 것입니다.

왜냐하면 교회를 다니는 가장 큰 이유는 그저 복 받기 위한 것이지 삶을 바꾸기 위한 것이 아니기 때문에, 그렇게 오래 교회를 다녔어도 자신의 삶에 어떤 변화도 없으니까 이단들이 행위를 들고 나오면 그냥 고개가 숙여지는 것입니다. 그래서 우리들은 성령의 능력을 받아야 합니다. 왜냐하면 우리의 삶의 변화는 성령의 능력에서 오기 때문입니다.

바울은 우리가 육체의 노력으로 하는 일들은 헌저하다고 말합니다. 주의해서 보십시오. 육체의 일은 열매가 아니라 일(work), 즉 노동입니다. 진땀을 흘리면서 안 되는 것을 해보려고 노력을 하지만 그 결과는 자명합니다. 그러나 성령께서 하시는 일은 열매입니다. 열매는 절로 맺어지는 것입니다. 포도나무의 비유에서 예수님이 말씀하신 것처럼, 가지가 나무에 붙어있기만 하면, 절로 맺어지는 것이 열매입니다. 바울은 성령의 열매는 오직 하나 '사랑'이라고 말합니다. 그 뒤에 이어지는 모든 항목들은 바로 이 사랑을 설명하는 요소들입니다. 사랑에는 희락이 있고, 화평하며, 오래 참고, 자비하고, 양선하며, 충성스럽고, 온유해지며, 절제의 미덕을 갖게 하는 힘이 있습니다. 그래서 갈라디아서의 최종 결론은 심는 대로 거둔다는 것입니다. 육체를 위하여 심는 자는 육체로부터 썩어질 것을 거두고, 영으로 심는 자는 성령으로 생명을 거둔다는 것입니다. 이것이 갈라디아서입니다.

2. 에베소 교회에게

사도행전의 기록을 보면, 에베소 교회는 아볼로에 의해서 세워진 것 같습니다. 에베소 교회의 이야기를 하려면 브리스길라와 아굴라 부부의 이야기를 빼놓을 수가 없습니다. 그들은 본래 로마에서 큰 천막 사업을 하던 유대인 부부였습니다. 그런데 글라우디오 황제 때 로마에 살던 모든 유대인들에게 로마에서 떠나라는 명령이 떨어졌습니다. 그래서 그들은 고린도로 갔고, 거기에서 바울을 만났습니다. 그들은 바울을 위해서 일(Job)을 주었고, 물질적으로 그를 지원하면서 바울을 통해 말씀을 배웠습니다. 그러다가 그들이 에베소로 이사를 갔습니다.

그때 그들은 그곳에서 에베소 교회를 세웠던 아볼로를 만난 것입니다. 아볼로의 가르침은 대단히 건실했지만, 2%가 부족했습니다. 그는 특별히 당시 그들이 가지고 있었던 구약 성경에서 예수에 관한 것을 자세히 가르칠 만큼 성경 지식이 있었습니다. 하지만 요한의 세례 이후의 일들, 즉 예수님의 십자가의 죽으심과 부활, 그리고 가장 중요한 성령 부어주심에 관한 지식이 없었던 것입니다. 지혜롭고 겸손한 아굴라와 브리스길라 부부는 아볼로를 조용히 초청해서 그에게 바울에게서 배운 성경을 가르쳐 주었습니다. 아볼로는 겸손히 신자들에게서 배웠습니다. 그리고 그는 얼마 후 고린도로 떠났습니다.

그 무렵 마침 고린도에 있던 바울이 에베소로 들어오게 된 것입니다. 그리고 바울은 에베소에서 약 3년간 머물면서 두란노 서원을 세웠고, 에베소 사람들에게 말씀을 가르쳤습니다. 물론 이 기간도 바울은 아굴라 부부와 함께 천막 짓는 일을 하면서 재정적인 도움을 받았습니다.

이 에베소 교회는 아주 탄탄하게 세워져 갔고, 그들의 영향으로 소아시아의 도시들마다 교회가 세워지게 되었습니다. 그것이 바로 예수님께서 요한계시록에서 편지하신 일곱 교회들인 것입니다. 바울은 나중에 3차 전도여행을 마치면서 예루살렘으로 올라갈 때 에베소로부터 약 10마일(16km) 정도 떨어진 항구도시에서 에베소의 장로들을 불러놓고 그들을 마지막으로 섬겼습니다.

성경으로서는 그것이 끝입니다. 그러나 초대교회에 내려오는 문서들에 의하면 바울이 네로 왕 앞에서 첫 번째 재판을 받고 무죄로 풀려났다는 것입니다. 그리고 다시 에베소에 가서 섬겼는데, 그 후에 네로의 엄청난 기독교에 대한 박해가 있었고 그때 다시 바울이 체포되어 순교한 것으로 전해지고 있습니다. 하지만 성경에서 이 일을 다루지 않고 있으므로 우리는 확신할 수 없습니다.

그 후에 사도 요한이 밧모 섬에 유배되기까지 그의 마지막 날들을 에베소에서 섬겼습니다. 요한이 떠난 후에 저 유명한 초대 교회의 교부들 중 하나인 폴리캅이 에베소의 목사로서, 혹은 감독으로서 에베소 교회를 섬겼습니다. 우리가 알듯이 계시록에서 예수님이 보내신 편지에 보면 에베소 교회는 첫사랑을 잃어버림으로 예수님께 책망을 들었습니다. 하지만 에베소 교회는 여전히 부요하고, 당시 세계에 대단한 영향을 미치던 교회였습니다.

이 에베소서는 A.D. 64년경 로마에서 쓰였습니다.

이 편지가 바로 '옥중서신'으로 알려져 있는 첫 번째 편지입니다. 이 편지는 골로새 교회에 보낸 편지와 같은 시기에 쓰였습니다. 이 편지들은 일반 서신입니다. 다시 말해서 일종의 회람용 편지였던 것입니다. 당시 교회들은 이 편지를 서로 교환해 가면서 읽었습니다.

에베소서 1장에서 바울은 그리스도 안에서 우리가 누리게 된 신령한 축복의 목록들을 나열합니다.

- 첫째는, "하나님께서 우리를 택하셨다는 것"입니다. 그의 기쁘신 뜻대로 하나님께서는 우리들을 그의 아들들이 되게 하셨습니다.
- 둘째는, "그리스도 안에서 하나님이 우리를 받아주셨다는 것"입니다. 우리가 주님께 거절되지 않고 받아들여졌다는 것이 얼마나 큰 축복입니까?
- 셋째는, "그의 피로 말미암아 죄 사함을 받았다는 것"입니다.

이 시점에 한 가지 제안을 하겠는데, 에베소서를 읽으면서 "그리스도 안에서" 혹은 "그리스도로 말미암아"라는 구절들에 밑줄을 그어 보십시오. 아마도 에베소서가 가지고 있는 모든 축복들이 모두 그리스도께 붙어있는 모습을 보게 될 것입니다. 모든 아름다운 축복들이 그리스도께 달라붙어 있습니다.

그러니 그리스도를 소유한 사람은 모든 것을 가진 사람입니다.

- 넷째는, 바로 "그 뜻의 비밀(미스터리: Mystery)을 우리에게 알리셨다는 것"입니다. 만

물이 모두 한 가지로 예수 그리스도를 주로 시인하는 것, 이것이 궁극적인 하나님의 뜻입니다. 그렇게 함으로써 하나님께 영광 돌리는 것, 그리고 우리는 "그리스도 안에서 하나님의 상속자가 되었다"고 말합니다.

이 축복의 목록 중 가장 저를 행복하게 하는 것은 "우리로 그의 영광의 찬송이 되게 하려 하심이라"는 것입니다.

우리 자신이 바로 찬송이 되는 것입니다. 이런 영광스런 교회의 머리가 바로 예수 그리스도이십니다. 그래서 에베소서에서 바울은 교회를 그리스도의 몸이라고 부릅니다.

2장에서 바울은 전에 멀리 있었고, 하나님과 원수 되었던 우리들을 예수 그리스도로 말미암아 하나님과 막힌 담을 허시고 받아들여 주셨다는 것을 설명합니다.

3장에서 바울은 우리 이방인들이 복음으로 말미암아 예수 안에서 하나님의 후사가 되었다는 것, 함께 지체가 되었다는 것, 그리고 함께 약속에 참예하는 자가 되었다는 것이 바로 신비라고 말합니다. 또한 바울은 자신에게 이 복음의 직분이 주어진 것 역시 놀라운 은혜라고 말합니다.

에베소서 4장에서 바울은 교회를 통한 하나님의 역사하심을 설명합니다. 하나님은 교회에 사도, 선지자, 복음 전하는 자, 그리고 목사와 교사를 주셨습니다. 그리고 이들을 통하여 모든 성도를 온전케(성숙하게) 하여 예수 그리스도의 장성한 분량에 이르도록 하십니다. 그리하여 성도들이 목회의 일을 하게 되기를 원하십니다. 그러므로 교회는 제자를 양육해야 하고, 성도들이 목회의 직무를 감당하는 교회들이 되어야 합니다.

그 영적 성숙의 척도는, 진리를 듣고 가르침을 받아 유혹의 욕심을 따라 썩어져 가는 옛 습관을 좇는 옛 사람을 벗어버리고, 오직 심령으로 새롭게 되어 의와 진리의 거룩함으로 지으심을 받은 새 사람을 입는 것입니다. 혹시 분을 내더라도 하루를 넘기지 말고 서로 인자하게 여기며 불쌍히 여기는 마음을 갖도록 주님은 촉구하십니다.

그런 마음이 5장에서 성령의 충만을 받아 주의 뜻이 무엇인가 이해하는 마음으로 자랍니다. 술이나 세속에 취하는 것이 아니라, 성령의 충만을 받아 무슨 말을 하더라도 시와 찬미와 신령한 노래들로 서로 화답하며 마음으로 주께 노래하며, 찬송하며, 범사에 예수 그리스도의 이름으로 하나님께 감사하는 삶을 살게 됩니다. 그리고 이런 삶의 변화는 가정에 고스란히 나타납니다.

　남편과 아내의 사랑 속에서, 그리고 6장에서 자녀와 부모의 관계, 직장인과 고용주의 관계 속에도 이 성숙이 나타나야 합니다. 그리고 우리는 말씀의 전신갑주를 취하고 영적 싸움에서 승리하는 그리스도의 군사들이 되는 축복을 누리게 되는 것입니다.

빌립보서는 전체를 4개의 단원으로, 골로새서는 2개의 단원으로 묶을 수 있습니다.

빌립보서

A. **크리스천의 삶의 철학**(1장)

B. **크리스천의 삶의 패턴**(2장)

- 2:1-4: 타인에 대하여

- 2:5-8: 그리스도의 마음 – 낮추는 마음

- 2:9-11: 하나님의 마음 – 그리스도를 높이심

- 2:12-18: 바울의 마음 – 그리스도의 것들로만 충만

- 2:19-24: 디모데의 마음 – 바울과 같은 마음을 품음

- 2:25-30: 에바브로디도의 마음 – 그리스도의 사역

C. **크리스천의 삶의 상급**(3장)

- 3:1-9: 자신의 과거에 대한 바울의 생각의 변화

- 3:10-19: 자신의 현재를 위한 바울의 목적의 변화

- 3:20-21: 자신의 미래에 대한 바울의 소망의 변화

D. **크리스천의 삶의 능력**(4장)

- 4:1-4: 기쁨 – 능력의 원천

- 4:5-7: 기도 – 능력의 비밀

- 4:8-9: 생각 – 능력의 산실

- 4:10-23: 그리스도 안에서 – 능력의 만족

골로새서

A. **교리편: 그리스도, 하나님의 충만 – 그리스도 안에서 충만케 된 우리**(1-2장)

- 1:1-8: 서론
- 1:9-14: 바울의 기도
- 1:15-19: 그리스도의 인격
- 1:20-23: 죄인들을 위한 그리스도의 객관적 사역
- 1:24-29: 성도들을 위한 그리스도의 주관적 사역
- 2:1-15: 그리스도, 철학의 해답
- 2:16-23: 그리스도, 의식의 해답

B. 실천편 : 그리스도, 하나님의 충만 - 신자들의 생을 통하여 부어주심(3-4장)

- 3:1-4: 신자들의 사고와 영향력들은 천국의 것
- 3:5-4:6: 신자들의 삶은 거룩함
- 4:7-18: 신자들의 교제는 애정 어린 것

〈주요 통독 자료〉

1. 바울의 개인적 사고가 고스란히 묻어나는 서신- 빌립보서

빌립보서는 대부분의 바울 서신들과는 달리 교리적인 수정을 목적으로 기록된 책이 아닙니다. 이 책은 감옥에 있는 바울을 위하여 빌립보 교인들이 보내 준 헌금과, 그것을 통해 나타난 빌립보 교인들의 바울에 대한 사랑에 대한 일종의 감사편지(Thank you note)로 기록된 것입니다. 따라서 이 책의 서문에서 바울은 자신과 또한 아마도 이 편지를 대필했을 디모데에 대하여 단순히 예수 그리스도의 종이라고만 소개하고 있습니다. 다른 서신들과는 달리, 이 편지에서 바울은 자신의 사도직에 대한 변호를 전혀 하지 않고 있습니다. 그것은 빌립보 교인들이 이미 그를 사도로 인정하고 있기 때문입니다.

그리고 이 편지에서 바울은 자신의 개인적인 배경과 신앙에 대한 많은 부분들을 나누어 주고 있습니다. 주님을 향한 자신의 특별한 사랑 고백, 자신의 변화에 대한 구체적인 고백, 감옥 안에서도 변함이 없었던 그리스도 안에서의 기쁨, 자신의 마지막 소원들, 상급에 대한 기대, 우리는 이 시점의 바울의 상황을 다시 기억해 볼 필요가 있습니다. 바울은 그때 수감자였습니다.

그는 황제 앞에 재판받기를 기다리고 있었습니다. 그 당시 로마의 황제는 네로였습니다. 바울은 "하나님을 사랑하는 자, 곧 그 뜻대로 부르심을 입은 자들에게는 모든 것이 합력하여 선을 이룬다"고 믿고 있었던 사람입니다.

바울의 투옥은 복음의 진보를 가져왔습니다. 먼저는 바울이 갇혀 있었던 시위대 뜰 안에 복음이 퍼져나가기 시작했습니다. 바울은 수감되어 있었고, 항상 그의 곁에는 군사들이 지키고 있었습니다. 그들은 바울에게 복음 전파의 절호의 기회였던 것입니다. 그 다음은 감옥 밖에서 바울의 수감으로 인하여 힘을 얻은 사람들이 왕성하게 복음을 전파하고 있었습니다. 어떤 사람들은 바울의 투옥으로 인하여 자신들이라도 복음을 전해야겠다고 용기를 낸 사람들이 있었습니다. 하지만 또 다른 사람들은 바울을 괴롭게 하려고 더 열심을 내고 있었습니다. 아마 이들은 유대주의자들처럼 바울이 가르치는 일부 교리에 반대하는 자들이었을 것입니다. 그들은 바울이 투옥되자 "거봐라. 바울이 잘못된 교리를 가르치다가 저렇게 고난을 받는다"고 하면서 더 힘을 내어 자기들의 교리를 전파하고 있었다는 것입니다.

그들은 그렇게 함으로써 바울을 더욱 고난에 빠뜨리고 있다고 생각했습니다.

하지만 이 모든 일들에 대하여 바울은 어떤 태도를 보이고 있습니까?

"이렇게 하나 저렇게 하나, 즉 좋은 의도로 하나 나쁜 의도로 하나 오직 전파되는 것은 그리스도니 이로써 내가 기뻐하고 기뻐하리라"고 했습니다. 바울의 최고의 소원은 그리스도께서 높임을 받으시는 것이었습니다. 자신이 죽느냐 사느냐 하는 것은 그에게 전혀 문제가 되지 않았습니다. 왜냐하면 바울 안에 그리스도께서 사시기 때문이었습니다. 바로 그 그리스도가 바울이 세상을 사는 유일한 목적이었습니다. 바울은 골로새 교인들에게 "위의 것을 생각하고 땅의 것을 생각하지 말라 이는 너희가 죽었고 너희 생명이 그리스도와 함께 하나님 안에 감추어졌음이라 우리 생명이신 그리스도께서 나타나실 그때에 너희도 그와 함께 영광 중에 나타나리라"(골 3:2-4)고 했습니다.

바울에게 있어서 산다는 것은 그 자체가 그의 사역을 통하여 그리스도의 열매를 가져오는 일이었습니다. 그러므로 만일 자신이 죽어서 그리스도를 높일 수 있다면 죽는 것도 그에겐 잃을 것이 전혀 없는 일이었습니다. 그래서 그는 본문에서 이렇게 말합니다.

"이는 내게 사는 것이 그리스도니 죽는 것도 유익함이라."

다만 바울의 고민은 어느 쪽을 택할는지 알지 못하겠다는 것입니다. 그는 살기 위하여 발버둥을 치고 있는 것이 아니고 사실 주님께로 가는 것이 소원인데, 자신이 떠나면 남겨진 자들에게 누가 복음을 가르칠까 하는 것이 걱정이 될 뿐이라는 것입니다. 사실 바울은 이미 천국을 본 사람입니다. 그가 얼마나 천국에 가기를 사모했겠습니까? 그래서 이 세상을 떠나 그리스도와 함께 있는 것이 자신의 소원이라고 그는 확실히 말하고 있는 것입니다. 하지만 한 가지, 그리스도를 높이고 그리스도의 열매를 맺는 자신의 일이 아직 완수되지 못했다고 느끼고 있는 것입니다. 이 세상에는 아직도 바울을 필요로 하는 어린 신자들이 있었던 것입니다. 그들은 바울의 강력한 인도와 가르침을 필요로 하고 있었습니다. 바울이 출옥하여 그들에게로 다시 돌아가고자 하는 유일한 이유가 바로 그것입니다.

빌립보서 2장에서 바울은 우리 안에 예수 그리스도의 마음을 품으라고 권면합니다. 그리스도는 자신을 낮추셨고, 하나님께서 그를 오른손으로 높이셨습니다. 우리가 그리스도의 마음을 품게 되면 우리 공동체의 대부분의 문제는 해결될 것입니다. 우리는 어떤 일도 원망과 시비가 없이 하게 될 것입니다. 바울은 그 마음이 자신 안에 있고, 디모데 안에 있으며, 또한 에바브로디도의 마음속에 있다고 말합니다.

그리고 3장에 들어와서 바울은 하나님께로부터 난 의에 대해 설명하면서, 자신이 과거에 자랑하던 모든 것들을 배설물처럼 버렸음을 고백합니다.

그리고 그는 오직 예수 그리스도를 더욱 알기 위하여, 그의 부활의 권능과 고난에 참여하는 것을 알기 위하여 그리스도를 본받아 계속해서 달려가고 있다고 고백합니다. 그는 우리의 시민권이 하늘에 있음을 선포합니다. 이런 사고를 가진 사람들에게는 능력이 나타날 수밖에 없습니다.

그리고 그 능력의 본질은 기쁨입니다. 그는 자신이 이제 어떤 상황에 처해도 기뻐할 준비가 되어 있음을 고백합니다. 가난하거나, 부요하거나, 배고픔과 풍부함에 대처하는 일체의 비결을 배웠다고 합니다. 그래서 빌립보 교인들에게 바울은 "내게 능력 주시는 자 안에서 내가 모든 것을 할 수 있다"고 말합니다. 오해하지 마십시오. 이 말은 많은 사람들이 해석하는 것처럼, 예수 그리스도 안에 있으면 뭐든지 내가 원하는 것을 할 수 있다는 것이 아닙니다. 예수 그리스도 안에 있는 사람은 어떠한 상황에도 대처할 능력을 가진다는 것을 말합니다.

이것이 빌립보서의 내용입니다. 빌립보서에서 예수님은 우리들로 하여금 삶과 죽음, 영광과 수욕, 부요와 가난 등 모든 것을 초월하여 항상 기뻐하게 하시는 기쁨의 원천이십니다.

2. 골로새서

골로새서의 주제는 '하나님의 충만이신 그리스도'입니다. 그리스도 안에 하나님의 모든 것이 있습니다. 골로새서 1장에서 예수님은 '하나님의 형상이시며 교회의 머리'이십니다. 바울은 말합니다.

"만물이 그에게서 창조되되 하늘과 땅에서 보이는 것들과 보이지 않는 것들과 혹은 왕권들이나 주권들이나 통치자들이나 권세들이나 만물이 다 그로 말미암고 그를 위하여 창조되었고 또한 그가 만물보다 먼저 계시고 만물이 그 안에 함께 섰느니라"(골 1:16-17).

예수 그리스도 안에 모든 것이 있습니다. 바울은 바로 이 그리스도를 전하기 위하여 사도로 부르심을 받았습니다.

2장에서 바울은 이제 그리스도 안에서 행하라고 가르칩니다. 신자로 산다는 것은 그리스도 안에서 행하는 것입니다. 그리스도 안에 뿌리를 박고 세움을 받아, 교훈을 받은 대로 믿음에 굳게 서서 감사함을 넘치게 하는 것, 즉 그러니까 교회에서 말씀을 듣는데 그치는 것이 아니라 그 말씀에 뿌리를 내려야 하는 것입니다. 시냇가에 심기운 나무처럼 말입니다. 그런 변화의 삶을 사는 것이 육체에 받는 할례보다 더 높은 차원의 영적 할례라는 것입니다. 그리고 3장에서 바울은 우리가 그리스도 안에서 새 사람이 되었다면 이제 더 이상 이 땅의 것이 아닌 위에 것을 찾으라고 합니다. 그리스도께서 하나님의 우편에 계신 바로 그곳, 천국의 일을 구하라는 것입니다. 과거 땅에 속한 사람으로 살 때는 우리가 입에도 담기 부끄러운 일들을 행했습니다.

그러나 이제 우리는 땅의 지체를 죽였습니다. 그래서 우리는 그리스도의 평강이 우리 마음을 주장하시는 사람들이 되어 그리스도의 말씀이 우리 속에 풍성히 거하는 사람들이 된 것입니다. 그런 삶은 에베소에서 바울이 말했듯이 "시와 찬송과 신령한 노래를 부르며 감사하는 마음으로 하나님을 찬양하고 또 무엇을 하든지 말에나 일에나 다 주 예수의 이름으로 하고 그를 힘입어 하나님 아버지께 감사하는" 그런 삶을 살게 됩니다. 다시 바울은 남편과 아내, 부모와 자녀, 그리고 고용주와 고용자의 관계 속에서 무슨 일을 하든 주께 하듯 할 수밖에 없는 거듭난 신자의 삶을 이야기합니다. 그러면서 바울은 우리가 빌레몬서에서 다루게 될 '오네시모'라는 사람을 소개합니다. 바울은 "외인에게 대해서는 지혜로 행하여 세월을 아끼라", "너희 말을 항상 소금으로 맛을 냄과 같이 하라"고 말합니다. 저는 이 말씀이 너무나 좋습니다. 우리들의 언어생활이 소금으로 맛을 낸 것 같은 맛깔나는 것이 될 때, 우리는 평화를 조장하는 사람들이 되고 그리스도를 영광스럽게 하는 사람들이 될 것입니다. 골로새서 안에서 그리스도는 우리들의 모든 것입니다.

데살로니가 전 · 후서

데살로니가전서 1-5장 / 데살로니가후서 1-3장

데살로니가전서는 전체를 5개의 단원으로, 데살로니가후서는 3개의 단원으로 묶을 수 있습니다.

데살로니가전서

A. 그리스도의 재림에 대한 크리스천의 태도(1장)

B. 그리스도의 재림에 있어서의 크리스천의 상급(2장)

C. 그리스도의 재림과 크리스천의 삶(3:1-4:12)

D. 그리스도의 재림과 크리스천의 죽음(4:13-18)

E. 그리스도의 재림에 입각한 크리스천의 행동(5장)

데살로니가후서

A. 현재의 신자들의 박해: 불신자들에게 심판이 있을 것〈그리스도의 재림 때에〉

　(1:1-12)

B. 그리스도의 재림에 연관된 세상을 위한 프로그램(2:1-12)

● 2:1: 먼저 휴거가 있을 것

● 2:2-5: 주의 날이 이를 것, 전체적인 배도와 불법의 사람의 출현으로부터 시작됨

● 2:6-8: 불법의 비밀이 이미 활동하고 있으나 불의한 자를 성령께서 막고 계심

● 2:9-12: 불의한 자가 대환란 때에 나타남

C. 그리스도의 재림의 사실성(2:13-3:18)

〈주요 통독 자료〉

1. 데살로니가전서

바울은 소아시아로 가려던 계획이 계속 막히자 드로아까지 왔습니다. 거기에서 마게도니아로 주님의 부르심을 받고 건너왔습니다. 그렇게 해서 그의 유럽 사역은 시작되었습니다. 마게도니아의 첫 성 빌립보에서 바울은 실라와 함께 감옥에 투옥되는 시련을 겪어야 했습니다. 하지만 하나님께서는 그것을 오히려 하나님의 영광으로 바꾸셨습니다. 빌립보에서 나온 바울은 데살로니가로 갔습니다. 거기서 3주간에 걸쳐 성경을 가르쳤습니다. 다시 폭동이 일어나 새로 예수를 영접했던 야손을 사람들이 체포해 갔습니다. 그리고 바울은 베레아로 갔습니다.

데살로니가 사람들이 베레아까지 내려와 폭동을 일으키자 바울은 그곳을 떠나 아덴으로 갔습니다. 그리고 그 다음이 고린도였습니다. 마게도니아 지방에서 바울이 만났던 일련의 사건들은, 만약 우리가 바울이었다면 "하나님께서 정말 우리를 이곳으로 보내신 것이 맞는가" 충분히 의심할 수 있는 상황이었습니다. 하지만 바울은 적극적이었습니다. 그가 고린도에 이르렀을 때 그는 데살로니가 교회 안에 문제가 일어나고 있다는 것을 들었습니다. 그러자 그는 고린도에서 이 편지를 쓴 것입니다. 아마도 A.D. 54년이었다고 생각됩니다. 이 편지는 바울의 첫 번째 편지였고, 바울 서신 가운데 물론 가장 먼저 쓰여진 편지입니다.

2:1에서 바울이 말합니다.

"형제들아 우리가 너희 가운데 들어감이 헛되지 않은 줄을 너희가 친히 아나니…"

바울은 그들 일행이 데살로니가에 들어간 것이 그들을 믿음 가운데로 들어오게 하는 열매를 맺게 했다는 것을 상기시키고 있습니다. 고린도 교인들에게 바울은 그들의 수고가 주 안에서 헛되지 않다고 했습니다.

"그러므로 내 사랑하는 형제들아 견고하며 흔들리지 말며 항상 주의 일에 더욱 힘쓰는 자들이 되라 이는 너희 수고가 주 안에서 헛되지 않은 줄을 앎이니라"(고전 15:58).

주님을 위하여 애쓰는 우리들의 수고는 절대로 헛된 일이 아닙니다. 특별히 우리들의 섬김은 무료 자원봉사가 아니고 대가가 약속된 사역입니다. 물론 대가는 성과에 따라 주어지는 것이 아니고, 우리의 신실함에 따라 주어집니다. 그것이 바로 우리 예수님의 달란트의 비유의 내용이 아닙니까?

갈보리 채플의 선교사님 한 분이 볼리비아로 갔습니다. 사라노이(Saranoy)인디언들에게 복음을 전하기 시작했는데 7년 동안 단 한 명의 회심자도 얻지 못했답니다. 하지만 7년 만에 한 영혼을 얻었고 그는 꾸준히 전도해서 지금은 거의 전 부족이 예수님을 영접했다고 합니다. 여러분 주님을 위한 우리의 수고는 절대 헛되지 않습니다. 그리고 바울은 자신의 경험을 언급합니다. 감옥에 갇히고 채찍에 맞아 온몸이 상처투성이가 되고… 뿐만 아니라 동족 유대인들의 미움도 항상 그에겐 위협이었습니다. 그도 낙심할 수 밖에 없는 상황이 계속되었지만 쉬지 않고 섬겼고 결국 데살로니가 교인들과 같은 훌륭한 신자들을 얻을 수 있게 된 것입니다. 바울은 그것을 하나님의 상급으로 여긴 것입니다. 그러니까 바울은 언제나 진심을 다해서 성도들을 가르치고 있는 것입니다.

"우리의 권면은 간사에서나 부정에서 난 것도 아니요 궤계에 있는 것도 아니라 오직 하나님의 옳게 여기심을 입어 복음 전할 부탁을 받았으니 우리가 이와 같이 말함은 사람을 기쁘게 하려 함이 아니요 오직 우리 마음을 감찰하시는 하나님을 기쁘시게 하려 함이라"(살전 2:3-4).

"하나님을 기쁘시게 하기 위하여…"

이것이 바울의 소원이었고 또한 상급이었습니다. 그는 어차피 어떤 칭찬과 영광을 위하여 이 일을 한 것이 아니고, 말씀을 부탁하신 하나님을 기쁘시게 하기 위하여 성실을 다했던 것입니다.

데살로니가전서 1장에서 바울이 데살로니가 교인들의 믿음의 아름다움을 칭찬합니다. 그들의 믿음의 아름다운 소문은 이 편지를 쓸 때에 바울이 있었던 고린도가 속한 아가야 지방까지 퍼져나갔습니다. 그들의 신앙은 세 가지 덕목을 가지고 있었습니다.

"믿음의 역사(Work of Faith), 사랑의 수고(Labors of Love), 소망의 인내(Patience of Hope)."

믿음은 모름지기 역사가 따라야 합니다. 일하지 않는 믿음은 가짜입니다. 또한 진정한 사랑은 그 사랑을 위해 수고를 아끼지 않습니다. 수고하지 않는 사랑은 사랑이 아닙니다. 또한 진정한 소망은 인내를 가져다줍니다. 소망이 없는 사람은 참지 못합니다. 더 바랄 것이 없는데 뭘 참겠습니까? 하지만 소망이 있는 사람은 그 소망을 바라보며 오래 참아냅니다. 이렇게 아름다운 덕목을 갖춘 신앙으로 자라던 데살로니가 교회에 생긴 문제는 다름 아닌 예수님의 재림에 관한 문제였습니다. 그들은 모두 자기들의 시대에 예수님의 재림이 있을 것을 기대하고 있었습니다. 그런데 그들의 생각보다 예수님의 재림이 늦어지고, 그들이 사랑했던 사람들이 세상을 떠나게 되자, 그들은 예수님의 재림에 참여하지 못하고 죽은 사랑하는 사람들로 인한 큰 슬픔에 잠기게 된 것입니다.

그들은 예수님의 재림 전에 죽은 사람들은 예수님과 함께 천국에서 영광 가운데 살 수 없게 되었다는 생각을 갖고 있었습니다. 결국 하나님의 계획에 대한 무지로 인하여 슬픔에 빠진 것입니다. 그래서 바울은 예수께서 죽으시고 다시 사신 것처럼 우리들에게 부활이 있을 것을 가르쳐 주었습니다. 그리고 먼저 간 성도들은 우리 예수님의 재림의 때에 예수님과 함께 다시 돌아올 것을 가르쳐 줍니다. 그리고 예수님의 지상 재림이 있기 전에 이 땅에 대환란이 있을 것이고, 그 환난이 시작되기 전에 예수님께서 공중에 재림하셔서 그의 교회와 성도들을 공중으로 들어 올리셔서 공중에서 주를 영접하게 하시는 휴거의 사건이 있을 것을 선포합니다. 그러니까 예수께서 다시 오신다는 확실한 사실 앞에서 우리 신자들은 우리의 영과 혼과 몸이 우리 주 예수 강림하실 때에 흠 없이 보존되게 하는 것이 관건인 것입니다. 그래서 우리는 항상 기뻐하고, 쉬지 말고 기도하며, 범사에 감사하는 삶을 지속해야 하는 것입니다.

2. 데살로니가후서

데살로니가전서를 가져갔던 사람들이 돌아와서 그들에게 또 다른 문제가 일어나고 있다는 소식을 바울에게 전했습니다. 그들을 향한 박해가 점점 더 심해지면서 그들 안에 이미 대환란이 시작되었다는 생각이 일기 시작했던 것입니다. 게다가 거짓 교사들에 의해서 예수님의 재림이 이미 있었다는 잘못된 가르침이 전해지면서 자포자기 상태에 이른 신자들이 나오기 시작한 것입니다. 게다가 바울의 첫 번째 편지는 예수님의 재림이 속히 있을 것이라고 말하고 있기 때문에, 일부 신자들이 직장도 사업도 포기하고 그저 예수님의 재림만을 기다리는 상황이 벌어진 것입니다. 그래서 바울은 이것을 수정하기 위하여 다시 데살로니가후서를 기록한 것입니다. 바울은 그들이 지금 박해를 받고 있지만 그것이 대환란은 아니라는 것을 이야기해 주어야 했습니다.

1장에서 바울은 데살로니가 교인들이 받고 있었던 박해에 관하여 썼고, 2장에서는 대환란이 있기 전에 적그리스도의 출현이 먼저 있을 것에 대해서 말했습니다. 바울은 그를 불법의 사람, 멸망의 아들이라는 이름으로 불렀습니다. 요한은 그를 적그리스도라고 불렀습니다. 성경에는 이 존재에 대한 약 30여 가지의 다양한 이름들이 사용되고 있습니다. 바울은 예수님의 재림이 있기 전에 반드시 먼저 배도의 일과 이 불법의 사람의 출현이 있을 것임을 분명히 가르쳐주고 있습니다. 바울은 불법의 비밀이 이미 활동을 시작했다고 말합니다. 그러나 성령께서 그 불법의 비밀의 활동을 막고 계시다는 것입니다. 그것이 바로 이 시대 교회의 사명인 것입니다. 성령과 교회가 이 시대에 불법의 비밀의 활동을 막고 있기 때문에 그가 활동을 할 수 없습니다. 예수님의 공중재림과 함께 교회가 이 땅에서 옮겨지면 그때부터 본격적인 대환란의 고통이 시작된다는 것입니다.

데살로니가 교회에 이미 왜곡된 종말론이 있어서 교인들이 사회생활을 다 접고 재산을 정리하여 기부를 하고 어디론가 산에 올라가서 흰 옷을 입고 예수님의 재림을 기다리는 사람들이 나왔다는 점이 흥미롭습니다. 바울은 그들에게 예수님의 재림에 대한 올바른 지식을 가르치기 위하여 이 책을 쓴 것입니다.

바울은 데살로니가 교인들에게 규모 없이 행하는 모든 자들에게서 떠나라고 가르치고 있습니다. 이는 명령과 질서에 순종치 않는 자들을 말합니다. 신앙생활을 한다고 하면서 건강한 노동을 하지 않고 계속 게으름을 피우고 놀고 먹거나, 예수님만 기다리면서 건강하고 올바른 삶을 살지 않는 자들이 바로 규모 없이 행하는 자들인 것입니다. 데살로니가전·후서에서 우리는 이 땅에 반드시 다시 오실 예수님을 봅니다.

디모데전 · 후서

디모데전서 1-5장 / 디모데후서 1-4장

디모데전서는 5개의 단원으로, 디모데후서는 4개의 단원으로 묶을 수 있습니다.

디모데전서

A. 교회의 믿음(1장)

B. 교회들 안에서의 공적인 기도와 여성들의 위치(2장)

C. 교회의 직분자들(3장)

D. 교회들 안의 배도(4장)

E. 교회의 직분자들의 직무(5장)

디모데후서

A. 복음의 고난(1장)

B. 현역 복무-하나님의 종들의 다양한 이름들(2장)

● 2:1-2: 아들

● 2:3-4: 좋은 군사

● 2:5: 운동선수

● 2:6-14: 농부

● 2:15-19: 일꾼

● 2:20-23: 그릇

● 2:24-26: 종

C. 배도의 때가 이름-성경의 권위(3:1-4:5)

D. 주님께 충성함과 주님의 충성(4:6-22)

〈주요 통독 자료〉

1. 디모데전서

이제 우리가 통독하게 되는 디모데전·후서와 디도서를 우리는 '목회서신'이라고 부릅니다. 문자 그대로 목회자에게 주는 매뉴얼입니다. 교회는 어떻게 운영해야 하는지, 교회 안에서 기도는 어떻게 드려져야 하며, 남자와 여자의 섬김의 모습들은 어떤 것이어야 하는지, 직분자들을 어떻게 세워야 하는지, 교회를 섬기는 종들을 위한 사례는 어떻게 해야 하는지, 그런 기술적인 내용들을 담고 있는 책들입니다. 특별히 바울이 믿음의 아들 디모데의 건강을 위하여 염려해 주는 말씀이 참 따뜻하게 느껴집니다. 초대 교회에서도 주의 종들이 위에 문제를 가질만큼 스트레스가 되는 일들이 많았던 모양입니다. 이 대목을 읽을 때 웃음이 나네요.

디모데전서가 언제 쓰여졌는지에 대하여 우리는 정확히 알지 못합니다. 바울이 에베소를 떠날 때에 그는 에베소 성도들을 견고하게 세워주고 교리적인 가르침을 주기 위하여 디모데를 그곳에 잠시 남겨두었습니다. 에베소에는 좀 괴상한 생각을 하고 있는 사람들이 있었고 그들은 교회 안에 그들의 영향력을 행사하고자 했습니다. 그래서 바울은 그들에게 견고한 교리적인 가르침이 필요하다고 생각했기 때문에 디모데를 그곳에 한동안 머물게 했던 것입니다. 바울이 에베소를 처음 떠났을 때인지는 알 수 없습니다. 초대교회의 전통에 의하면 바울은 로마의 감옥에서 한번 출옥했었고, 다시 에베소로 가서 한동안 섬겼다고 하는데 확신할 수는 없습니다. 이 둘 중 어느 때인지는 모르지만, 어쨌든 바울이 디모데를 에베소에 남겨두고 온 상황입니다. 바울은 디모데전서의 문안인사를 이렇게 시작합니다.

"우리 구주 하나님과 우리의 소망이신 그리스도 예수의 명령을 따라 그리스도 예수의 사도 된 바울은"(딤전 1:1).

바울의 서신서들은 일반적인 문안인사와 약간 다른 인상입니다. 바울은 여기에서 자신이 "그리스도 예수의 명령을 따라 그리스도 예수의 사도가 되었다"고 말합니다.

다른 서신서들보다 약간 강한 표현입니다. 사실 사람들은 하나님에 대하여 약간씩의 오해를 갖고 있는 것 같습니다. 많은 사람들이 하나님께서는 항상 우리의 죄로 인하여 우리를 처참하게 심판하려는 분으로 생각하는 것입니다. 마치 돌이 잔뜩 들은 자루를 하늘에서 우리에게 막 쏟아부을 준비를 하고 계신 그런 하나님으로 말입니다. 그리고 예수님은 하나님의 보좌 우편에서 항상 우리를 용서해달라고 간청하시는 그런 그림을 그리고 있지만 그것은 명백한 오해입니다.

우리의 구속은 하나님께로부터 시작되었습니다. 하나님께서 우리를 사랑하셨고, 그래서 그 아들을 우리에게 선물로 주신 것입니다. 예수님을 이 땅에 보내신 분은 하나님이십니다. 우리의 구원은 순전히 하나님의 사랑과 또한 능력에 기인된 것입니다. 따라서 바울은 여기에서 이례적으로 성부 하나님을 우리 구주라고 묘사하고 있습니다. 바울은 우리 구주이신 하나님과 우리의 소망이신 예수 그리스도로 말미암아 사도로 부르심을 입었습니다. 그리고 이 편지의 수신자인 디모데에 대해 언급합니다.

"믿음 안에서 참 아들 된 디모데에게 편지하노니 하나님 아버지와 그리스도 예수 우리 주께로부터 은혜와 긍휼과 평강이 네게 있을지어다"(딤전 1:2).

바울과 디모데의 첫 번째 만남은 아마도 바울의 1차 전도여행에서였을 것입니다. 디모데는 루스드라 사람이었습니다. 아마도 디모데는 바울이 루스드라에서 돌에 맞아 죽어 사람들에게 성문 밖으로 끌려나가는 것을 보았을 것입니다. 이때 바울은 이미 디모데의 어머니와 외할머니 등 가족들과 친분이 있었을 것입니다. 바울의 이 1차 전도여행에서의 사건들은 디모데에게 큰 감동을 주었고 하나님께 헌신하는 계기가 되었을 것입니다. 그래서 2차 전도여행에 바울이 다시 루스드라에 돌아왔을 때 디모데는 바울과 함께 그의 사역에 동참하기 시작했던 것으로 보입니다.

디모데는 정말 바울을 존경했고, 그에게 배우기 원했으며, 그를 닮고 싶어 했습니다. 바울은 자신의 사역에서 자신과 같은 마음을 품은 사람이 디모데 외에는 없다고 말했습니다. 그의 곁에는 많은 사람들이 있었지만 정말 자신과 같은 마음, 같은 비전을 품은 사람은 디모데뿐이었다는 것입니다.

하나님의 종으로서 교회를 섬기면서 우리 성도님들 가운데 어떤 분들이 정말 저와 같은 마음을 품고 있는 모습을 보는 것보다 행복하고 축복된 일은 없습니다. 그래서 바울은 디모데를 자신의 아들 같은 사람이 아니고, 자신의 참 아들이라고 말합니다.

여기서 한 가지 흥미로운 것은, 바울은 이미 자신의 사도직에 대해서도 일반 서신들과는 달리 뭔가를 덧붙였는데, 여기 문안인사에서도 마찬가지입니다. 무엇이 다릅니까? 그는 항상 예수 그리스도의 은혜와 평강이 수신자들의 교회와 성도들에게 함께하기를 구했습니다. 그러나 목회서신, 디모데전·후서와 디도서에서는 모두다 '긍휼'이 덧붙여져 있습니다. 글쎄요, 우연의 일치일지는 모르지만 저는 개인적으로 이것이 바울의 의도였다고 믿습니다. 아마 그는 목회자들에게는 항상 긍휼이 더 필요하다고 느꼈을 것입니다. 긍휼히 여기는 마음, 영혼을 불쌍히 여기는 마음이 없다면 어떤 지식이 있고, 또 어떤 기술적인 것들을 가지고 있다 하더라도 목회자의 자격은 없는 것이 아닐까요? 그저 저 자신에게 하는 말입니다.

2. 디모데후서

바울은 로마의 감옥에 있습니다. 그는 이미 네로 왕 앞에서 첫 번째 청문회를 가졌습니다. 상황이 좋지 않았습니다. 유대인들은 바울의 재판이 종교적인 것이고, 그런 케이스로서는 로마에서 이슈가 될 수 없다는 것을 알았기 때문에 그것을 로마 정부 혹은 왕권에 도전하는 정치적인 이슈로 비화시킨 것입니다.

로마 정부는 황제를 주(Lord)로 부르도록 요구하고 있었습니다. 당연히 바울은 크리스천으로서 그렇게 할 수 없었을 것이고, 유대인들은 그것을 이용했던 것입니다. 이제 바울은 아주 위험한 상황에 처한 것입니다. 결국 바울의 친구들은 모두 위험을 느꼈을 것입니다. 이런 상황에서 바울과 함께 있다는 것은 생명의 위협을 감수해야 하는 것이었을 테니까요.

결국 바울 곁에 있던 사람들이 하나둘 떠나가기 시작했습니다. 바울은 자신이 이제 얼마 있지 않아서 주님을 증거하기 위하여 자신의 생명을 내려놓게 될 것을 느끼고 있었습니다. 바로 그 시점에서 바울은 자신의 믿음의 아들에게 이 편지를 쓰고 있는 것입니다. 이것이 바울이 쓴 마지막 편지입니다. 바울의 문안인사를 잠시 봅시다.

"하나님의 뜻으로 말미암아 그리스도 예수 안에 있는 생명의 약속대로 그리스도 예수의 사도 된 바울은"(딤후 1:1).

믿음이 없는 사람이 이 글을 읽는다면 아마 비웃을 것입니다. 바울은 지금 예수님을 향한 자신의 믿음 때문에 죽음에 직면해 있습니다. 그러나 바울은 여전히 자신이 영원한 생명의 약속을 따라 부르심을 입었다고 말하고 있는 것입니다.

요한계시록에서 예수님께서 서머나 교회에 쓰신 편지 역시 같은 개념을 담고 있었습니다. 서머나 교회 역시 로마의 극렬한 핍박 가운데서 그들의 생명을 내려놓아야 할 위기에 있었던 것입니다. 그러나 예수님은 그들에게 말씀하셨습니다.

"너는 장차 받을 고난을 두려워하지 말라 볼지어다 마귀가 장차 너희 가운데에서 몇 사람을 옥에 던져 시험을 받게 하리니 너희가 십일 동안 환난을 받으리라 네가 죽도록 충성하라 그리하면 내가 생명의 관을 네게 주리라"(계 2:10).

바로 이런 기본적인 철학 아래서 바울은, 그의 믿음의 아들 디모데가 하나님의 종으로서 올바른 분별력을 가지고 다가올 배도의 때를 잘 판단하고 지켜야 할 주님의 종으로서의 자세를 올바로 견지하도록 권고하고 있는 것입니다.

특별히 2장에서 바울은 하나님의 종들의 본질에 대하여 다양한 존재에 비유하고 있습니다. 아들, 좋은 군사, 운동선수, 농부, 일꾼, 그릇, 종 등으로 표현된 하나님의 종들은 이런 다양한 역할을 감당해야 할 존재들입니다. 그리고 이와 같은 배도의 때에 하나님의 종으로서의 본질을 올바로 지킬 수 있는 비밀은 바로 하나님의 말씀에 집중하는 일입니다.

그래서 바울은 "모든 성경은 하나님의 감동으로 된 것으로 교훈과 책망과 바르게 함과 의로 교육하기에 유익하니 이는 하나님의 사람으로 온전하게 하며 모든 선한 일을 행할 능력을 갖추게 하려 함이라"(딤후 3:16-17)고 말하고 있는 것입니다. 하나님의 종에게는 때를 얻든지 못 얻든지, 이 말씀을 전하는 것이 가장 소중한 직무입니다. 하지만 배도의 때에는 사람들이 진정으로 말씀에 귀 기울이지 않고, 사욕을 좇을 스승을 많이 두고 귀만 간지럽혀 주는 그런 가르침을 따를 것이라고 했습니다.

바울은 이미 자신의 삶을 번제로 드렸습니다. 번제란 희생할 짐승의 몸통을 전체로 불살라 드리는 제사입니다. 전제란 그 번제의 제사 끝에 불타는 제물 위에 한 숟가락의 포도주, 혹은 올리브 기름을 타오르는 불 위에 쏟아서 빠지직 하는 소리와 함께 순간적으로 한올의 연기로 피어오르는 그 향기로 하나님을 기쁘시게 하는 제사입니다. 바울은 불꽃처럼 그의 생을 살았습니다. 그리고 마지막 피 한 방울, 마지막 땀 한 방울마저 그의 번제 위에 부어서 완전히 바쳐지기를 바랐습니다. 우리의 생애도 그렇게 온전히 하나님께 드려지기를 소원합니다.

디도서는 3개의 단원으로, 빌레몬서는 6개의 단원으로 묶을 수 있습니다.

디도서

A. 교회는 하나의 조직이다(1장)

B. 교회는 하나님의 말씀을 선포하고 가르치는 곳이다(2장)

C. 교회는 선행을 보이는 곳이다(3장)

빌레몬서

A. 빌레몬과 그의 가족들에 대한 다정한 문안 인사(1-3절)

B. 빌레몬에 대한 좋은 소문(4-7절)

C. 오네시모를 위한 은혜의 부탁(8-16절)

D. 무죄한 자가 죄인을 대신함(17절)

E. 전가에 대한 영광스런 실례(18절)

F. 일반적인 일들과 개인적인 일들에 대한 요청(19-25절)

〈주요 통독 자료〉

1. 디도서

사실 디도라는 인물에 대해서는 그다지 많이 알려져 있지 않습니다. 그는 바울의 동료였고, 또 바울과 함께 여행을 했습니다. 하지만 흥미로운 것은 그가 정작 사도행전에서는 전혀 언급이 되지 않았다는 것입니다. 그는 매우 강한 내용을 담고 있었던 고린도후서를 고린도에 전달한 사람이었으며, 또한 예루살렘으로 보내는 헌금을 거두어 오도록 바울이 고린도에 보낸 인물이기도 했습니다.

바울이 디도에게 편지하고 있는 지금 디도는 크레타 섬에 있었습니다. 이 크레타 섬은 에게 해 남쪽에 위치한 지중해에서 다섯 번째로 큰 섬으로 바울이 로마로 호송되어 갈 때 잠시 들렀던 섬이었는데, 그 영향으로 그 섬에 교회가 많이 세워져 있었다고 합니다. 바울은 교회들의 문제를 해결하기 위해서 디도를 이 섬으로 보냈습니다. 이와 동일한 때에 디모데는 에베소에 있었습니다. 사실상 디도서에서 바울은 디모데에게 보낸 편지에서 다루었던 것과 유사한 내용을 쓰고 있습니다. 하지만 약간 다른 포인트를 가지고 있습니다.

바울의 문안인사를 봅시다.
"하나님의 종이요 예수 그리스도의 사도인 나 바울이 사도 된 것은 하나님의 택하신 자들의 믿음과 경건함에 속한 진리의 지식과"(딛 1:1).
다시 한 번 바울의 전형적인 인사의 요소들이 등장하지요? '종'(Doulos), '사도' 같은 단어들을 주목해 볼 필요가 있습니다. 바울은 목회자인 디도에게 하나님의 종으로서 가져야 할 신분상의 확신을 이렇게 정의해 줍니다.
주님의 종은 사도적 권위를 가지고 보내심을 받은 자이면서, 동시에 주님과 또한 섬겨야 할 성도들에게 기꺼이 평생 팔려간 종의 자세를 취해야 한다는 것입니다. 특별히 바울은 하나님의 말씀, 즉 진리의 지식의 가르침을 통해서 성도들을 믿음 가운데 세워줌으로써 삶에 열매가 있게 하려는 일을 위하여 부르심을 받았다고 말합니다. 다음 절에서 바울은 또한 신자들로 하여금 영생의 소망을 얻게 하기 위해서 부르심을 받았다고 말합니다.

지금 바울은 자신의 부르심에 대하여 이야기하고 있습니다. 하나님은 영원 전부터 인류의 구원의 계획을 갖고 계셨고, 이제 정하신 때가 되자 말씀의 가르침을 통해서 그것을 나타내신 것입니다. 그래서 바울은 "자기 때에 자기의 말씀을 전도로 나타내셨으니 이 전도는 우리 구주 하나님이 명하신 대로 내게 맡기신 것이라"(딛 1:3)고 말합니다.
바울은 바로 이 전도의 말씀을 가르치는 일을 위하여 부르심을 받았고, 디모데와 함께 믿음의 아들인 디도에게 편지하고 있습니다.
"같은 믿음을 따라 나의 참 아들 된 디도에게 편지하노니 하나님 아버지와 그리스도 예수 우리 구주로부터 은혜와 평강이 네게 있을지어다"(딛 1:4).

다시 은혜와 평강이라는 전형적인 바울의 인사말들이 사용됩니다. 하지만 디모데전·후서의 통독 자료에서 말씀드렸던 것처럼, 바울은 목회자들에게 주는 서신에서 특별히 한 단어를 더 추가했습니다. 물론 이 구절 속에도 있습니다. 다만 우리말 성경에서 번역이 되지 않았을 뿐입니다. NKJV에서 이 구절을 보면 이렇습니다.

"To Titus, a true son in our common faith: Grace, mercy, and peace from God the Father and the Lord Jesus Christ our Savior."

여기에서 바울은 분명히 은혜와 긍휼과 평강을 구하고 있습니다. 목회자에게 가장 필요한 덕목은 바로 영혼을 긍휼히 여기는 마음입니다. 자비를 베풀고자 하는 마음입니다. 그리고 바울은 자신이 이 서신을 쓰는 이유에 대하여 이야기합니다.

"내가 너를 그레데에 남겨둔 이유는 남은 일을 정리하고 내가 명한 대로 각 성에 장로들을 세우게 하려 함이니"(딛 1:5).

바울은 디도서에서 크레타 섬 사람들에 대한 좋지 않은 평판에 대하여 이야기합니다. 바울은 먼저 크레타 섬의 교회에 들어온 유대주의에 대하여 언급합니다. 그는 "불순종하고 헛된 말을 하며 속이는 자가 많은 중 할례파 가운데 특히 그러하니(딛 1:10)"라고 말합니다.

할례당이란 물론 유대 율법주의자들을 이야기합니다. 이들은 예수님을 믿는 것만으로는 부족하고, 그 위에 율법을 준수하는 플러스 알파가 따라야 한다고 주장하는 사람들이었습니다.

바울은 "그들의 입을 막을 것이라 이런 자들이 더러운 이득을 취하려고 마땅하지 아니한 것을 가르쳐 가정들을 온통 무너뜨리는도다"(딛 1:11)라고 단언합니다.

사도행전 20장에서 우리는 바울이 예루살렘으로 올라갈 때에 밀레도에 에베소 장로들을 초대해서 그들에게 당부했던 말 중에 이런 말을 했던 것을 읽었습니다.

"내가 떠난 후에 흉악한 이리가 여러분에게 들어와서 그 양 떼를 아끼지 아니하며 또한 너희 중에서도 제자들을 끌어 자기를 따르게 하려고 어그러진 말을 하는 사람들이 일어날 줄을 내가 아노라 그러므로 여러분이 일깨어 내가 삼 년이나 밤낮 쉬지 않고 눈물로 각 사람을 훈계하던 것을 기억하라"(행 20:29-31).

다시 말해서 크레타 섬의 유대주의자들의 동기는 오직 자기들의 배를 채우기 위한 것뿐이었다는 것입니다. 교회에서 쓸데없는 권위를 차지하려는 사람들, 사람들을 이용해서 돈을 벌려는 사람들, 자기의 사리사욕을 채우기 위하여 교회를 이용하려는 사람들, 이런 것이 이들 행동의 동기인 것입니다. 바울은 그레데인들에 대한 좋지 않은 평판에 대해 말합니다.

"그레데인 중에 어떤 선지자가 말하되 그레데인들은 항상 거짓말쟁이며 악한 짐승이며 배만 위하는 게으름뱅이라 하니 이 증언이 참되도다 그러므로 네가 그들을 엄히 꾸짖으라 이는 그들로 하여금 믿음을 온전하게 하고 유대인의 허탄한 이야기와 진리를 배반하는 사람들의 명령을 따르지 않게 하려 함이라"(딛 1:12-14)

여기서 바울은 흥미로운 이야기를 들려줍니다. 고대 문헌들을 보면 크레타인들에 관한 좋지 않은 비평들이 자주 나타난다고 합니다.

특별히 B.C. 600년경에 크레타의 시인 에피메니데스(Epimenides)라는 시인의 글을 바울은 이곳에서 그대로 인용한 것입니다. 크레타라는 섬은 당시 근동의 상업과 교통의 요충지에 있었고, 비교적 큰 섬이었으므로 굉장한 물질적 부를 누릴 수 있었고, 유대인 부호들이 많이 살고 있었던 것으로 알려지고 있습니다. 이들은 그들의 이런 위치를 이용해 교회 안에서 어떤 영향력을 행사하고 싶어했습니다. 그래서 교훈을 받고 겸손히 주님의 도에 순종하지 않고, 자신들이 지닌 율법적인 전통을 가지고 많은 교인들을 현혹했던 것입니다.

바울은 교회가 이런 이들의 영향을 받지 않아야 한다고 경고하고 있습니다. 불순한 동기를 가진 사람들은 모든 것을 불순하게 봅니다. 자신들의 마음과 양심이 더럽기 때문입니다. 그러나 깨끗한 마음을 가진 사람들에게는 모든 것이 깨끗합니다. 입술의 고백과 삶의 행실이 일치와 균형을 이루는 삶을 사는 것이 우리에게 매우 중요합니다. 입술로는 하나님을 안다고 주장을 하지만 삶은 하나님과 전혀 상관없이 산다는 것입니다. 하나님을 아는 것과 하나님에 관하여 아는 것은 큰 차이가 있는데, 이 부분에서 스스로 속지 않아야 합니다. 가증함은 우상숭배와 연관이 있는 단어입니다. 이런 사람들은 말씀을 듣기만 하고 심지어는 평가를 합니다. 그러나 순종하지는 않습니다. 이들은 선한 일을 버릴 뿐만 아니라 선한 일에서 버려진 자들입니다.

2. 빌레몬서

바울은 빌레몬서에서 자신을 "그리스도 예수를 위하여 갇힌 자 된 바울"이라고 소개합니다. 하지만 이 구절을 영어 성경에서 보면 "a prisoner of Jesus Christ"라고 되어 있습니다. 이것은 다시 말하면 예수 그리스도께 갇힌 자 되었다는 의미인 것입니다.

바울이 자신의 로마 투옥에 대하여 불평과 원망을 하기보다 "사나 죽으나 내 안에서 그리스도가 존귀하게 되기를 원한다"고 말할 수 있었던 이유가 바로 여기에 있는 것입니다. 바울은 로마 감옥에 갇힌 것이 아니라, 사실은 예수님의 사랑의 포로가 된 것입니다. 그래서 어떠한 환경도 바울을 괴롭게 할 수 없습니다.

이 책의 수신자인 빌레몬은 부자였습니다. 그는 에베소 가까운 골로새에 살고 있었습니다. 그는 바울의 사역을 통해서 구원을 받고, 이 영향력 있었던 골로새 교회의 일원이 되었습니다. 그리고 빌레몬의 집에서 교회가 모이고 있었습니다.

혹시 예수를 믿게 하고, 또 양육해서 좋은 신자가 된 그런 지체들이 믿음 안에서 놀라운 활약을 하고 있다는 소식을 접한 적이 있으십니까? 그것은 얼마나 기쁜 일인지 알 수 없습니다. 빌레몬이 그랬고 그것이 바울의 기도 때마다 드리는 감사의 제목이었다고 바울은 이 책에서 밝힙니다.

빌레몬에게 미쳤던 바울의 영향력을 생각하면 이 책에서 바울이 말하려는 것은 명령으로라도 할 수 있는 일이라고 바울이 말합니다. 그러나 바울은 빌레몬을 사랑하기 때문에 그런 방식을 취하지 않겠다고 말합니다. 바울 자신이 그리스도의 사랑의 포로가 된 것처럼, 바울은 주님을 섬기는 모든 사람들이 그런 종의 마음을 갖기 원하고 있습니다. 세상에서 권세를 누리는 자들이 아니라 사랑으로 섬기는 자들이 되는 것입니다. 그것이 바울의 소원이었고, 또한 우리 예수님의 소원입니다.

그는 이제 빌레몬으로부터 도망을 쳤던 노예, 당시 사회로서는 빌레몬에게 잡히면 즉시 죽임을 당할 수 있는 그런 사회적으로 미천한 위치에 있었던 오네시모를 빌레몬에게 부탁하고자 합니다. 그러니까 바울은 얼마나 낮은 자리까지 내려간 것입니까?

바울은 두기고에게 골로새서를 보내면서 자신이 감옥에서 얻은 또 한 사람의 믿음의 아들이며 제자인 오네시모를 함께 보낸 것 같습니다. 오네시모라는 이름의 뜻은 '유익한 자'(Profitable)라는 의미입니다. 그러나 그의 이름과는 달리 지금까지 오네시모는 정말 누구에게도 유익하지 못한 자였습니다. 그런 오네시모가 바울을 만나 구원을 받고 하나님의 종이 되었습니다. 바울은 오네시모가 자신의 심장과도 같은 사람이라고 말합니다. 그러니까 나를 맞이하는 것처럼 그를 맞이해 달라고 요청하는 것입니다.

오네시모의 신분상의 변화는 그리스도 안에서 우리들의 변화를 그대로 보여줍니다. 전에 무익하던 자가 이제는 유익한 자가 되었습니다. 전에 종이었던 자가 지금은 형제가 되고 친구가 되었습니다. 우리가 졌던 모든 빚은 예수님께 지워졌고 탕감되었습니다.

바울은 빌레몬에게 "네가 나를 동역자로 알진대…"라고 말합니다. 여기에서 동역자는 비즈니스 용어입니다. 바로 동업자라는 뜻입니다. 바울은 "내가 친필로 썼다"고 강조합니다. 그는 일종의 비즈니스 파트너로서 백지 수표를 위임하고 있다는 어조로 말합니다. 오네시모가 진 모든 빚을 내가 갚겠다고 약속하고 있는 것입니다.

뿐만 아니라 빌레몬이 자신에게 진 모든 사랑의 빚에 대하여 일체 말하지 않겠다고까지 합니다. 그러면서 바울은 빌레몬이 자신이 부탁하는 것보다 더할 것을 믿는다고 말합니다. 얼마나 아름다운 대화입니까?

여러분, 주님께서 여러분에게 분부하시는 것보다 더할 사람들이라고 우리 주님이 믿으시는 사람들이 되시기를 바랍니다. 이 빌레몬서는 우리의 모든 죄를 당신의 채무로 여겨 주시고 모두 담당해 주신 예수님의 사랑을 우리에게 보여줍니다.

히브리서는 크게 2단원으로 나눌 수 있습니다.

주제는 우리의 대제사장 되시는 예수 그리스도입니다.

A. 그리스도는 구약의 모든 요소들보다 탁월하시다(교리편: 1-10장)

● 1:1-3: 선지자들보다 탁월하신 그리스도

● 1:4-2:18: 천사들보다 탁월하신 그리스도

● 3:1-4:2: 모세보다 탁월하신 그리스도

● 4:3-13: 여호수아보다 탁월하신 그리스도

● 4:14-7:28: 레위 지파의 제사장보다 우월하신 그리스도

● 8:1-10:39: 우리의 대제사장 그리스도께서 더 나은 언약 위에 세워진 더 우월한 성전에서 섬기신다.

B. 그리스도는 더 나은 유익들과 직무들을 가져오신다(실천편: 11-13장)

● 11장: 믿음

● 12장: 소망

● 13장: 사랑

〈주요 통독 자료〉

1. 예수님의 우월성

히브리서의 주제는 우리의 영원한 대제사장이신 예수 그리스도입니다. 히브리서는 제목 그대로 히브리인들, 즉 유대인 신자들에게 쓴 편지입니다. 이 책은 보편적으로 바울의 저작으로 받아들여지고 있고, 제 생각도 그렇습니다.

이 책의 내용은 많은 부분에서 바울의 다른 책들과 일치합니다. 유대인들이 기독교

에 들어오면서 그들은 변화를 경험하고 있었던 것입니다. 옛 언약, 즉 성전 제사와 짐승의 희생, 제사장 제도 이런 것들이 이제 다 무효화되고, 오직 예수 그리스도 안에서 새 언약이 유효하게 되었기 때문입니다.

오순절에 베드로의 설교를 듣고 그날에 3000명이나 되는 유대인들이 주님께 돌아왔습니다. 그로부터 며칠 후 성전 미문의 앉은뱅이를 일으킨 사건으로 또 다시 5000명이 주님께 돌아왔습니다. 그리고 허다한 제사장들의 무리가 돌아왔습니다. 하지만 유대인 신자들이 기독교에 들어오면서 문제가 생기기 시작했습니다. 그것은 유대인 신자들이 그들의 율법적 전통과 기독교 신앙을 뒤섞으려는 유혹을 받게 된 것입니다.

사실상 히브리서는 바로 이런 문제들을 해결해 주기 위해 당시 유대인들 사이에서 일어나고 있던 질문들에 대한 답변들입니다. 히브리서 기자는 먼저 기독교 신앙의 중심이 되시는 예수 그리스도에 대한 변증을 시작합니다.

히브리서 기자의 예수 그리스도에 대한 변증의 첫 번째 테마는 바로 예수 그리스도의 우월성입니다. 그래서 히브리서 기자는 당시 히브리인들이 유대교인들로서 가장 우월하다고 믿고 있었던 것들을 하나하나 나열하며, 그 모든 것들보다도 우월하신 예수 그리스도를 변증하고 있는 것입니다.

1:1-3에서 예수 그리스도는 선지자들보다 뛰어나십니다. 1:4에서 그리스도는 천사보다 뛰어나십니다. 3장에서 그리스도는 모세보다 뛰어나십니다. 4장에서 그리스도는 여호수아보다 뛰어나십니다. 그리고 5-7장에서 그리스도는 레위 지파의 제사장직보다 뛰어나신 멜기세덱의 반차를 좇은 대제사장이십니다.

7:19에서 그리스도는 우리 모두의 더 나은 소망이십니다. 7:22에서 그리스도는 더 좋은 언약의 보증이 되셨습니다. 8:6에서 그리스도는 중보자로서 더 아름다운 직분을 얻으셨습니다. 9:23에서 그리스도는 성막에서 사용된 어떤 제물보다 더 좋은 제물이 되셨습니다. 10:34에서 그리스도는 우리가 더욱 사모할 좋은 기업이십니다.

11:16에서 그리스도를 믿음으로 바라본 모든 구약의 신자들도 그리스도 안에서 더 나은 본향을 사모했습니다. 또한 11:35에서 그리스도 안에서 믿음의 사람들은 더 나은 부활을 바라보았습니다. 11:40에서 하나님은 더 나은 그 무엇을 우리를 위하여 예비해 주십니다. 12:24에서 예수님의 피는 아벨의 피보다 더 나은 것을 말하는 뿌린 피였습

니다. 아벨은 가인보다 더 나은 제사를 드렸습니다. 그러나 예수님은 아벨보다 더 나은 제사를 드렸습니다.

예수 그리스도는 우리의 하나님이신데, 그는 천지를 창조하신 분입니다. 베드로가 말한 것처럼 어느 날 하나님께서 이 땅을 완전히 거두어 버리신 것입니다. 하지만 우리 주님의 나라는 영원할 것입니다. 예수님은 모든 것들 위에 뛰어난 주님이십니다. 이것이 오늘 우리 그리스도인들의 신앙의 유일한 중심이 되어야 합니다. 우리는 이 세상의 그 무엇으로도 그리스도께로부터 흘러 떠내려가서는 안 됩니다(히 2:1).

2. 대제사장이신 예수님

히브리서가 가진 최고의 변증은 바로 우리의 대제사장이신 예수 그리스도에 관한 것입니다. 그는 우리 연약함을 고스란히 경험하신 분입니다. 그러나 죄는 없으십니다. 그 모든 고난을 대신 받으셨고 승리하셨습니다. 그러므로 우리는 그의 긍휼하심을 입고 때를 따라 돕는 은혜를 얻기 위하여 은혜의 보좌 앞에 담대히 나아가야 합니다(히 4:15-16). 풍성한 전통과 형식적인 문화를 지니고 있었던 유대교로부터 기독교로 개종한 사람들 중 상당수가 시간이 지나감에 따라 다시금 뒤로 물러가 유대교적 전통을 찾았습니다. 전통을 따르는 일은 항상 외적 경건의 모습이 있고, 눈에 보이는 감동과 확신을 주는 이점이 있습니다. 그래서 예수 그리스도와의 개인적인 깊은 사귐 가운데 들어가지 못하는 사람들은 따로 하나님께 데려다 줄 제사장을 필요로 했던 것입니다.

오늘날도 많은 그리스도인들이 주님과의 깊은 사랑의 교제를 지속하지 못하고, 누군가 자신을 그 은혜 속으로 데려다줄 사람들을 필요로 합니다. 그래서 많은 사람들이 목회자들을 제사장의 개념으로 생각하는 것입니다. 그러나 예수님께서 우리에게 주신 특권은 예수 그리스도로 말미암아 우리 각자가 왕 같은 제사장의 특권을 누리며 하나님과 깊은 교제를 나누게 된 것입니다. 이런 점에서 히브리서 기자는 예수님의 제사장직의 우월성을 변증하고 있는 것입니다. 그래서 히브리서 기자는 레위 지파가 이 땅에 태어나기도 전에 존재했던 멜기세덱에게서 예수 그리스도의 제사장직의 뿌리를 찾습니다.

구약의 제사장들은 모두 레위의 후손들입니다. 하지만 그리스도는 레위가 태어나기도 전에 멜기세덱을 통해 나타나셨다는 것이 히브리서 기자의 논조입니다. 그래서 히브리서 기자는 멜기세덱이라는 존재 속에서 그리스도를 증거하려 했습니다.

참고로 유대인 랍비들에게 성경을 해석하는 네 가지 방법이 받아들여지고 있었습니다.

● 첫째는, '뻬샤크'(Peshach)로서 '성경을 문자 그대로 받아들이는 것'
● 둘째는, '레마'(Rema)로서 '성경 속에서 적용을 찾는 것'
● 셋째는, '데류스'(Dereus)인데, 이는 많은 공부와 묵상을 통해서 그 진정한 의미를 생각해 내는 것
● 넷째는, '싸드'(Sod)로 '성경을 알레고리로 해석하는 것'

히브리서 7장에서 히브리서 기자는 바로 멜기세덱이라는 대제사장과 예수님의 관계를 수많은 비유들로 설명하고 있습니다. 이것이 바로 '싸드'(Sod)〉입니다.

우선 저자는 멜기세덱이라는 이름을 고유명사가 아닌 보통명사로 해석하면서, 이분과 예수님과의 연관을 제시합니다.

'멜기세덱'을 보통명사로 번역하면 '의의 왕'입니다. '살렘 왕'을 역시 보통명사로 번역하면 '평강의 왕'이 됩니다. 특별히 멜기세덱은 창세기의 인물입니다.

창세기는 족보의 책입니다. 많은 사람들의 출생과 죽음에 관한 기록을 담고 있습니다. 하지만 이 멜기세덱이라는 인물에 대해서는 그러한 기록이 전혀 없습니다. 히브리서 기자는 그의 책에서 내내 예수 그리스도의 우월하심에 관하여 이야기합니다. 여기에서 그는 그리스도께서 히브리인들의 조상 아브라함보다 우월하심을 증거합니다. 레위 계통의 제사장들은 모두 아브라함의 후손들입니다. 하지만 멜기세덱은 아브라함이 십일조를 그에게 바치고, 멜기세덱은 떡과 포도주를 주며 아브라함을 축복했습니다. 그리고 히브리서 기자는 옛 계명, 즉 율법은 우리의 죄를 드러내 줄 뿐 죄를 씻어줄 능력이 없었다고 말합니다.

그러나 율법을 통해 드러난 모든 죄를 예수님의 보혈이 씻어준다는 것입니다. 그것이 바로 더 좋은 소망입니다. 레위 지파의 제사장들은 죽음을 피할 수 없었고, 그래서 숫자가 많았습니다. 그러나 예수님은 영원히 살아계시므로 오직 한 분뿐이십니다. 레

위 지파의 제사장들은 하나님께 나아가는 자들을 완전히 구원할 수 없었습니다. 그들은 오히려 백성들에게 율법의 무거운 짐들을 지울 뿐이었습니다. 그러나 예수님은 그에게 나아오는 자들을 온전히 구원하셨습니다. 어떤 상황에서 오는 자들이든지 얼마나 깊은 죄악 가운데 있는 자들이든지, 그리스도께 나아오는 모든 사람들을 그는 구속하십니다. 그리고 절대로 빼앗기지 않을 영원한 구원, 온전한 구원을 주십니다. 레위 지파의 제사장들은 자신들도 죄인이기 때문에 자신을 위한 제사를 먼저 드리고 그 후에 백성들의 속죄의 제사를 드릴 수 있었습니다. 그러나 예수님은 무죄하시므로 단번의 제사로 우리의 모든 죄를 해결해 주셨습니다.

3. 오직 믿음으로

히브리서 기자는 이렇게 1-10장에서 예수 그리스도의 우월성과 그의 영원한 대제사장직에 대해서 변증했습니다. 그리고 나머지 장들을 통해 우리의 유일한 희망은 바로 그 예수 그리스도를 믿고 그를 힘입어 하늘의 영원한 성소에 들어가는 것임을 증거합니다. 많은 유대인들이 강한 종교성을 띠고 살았습니다. 열심히 기도문을 읽고, 시간을 맞추어 기도하며, 또 예루살렘 서쪽 통곡의 벽에 얼굴을 묻고 흐느끼며 울었습니다. 선한 삶을 살기 위하여 애쓰고, 또한 율법의 복잡한 조항들을 지키며, 음식의 까다로운 규례들을 지켰습니다. 그런데 문제는 죄 문제입니다. 아무리 종교적으로 산다 해도 죄 문제를 해결하지 못하는 한 구원의 소망은 없습니다.

사람에게 한 번 죽는 것은 정해졌고, 그 후에 심판이 있음도 마찬가지입니다. 죽음은 절대 모든 것의 끝이 아닙니다. 그것이 두려운 것입니다. 예수 그리스도의 속죄 사역은 이 세상에서의 삶에 미치는 영향에서 끝나지 않고 죽음 이후에 하나님의 보좌 앞에서 우리에게 나타나는 것입니다. 그래서 새 언약은 옛 언약보다 우월한 것입니다. 히브리서는 11장에서 믿음에 있어서의 '명예의 전당'(the Hall of Fame)임을 보여주고 있고, 12장에서는 우리들도 믿음의 승리를 위하여 "믿음의 주요 또 온전케 하시는 이"(the Author and the Finisher of our faith - 우리의 믿음의 시작과 마침이 되시는 주)를 끊임없이 바라보아야 한다고 가르치며, 13장에서는 때로 징계가 올지라도 그것은 우리가 구원받은 하나님의 친자녀임을 증거하는 것이므로 사랑 가운데 굳게 서야 한다고 가르쳐 주고 있습니다.

야고보서

A. 참된 믿음의 증명(1-3장)

● 1:1-12: 하나님은 시험들을 통해 믿음을 시험하신다

● 1:13-21: 하나님은 악을 통해 믿음을 시험하지 않으신다

● 1:22-27: 하나님은 말씀으로 믿음을 시험하신다(인간의 말이 아닌…)

● 2:1-13: 하나님은 사람들에 대한 존경심의 태도와 행동을 통해 믿음을 시험하신다

● 2:14-26: 하나님은 선행들을 통해 믿음을 시험하신다

● 3장: 하나님은 혀를 통해 믿음을 시험하신다

B. 세속의 허탄함과 쓸모없음(4장)

C. 부한 자에 대한 경고-임박한 그리스도의 재림의 가치(5장)

베드로전서

A. 신자의 고난과 안전(1:1-9)

B. 고난과 성경말씀(1:10-25)

C. 고난과 그리스도의 고난(2-4장)

D. 고난과 그리스도의 재림(5장)

베드로후서

A. 은혜가 더할수록 확신이 온다(1:1-14)

B. 성경의 권위는 성취된 예언으로 인하여 입증된다(1:15-21)

C. 배도는 거짓 교사들로 말미암는다(2장)

D. 그리스도의 재림에 대한 태도-배교자의 시험(3:1-4)

E. 세상에 대한 하나님의 의중(3:5-13)

F. 신자들에 대한 권고(3:14-18)

〈주요 통독 자료〉

1. 야고보서(영적 성숙의 책)

진짜 믿음은 행위로서 입증되어야 한다.

신약 성경의 저자들 중 자신을 오직 종(Bond Slave)이라고만 부른 단 두 명의 저자들이 있습니다. 물론 바울 역시 자신을 종이라고 부르긴 했습니다만 그는 항상 사도와 종이라는 호칭을 함께 사용했습니다. 오직 유다와 야고보 두 사람만이 자신들을 소개하는 용어로서 이 단어를 사용한 것입니다. 참으로 흥미로운 것은 이 두 사람이 모두 예수님의 형제들이었다는 것입니다.

마가복음에 보면 예수님의 형제들의 명단이 나옵니다. 야고보와 요셉과 유다 그리고 시몬입니다. 예수님의 형제들은 사실 예수님이 부활하시기 전까지는 믿지 않았던 것으로 알려져 있습니다.

초기 초대 교회에서 우리는 예수님의 열두 제자들 중 하나였던 요한의 형제 야고보가 일찍이 순교한 것을 배웠습니다. 그런데 그 야고보의 순교 이후에 다른 이름의 야고보가 일어나서 교회의 지도자가 된 것입니다. 만약 제가 예수님과 형제 관계였다면 어찌하든지 이 편지의 어떤 부분에서 저는 이런 구절을 삽입했을 것입니다.

'예수 그리스도의 의붓형제인 나 석진은….'

저는 사람들이 제가 얼마나 중요한 사람인지 알아주기를 원했을 것입니다. 하지만 야고보나 유다는 그렇지 않고 오직 자신들을 그리스도의 종이라고만 소개합니다. 하지만 예수 그리스도의 종이 된다는 것보다 더 영광스런 이름이 어디에 있겠습니까? 그리고 이 편지는 흩어져 있는 열두 지파, 즉 유대인들에게 주어진 편지입니다.

문안에 이어서 나오는 이 편지의 본론의 첫 번째 주제는 '시험을 만나거든 기뻐하라'는 것입니다. 이것은 일반적인 사람들의 사고와 완전 반대되는 개념입니다. 하지만 야고보는 시련이 인내를 만들어 내기 때문에 기뻐해야 한다고 말씀합니다. 로마서 5장에서 바울은 환난은 인내를, 인내는 연단을, 연단은 소망을 이룬다고 했고, 그 소망이 결코 우리를 부끄럽게 하지 않는다고 했습니다. 여기에서 야고보도 같은 논리를 사용하고 있는 것입니다.

환난은 우리를 더욱 기도하게 만들고, 그리하여 더욱 그리스도께로 가까이 다가가도록 만들어 줍니다. 그것이 바로 인내의 온전한 개념입니다. 그리스도인의 인내는 단순히 참아내기만 하는 것은 아닙니다. 그 속에서 기도함으로써 우리는 더욱 하나님께로 가까이 나아가게 되는 것입니다. 그러는 동안 그리스도를 닮은 우리의 인격이 형성되기 시작합니다. 그것이 연단의 올바른 개념입니다. 그리고 마침내 우리 안에는 예수님의 소원이 내 소원으로 자리잡기 시작하는 것입니다. 그래서 우리가 가지는 소원이 절대 우리를 부끄럽게 하지 않는다는 것입니다.

야고보는 이 책에서 신자의 진정한 영적 성숙을 가르쳐줍니다. 참된 믿음은 성숙할 수 밖에 없고, 성숙한 믿음은 예수 그리스도의 마음을 품는 일에서 시작하여 마침내 우리들을 행동하는 신앙인들이 되게 만듭니다. 야고보는 우리가 행위로써 구원을 얻는다고 말하지 않습니다. 야고보 역시 구원은 오직 믿음으로 말미암는다는 것에 동의합니다. 하지만 그 믿음이 진짜 믿음인지 알려면 그 사람의 행동을 보아야 한다는 것입니다. 야고보는 행동으로 증명되는 믿음의 본질들을 다각도로 설명합니다. 그런 믿음은 교만하게 자신을 높이지 않고 도리어 낮은 자리를 택하게 되며, 시험을 잘 참게 되고, 말씀을 듣고 행동으로 옮기는 사람이 되며, 빈부귀천에 따라 사람을 차별하는 일을 하지 않으며, 아브라함처럼 기생 라합처럼 자신의 믿음을 행동으로 입증하는 사람들입니다.

또한 이런 믿음은 혀를 제어하여 불의한 말을 하지 않는 성숙함을 가져오며, 위로부터 난 지혜를 사모하고, 세상과 벗하지 않고 하나님을 가까이하는 사람이 되게 한다는 것이 야고보의 생각입니다. 이런 사람은 허탄한 데 뜻을 두지 않고, 하루 있다 사라질 부를 자랑하지 않으며, 병든 자를 위하여 기도하며, 혹여 미혹을 받아 넘어진 지체들이 있다 하더라도 그들을 사랑하여 돌이키는 삶을 통하여 자신의 성숙한 믿음을 증명해야 한다는 것입니다.

2. 베드로전서

베드로는 여러 이방인 지역에 흩어져 사는 유대인들을 위하여 이 편지를 썼습니다. 베드로는 구원의 산 소망이 되시는 그리스도만 바라보라고 말씀합니다. 그리고 모든 행실에 거룩한 자가 되라고 합니다. 마음의 허리를 동이고 근신하여 생활하는 사람들, 그것이 진정한 그리스도인들의 모습인 것입니다. 베드로는 특별히 유대인들이 그 조상들로부터 유전으로 물려받은 죄와 망령된 행실로부터 속죄함을 받은 것은 금이나 은같이 썩어질 것으로 된 것이 아니요, 흠 없고 점 없는 어린 양 같은 예수 그리스도의 보혈로 된 것임을 천명합니다. 그래서 우리는 영원한 산 돌이신 예수 그리스도께 나아와 순전하고 신령한 젖을 사모하며 마침내 택하신 족속이요, 왕 같은 제사장이요, 거룩한 나라요, 그의 소유된 백성이 되었으니 우리를 바깥 어두운 데서 불러내어 그의 기이한 빛에 들어가게 하신 이의 덕을 선전하는 데에 우리의 전심을 쏟으며 살아야 할 것입니다.

베드로는 친히 나무에 달려 고난을 받으사 그 몸으로 우리 죄를 담당해 주신 예수 그리스도를 본받아, 죄에 대하여 죽고 의에 대하여 산 자가 되라고 권합니다. 또한 형제를 사랑하고 불쌍히 여기라고 말합니다. 악을 악으로 갚지 말고 선으로 악을 이기라고 권합니다. 그것이 바로 하나님의 은혜를 받은 선한 청지기같이 살아가는 것이며, 다시 오실 그리스도를 기다리는 신자의 태도임을 분명히 합니다. 특별히 베드로는 유대인의 장로들에게 그리스도의 심정을 가지고 양무리를 치되 억지로 하지 말고 하나님의 뜻에 따라 자원하는 마음으로 하라고 말합니다.

3. 베드로후서

베드로후서는 정말 스릴 넘치는 책입니다. 1장에서 베드로는 하나님의 신기한 능력, 즉 성령의 권능과 그 보배롭고 지극히 큰 약속인 하나님의 말씀으로 말미암아 우리가 거듭난다는 것을 천명합니다. 요한복음 3장에서 예수님이 니고데모에게 하신 말씀과 같습니다. "사람이 물과 성령으로 거듭나지 않으면 하나님의 나라를 볼 수 없다"고 하신 말씀입니다.

베드로는 이같이 우리가 성령과 말씀으로 거듭나면 우리 안에는 예수 그리스도를 닮은 일종의 영적 유전자가 생성된다고 말합니다. 아기가 태어날 때 그 아기의 피부색, 키, 눈의 크기와 모양, 치아의 크기와 모양 등 몸의 모든 것을 결정짓는 유전자를 타고 나는 것처럼, 우리가 주 안에서 거듭나면 우리에게는 예수 그리스도를 닮은 그런 사람으로 성장할 모든 요건들을 담은 영적 유전자가 형성된다는 것입니다.

그래서 우리의 신앙은 믿음에 덕을, 덕에 지식을, 지식에 절제를, 절제에 인내를, 인내에 경건을, 경건에 형제 우애를, 형제 우애에 사랑을 더하는 그런 성숙을 갖게 될 것이며 마침내 신의 성품, 즉 우리 하나님의 성품을 닮은 자녀가 된다는 것입니다. 이같이 할 때에 우리 구주 예수 그리스도의 나라에 들어감을 넉넉히 얻게 되는 것입니다.

"날이 새어 샛별이 너희 마음에 떠오를 때까지"(예수 그리스도의 재림이 이루어질 때까지).

우리는 성경의 모든 예언들에 집중해야 합니다.

왜냐하면 모든 예언은 하나님의 감동으로 된 것이기 때문입니다. 불행히도 2장에서 베드로는 1세기 교회 안에 거짓 선지자들과 거짓 교사들이 많이 일어나서 사람들을 배도와 배교로 이끌고 있음을 경고해야 했습니다.

이런 현실들 속에서 초대 교회의 신자들은 많은 시련과 고난을 겪어야 했지만 베드로는 하나님의 날, 즉 예수 그리스도의 재림의 날이 다가오고 있으므로 주님 앞에 서는 날까지 잘 참고 견뎌야 한다고 권합니다. 하늘은 종이 축이 말리는 것처럼 떠나가고 모든 물질의 요소들이 뜨거운 불에 풀어지는 것처럼 다 분해가 되어버리는 두려운 날이 예비되어 있지만, 예수님의 재림의 그날이 더디 이루어지는 것은 우리 하나님께서 한 영혼이라도 더 구원 얻기를 기다리시기 때문이라고 말합니다. 말세를 살아가는 우리들에게 영혼을 구하기 위한 전도와 섬김의 삶이 얼마나 소중한지를 일깨워 주는 말씀입니다.

우리는 그의 약속대로 의의 거하는 바 새 하늘과 새 땅을 바라보는 사람들입니다. 그러므로 우리들의 최고의 관건은 우리 주님이 나타나실 때에 그 앞에 점도 없고 흠도 없이 평강 중에 나타나기를 힘쓰는 것입니다. 할렐루야!

요한일서(하나님에 대한 세 가지 정의)

A. 하나님은 빛이시다(1:1-2:2)

● 1:1-2: 서론

● 1:3-2:2: 어떻게 어린 자녀들이 하나님과 교제를 가질 수 있는가

    – 빛 가운데 행함으로, 죄를 자백함으로, 그리스도의 대언으로

B. 하나님은 사랑이시다(2:3-4장)

● 2:3-14: 어떻게 사랑하는 자녀들이 서로 교제할 수 있는가

    – 사랑 안에서 행함으로

● 2:15-28: 사랑하는 자녀들아 세상을 사랑치 말라

● 2:29-4장: 어떻게 사랑하는 자녀들이 서로를 알고 함께 살 수 있는가

C. 하나님은 생명이시다(5장)

● 5:1-5: 세상을 이김

● 5:6-21: 구원의 확신

요한이서

A. 사랑은 진리의 영역 안에서 표현된다(1-6절)

B. 삶은 그리스도의 교리의 표현이다(7-11절)

C. 개인적 문안(12-13절)

요한삼서

A. 가이오 – 초대 교회의 사랑받는 형제(1-8절)

  "편지의 수신자로서 말씀을 가르치는 참된 교사들을 잘 대접하라고 권고를 받은 사람"

B. 디오드레베 – 출세를 사랑했던 사람(9-11절)

"악한 행동은 거짓된 교리의 표현임을 보여준 사람"

C. 데메드리오 - 모든 사람들과 진리 그 자체의 좋은 증거를 가진 사람(12-14절)

"좋은 삶은 참된 교리의 표현임을 보여준 사람"

유다서

A. 이 서신의 정황(1-3절)

B. 배교의 행위들(4-16절)

C. 배도의 날에 신자들의 책무(17-25절)

〈주요 통독 자료〉

1. 요한일서

요한일서는 하나님의 세 가지 측면(빛, 사랑, 생명)에 대한 확고한 뼈대 위에 교리적인 다양한 이야기들을 확대시켜 가는 구조를 가지고 있습니다. 또한 요한은 신앙에 있어서 어린아이들(Little Children), 사랑하는 자들(Beloved Ones), 그리고 아비들(Fathers)로서의 성장 과정을 명확히 그리고 있습니다.

"자녀들아(Little Children) 내가 너희에게 쓰는 것은 너희 죄가 그의 이름으로 말미암아 사함을 받았음이요"(요일 2:12).

하나님의 자녀로 막 태어난 사람에게는 자신의 모든 죄가 사함을 받았다는 감격이 가장 중요한 것입니다. 여기에서부터 모든 것이 시작되기 때문입니다. 그리고 요한은 말합니다.

"청년들아 내가 너희에게 쓰는 것은 너희가 악한 자를 이기었음이라"(요일 2:13).

청년의 때는 투쟁의 때입니다. 하나님의 자녀로 태어났다는 확고한 지식의 바탕 위에서 우리는 영적 싸움을 싸워야 하는 것입니다.

"청년들아 내가 너희에게 쓴 것은 너희가 강하고 하나님의 말씀이 너희 안에 거하시며 너희가 흉악한 자를 이기었음이라"(요일 2:14).

이 영적 싸움에서 우리를 승리하게 하는 것은 말씀이 우리 안에 거하는 데 있습니다. 요한은 우리가 싸워야 할 대상이 무엇인지를 분명히 밝힙니다.

우리는 사람들과 싸우는 사람들이 아닙니다. 교회 안에서 우리는 사람과 싸우면 안 됩니다. 요한은 우리가 싸워야 할 대상이 무엇인지 밝힙니다.

"육체의 정욕, 안목의 정욕, 이생의 자랑"

이 세 가지가 모든 인류의 적입니다.

사탄이 이브에게 가져온 것이 이 세 가지입니다.

그녀가 선악과를 보았을 때, 보암직도 하고(안목의 정욕), 먹음직도 하고(육체의 정욕), 지혜롭게 할 만큼 탐스럽기도(이생의 자랑) 했습니다. 이것이 사탄의 의도입니다. 이 세 가지는 모두 하나님께로부터 온 것이 아니요 세상적이고 정욕적이고 마귀적인 것들입니다. 우리는 이 치열한 싸움에서 오직 하나님의 말씀으로만 이길 수 있습니다. 그 다음 요한은 말합니다.

"아비들아 내가 너희에게 쓴 것은 너희가 태초부터 계신 이를 알았음이요."

우리가 치열한 싸움의 때인 청년기를 지나면 깊은 성숙이 다가오게 됩니다. 우리의 욕망은 오직 하나 태초부터 계신 그분을 나타내는 것입니다. 신자가 성숙하면 언제나 주님만 나타납니다. 무엇을 하더라도 주님의 영광만 드러납니다. 그러나 미성숙한 신자가 있는 곳에는 항상 자기를 나타내려는 치열한 싸움이 따르고, 냄새나고 더러운 육적인 동기의 싸움들이 계속되는 것입니다.

요한은 이 영적 성숙의 과정 속에서 빛 되신 하나님 앞에서의 죄의 용서, 사랑이신 하나님 앞에서 서로 사랑하는 것, 그리고 생명이 되신 하나님을 소유한 자답게 영적 싸움에서 세상을 이기며 어둠 속에 갇힌 자들을 구해내는 생명사역을 왕성하게 해나아가야 한다는 것을 가르쳐 줍니다. 그러면 우리는 세상을 이길 수밖에 없습니다. 왜냐하면 우리 안에 계신 이가 세상에 있는 자보다 크시기 때문입니다.

2. 요한이서

요한은 이 서신에서 자신을 장로로 부르고 있습니다.

그는 이 때 90대의 나이였으니까 이 호칭이 실로 잘 어울리는 나이였습니다. 요한은 이 서신을 "택하심을 입은 부녀와 그의 자녀에게" 쓰고 있습니다.

이 택하심을 입은 부녀가 누군지에 대해서는 의견이 분분합니다만 사실 우리에겐 그것이 그리 중요하지 않습니다. 여기 "택하심을 입은 부녀"는 헬라어에서 '에클렉티 쿠리아'입니다. '에클렉티'는 '택하심을 받았다'는 의미도 있지만 당시 통용되던 여인의 이름이기도 했습니다. '쿠리아'는 '쿠리오스'(주님)의 여성형입니다. 이 단어는 Mr. 혹은 Lord(주)라고 번역될 수도 있고, 이 단어의 여성형인 '쿠리아'는 Miss 혹은 Lady라고 번역될 수 있습니다. 따라서 사람들은 '엘렉티'라는 이름을 가진 여성으로 해석하기도 합니다.

하지만 이것은 우리에게 그다지 중요하지 않습니다. 이를 보통명사로 해석한다면 '택하심을 받은 숙녀', 즉 교회를 지칭하는 용어일 수도 있기 때문입니다.

이 책에서 요한이 진실로 다루고자 하는 것은 진리입니다. 요한은 이 거룩한 부녀와 그 자녀들이 진리 가운데 행한다는 것을 심히 기뻐하고 있습니다. 요한삼서에서도 요한은 같은 이야기를 합니다.

"내가 내 자녀들이 진리 안에서 행한다 함을 듣는 것보다 더 기쁜 일이 없도다"(요삼 4절).

초대 교회뿐만 아니라 교회 역사 전체를 두고 참으로 불행한 일은 성도들이 진리 가운데 지속적으로 거하지 못하는 것입니다.

바울은 갈라디아 교인들에게 어떻게 너희가 그렇게 속히 진리를 떠나 다른 복음을 좇을 수 있느냐고 한탄했습니다. 바울 사도가 복음을 전하며 지나간 곳마다 항상 거짓 선지자들이 그 뒤를 따랐습니다. 역사 가운데서 이단적인 거짓 선지자들의 타깃은 항상 교회 안의 명분뿐인 신자들이었습니다. 그들은 밖에 나가서 잃어버린 영혼을 찾지 않습니다. 항상 교회 안에서 견고하지 못한 신자들을 찾습니다. 그들이 타깃입니다. 요한은 바른 진리를 위한 교사들을 집안에 들이고 친절과 사랑으로 섬기는 즐거움을 누리되, 이단의 교리를 가진 사람들은 집에 들이지도 말고 인사도 말라(요이 10절)고 단호히 말합니다. 요한이서의 주제는 '지속적으로 진리 안에 거하며, 같은 진리를 가진 이들과 깊은 사랑의 교제와 섬김의 삶을 누리라'는 것입니다.

3. 요한삼서

요한은 모두 다섯 권의 책을 썼습니다.

요한복음, 요한계시록, 그리고 요한일·이·삼서가 그것입니다.

이 요한삼서가 요한의 마지막 저작으로 알려지고 있습니다.

이 책은 요한계시록을 쓴 후에 쓰인 것입니다. 저 유명한 초대 교회의 감독 폴리캅은 요한에게 에베소에서 직접 배운 사람이었고, 요한의 죽음 이후에 에베소 교회를 맡았던 것으로 알려지고 있습니다.

요한은 이 세 번째 편지를 '가이오'라는 이름의 남자에게 보내고 있습니다. 하지만 신약 성경에는 '가이오'라는 이름이 많습니다. 마케도니아의 가이오도 있고, 더베의 가이오도 있고, 고린도의 가이오도 있습니다. 요한삼서에 나오는 가이오는 이 세 가이오 중 하나가 아니었습니다. 초대 교회의 구전에 의하면, 이 가이오는 요한에 의하여 버가모의 교회 감독으로 보내진 인물이었다고 합니다. 물론 이 버가모는 에베소에서 그리 멀지 않았습니다.

90대에 달한 노년의 요한은 이제 긴 편지를 쓰고 싶지 않았을 것입니다. 하지만 자신이 사랑하는 젊은 목회자 가이오에게 항상 기본에 충실하도록 가르치는 일은 대단히 중요한 일이었을 것입니다. 요한의 나이와 함께 이미 한 세기를 지나가고 있는 초대 교회 안에는 많은 문제들이 침투해 들어왔습니다.

요한계시록 2장과 3장에 나타난 예수님의 편지에도 나타납니다만, 당시의 교회는 이미 예수님께 책망과 경계를 받아야 할 일들을 가지고 있었습니다. 교회의 역사 가운데도 오늘날 대형 교단이 된 신앙운동들의 역사를 보면 처음엔 대부분 하나님의 위대한 역사로 시작이 됩니다. 그러나 그 순수하고 역동적이었던 운동들이 사람들에 의하여 교단으로 체계화되는 과정에서 기본을 버리고 사람들의 구미에 맞는 형식을 취하는 경우가 많은 것입니다. 그리곤 이내 평범한 교단으로 돌아가 버리고 맙니다.

그런 의미에서 요한은 진리 가운데 굳게 거하고 있는 가이오에 대한 애정이 넘쳐나고 있었습니다. 요한은 순회전도자들로부터 가이오의 집이 진리 가운데 행하고 있다는 증거들을 받았습니다. 요한이서에서도 말했습니다만, 그래서 요한은 "내 자녀들이 진리 안에서 행한다 함을 듣는 것보다 더 기쁜 일이 없다"고 말합니다. 가이오는 특별히 섬김과 접대의 은사를 가지고 있었던 모양입니다. 가이오에게 섬김을 받았던 주의 종들은 다른 곳에 가서 이방인들에게 손을 벌리지 않아도 되었습니다. 요한은 그것을 칭찬합니다. 우리는 그런 섬김의 사람들이 되어야 합니다. 우리의 섬김을 통해서 세계의 많은 사역자들이 사람에게 손을 벌리지 않고 진리를 가르치는 일에만 집중할 수 있게 되기를 바랍니다.

자신의 주도권 자랑을 하려는 사람이 되어서는 안 됩니다. 오직 주님만 높여야 합니다. 그것이 진정한 섬김의 자세입니다. 그런 의미에서 요한은 가이오에게 남들 위에 군림하기를 즐기고 독재자의 성향을 가지고 있었던 '디오드레베' 같은 사람을 본받지 말고, 뭇 사람들에게 칭찬을 받고 또한 진리 그 자체로부터 증거를 받은 자 데메드리오 같은 사람을 롤모델로 삼으라고 말합니다.

4. 유다서

유다는 예수님의 형제들 중 하나였습니다.

야고보처럼 유다도 자신을 예수 그리스도의 종이라고 아주 단순하게 설명합니다. 유다는 당시 초대 교회 안에 들어온 영지주의 이단들의 공격으로부터 믿음의 도를 굳게 잡고 그것을 위해 힘써 싸우라는 권고를 하기 위해 이 책을 썼습니다. 그들은 가인과 발람, 그리고 고라 같은 성향을 가진 자들이었습니다. 그들은 교회 안에서 건강한 애찬의 암초 노릇을 했고, 자기 몸만 기르는 목자였으며, 물 없는 구름, 죽고 또 죽어서 뿌리까지 뽑힌 열매 없는 가을 나무 같은 존재들이었습니다.

유다는 아담의 칠대 손이었던 '에녹'이 예수님의 재림에 대하여 증거했었다는 흥미로운 이야기를 들려줍니다. 에녹은 평생을 주님과 동행하면서 주님의 진리를 전했던 인물입니다. 오죽했으면 아이를 낳고 그 이름을 '므두셀라', 즉 '이 아이가 죽을 때에 심판이 임한다'는 의미의 이름을 지었겠습니까? 그 시대 사람들이 진리 가운데 들어오지 않는 것에 대한 안타까움 때문이었을 것입니다. 오늘 이 시대, 우리들도 에녹처럼 주님과 동행하는 사람들이 되기를 간절히 바랍니다.

"오늘은 서신서 통독에서 다 읽지 못한 부분을 마저 읽고 하루 쉬시면서 지난 서신서의 통독에서 배웠던 것들을 복습하시기 바랍니다.

〈서신서 퀴즈〉

1. 바울 서신들을 모두 나열하고 각 책들의 주제를 써 봅시다.

2. 로마서는 크게 세 단원으로 나누어질 수 있습니다. 이 세 개의 단원 중 첫 번째 단원은 다시 '칭의'와 '성화'로 나누어집니다. 오직 믿음으로 의롭다 하심을 받은 후에 다가오는 성화의 다섯 단계들을 설명해 봅시다.

3. 로마서 12-16장까지의 실천편에서 바울은 신자가 이 세상에서 나누게 되는 여러 지체들과의 열 가지 관계를 정립해 줍니다. 그것들에 대해 설명해 보십시오.

4. 고린도 교회가 가진 여러가지 문제들을 해결해 주기 위하여 바울은 고린도전서를 썼습니다. 고린도 교회가 갖고 있었던 대표적인 문제는 성령의 은사에 대한 편견과 잘못된 활용의 문제였습니다. 그래서 바울은 고린도전서 12장에서 성령의 아홉 가지 은사들에 대해 말합니다. 또한 바울은 로마서 12장에서도 성령의 은사들을 말합니다. 로마서와 고린도전서 12장에 나타난 은사들을 정리해 봅시다.

5. 갈라디아서 5:22에서 바울이 말한 성령의 열매에 대하여 설명해 보세요.

6. 에베소서 4-6장에서 바울은 교회의 존재에 대한 세 가지 비유가 담긴 호칭을 사용합니다.

그것에 대하여 설명해 보십시오.

7. 빌립보서에서 바울은 자신의 과거의 자랑들을 배설물처럼 버렸다는 고백을 합니다. 바울이 내려놓은 것들이 무엇이었습니까?

8. 빌립보서 4:13에서 바울은 "내게 능력 주시는 자 안에서 내가 모든 것을 할 수 있다"고 고백합니다. 그 고백이 무슨 뜻인지 나누어 봅시다.

9. 데살로니가전·후서는 둘 다 예수님의 재림에 대한 가르침이 주된 내용입니다. 데살로니가전서에서 바울은 예수님의 재림의 사실과 그리스도인들의 다섯 가지 관계에 대해 말했는데 그것에 대해 설명해 보십시오. 또한 데살로니가후서에서 바울은 예수님의 재림의 과정에 대하여 네 가지 단계의 사건들이 배열될 것을 말했는데 그에 대해서 이야기해 봅시다.

10. 디모데전·후서와 디도서는 목회서신이라고 불립니다. 바울사도는 그의 일반적인 서신들에서 항상 '은혜'와 '평강'이라는 두 가지 안부로 문안을 했습니다. 하지만 목회서신들에서 바울은 한 가지 더 언급을 했는데 '은혜'와 '평강' 사이에 있는 이 단어는 무엇입니까?

11. 히브리서에서 저자는 "우리의 대제사장이신 그리스도"를 소개하는 데 역점을 두고 있습니다. 히브리서 7장 1-3에서 바울은 아브라함에게 나타났던 멜기세덱을 예수님과 연관지어 소개합니다. 이 부분에 대해 설명해 보십시오.

12. 야고보서에서 야고보는 우리의 믿음이 참된 믿음이라는 것을 증명할 수 있는 행위로 나타나는 증거들을 이야기합니다. 그것들에 대하여 아는 대로 써 보세요.

13. 요한일서에서 요한은 우리 하나님을 세 가지로 설명합니다. 그것에 대하여 나누어 봅시다.

14. 유다서에서 유다는 영지주의 이단들이 교회에 미치는 부정적인 영향을 묘사하는 여러 가지 호칭들을 사용합니다. 그것들을 나누어 봅시다.

요한계시록

A. 그리스도의 임재(1장)

B. 교회 시대(2-3장)

- 2:1-7: 에베소 교회를 향한 그리스도의 편지

- 2:8-11: 서머나 교회를 향한 그리스도의 편지

- 2:12-17: 버가모 교회를 향한 그리스도의 편지

- 2:18-29: 두아디라 교회를 향한 그리스도의 편지

- 3:1-6: 사데 교회를 향한 그리스도의 편지

- 3:7-13: 빌라델비아 교회를 향한 그리스도의 편지

- 3:14-22: 라오디게아 교회를 향한 그리스도의 편지

C. 예수 그리스도의 프로그램 – 하늘의 광경(4-22장)

- (4-5장) 그리스도와 함께하는 하늘의 교회

- (6-18장) 7년 대환란

두루마리의 인을 뗌(6장)

1. 첫째 인을 뗄 때에(6:1-2) – 흰 말과 그 탄 자

2. 둘째 인을 뗄 때에(6:3-4) – 붉은 말과 그 탄 자

3. 셋째 인을 뗄 때에(6:5-6) – 검은 말과 그 탄 자

4. 넷째 인을 뗄 때에(6:7-8) – 청황색 말과 그 탄 자

5. 다섯째 인을 뗄 때에(6:9-11) – 순교한 남은 자들의 기도

6. 여섯 째 인을 뗄 때에(6:12-17) – 진노의 날이 오다

   – 후 3년 반의 시작

막간(7장)

 - 여섯 째 인과 일곱 째 인 사이에 간격을 둔 이유, 이스라엘의 남겨진 자들이 인을 맞다, 구속받은 이방인의 큰 무리들

7. 일곱 째 인을 뗄 때에(8:1) - 일곱 나팔을 든 천사들의 출현

일곱 나팔(8:2-11:19)

1. 금향로를 들고 제단 곁에 선 천사(8:2-6)

2. 첫 번째 나팔(8:7) - 나무들이 불탐

3. 두 번째 나팔(8:8-9) - 바다가 피가 됨

4. 세 번째 나팔(8:10-11) - 물이 쓰게 됨

5. 네 번째 나팔(8:12-13) - 해, 달, 별이 침을 당함

6. 다섯째 나팔(9:1-12) - 떨어진 별과 메뚜기의 재앙

7. 여섯째 나팔(9:13-21) - 유브라데 강에 놓여난 네 천사

8. 여섯째 나팔과 일곱째 나팔 사이의 막간(10-11장) - 작은 책을 가진 힘센 천사, 요한이 작은 책을 먹다, 이방인의 때가 마치는 날, 두 증인의 예언, 두 번째 화, 큰 지진

9. 일곱째 나팔(11:15-19) - 하늘의 성전이 열림

〈주요 통독 자료〉

1. 요한계시록에 대하여

요한계시록 1:1은 이 책의 성격을 잘 보여줍니다. 우리는 이 책을 요한계시록이라고 부르지만 사실상 이 책은 요한의 계시록이 아니라, 요한에게 주신 예수 그리스도의 계시록입니다. 1:2에서 요한은 이 책에서 자신이 하나님의 말씀과 예수 그리스도의 증거, 곧 자신이 본 것을 다 증거하고 있다고 말합니다. 그래서 이 책에 기록된 말씀을 읽는 자들과 듣는 자들과 그 가운데 기록한 것을 지키는 자들이 복이 있다고 말합니다. 그러니까 우리는 이 책을 반드시 읽고 듣고 또 배워서 지켜야 합니다.

그리고 요한은 자신이 만난 그리스도에 대하여 말합니다.

그리스도는 "충성된 증인으로 죽은 자들 가운데서 먼저 나시고 땅의 임금들의 머리가 되신 분"이라 말합니다. 그리고 "그 아버지 하나님을 위하여 우리를 나라와 제사장으로 삼으신 그에게 영광과 능력이 세세토록 있기를 원한다"고 자신의 소원을 피력한 후에 예수님은 반드시 다시 오실 것이라 선포합니다.

우리가 요한계시록을 풀어 나갈 때 '일곱'이라는 숫자를 끊임없이 보게 됩니다.

"일곱 교회, 일곱 금 촛대, 일곱 인, 일곱 나팔, 일곱 대접…."

이 일곱이라는 숫자는 요한계시록에서 아주 중요한 숫자입니다. 성경의 숫자에서 7이란 숫자는 '완전함'(Complete)을 의미합니다. 일주일은 7일입니다. 음계도 일곱 개의 노트를 갖고 있습니다. 그리고 7을 넘어선 8은 '새로운 시작'(New Beginning)을 의미하며, 이는 죽으시고 부활하신 예수 그리스도와 연관이 있는 숫자입니다.

헬라어와 히브리어의 알파벳은 각각 숫자의 개념을 가지고 있는데, 예수님의 이름의 알파벳의 숫자를 모두 합하면 888이 됩니다. 흥미로운 일입니다. 예수님과 관련된 모든 이름들, '크리스토스, 쿠리오스' 등의 숫자들을 합하면 정확히 8로 나누어 떨어지는 8의 배수들입니다. 흥미로운 숫자의 개념입니다.

참고로 사탄과 관련된 모든 이름들은 13이라는 숫자로 나누어집니다. 왜, 그리고 언제부터 13이라는 숫자가 좋지 않은 숫자로 서양 사람들에게 인식되어졌는지는 알 수 없습니다. 어쨌든 서양 사람들은 13이라는 숫자를 대단히 싫어합니다. 13은 사탄의 숫자입니다.

아무튼 요한은 일곱 교회에 편지했습니다. 이 일곱이라는 숫자는 이 교회들이 교회의 면모들을 완전히 보여주는 성격들을 갖고 있다는 것입니다. 요한이 본 일곱 영 역시 '완전하신 성령님'을 의미합니다. 이사야 선지자는 성령께서 예수님 안에서 역사하실 예수님의 사역을 이야기했는데, 여기서도 모두 일곱 가지 기능으로 성령님이 소개되고 있습니다.

"여호와의 영 곧 지혜와 총명의 영이요 모략과 재능의 영이요 지식과 여호와를 경외하는 영이요… 심판하시는 신"(사 11:1-3)입니다. 살펴보면 예수님에 대한 요한의 묘사도 일곱 가지입니다.

"충성된 증인, 죽은 자 가운데서 첫 번째 나신 자, 땅의 임금들의 머리, 우리를 사랑하신 분, 그의 피로 우리를 해방시켜 주신 분, 우리를 하나님의 나라로 삼으신 분, 우리를 하나님의 제사장으로 삼으신 분."

밧모 섬에 유배된 요한이 어느 주일 날, 예배하는 중에 성령에 감동되어 예수님의 임재 가운데 들어갑니다. 그리고 예수님께 분부를 받습니다. 그것은 "네가 본 것과 이제 있는 일과 장차 될 일"을 기록하라는 것이었습니다. 요한이 본 것은 바로 그 주일 주님을 만난 경험(1장)을 말하며, 이제 있는 일이란 교회시대의 일들(2-3장)을 의미합니다. 그러니까 예수님께서 소아시아의 일곱 교회에 보내시는 편지를 말하는 것입니다. 그리고 장차 될 일은 바로 이제부터 요한이 기록해 줄 7년 대환란과 예수님의 재림, 그리고 심판과 천년왕국, 영원한 천국에 관한 모든 일들(4-22장)을 말합니다. 이것이 요한계시록의 내용입니다.

2. 일곱 교회

이 편지들은 소아시아에 있던 일곱 교회와 그 교회를 섬기는 주의 종들을 향한 편지들입니다. 그런데 흥미로운 것은 이 일곱 교회가 교회사에 나오는 일곱 무대의 교회를 고스란히 보여주는 특성들을 띠고 있다는 것입니다. 물론 그렇다고 해서 이 일곱 교회가 각각 교회사의 서로 다른 역사적인 무대만을 보여주는 것은 아닙니다. 이 땅에 존재하는 모든 교회들 속에 이 일곱 가지 면들 중 하나 혹은 몇 가지 현상들이 있을 수 있습니다. 우리들이 살고 있는 지금 이 시대에도 이 일곱 가지 교회들의 특성을 지닌 교회들이 동시에 공존하고 있기도 합니다. 그런 면에서 이 2-3장에 나오는 편지들은 교회시대의 모든 교회들의 장단점들을 그대로 반영하고 있습니다.

첫 번째 편지는 에베소 교회를 향하고 있습니다.

에베소 교회는 대단히 열정이 있는 교회입니다. 예수님은 이 교회가 행한 일들을 다 알고 계십니다.

그들은 거짓 선지자들을 드러내는 열심이 있었습니다. 오늘날의 교회의 단점은 자꾸 타협한다는 것입니다. 그러나 에베소 교회는 타협이 없었습니다. 예수님은 그것을 칭찬하셨습니다. 그들은 예수님을 위하여 많은 수고를 한 교회입니다. 열정이 많은 교회였습니다. 하지만 이 교회에는 문제가 있었습니다. 그것은 너무 치열한 싸움을 한 나머지 그 교회가 처음 가졌던 사랑을 잃어버렸다는 것입니다.

이 에베소 교회는 바로 1세기 교회를 보여줍니다. 예수님의 부활 승천 후에 교회는 영지주의 이단의 공격에 처했습니다. 그래서 초대교회는 이 이단들과의 치열한 싸움에 직면했습니다. 그러나 그 교리적 싸움으로 인하여 사랑을 잃은 교회가 되고 말았습니다. 이미 말씀드린 대로 오늘날의 교회 중에도 이런 교회가 있습니다. 치열한 싸움이 늘 존재하고, 사랑을 잃어버린 교회입니다.

또한 **두 번째 편지는** 서머나 교회를 향하고 있습니다. 서머나는 오늘날의 이즈미르라고 하는 아주 아름다운 항구도시로 터키의 대도시 중 하나입니다.

서머나 교회는 로마 황제들의 박해 아래 있었던 교회를 보여줍니다. 서머나라는 이름 자체의 의미는 섞어 놓은 몰약이라는 의미입니다. 아주 쓰디쓴 고난을 견딘 교회의 모습을 그대로 보여주는 이름입니다. 예수님은 그들이 환난을 많이 받고 궁핍 가운데 있었지만 실상은 그들이 부요한 자들이라고 칭찬하셨습니다. 예수님은 서머나 교회가 10일 동안 환난을 받을 것이라 하셨습니다.

이것은 로마의 10대 황제들로부터 받게 될 교회의 모습을 보여줍니다. 네로(64-68년, 바울을 참수), 도미티안(95-96년, 요한을 밧모섬에 유배시킴), 트라얀(98-117년, 이그나티우스를 말뚝에 묶은 채 화형에 처함), 마르쿠스 아우렐리우스(161-180년, 폴리캅이 순교), 세베루스(200-211년), 막시미안(235-237년), 데시우스(250-253년), 발레리안(257-260년), 아우렐리안(270-275년), 그리고 최악의 황제였던 디오클레시안(303-313년) 등의 통치 아래에서 교회는 엄청난 박해를 받은 것입니다. 그리고 A.D. 313년 콘스탄틴 대제가 등극하면서 로마의 교회 박해는 끝나고, 갑자기 기독교가 로마의 국교가 된 것입니다.

이 시험 가운데서 예수님은 서머나 교회에게 죽도록 충성하면 생명의 면류관을 주시겠다고 약속하셨습니다.

예수님의 **세 번째 편지는** 버가모 교회를 향합니다.

이 교회는 콘스탄틴 대제에 의하여 발전된 의식적인 교회입니다. 이때는 교회 역사 가운데 가장 비극적인 교회 시대였습니다. 세속주의가 교회의 일부가 되기 시작한 때입니다. 이 기간에 기독교는 그 순수한 주님과의 교제에서 떠나 거창한 예식과 바벨론 종교와의 야합을 보여주는 의식적인 교회의 모습을 갖추게 됩니다.

버가모라는 도시는 아주 사치스럽고 우상숭배의 신전들이 즐비한 음란한 도시였습니다. 예수님은 이 교회의 영적 간음에 대하여 책망하셨습니다.

예수님의 **네 번째 편지는** 두아디라 교회를 향했습니다.

이 교회는 A.D. 500년으로부터 현대에 이르기까지의 모든 스테이지의 교회를 다 담고 있는 듯합니다. 이 교회는 많은 사업과 사랑과 믿음과 섬김과 인내로 칭찬을 받았습니다. 교회는 선한 행위를 많이 가지고 있었습니다. 즉 사랑과 선행을 강조하는 교회로 이 기간의 교회는 바로 발전된 천주교회의 모습을 띠고 있습니다.

그러나 이 교회는 아합 왕의 부인인 이세벨과 같은 영적 간음의 행위가 있었습니다. 가톨릭 교회 안에 자리잡은 많은 성인숭배와 천사숭배의 사상들을 보여주고 있는 것입니다. 교회는 우상을 끌어들이고, 마리아, 베드로, 성인들의 형상물들을 세우고 그 앞에 촛불을 켜고 입맞추는 그런 일들을 행한 것입니다.

그리고 예수님의 **다섯 번째 편지는** 사데 교회를 향하고 있습니다.

이 교회는 종교개혁 시대의 교회, 즉 우리 개신교를 보여주는 교회입니다. 이 교회는 "네가 살았다 하는 이름은 가졌으나 죽은 자로다"라는 무서운 말씀을 들었습니다.

개혁교회는 가톨릭 교회의 타락상, 즉 바벨론 종교와의 야합, 우상숭배, 거대한 성전의 건축, 면죄부 판매 등의 죄를 갖고 있었습니다. 이 교회의 시스템으로부터 개혁을 시도한 것이 바로 개신교의 교회들입니다. 그러나 이 개혁은 성공하지 못했습니다.

이 개혁교회는 가톨릭 교회를 비난했지만 실상은 주님께 칭찬들을 만한 것이 아무것도 없었습니다. 하지만 이 사데에 그 옷을 더럽히지 않은 사람 몇 명이 흰 옷을 입고 다닐 것이라 하셨습니다. 그리고 그 이름을 생명책에서 반드시 흐리지 않겠다고 하셨습니다. 그리고 그 이름을 아버지 앞과 그 천사들 앞에서 시인하실 것이라고 말씀하셨습니다.

여섯 번째 편지는 빌라델비아 교회를 향하고 있습니다. 이 교회는 개혁교회들 가운데서 일어난 새로운 신앙 운동들입니다. 그 교회들의 특징은 선교시대의 개척이었습니다. 적은 믿음을 가지고 말씀을 지키려 애쓴 교회들, 불같은 기도운동을 일으켰던 교회들, 그리고 주의 복음을 전하기 위하여 목숨을 걸고 제3세계와 오지를 향해 퍼져 나간 교회들, 그러니까 19세기 이후 선교시대의 교회들을 말합니다.

이 교회는 도리어 유대인들을 회개시키는 교회입니다. 예수님은 이 교회가 인내의 말씀을 지켰으므로 시험의 때를 면케 해주겠다고 하셨습니다.

그리고 마지막 **일곱 번째 편지는** 라오디게아 교회를 향합니다. 라오디게아 교회는 현대교회를 보여줍니다. 역사 가운데 가장 부요한 교회, 최고의 시설들과 장비들, 그리고 대단한 정보시대의 효과로 엄청난 발전을 다각도로 경험하는 교회입니다. 그러나 이 교회는 스스로 교만하여 "나는 부자라 부요하여 부족한 것이 없다"고 하지만, 주님께서 보실 때에 "곤고하고 가련하며, 눈 멀고 벌거벗은 교회"라고 하십니다.

그러므로 안약을 사서 발라 눈먼 것을 보게 하고, 흰 옷을 사서 입어 벌거벗은 수치를 가리게 하라고 하십니다. 현대교회는 역사에 유래가 없는 호황을 누리지만, 영적으로는 최고의 빈곤에 처한 교회입니다.

물론 다시 말씀드리지만 이 교회들이 교회 역사의 일곱 스테이지의 교회들을 순서대로 보여주고 있지만 오늘 이 시대에도 에베소 같은 교회가 있고, 서머나 같은 교회가 있고, 각각의 형태를 가진 교회들이 이 땅에 함께 공존하고 있습니다. 우리는 각 교회의 특징들 속에서 우리가 버려야 할 것들과 취하여야 할 것들을 자세히 주의하여 선별해야 할 것입니다.

3. 이리로 올라오라

교회들을 향한 편지가 있고 난 후, 요한은 "이리로 올라오라"는 소리를 들었습니다. 그리고 그는 하늘로 올라가 하나님의 보좌를 보았습니다. 이 부분이 바로 교회의 공중재림의 모습을 그대로 보여줍니다. 요한은 하늘로 올라가 하나님의 보좌를 보았습니다.

4장은 하늘의 광경이고 5장은 보좌에 앉으신 하나님의 손에 들린 두루마리에 관한 이야기입니다. 이 부분은 내일 자료에서 좀 더 다루도록 하겠습니다.

요한계시록

대환란 중의 일곱 가지 존재들(12-13장)

● 12:1-2: 여자

● 12:3-4: 붉은 용 – 사탄

● 12:5-6: 여자가 낳은 아들

● 12:7-12: 용과 싸우는 천사장 미가엘

● 12:13-16: 용이 여자를 박해함

● 12:17: 이스라엘의 남겨진 자들

● 13:1-10: 바다에서 올라온 짐승 – 정치적 권세를 지닌 한 사람

● 13:11-18: 땅에서 올라온 짐승 – 종교 지도자

대환란의 끝을 바라봄(14장)

일곱 개의 진노의 대접(15-16장)

● 15:1-16:1: 대환란의 마지막 심판이 예비되다 – 하늘에서 환난을 이기고 나온 성도가 하나님의 거룩하심과 공의를 찬양하다 – 일곱 대접을 가진 일곱 천사가 성전에서 나오다

● 16:2: 첫 번째 대접이 쏟아짐

● 16:3: 두 번째 대접이 쏟아짐

● 16:4-7: 세 번째 대접이 쏟아짐

● 16:8-9: 네 번째 대접이 쏟아짐

● 16:10-11: 다섯 번째 대접이 쏟아짐

● 16:12: 여섯 번째 대접이 쏟아짐

- 16:13-16: 막간 – 땅의 왕들이 아마겟돈으로 몰려듦
- 16:17-21: 일곱 번째 대접이 쏟아짐
- 17:18: 바벨론(정치적, 경제적)이 무너지다
- 19장: 어린양의 혼인과 심판을 위한 그리스도의 재림
- 20장: 천년왕국
- 21-22장: 영원으로 들어감- 영원의 세계가 베일을 벗다

〈주요 통독 자료〉

1. 두루마리의 봉인이 제거되다

2장과 3장에서 교회 시대의 이야기가 끝난 후에 요한은 4장에서 "이리로 올라오라"는 음성을 듣고 하늘나라로 올라갑니다. 보좌에 앉으신 하나님이 보이고, 보좌를 두른 오색 무지개, 그 보좌를 호위하는 네 생물(그룹 천사)들, 그리고 그 앞에 도열한 24장로들, 그리고 천군천사의 큰 무리들이 보입니다. 먼저 네 생물들이 하나님을 찬양합니다. 그리고 24장로들의 노래가 이어집니다. 24장로들은 각각 우리 주님께 면류관을 받아 썼습니다. 그러나 그들이 죽임을 당하신 어린 양 예수님을 뵈었을 때 그들이 면류관을 쓰기에 합당치 못함을 발견합니다. 그들은 즉시 면류관을 벗어서 어린 양 앞에 던지며 "만물이 다만 주님의 기뻐하심을 위하여 지음을 받았다"고 찬양합니다. 이것이 우리들의 존재의 이유입니다.

그리고 5장에 들어가면서 요한은 보좌에 앉으신 하나님의 손에 두루마리가 하나 들려 있는 것을 보았습니다. 그 두루마리는 일종의 땅문서와 같은 개념의 서류입니다. 하나님께서 세상을 창조하시고 그 모든 것을 사람에게 위탁하셨습니다.

"땅을 정복하라, 다스리라, 생육하고 번성하여 온 땅에 충만하라."

하지만 창세기에서 읽은대로 아담과 하와는 그 모든 권리를 사탄에게 팔아버렸습니다. 그래서 오늘날 이 세상의 주인은 바로 사탄입니다. 그가 왕 노릇, 임금 노릇을 하고 있는 것입니다. 그러나 예수 그리스도께서 오셔서 십자가에 못박히사 피 흘려 죽으셨습니다. 그리고 십자가 위에서 "다 이루었다" 선포하셨습니다.

이 말은 헬라어에서 '텔레오'로서 모두 지불되었다는 의미입니다. 실제로 고고학자들이 찾아낸 옛 로마제국의 세금 영수증에 이 단어가 '완불'이라는 개념으로 찍혀 있었습니다. 예수님은 우리 인간이 사탄에게 넘겨버린 하나님의 우주를 다시 되찾아 오기 위한 값을 지불하셨습니다. 구속이란 단어는 영어의 Redemption입니다. 이 단어의 동사형인 Redeem은 '다시 사온다'는 의미입니다. 본래 하나님의 것이었던 온 세상을 인간이 사탄에게 팔아버렸고, 다시 하나님께서 예수 그리스도의 핏값을 지불하시고 되찾아오셨다는 개념입니다. 이미 2000년 전에 그 모든 대금이 지불된 것입니다.

바울은 에베소서에서 하나님이 우리 안에 주신 성령님은 우리의 영원한 구원이 우리 것이라고 하는 사실에 대한 일종의 보증금이라고 말씀합니다. 흥미로운 표현 아닙니까? 지금 하나님의 손에 들려진 이 두루마리는 바로 이 사실들을 담고 있는 일종의 땅문서 같은 서류인 것입니다. 이제 만물의 마지막에 이 두루마리가 펼쳐지고 그 안에 적힌 내용들, 즉 예수 그리스도의 피로 모든 인류와 피조물들이 구속되어 다시 하나님의 것이 되었다는 것이 선포되어야 하는 것입니다. 하지만 요한이 보니 이 두루마리에는 일곱 개의 봉인이 되어 있어서 그 두루마리가 펼쳐질 수 없는 것이었습니다.

그런데 역사 이래 이 땅에 태어나 살았던 모든 사람들 중에 이 책의 인을 뗄 자격이 있는 사람이 없다는 것입니다. 왜냐하면 인간은 모두 죄인으로 태어났고, 율법의 행위로는 완전한 구원을 얻을 육체가 아무도 없기 때문입니다. "의인은 없나니 하나도 없다"는 말씀이 맞습니다. 그래서 요한이 안타까워 울기 시작합니다. 그때 24장로들 중 하나가 말합니다.

"울지 말라. 일찍 죽임을 당한 어린 양이 이 책의 인을 떼기에 합당하시니라."

요한이 뒤를 돌아다보니 거기에 어린 양이 서 계셨습니다. 바로 예수 그리스도이십니다. 요한이 보니 "일찍 죽임을 당한 것 같더라"고 했습니다. 예수님은 불완전한 우리를 완전케 하시려고 영원히 완전하신 당신의 육체에 손상을 입으신 것입니다. 예수님은 천국에서도 그 몸에 입으신 상처를 고스란히 간직하고 계신 것입니다. 그 어린 양 예수 그리스도께서 보좌 앞에 나아가 하나님으로부터 두루마리를 넘겨 받으셨습니다. 그리고 그 책의 인을 하나씩 떼기 시작하십니다. 그것이 6장부터 전개되는 요한계시록의 스토리의 시작입니다.

2. 일곱 인, 일곱 나팔, 일곱 금 대접의 재앙들

이미 말씀드린 대로 요한계시록에서는 일곱이라는 숫자가 아주 중요합니다. 먼저 예수님께서 그 두루마리의 인을 하나씩 떼실 때마다 말과 말 탄 자들이 나옵니다. 이제 이후로 나오는 상세한 해석들은 각 교단과 목회자들마다 조금씩 다른 해석들을 가지고 있기 때문에 이곳에서는 깊이 다루지 않겠습니다. 언젠가 우리가 함께 요한계시록을 깊이 공부할 수 있는 기회를 갖게 되기를 바랍니다.

어떻든 이 일곱 인이 하나씩 떼어질 때마다 이 땅에서 벌어지는 일은 바로 적그리스도가 출현하고, 그 뒤를 따라 전쟁과 기아와 죽음이 이어집니다. 큰 재앙의 시작이 이루어지는 것입니다. 일곱째 인을 뗄 때에 일곱 나팔을 든 천사들이 나옵니다. 그리고 하나씩 그 나팔을 붑니다. 이것이 7년 대환란의 전 3년 반에 이루어질 일들입니다.

그리고 후 3년 반이 시작되기 전에 적그리스도와 이스라엘이 맺었던 평화조약이 깨지면서 적그리스도인 짐승은 드디어 자신의 우상을 예루살렘 성전에 세워두고, 이제부터 자신을 하나님으로 숭배하라는 야욕을 노골적으로 드러내게 됩니다. 이때에 이스라엘 백성들 가운데 대환란을 통과하고 살아남도록 예정되어진 14만4000명의 이마에 인이 찍힙니다. 그들은 대환란 기간 중에 하나님께서 특별히 예비하신 곳에 피하여 살아남게 될 것입니다.

일곱 개의 나팔을 든 천사들이 각각 하나씩 나팔을 불 때마다 이 땅에 엄청난 자연재해들이 쏟아지게 됩니다. 우리가 이해해야 하는 것은 우리가 지금 이 땅에서 받는 환난들은 사탄이 주도하는 것들입니다. 그러나 7년 대환란 중에 이 땅에 쏟아지는 재앙들은 하나님의 진노로부터 쏟아지는 것입니다. 그래서 하나님께서는 그 재앙이 시작되기 전에 구속받은 성도들을 공중으로 불러 올리시는 것입니다.

어떤 사람들은 예수님께서 요한복음 16:31에 "너희가 세상에서는 환난을 당하나 담대하라 내가 세상을 이기었노라"고 하셨다고 해서 우리가 이 땅에서 환난을 받도록 계획하셨다고 믿고 있습니다. 그래서 공중재림, 즉 휴거의 사건 같은 것은 일어나지 않는다고 말합니다. 그러나 저는 그렇게 생각하지 않습니다.

요한복음 16:31에서 예수님께서 말씀하신 환난은 바로 사탄이 이 땅에서 참된 믿음을 가진 사람들에게 가져오는 도전들입니다. 그러나 대환란 때에 이 땅에 쏟아질 환난은 하나님께로부터 오는 환난입니다. 노아의 홍수나, 소돔과 고모라, 심지어 여리고 성이 하나님의 진노에 의하여 심판을 받을 때에 언제나 하나님께서는 그 택한 백성들, 믿음의 사람들을 그 환난에서 먼저 건져내신 후에 심판을 행하셨습니다.

저는 사랑의 하나님께서 그 사랑하는 자녀들이 하나님의 엄청난 진노의 환난 속에 들어가는 것을 원치 않으신다고 확신합니다. 그래서 예수님은 "너희가 이 모든 환난을 피하고 인자 앞에 서도록 깨어 있으라"고 말씀하신 것입니다. 우리는 만약 우리가 이 땅에 살아있는 동안에 예수님의 재림이 이루어진다면, 대환란이 시작되기 전에 모두 공중으로 들림을 받는 크리스천들이 되시기를 소원합니다. 다시 일곱 번째 나팔이 불리기 전에 대환란 가운데 벌어질 일들을 대표로 보여주는 일곱 존재들이 등장합니다. 먼저 이스라엘을 상징하는 해를 입은 여인이 나옵니다. 그리고 사탄을 상징하는 붉은 용이 나옵니다. 그리고 예수 그리스도를 상징하는 여인이 낳은 아들이 나옵니다. 사탄은 여자가 잉태하여 고통스러워할 때 기다렸다가 아기가 태어나면 죽이려고 합니다. 그러나 미가엘 천사가 나와서 사탄과 싸움을 합니다. 그래서 붉은 용은 더욱 여자를 핍박합니다. 그것이 바로 이 땅에 벌어지고 있는 일들의 양상인 것입니다.

역사 속에서 이스라엘은 엄청난 희생과 박해를 받아야 했습니다. 그러나 대환란의 재앙은 이보다 훨씬 심각한 것입니다. 우리 중 누구도 이 환난 가운데 들어가지 않기를 바랍니다. 그리고 이 땅에 엄청난 정치적 권력이 한 사람에게 주어지는 장면이 나옵니다. 이것이 바로 짐승, 곧 적그리스도입니다. 그 뒤를 이어 땅에서 올라오는 또 하나의 짐승이 있는데 이것은 종교적 지도자를 의미합니다. 그러니까 정치적 바벨론과 종교적 바벨론이 준비되고 있는 것입니다. 그리고 이때로부터 하나님의 모든 진노가 이 바벨론을 향하여 쏟아지는 것입니다.

오늘 우리가 살고 있는 이 시대는 바로 정치적 바벨론이 경제적 바벨론과 손을 잡은 시대입니다. 세상의 엄청난 부를 누리는 경제인들이 정치인들의 뒷돈을 댑니다. 그래서 경제와 정치가 서로 손을 잡은 것입니다. 그런데 불행히도 여기에 하나님의 순수한 복음을 떠난 종교적 바벨론이 야합을 하게 됩니다. 오늘날의 교회 속에는 고대 바벨론 종교의 더러운 전통과 형식, 그리고 우상들이 가득합니다. 그래서 마지막 때에 수많은 교회들이 바벨론 흉내를 내는 것입니다. 순수한 복음이 차지해야 할 소중한 자리를 물질에 대한 욕심과 온갖 더러운 권력에 대한 야욕들이 대치하고 있는 것입니다.

우리는 이 일이 계속되지 않도록 기도해야 합니다. 이때로부터 일곱 대접이 땅에 쏟아지기 시작합니다. 전에 없었던 엄청난 하나님의 진노가 찌꺼기 하나 남기지 않고 이 땅에 쏟아집니다. 그리고 그 맨 마지막 대접이 쏟아질 때 온 세상의 왕들이 아마겟돈으로 몰려드는 것입니다. 이제까지 인류가 준비해 온 모든 무기들이 바로 이곳에서 불을 뿜게 될 것입니다.

이 전쟁을 우리 예수님께서 땅에 내려오셔서 중지시키지 않으신다면 이 땅에 살아남을 자가 하나도 없을 것입니다. 예수님께서는 공중재림에 들림을 받았던 성도들을 데리고 이 땅에 내려오실 것입니다. 그리고 모든 악을 제거시키시고, 사탄을 잡아 무저갱, 즉 바닥이 없는 큰 구덩이에 집어 넣으시고 잠가버리십니다.

사탄이 제거된 세상, 그리고 우리 주님의 공의가 통치하는 세상은 바로 천년왕국입니다. 이때부터 이 땅에 천년왕국이 펼쳐집니다. 그리고 그 후에 백보좌의 심판대 앞으로 구원을 받지 못한 모든 이들이 끌려나와 심판을 받게 됩니다. 그들은 어린 양의 책에 녹명되지 못했다는 것을 확인한 후 그들의 행위에 따라 영원히 꺼지지 않는 지옥 불에 떨어지게 될 것이며 예수님과 함께 우리 모든 성도들은 영원 무궁한 천국으로 올라가게 되는 것입니다.

이 모든 일의 시작 시그널은 바로 우리 예수님의 공중재림이 될 것입니다. 그리고 오늘의 세상은 이미 이 모든 일들이 이루어질 준비가 완전하게 갖추어진 것입니다. 그래서 오늘을 사는 신앙인들로서 우리는 모두 이 계시록의 마지막 구절을 주님께 찬양과 기도로 외쳐야 할 것입니다.

"이것들을 증언하신 이가 이르시되 내가 진실로 속히 오리라 하시거늘 아멘 주 예수여 오시옵소서"(계 22:20). 마라나타! 마라나타! 마라나타!!!

"오늘은 요한계시록 통독에서 다 읽지 못한 부분을 마저 읽고 하루 쉬시면서 지난 요한계시록의 통독에서 배웠던 것들을 복습하시기 바랍니다.

〈요한계시록 퀴즈〉

1. 요한계시록 1장에서 우리는 예수님께서 요한에게 세 가지를 쓰도록 분부하시는 것을 봅니다. 그것이 요한계시록의 세 가지 내용인데요, 그것을 나누어 봅시다.

2. 2장과 3장에서 예수님은 소아시아의 일곱 교회를 향하여 편지하십니다. 이 일곱 교회의 성향들은 교회 시대의 일곱 개의 역사적 무대들을 보여주는 성향들을 지니고 있습니다. 그것을 나누어 봅시다. 그리고 일곱 개의 교회를 향한 예수님의 칭찬과 책망, 이기는 자에게 주시는 상급의 약속들, 그리고 예수님 자신에 대한 설명들을 나누어 봅시다.

3. 2장과 3장에서 교회들을 향한 예수님의 편지가 다루어진 후에 4장으로 들어가면서 "이 일이 있은 후에"라는 구절과 또한 "이리로 올라오라"라는 구절이 이어집니다. 이 구절들이 지닌 의미들을 설명해 보십시오.

4. 하늘에 올라간 요한은 보좌에 앉으신 이의 손에 일곱 개의 봉인이 되어진 두루마리가 들려 있는 것을 보았습니다. 이 두루마리의 의미와 그 두루마리의 봉인이 해제되는 것의 의미를 이야기해 봅시다.

5. 백보좌의 심판이 있기 전, 큰 성 바벨론의 몰락에 대한 선포가 있었습니다. 이 바벨론의 의미에 대해 나누어 봅시다.

6. 22장에서 우리는 하나님의 말씀에 더하는 것이나 빼는 것의 죄에 대한 엄한 경계를 받습니다. 이 부분에 대하여 설명해 보십시오.

〈성경 각권의 구속사적인 의미 총정리〉

A. 구약성경

1. 창세기

a. "우리가 우리의 형상대로 사람을 만들고"라는 말씀에서 하나님은 태초에 예수님과 성령님과 성부 하나님의 Council이 있었음을 말씀하셨습니다.

b. "여자의 후손이 뱀의 머리를 칠 것이요, 뱀은 그의 발꿈치를 상할 것이라"는 말씀은 사탄의 머리를 깨뜨리신 예수님과 또한 사탄이 예수님의 신체의 일부를 상하게 할 것을 보여주는 것이었습니다.

c. 또한 아브라함이 "제물에 쓸 양은 하나님께서 자신을 위하여 친히 예비하시리라"고 했을 때, 원어의 의미는 "하나님께서 주 자신을 어린 양으로 예비하신다"는 것이며, 이는 희생의 양으로 인류의 대속을 위하여 죽으실 어린 양 예수님을 예표하는 것이었습니다.

2. 출애굽기

출애굽기에서 예수님은 장자를 죽음에서 구하기 위하여 죽임을 당하신 유월절의 어린 양이셨습니다.

3. 레위기

레위기에서 예수님은 속죄의 제물이셨습니다.

4. 민수기

민수기에서 예수님은 매를 맞음으로써 생수를 솟아나게 하신 반석으로 나타나셨습니다.

5. 신명기

신명기에서 예수님은 백성들이 주목해야만 했던 모세와 같은 선지자이셨습니다.

6. 여호수아

여호수아서에서 예수님은 가나안 정복에서 여호수아를 이끄신 하나님의 군대 대장이셨습니다.

7. 사사기

사사기에서 예수님은 기드온에게 용기와 평안(여호와 샬롬)을 말씀하셨던 주의 천사이셨습니다.

8. 룻기

룻기에서 예수님은 자신이 사랑하는 신부를 위하여 토지 무르기를 하는 보아스를 통하여 나타나신 친족 구원자(Kinsman redeemer)이셨습니다.

9. 사무엘 상·하

예수님은 인간의 요청에 의하여 세워진 사울이 아니라 하나님이 기름 부어 세우신 다윗을 통해 나타나신 영원하신 이스라엘의 왕이셨습니다.

10. 열왕기 상·하, 역대기 상·하

우리는 여기서 세상의 군왕이 일어서고 이방이 떠들어도 결국은 다윗의 왕가에로의 귀결을 봅니다. 다윗의 왕가에서 나신 예수님은 분요한 세상의 왕 중 왕으로서 나타나십니다.

11. 에스라, 느헤미야

예수님은 분열과 포로생활에서 돌아와 다시 세워진 성전을 통하여 구원받은 백성들의 회복된 몸 된 성전으로 나타나십니다.

12. 에스더

예수님은 멸절의 위기에서 하나님의 백성을 구원하시기 위하여 수산궁에 두신 아름답고 경건한 처녀 에스더와 같은 죄악의 포로 된 자리에서 죽을 수밖에 없는 위기의 백성들을 구원시키는 중재자이십니다. 결국 사탄은 예수님을 멸절시키려던 멸망의 자리에 하만처럼 자신이 빠지게 될 것입니다.

13. 욥기

a. 욥을 통해서 예수님은 원수의 간계로 죄 없으신 분이 턱없이 고난받으셨으나 결국은 승리하신 승리자로 나타나십니다.

b. 욥기에서 더욱 중요한 주제는 우리가 아무리 인간적으로 의로워도 결국은 중보자이신 예수님이 필요하다는 것이었습니다.

14. 시편

a. 시편 2편에서 예수님은 "이방이 저의 상속이 될 것이요 땅끝이 그의 소유가 될 것이라"고 약속하셨던 그 아들이셨습니다.

b. 시편 22편에서 예수님은 "하나님이여, 하나님이여 어찌하여 나를 버리시나이까" - 십자가에 고난받으실 때에 하나님께로부터 버림을 당하셨던 분이었습니다.

c. 시편 110편에서 예수님은 멜기세덱의 반차를 좇아 우리에게 오신 영원한 대제사장이셨습니다.

15. 잠언

잠언서에서 예수님은 솔로몬이 그토록 사모하고 칭찬했던 지혜이십니다.

16. 전도서

전도서에서 예수님은 헛되고 헛되며 헛되고 헛되니 모든 것이 다 헛된 이 세상에서 인생의 유일한 참 의미가 되십니다.

17 아가서

a. 아가서에서 예수님은 왕으로서의 권위도 보좌도 버리고 술람미 여인과 같은 천한 인생을 신부로 맞으시기 위하여 십자가 위에서 산 이슬과 밤이슬에 온 몸을 적시며 우리의 마음 문을 두드리시는 왕으로 나타나십니다.

b. 이런 신랑을 사모하는 신부의 사랑은 음부보다 강하며 홍수라도 엄몰하지 못할 위대한 힘을 가진 것입니다.

18. 이사야

a. "처녀가 잉태하여 아들을 낳을 것이요 그 이름을 임마누엘이라 하리라"는 것은 바로 예수님에 대한 예언이었습니다.

b. 한 아기가 우리에게 났고 한 아기를 우리에게 주신 바 되었는데 그 어깨에는 정사를 매었고 그 이름은 기묘자, 모사, 전능하신 하나님, 영존하시는 아버지, 평강의 왕이라 할 것이라 하셨던 바로 그 아기이셨습니다.

c. 이사야서 52장에서 예수님은 매를 맞아 사람이라고 할 수도 없을 정도로 얼굴이 일그러지신 고난받는 종이셨습니다.

d. 이사야 53장에서 예수님은 산 자의 땅에서 끊어지사 그 영혼이 죄를 위하여 제물로 드려지신 분이었습니다.

"그가 찔림은 우리의 허물 때문이요 그가 상함은 우리의 죄악 때문이라 그가 징계를 받으므로 우리는 평화를 누리고 그가 채찍에 맞으므로 우리는 나음을 받았도다 우리는 다 양 같아서 그릇 행하여 각기 제 길로 갔거늘 여호와께서는 우리 모두의 죄악을 그에게 담당시키셨도다"(사 53:5-6).

19. 예레미야

예레미야 30:9에서 예수님은 애굽과 바벨론, 곧 세상의 압제에 시달리다 해방된 민족들이 섬기도록 하나님이 세우신 다윗 혈통의 왕으로 나타나셨습니다.

20. 예레미야 애가

a. 예루살렘의 패망을 내다보며 "예루살렘아, 예루살렘아 암탉이 그 병아리를 날개 아래 품으려 함같이 내가 너희를 모으려 했던 것이 몇 번이었던고" 탄식하시며 눈물지으시던 예수님을 우리는 미리 볼 수 있습니다.

b. 예수님은, 십자가를 지시고 영문 밖을 걸어가시는 예수님을 바라보며 슬피 울던 여인들을 향하여, 나를 위하여 울지 말고 너희와 너희 자녀들을 인하여 울라고 하셨습니다.

21. 에스겔

a. 에스겔서에서 예수님은 골짜기의 해골들을 일으켜 극히 큰 군대가 되게 하시는 말씀의 대언자이셨으며,

b. 성전에서 흘러나와 바닷물을 소성케 하여 어부들로 그물 치는 곳이 되게 하시는 생수 되신 말씀이셨습니다.

22. 다니엘

a. 다니엘서에서 예수님은 세계 왕국을 부수시고 영원한 왕국을 건설하실 손대지 아니한 뜨인 돌이셨으며,

b. 예루살렘을 중건하라는 영이 날 때부터 483년 만에 오실 분이었습니다.

23. 호세아

호세아서에서 예수님은 호세아의 이상향 이스라엘이셨습니다.
"백합화와 같이 피겠고 레바논의 백향목같이 뿌리가 박힐 것이라"

24. 요엘

예수님은 요엘이 말했던 백성들의 소망이셨습니다.

25. 아모스

명절에 죽임을 당하사 정오에 해가 지게 하실 독생자이셨습니다.

26. 오바댜

전 우주적인 하나님의 심판에서 구원자들이 피하여 도망할 시온산이셨습니다.

27. 요나

요나가 물고기 뱃속에 사흘 있었던 것처럼, 무덤 속에 사흘 있으실 예수님을 요나는 그림자로 보여주고 있습니다.

28. 미가

예수님은 미가가 말했던 태초부터 존재하신 왕이셨습니다.

29. 나훔

예수님은 나훔이 보았던 "평화를 전하기 위하여 산을 넘으시는 분"이었습니다.

30. 하박국

a. 예수님은 하박국이 노래한 기름부음을 받은 자이셨습니다.

b. 우리는 하박국처럼 "비록 무화과나무가 무성하지 못하며 포도나무에 열매가 없으며 감람나무에 소출이 없으며 밭에 먹을 것이 없으며 우리에 양이 없으며 외양간에 소가 없을지라도"(합 3:17) 오직 예수님을 인하여 기뻐하며 노래해야 할 것입니다.

31. 스가랴

a. 예수님은 스가랴가 말했던 은 삼십에 팔리신 분이셨으며

b. 왕이시면서도 겸손하사 나귀를 타시고 예루살렘에 들어오셨던 분이었습니다.

32. 말라기

a. 예수님은 말라기가 말했던 "그 날개 아래 의와 치료를 가지셨던 태양"이십니다.

B. 신약 성경

1. **마태복음**에서 예수님은 왕이셨습니다.

2. **마가복음**에서 예수님은 종이셨습니다.

3. **누가복음**에서 예수님은 참 사람이셨습니다.

4. **요한복음**에서 예수님은 하나님이십니다.

5. **사도행전**에서 예수님은 성령으로 교회를 세우시고 그 능력으로 선교의 문을 여신 분입니다.

6. **로마서**에서 예수님은 우리의 믿음의 근거가 되시는 분입니다.

7. **고린도전서**에서 예수님은 성령의 은사 부어주심으로 그의 몸 된 교회를 세우시는 분입니다.

8. **고린도후서**에서 예수님은 우리를 날로 새롭게 해주시는 분입니다.

9. **갈라디아서**에서 예수님은 십자가의 능력으로 우리로 하여금 함께 십자가에 못 박히게 하시고, 우리에게 성령의 열매를 맺게 하시는 분입니다.

10. **에베소서**에서 예수님은 우리의 영적 부요의 원천이 되시는 분입니다.

11. **빌립보서**에서 예수님은 가장 낮은 곳에 낮아지시고 하나님께로부터 높임을 받으셔서 그 이름으로 아버지께 영광을 돌리는 분입니다.

12. **골로새서**에서 예수님은 창조의 주님이시며 만물을 유지시키는 분입니다.

13. **데살로니가전서**에서 예수님은 공중에 재림하셔서 교회를 끌어 올리실 분입니다.

14. **데살로니가후서**에서 예수님은 성령의 능력으로 이 땅의 악을 제어하시는 분입니다.

15. **디모데전서**에서 예수님은 하나님과 사람 사이의 유일한 중보가 되시는 분입니다.

16. **디모데후서**에서 예수님은 성경의 권위로 우리를 가르치시는 분입니다.

17. **디도서**에서 예수님은 교회를 다스리시는 분입니다.

18. **빌레몬서**에서 예수님은 전에 원수 되었던 자를 친구가 되게 하시며 종 되었던 자를 친구가 되게 하시는 분입니다.

19. **히브리서**에서 예수님은 우리의 영원한 대제사장이십니다.

20. **야고보서**에서 예수님은 우리로 하여금 영적 성숙으로 행동하게 하시는 분입니다.

21. **베드로전서**에서 예수님은 우리를 왕 같은 제사장으로 세우시는 산 돌이십니다.

22. **베드로후서**에서 예수님은 우리의 믿음에 덕을, 지식을, 절제를, 인내를, 경건을, 형제우애를, 사랑을 공급하게 하셔서 그의 성품에 참여하게 하시는 분입니다.

23. **요한일서**에서 예수님은 우리의 죄를 위한 화목제물이 되셔서 우리로 하나님의 사랑 가운데 거하게 하시는 분입니다.

24. **요한이서**에서 예수님은 우리의 믿음의 분수를 지키게 하시는 절제의 주님이십니다.

25. **요한삼서**에서 예수님은 이단과 싸울 지식을 주시는 진리이십니다.

26. **유다서**에서 예수님은 그 수만의 무리와 함께 재림하실 주님이십니다.

27. **요한계시록**에서 예수님은 교회를 사랑하시고 세우셔서 말세에 승리하게 하시는 분입니다. "아멘 주 예수여 어서 오시옵소서."

성경전서에서 예수님 만나기

100일간 / 구속사적 / 성경통독을 마치면서…
주님께 드리고 싶은 말을 글로 적읍시다.

불신자들도 찾아오는 교회

성도 2명으로 열악한 환경에서 개척해
10여 년 만에 1,300명으로 부흥시킨
삼척큰빛교회의 하나님 이야기!

김성태 목사 지음

평신도가 쓴 새벽기도 365일 도전

새벽기도를 체질화할 수 있는 방법 제시!
30여년 동안 새벽기도인 김남정 집사의
새벽기도 40일/새벽기도 365일 도전법!
1일/1주/40일 특새인은 365일 날새인이 된다

김남정 집사 지음

내 영혼의 편지

따스한 아버지의 사랑!
감격하는 영혼!
시간이 흘러도 바래지 않는 은혜의
편지를 당신에게 드립니다.

전담양 목사 지음

반평의 천국

기적이 일상이 되는 삶의 비결!
반평짜리 간이 침대에서 만난 천국

사방이 막히고 조여드는 고통 속에서도
주님의 사랑이 다시 살린 삶의 이야기!

성화영 선교사 지음

두 자녀를 잘 키운
삼숙씨의 이야기

중·고·대·대학원 수석/장학생으로 키운
엄마의 간증!

정삼숙 사모 지음

엄마, 아빠!
저좀 잘 키워주세요

자식의 장래는 부모의 무릎 교육에 달려 있습니다.
자녀에게 성경적 영적성품을 신앙 유산으로 남겨 주십시
오.자녀는 하나님과 사람들에게 총애받는 인재가 됩니다.

정삼숙 사모 지음

잠언에서 배우는
지혜 12가지

잠언에서 찾은 12가지 지혜 심기!
중·고·대·대학원 수석/장학생으로 키운 엄마의 드림법칙
자녀에게 성경적 지혜를 신앙 유산으로 남겨 주십시오.
자녀는 하나님과 사람들에게 총애받는 인재가 됩니다.

정삼숙 사모 지음

전도 2관왕
할머니의 전도법

1년에 젊은이 100여 명을 교회로 인도한
60대 할머니의 전도법과 주님께 받은 축복들!

박순자 권사 지음

맞춤형 30일간 무릎기도문 시리즈

가정❶ 자녀를 위한 무릎기도문
가정❷ 가족을 위한 무릎기도문
가정❸ 남편을 위한 무릎기도문
가정❹ 아내를 위한 무릎기도문
가정❺ 태아를 위한 무릎기도문
가정❻ 아가를 위한 무릎기도문
가정❼ 재난재해안전 무릎기도문(부모용)
가정❽ 재난재해안전 무릎기도문(자녀용)
가정❾ 십대의 무릎기도문(십대용)
가정❿ 십대자녀를 위한 무릎기도문(부모용)

교회❶ 태신자를 위한 무릎기도문
교회❷ 새신자 무릎기도문
교회❸ 교회학교 교사 무릎기도문

365❶ 우리 부모님을 지켜 주옵소서(365일용)
365❷ 번성하게 하고 번성하게 하소서(365일용)
365❸ 자녀축복 안수 기도문(365일용)

기도❶ 선포(명령) 기도문

자식의 장래는
부모의 무릎에 달려있다

자녀를 위한 구체적인 기도 방법 제시
자녀들의 안전 문제 / 인격 발달 문제
진학 문제 / 은사 계발 문제
사춘기 문제 / 압박감 문제
교우 관련 문제 / 세속화 문제
이성 교제 문제 / 하나님과의 관계 문제

스토미 오마샨 지음

일상생활에서 성령님과
친밀하게 교제하는 비결

오늘 우리의 삶에서 역사하시는
성령님의 인격, 능력, 목적, 사역!

해럴드 J. 살라 지음

망망한 바다 한가운데서 배 한 척이 침몰하게 되었습니다.
모두들 구명보트에 옮겨 탔지만 한 사람이 보이지 않았습니다.
절박한 표정으로 안절부절 못하던 성난 무리 앞에 급히 달려 나온 그 선원이
꼭 쥐고 있던 손바닥을 펴 보이며 말했습니다.
"모두들 나침반을 잊고 나왔기에… "
분명, 나침반이 없었다면 그들은 끝없이 바다 위를 표류할 수 밖에 없을 것입니다.

우리는 삶의 바다를 항해하는 모든 이들을 위하여
그 나침반의 역할을 하고 싶습니다.
우리를 구원하신 위대한 주 예수 그리스도를 널리 전하고 싶습니다.

"하나님은 모든 사람이 구원을 받으며
진리를 아는 데에 이르기를 원하시느니라"
(디모데전서 2장 4절)

성경전서에서
예수님 만나기

지은이 | 정석진 목사
발행인 | 김용호
발행처 | 나침반출판사

제1판 발행 | 2018년 10월 15일

등 록 | 1980년 3월 18일 / 제 2-32호
주 소 | 07547 서울특별시 강서구 양천로 583
         블루나인 비즈니스센터 B동 1607호
전 화 | 본사 (02) 2279-6321 / 영업부 (031) 932-3205
팩 스 | 본사 (02) 2275-6003 / 영업부 (031) 932-3207
홈 피 | www.nabook.net
이 메 일 | nabook@korea.com / nabook@nabook.net

ISBN   978-89-318-1566-5
책번호 다-1129

값은 뒤표지에 있습니다.